DE ZIN VAN HET DUISTER

MICHAEL COX

De zin van het duister

Een bekentenis

Vertaling
Gerda Baardman, Marian Lameris
en Tjadine Stheeman

2006
DE BEZIGE BIJ
AMSTERDAM

De vertaalsters ontvingen voor deze vertaling een werkbeurs van de Stichting Fonds voor de Letteren

Voor de citaten uit het werk van J. Donne is gebruikgemaakt van vertalingen van J. Eijkelboom

Cargo is een imprint van uitgeverij De Bezige Bij, Amsterdam

Oorspronkelijke titel *The Meaning of Night*
Oorspronkelijke uitgever John Murray, Londen
Omslagontwerp Marry van Baar
Omslagillustratie Jeff Cottenden
Foto auteur Jerry Bauer
Vormgeving binnenwerk Adriaan de Jonge
Druk Bariet, Ruinen
ISBN 90 234 2047 0
NUR 305

www.uitgeverijcargo.nl

Voor Dizzy. Voor alles.

Inhoudsopgave

Voorwoord van de bezorger

Het boek dat voor u ligt, nu voor het eerst in druk, is een van de onopgemerkte curiosa van de negentiende-eeuwse literatuur. Het is een merkwaardige mengelmoes: het is niet alleen een bekentenis, van een vaak choquerende openhartigheid, gewetenloze wreedheid en onverbloemde seksualiteit, maar ook een werk met de trekken van een roman. Op een lijstje, behorend bij het Duport-archief in de universiteitsbibliotheek van Cambridge, staat zelfs de opmerking '(Fictie?)'. Een groot aantal van de hier gepresenteerde feiten – namen, plaatsen, gebeurtenissen (waaronder de brute moord op Lucas Trendle) – berusten, voorzover ik kon nagaan, op waarheid; de overige lijken twijfelachtig, opzettelijk vervalst, verdraaid of gewoonweg uit de duim gezogen. Sommige mensen die kortstondig hun opwachting in het verhaal maken, hebben werkelijk bestaan, van anderen is de identiteit onbekend – of niet meer te achterhalen – of figureren wellicht onder een pseudoniem. Zoals de schrijver zelf zegt: 'De grenzen van deze wereld verschuiven voortdurend: van dag naar nacht, van vreugde naar verdriet, van liefde naar haat, en van het leven naar de dood.' En hij had er nog aan toe kunnen voegen: van feit naar fictie.

De identiteit van de schrijver zelf blijft, ondanks zijn wens om het nageslacht zijn daden te bekennen, een intrigerend raadsel. De naam waarvan hij zich bedient, Edward Charles Glyver, komt niet voor in het leerlingenbestand van Eton uit die tijd, en op geen enkele gegevenslijst heb ik die naam of een van zijn pseudoniemen kunnen vinden, ook niet in de adresboeken van de Londense Posterijen uit die jaren. Na lezing van de bekentenissen zal ons dat ook niet verbazen; niettemin wekt het bevreemding dat iemand die zijn ziel en zaligheid onbeschaamd blootlegt, zijn echte naam zo angstvallig geheimhoudt. Een verklaring hiervoor kan ik niet geven, ik merk de tegenstrijdigheid slechts op, in de hoop dat verder onderzoek, wellicht door anderen, het raadsel zal oplossen.

Zijn tegenstander, Phoebus Daunt, daarentegen is zo echt als maar kan. De belangrijkste gebeurtenissen uit zijn leven worden door verscheidene bronnen uit die tijd bevestigd. Zo komt hij wél voor in het leerlingenbestand van Eton en in Venns *Alumni Cantabrigienses* en wordt zijn naam genoemd in verschillende letterkundige memoires – hoewel de annalen zwijgen over zijn vermeend criminele verleden. Toch mocht zijn inmiddels (terecht) vergeten literaire oeuvre, dat voornamelijk uit een aantal hoogdravende historische en mythologische heldendichten en een paar dunne dichtbundels en poëzievertalingen bestaat, zich destijds in een kortstondige populariteit verheugen. Wie nieuwsgierig is geworden naar zijn werk, kan terecht bij een antiquariaat of een gespecialiseerde bibliotheek (eveneens voor zijn vaders uitgave van Catullus, zoals die in de tekst genoemd wordt) en wellicht is het een interessant dissertatie-onderwerp voor een ijverige promovendus.

De tekst is min of meer letterlijk overgenomen uit het unieke, door de auteur eigenhandig geschreven manuscript dat zich in de universiteitsbibliotheek van Cambridge bevindt. In 1948 is het manuscript als onderdeel van een anoniem legaat in de bibliotheek terechtgekomen, samen met andere documenten en boeken die betrekking hebben op het geslacht Duport van Evenwood in Northamptonshire. Het manuscript is goeddeels met een duidelijke, zelfverzekerde hand op gelinieerde groot-quartovellen geschreven, gebonden in donkerrood marokijnleer (door R. Riviere in Great Queen Street) en op de voorkant staat in goudopdruk het wapen van de familie Duport. Afgezien van een aantal passages waarin het handschrift van de auteur slordig wordt, waarschijnlijk door psychologische druk of wellicht als gevolg van zijn opiumverslaving, zijn er relatief weinig doorhalingen, toevoegingen of andere wijzigingen in de tekst. Behalve het relaas van de schrijver zijn er verscheidene toegevoegde documenten en passages van derden.

Stilzwijgend heb ik her en der verbeteringen aangebracht wat betreft spelling, interpunctie en dergelijke, en omdat het manuscript geen titel heeft, leek het me passend om daarvoor een regel uit een gedicht van P. Rainsford Daunt, geciteerd door de auteur, te gebruiken. De vijf verschillende delen, alsmede de vijf secties van het zogenaamde Intermezzo, heb ik eveneens voorzien van een titel.

De soms ietwat raadselachtige Latijnse titels van de zevenenveertig hoofdstukken heb ik onveranderd gelaten (hun eigenaardigheid vond ik karakteristiek voor de auteur), al geef ik wel de vertaling erbij. Op het schutblad van het manuscript staan een stuk of tien citaten uit *Resolves* van Owen Felltham, waarvan ik sommige heb gebruikt als motto bij de vijf delen.

J.J. Antrobus
Hoogleraar post-authentieke Victoriaanse literatuur
Universiteit van Cambridge
Oktober 2005

Zijn mond is gladder dan boter, maar zijn hart is krijg; zijn woorden zijn zachter dan olie, maar dezelve zijn blote zwaarden. PSALM 55:22

Als men een verhaal heeft gehoord, maakt geloof het verschil tussen waarheid en leugen, althans dat is mijn mening.

Owen Felltham, *Resolves or; Excogitations. A Second Centurie* (1628), IV ('Over leugens en onwaarheden')

Want de Dood is de zin van het duister
De eeuwige schaduw
Waarin al wat leeft moet verzinken
Alle hoop moet vervliegen.

P. Rainsford Daunt, 'Uit Perzië', *Rosa Mundi; en andere gedichten* (1854)

Aan mijn onbekende lezer

Stel niet de vraag van Pilatus.
Want ik zocht niet de waarheid maar de betekenis.

E.G.

EERSTE DEEL

Dood van een onbekende
Oktober-november 1854

Welk een wirwar van geplooide zijde
is de onbeheerste mens.

Owen Felltham, *Resolves* (1623), II,
'Over standvastigheid'

1

Exordium*

Nadat ik de roodharige man had vermoord, begaf ik mij naar Quinn's**
om oesters te eten.

Het was verbazingwekkend – haast lachwekkend – eenvoudig geweest. Eerst had ik hem een poosje in Threadneedle-street geobserveerd en daarna was ik hem een eind gevolgd. Ik kan niet zeggen waarom ik speciaal hem had uitgekozen, en niet een van de anderen op wie mijn zoekende blik die avond was blijven rusten. Al ruim een uur had ik door de buurt gelopen met slechts één doel voor ogen: iemand vinden om te vermoorden. Toen zag ik hem voor de ingang van de Bank of England staan tussen een drom voetgangers die wachtte tot de paardenmestruimer zijn werk had gedaan. Op de een of andere manier viel hij op tussen de eender geklede boekhouders en banklieden die het gebouw uit stroomden. Hij sloeg de haastig heen en weer lopende mensen gade, alsof hij over iets nadacht. Even leek het erop dat hij weer naar binnen zou gaan, maar nee, hij trok zijn handschoenen aan, keerde het oversteekpunt de rug toe en zette stevig de pas erin. Enkele tellen later ging ik hem achterna.

Gestaag vorderden we door de gure oktoberkou en de dikker wordende mist in westelijke richting. Nadat we Ludgate-hill waren afgelopen en naar Fleet-street waren overgestoken, bleven we een eind doorlopen totdat mijn slachtoffer uiteindelijk, na eerst in een koffiehuis nog wat te hebben gedronken, een smal straatje insloeg dat een doorsteek was naar The Strand, eigenlijk meer een steegje met aan weerszij-

* 'Een inleiding tot een verhandeling of uiteenzetting.' JJA

** Een schaal- en schelpdierenzaak annex restaurant op Haymarket 40. JJA

den hoge blinde muren. Ik wierp een blik omhoog op het verweerde straatbordje – *Cain-court* – en bleef even staan om mijn handschoenen uit te trekken en het lange mes uit de binnenzak van mijn overjas te halen.

Mijn nietsvermoedende slachtoffer vervolgde zijn weg; maar nog voordat hij aan het einde bij het trappetje was, was ik hem geruisloos achterop gekomen en had het wapen diep in zijn hals gestoken.

Ik had gedacht dat hij door de kracht van de stoot terstond voorover zou vallen, maar merkwaardig genoeg zakte hij met een zacht gekreun door zijn knieën, zijn armen langs zijn zij, terwijl zijn wandelstok kletterend op de grond terechtkwam. Zo bleef hij enige tellen zitten, als een vrome kerkganger voor het altaar.

Toen ik het mes terugtrok, deed ik een stap naar voren en op dat moment zag ik voor het eerst dat zijn haar, dat onder zijn hoed uitkwam, evenals zijn keurig bijgeknipte bakkebaarden, een opvallend rode kleur had. Voordat hij langzaam opzij zakte, keek hij me nog even aan: en hij keek niet alleen, hij glimlachte ook – ja, heus – al denk ik achteraf dat het een onwillekeurige spiertrekking was, teweeggebracht door het terugtrekken van het mes.

In het schijnsel van een smalle baan zachtgeel licht, afkomstig van de gaslantaarn die boven het trapje van het steegje hing, lag hij in een langzaam uitdijende plas donker bloed die vreemd contrasteerde met de peentjeskleur van zijn haar en bakkebaarden. Hij was dood, morsdood.

Ik bleef even staan en keek om me heen. Hoorde ik soms achter me een geluid, in de donkere hoekjes van de steeg? Had iemand me gezien? Nee, er bewoog niets. Ik trok mijn handschoenen weer aan en liet het mes door een rooster vallen, waarna ik er met gezwinde pas vandoor ging, het zwak verlichte trapje af, en in de omhullende, anonieme menigte van The Strand verdween.

Nu wist ik dat ik het kon; alleen gaf het me geen voldoening. De arme drommel had me niets gedaan. Niet alleen het lot had hem tegengezeten, maar ook zijn haarkleur, die, zoals ik nu besefte, zijn fatale onderscheidingsteken was geweest. Zijn route van die avond, die toevallig samenviel met de mijne in Threadneedle-street, had hem het onbedoelde slachtoffer gemaakt van mijn onherroepelijke drang om iemand te vermoorden; als hij er niet toevallig was geweest, was het iemand anders geworden.

Tot vlak voor het moment dat ik toestak, wist ik niet zeker of ik tot zo'n gruweldaad in staat was, en het was van het allergrootste belang dat ik die vraag eens en voor altijd beantwoordde. Het doden van de roodharige man was onderdeel van zoiets als een proef, een experiment, om mezelf te bewijzen dat ik een mens van het leven kon beroven en er ongestraft mee weg kon komen. Wanneer ik de volgende keer wel in woede toesloeg, moest ik met dezelfde snelle, trefzekere vastberadenheid te werk gaan; maar dan zou het een gerichte daad zijn, niet op een onbekende maar op de man die ik mijn vijand noem.

En dat mocht niet mislukken.

Het eerste woord waarmee ik mezelf door iemand hoorde beschrijven, was 'vindingrijk'.

Dat zei Tom Grexby, mijn dierbare oude schoolmeester, tegen mijn moeder. Ze stonden onder de oude kastanje die het tuinpaadje naar ons huis beschaduwde. Ik zat boven in de boom, knus verstopt in een nest van takken dat ik mijn kraaiennest noemde. Daarvandaan kon ik helemaal over de top van de kliffen naar de zee erachter kijken, en mijmerde dan urenlang over de dag dat ik op mijn schip voorbij de grote boog van de einder zou varen om te ontdekken wat daar was.

Op die bewuste dag – warm, roerloos en stil – keek ik naar mijn moeder, die over het tuinpad naar het hek liep, een opengeklapt kanten parasolletje over haar schouder. Toen ze bij het hek was, kwam Tom net uit de kerk hijgend de heuvel opgelopen. Kort daarvoor was ik bij hem in de klas gekomen, en ik nam aan dat mijn moeder hem vanuit het huis had zien lopen en opzettelijk naar buiten was gekomen om te informeren naar mijn vorderingen.

'Het is,' zei hij in antwoord op haar vraag, 'een uiterst vindingrijke jongeman.'

Later vroeg ik haar wat 'vindingrijk' betekende.

'Dat betekent dat je weet hoe je iets voor elkaar moet krijgen,' zei ze, en vanbinnen was ik blij dat het een eigenschap bleek te zijn die in de grotemensenwereld werd gewaardeerd.

'Was papa ook vindingrijk?' vroeg ik.

Daarop gaf ze geen antwoord, ze zei dat ik maar fijn moest gaan spelen, want ze moest weer aan het werk.

Toen ik nog heel klein was, kreeg ik vaak van mijn moeder te horen – vriendelijk maar beslist – dat ik 'maar fijn moest gaan spelen', waardoor ik me soms uren achtereen in mijn eentje moest zien te vermaken. In de zomer zat ik dikwijls te dagdromen tussen de takken van de kastanje, en soms ging ik samen met Beth, onze dienstmeid, op speurtocht langs het strand onder aan het klif; in de winter zat ik met een oude geruite sjaal om me heen op de vensterbank van mijn kamer. Daar droomde ik met Wanleys *Wonders of the Little World*,* *Gullivers Reizen* en *De Pelgrimsreizen* (waar ik bijzonder aan gehecht was en dat me mateloos boeide) op mijn schoot, totdat ik er hoofdpijn van kreeg, terwijl ik bij tijd en wijle uitkeek over het grauwe water en me afvroeg hoe ver achter de horizon, en in welke richting, het Land van de Houyhnhnms lag, of de Stad Verderf, en of het mogelijk zou zijn om er vanuit Weymouth op een pakketboot heen te varen zodat ik het allemaal met eigen ogen kon zien. Waarom de Stad Verderf me zo aanlokkelijk toescheen, kan ik met geen mogelijkheid zeggen, want ik griezelde van de voorspelling van de hoofdpersoon Christen dat de plaats door vuur uit de hemel verteerd zou worden, en vaak verbeeldde ik me dat ons dorpje hetzelfde lot zou treffen. Mijn hele kindertijd lang spookten, zonder aanwijsbare reden, de woorden die de Pelgrim tot Evangelist sprak door mijn hoofd: 'Ik verneem uit dit boek in mijn hand, dat het mij gezet is te sterven, en daarna het oordeel, en ik bevond, dat ik tot het eerste niet gewillig en tot het tweede niet bekwaam ben.' Die woorden mochten dan moeilijk te begrijpen zijn, toch wist ik

* Nathaniel Wanley (1634-1680). Het boek is voor het eerst in 1678 verschenen met als ondertitel 'Een algemene historie van de mens in zes boeken. Waarin aan de hand van duizenden voorbeelden wordt getoond hoe de mens is geweest vanaf het ontstaan der wereld tot aan de huidige tijd... Verzameld uit de geschriften der meest vooraanstaande historici, filosofen, artsen, filologen en anderen.' JJA

dat ze een gruwelijke waarheid uitdrukten, en als ik in mijn takkennest zat of in mijn bed lag of over het winderige strand onder aan de kliffen dwaalde, zei ik die woorden steeds maar weer in mezelf, als een soort occulte bezweringsformule.

Ook droomde ik van een plaats, even fantastisch en onbereikbaar, en het vreemde was dat ik ergens vaag het idee had dat ik er was geweest en het me nog kon herinneren, als een smaak die op je tong achterblijft. In die droom stond ik voor een prachtig bouwwerk, een kruising tussen een kasteel en een paleis, het onderkomen van een eeuwenoud volk, zo dacht ik, een puntig geheel van rijk bewerkte spitsen, gekanteelde torentjes en wonderlijke grijze donjons, bekroond met merkwaardige koepelachtige vormen, die oprezen in de lucht – zo hoog dat het wel leek of ze het hemelgewelf doorboorden. En in mijn dromen was het altijd zomer – een volmaakte, eeuwigdurende zomer, en er waren witte vogels en een mooie donkere visvijver omgeven door hoge muren. Dit betoverende oord had geen naam en geen plaats; in werkelijkheid noch in mijn fantasie. Het was niet zo dat ik erover in een boek had gelezen of het uit een verhaal had dat me was voorgelezen. Wie er woonde – een koning of een kalief – wist ik niet. Toch wist ik zeker dat het ergens op aarde bestond, en dat ik het op een goede dag met eigen ogen zou aanschouwen.

Mijn moeder was altijd aan het werk, want haar literaire inspanningen vormden onze enige bron van inkomsten; mijn vader was namelijk kort voor mijn geboorte overleden. Als ik aan haar denk, zie ik steevast een beeld voor me van grijs doorregen lokjes die aan haar mutsje waren ontsnapt en over haar wang vielen terwijl ze voorovergebogen aan de grote vierkante werktafel zat die voor het raam van de salon stond. Daar zat ze vaak uren achtereen, soms tot diep in de nacht, driftig te schrijven. Zodra de ene wankele stapel papier af was en naar de uitgever verzonden was, begon ze direct aan een nieuwe. Haar oeuvre (te beginnen met *Edith, of: De Laatste der Fitzalans*, uit 1826) is in vergetelheid geraakt – het zou een belediging aan haar nagedachtenis zijn als ik zou zeggen terecht, maar in haar dagen genoot haar werk een zekere populariteit; er waren in ieder geval zoveel lezers dat Colburn* haar schrijf-

* Henry Colburn (overl. in 1855), uitgever en oprichter van de *Literary Gazette*. JJA

sels jaar in jaar uit, tot aan haar dood, bleef publiceren (meestal anoniem en soms onder haar *nom de plume* 'Een Dame uit het Westen').

Maar hoe hard en lang ze ook werkte, ze maakte altijd even tijd voor me vrij voordat ik ging slapen. Dan zat ze op de rand van mijn bed, met een vermoeide glimlach op haar lieve elfjesgezicht naar me te luisteren terwijl ik plechtig mijn lievelingspassages voorlas uit mijn dierbare vertaling van *Les mille et une nuits* van Monsieur Galland,* en soms vertelde ze zelfverzonnen verhaaltjes, of misschien waren het haar eigen herinneringen aan haar kindertijd in West-Engeland, waar ik maar geen genoeg van kreeg. Op zomeravonden wandelden we weleens hand in hand naar de top van het klif om naar de zonsondergang te kijken, en dan stonden we zwijgend naast elkaar te luisteren naar het desolate krijsen van de meeuwen en het zachte kabbelen van de golven in de diepte, en over het warm gekleurde water te turen naar de mysterieuze horizon in de verte.

'Daar ligt Frankrijk, Eddie,' weet ik nog dat ze een keer zei. 'Dat is een groot en prachtig land.'

'En wonen daar ook Houyhnhnms, mama?' vroeg ik.

Ze lachte even.

'Nee, schat,' zei ze. 'Alleen maar mensen, zoals jij en ik.'

'En bent u weleens in Frankrijk geweest?' was mijn volgende vraag.

'Eén keertje,' was het antwoord. Ze zuchtte. 'Maar ik zal er nooit meer heen gaan.'

Toen ik naar haar omhoog blikte, zag ik tot mijn verbijstering dat ze huilde, wat ik haar nog nooit had zien doen. Maar meteen daarop klapte ze in haar handen en zei dat ik naar bed moest, waarop ze me oppak-

* De Franse oriëntalist, Antoine Galland (1646-1715) heeft de eerste westerse vertaling van de Vertellingen van duizend-en-één-nacht gemaakt, die tussen 1704 en 1717 in twaalf delen is verschenen onder de titel *Les mille et une nuits.* Het was een doorslaand succes, en kreeg navolging in verschillende andere Europese talen, waaronder de eerste Engelse vertaling van Gallands tekst, die tussen 1706 en 1708 anoniem is verschenen en bekend is geworden als de 'Grub Street versie', ongetwijfeld dezelfde uitgave als waarnaar de schrijver hier verwijst. Het was een gebrekkige, saaie vertaling die desalniettemin voor verscheidene generaties Engelse lezers tot aan de Romantische dichters aan toe een inspiratiebron vormde. JJA

te en naar huis droeg. Onder aan de trap gaf ze me een zoen en zei dat ik haar allerliefste jongen was. Daarna draaide ze zich om en liet mij op de onderste traptree achter, en ik keek hoe ze terugliep naar de salon, aan haar werktafel ging zitten en voor de zoveelste keer haar pen in de inkt doopte.

Jaren later kwam de herinnering aan die avond opeens weer bij me boven, en sindsdien is ze me bijgebleven. Ik zat in Quinn's, trekkend aan mijn sigaar, en liet mijn gedachten gaan over hoe vreemd het in het leven soms kan lopen; over de dunne doch onbreekbare draden van oorzaak en gevolg die mijn ijverig schrijvende moeder, al die jaren terug, onlosmakelijk verbonden – want zo was het – met de roodharige man die nu nog geen halve kilometer verderop dood lag in Cain-court.

Helemaal licht in het hoofd, omdat niemand me had betrapt, liep ik langs de rivier. Maar toen ik mijn halve penny aan de tolgaarder op Waterloo Bridge betaalde, merkte ik dat mijn handen beefden en dat mijn mond, ondanks de verfrissingen bij Quinn's, zo droog als vloeipapier was. Onder een flakkerende gaslantaarn moest ik even tegen de brugleuning blijven staan, want ik werd opeens door duizeligheid overmand. De mist hing dicht boven het donkere water in de diepte, dat tegen de pijlers van de enorme weergalmende bogen kabbelde en klotste, en een uiterst naargeestige muziek voortbracht. Uit de rondwervelende mist stapte een magere jonge vrouw met een kindje in haar armen. Ze bleef even afwezig in het duister staren. Op haar gezicht zag ik duidelijk een uitdrukking van wezenloze wanhoop, en meteen wist ik dat ze van de brug wilde springen; maar toen ik op haar af liep, wierp ze me een verwilderde blik toe, drukte het kindje dicht tegen haar borst, en rende weg. Ik keek haar meelijwekkende spookachtige gestalte na die in de mist verdween.* Een leven gered, hoopte ik, al was het maar voorlopig; maar misschien maakte het iets goed van mijn daad eerder die avond.

U moet begrijpen dat ik niet van nature een moordenaar ben, maar

* Waterloo Bridge werd ook wel de 'Brug der Zuchten' genoemd, vanwege het grote aantal zelfmoordenaars die van deze brug hun dood tegemoet sprongen. JJA

door de omstandigheden daartoe werd gedwongen: een eenmalige zondaar. Er was geen noodzaak deze proeve van moorddadigheid over te doen. Ik had bewezen wat ik wilde bewijzen: dat ik voldoende wilskracht bezat om een dergelijke daad uit te voeren. De onschuldige roodharige onbekende had zijn taak vervuld, en ik was klaar voor wat er nu gebeuren moest.

Ik liep naar de Surrey-kant van de brug, keerde om en liep weer terug. Maar toen besloot ik in een plotse opwelling weer langs de slagboom te gaan en dezelfde weg terug te nemen, langs The Strand, in plaats van naar mijn kamer te gaan. Onder aan het trappetje dat naar Cain-court leidde, dat ik nog geen twee uur daarvoor was afgegaan, had zich een mensenmenigte verzameld. Ik vroeg aan een bloemenverkoopster wat de reden van alle ophef was.

'Moord, mijnheer,' antwoordde ze. 'Een onfortuinlijk heer is op zeer gruwelijke wijze om hals gebracht. Ze zeggen dat zijn hoofd bijna van zijn romp was gescheiden.'

'Lieve hemel,' riep ik uit met een gezicht waar, hoopte ik, diepe geschoktheid op stond te lezen. 'In wat voor wereld leven we toch? Is er al iemand aangehouden?'

Dat kon mijn informante niet met zekerheid zeggen. Vlak voordat het lijk was gevonden, had men een Chinese matroos uit het steegje zien wegrennen; anderen beweerden dat een paar straten verderop een vrouw met een bebloede bijl in versufte toestand was aangetroffen en door de sterke arm was afgevoerd.

Bedroefd schudde ik mijn hoofd en vervolgde mijn weg.

Het kwam mij uiteraard goed van pas dat uit de lucht gegrepen geruchten reeds een web van geheimzinnigheid en verzinselen rond de waarheid sponnen. Voor mijn part mocht die Chinese matroos of de vrouw met de bebloede bijl, als ze inderdaad bestonden, voor mijn daad opdraaien en die met de dood bekopen. Ik was bestand tegen elke verdachtmaking. Niemand had me het donkere, verlaten steegje zien in- of uitgaan; daar had ik nauwkeurig op gelet. Het mes was van een veelvoorkomende soort, voor het doel ontvreemd uit een herberg aan de andere kant van de rivier in Borough High-street, waar ik nog nooit was geweest en ook nooit meer zou komen. Mijn anonieme slachtoffer was een volslagen vreemde voor me; alleen het noodlot verbond ons.

Op mijn kleren kon ik geen bloedsporen ontwaren; en de nacht, de beste vriendin van de misdaad, had haar medeplichtige mantel over alles heen geworpen.

Tegen de tijd dat ik Chancery-lane had bereikt sloegen de klokken elf uur. Daar ik nog steeds geen lust had naar mijn eigen eenzame bed te gaan, liep ik in noordelijke richting, naar Blithe Lodge, in St John's Wood, met de bedoeling mejuffrouw Isabella Gallini, heerlijke herinnering, met een bezoekje te vereren.

Ach, Bella! Bellissima Bella! Ze begroette me op haar gebruikelijke manier in de deuropening van de achtenswaardige, achter bomen verscholen villa en omvatte mijn gezicht met haar lange, zwaarberingde vingers en fluisterde: 'Eddie, lieve Eddie, wat heerlijk,' terwijl ze me zacht op beide wangen kuste.

'Alles rustig in huis?'

'Doodstil. De laatste is een uur geleden vertrokken, Charlie slaapt, en mevrouw D is nog niet terug. We hebben het hele huis voor onszelf.'

Boven ging ik op het bed liggen om te kijken hoe zij zich uitkleedde, iets wat ik al talloze malen eerder had gedaan. Ik kende elke centimeter van haar lichaam, elk warm, geheim plekje. Toen ik zag dat het laatste kledingstuk op de vloer viel en zij trots voor me stond, kreeg ik het idee dat ik haar voor het eerst in al haar nog onbeproefde glorie meemaakte.

'Zeg het,' zei ze.

Ik wendde verbaasde onwetendheid voor.

'Wat moet ik zeggen?'

'Dat weet je best, plaaggeest. Zeg het.'

Ze liep op me af, heur haar was losgemaakt en viel golvend over haar schouders en rug. Toen ze bij het bed was, nam ze mijn gezicht weer in haar handen en liet haar waterval van donkere lokken over mij heen spoelen.

'O mijn Amerika,' declameerde ik theatraal, 'o nieuwe sferen.'*

* Uit John Donne, 'Elegie XIX: To his Mistris Going to Bed'. JJA

'O, Eddie,' kirde ze verrukt. 'Ik vind het zo opwindend als je dat zegt! Ben ik echt jouw Amerika?'

'Mijn Amerika en nog meer. Je bent mijn wereld.'

Waarop ze zich vastberaden op me wierp en me zo heftig kuste dat het me de adem benam.

Het etablissement waar Bella de onbetwiste ster was, was niet te vergelijken met een doorsnee huis van lichte zeden; het was zelfs zo exclusief dat de *cognoscenti* het simpelweg 'De Academie' noemden. Uit het bepaald lidwoord kon worden afgeleid dat het hoog boven de andere rivaliserende etablissementen was verheven, en het was een trotse verwijzing naar de superioriteit van de bewoners en de diensten die er werden verleend. Het werd gedreven volgens de principes van een uiterst exclusieve sociëteit – een Boodle's of White's* van het vlees – en voorzag in de amoureuze behoeften van een zeer vooraanstaande, kieskeurige, bemiddelde clientèle. Net als bij zijn tegenhangers, zoals het concurrerende St James's, was er een strenge ballotage en golden er strikte gedragsregels. Men kreeg alleen toegang tot deze chique coterie door de ondubbelzinnige voordracht van een lid, gevolgd door een stemming; het kwam regelmatig voor dat er werd tegengestemd en als een voordracht in welk opzicht dan ook twijfels opriep, hing zowel het aspirant-lid als de voordrager directe uitzetting of erger boven het hoofd.

Mevrouw Kitty Daley, die door de leden mevrouw D werd genoemd, was de uitbaatster van dit beroemde, uiterst winstgevende Cyprische** lustoord. Ze zag er streng op toe dat er beschaafd met elkaar werd omgegaan: schelden, vloeken en dronkenschap waren uit den boze, en de jongedames moesten beleefd en met respect worden behandeld, anders volgden er zware sancties. De boosdoener werd direct geroyeerd en publiekelijk aan de schandpaal genageld; vervolgens kreeg hij een bezoekje van de heer Herbert Braithwaite, een vermaard oud-bokser,

* Boodle's, een herenclub met een semi-politiek karakter aan St James's Street 28; White's (oorspronkelijk White's Chocolate House, opgericht aan het einde van de zeventiende eeuw) was ook een vermaarde club aan St James's Street 37-38. JJA

** Een bijvoeglijk naamwoord in de betekenis van liederlijk of wellustig, ontleend aan het eiland Cyprus, dat bekend was om zijn Aphrodite-verering. JJA die zijn eigen zeer doeltreffende manier had om klanten van de ernst van hun misstap te doordringen.

Signor Prospero Gallini, Bella's vader, een verarmde telg uit een adellijke Italiaanse familie, was na zware financiële tegenslag in 1830 naar Engeland gekomen om de schuldeisers uit zijn vaderland te ontvluchten en had zich in Londen als schermleraar gevestigd. Hij was weduwnaar en vreemdeling, maar zijn enige dochter moest van hem alle kansen krijgen die zijn beperkte middelen hem toestonden, met als gevolg dat zijn dochter verschillende Europese talen vloeiend sprak, uitzonderlijk goed kon pianospelen en een prachtige zangstem had. Kortom, haar culturele ontwikkeling was even groot als haar schoonheid.

Toen ik pas in Londen was, had ik korte tijd bij Signor Gallini en zijn charmante dochter op kamers gewoond. Na zijn dood had ik een onregelmatige maar vriendschappelijke briefwisseling met Bella gevoerd, omdat ik het als mijn plicht voelde als een soort broer over haar te waken, uit dankbaarheid voor de vriendelijkheid die ik van haar vader had ontvangen. De schamele erfenis van Signor Gallini was niet toereikend, waardoor Bella gedwongen was het huis in Camberwell, waar haar vader zijn oude dag had doorgebracht, te verlaten en in dienst te treden als gezelschapsdame van een mevrouw in St John's Wood, met wie we reeds hebben kennisgemaakt. Bella had geschreven op een advertentie voor deze positie, mevrouw D's gebruikelijke manier om haar stal raspaardjes van vers bloed te voorzien. Slechts een handjevol gegadigden kon de goedkeuring van mevrouw D's kritische oog wegdragen; van Bella was ze direct gecharmeerd geweest, en Bella was niet in het minst geschokt toen ze de werkelijke aard van haar werkzaamheden vernam. Ze begon haar loopbaan als jongste ingezetene van het koninkrijkje dat De Academie was, maar ze klom al snel op omdat ze uitzonderlijk mooi, getalenteerd en discreet was, en zo gewillig als een man zich maar kon wensen. Bestond er zoiets als een roeping voor dit soort werk, dan bezat Bella Gallini die.

Nadat ze haar intrek in Blithe Lodge had genomen, bleven we elkaar nog enkele jaren, zij het met tussenpozen, brieven schrijven. Om de paar maanden stuurde ik haar een episteltje waarin ik vroeg hoe het met haar ging en of ze nog iets nodig had, en altijd antwoordde ze dat het heel goed met haar ging, dat haar werkgeefster de vriendelijkheid zelve was, en dat ze niets nodig had. Op een dag, in de eerste maanden van 1853, was ik toevallig in de buurt van St John's Wood en besloot om even bij haar aan te gaan, om met eigen ogen te zien dat het goed met haar ging, en ook (moet ik bekennen) om mijn nieuwsgierigheid te bevredigen dat ze nog even mooi was als ik me herinnerde.

Ik werd een elegante salon binnengelaten, ingericht met smaak en geld. De deur ging open, maar het was niet Bella die binnenkwam. Twee giechelende jongedames, zich onbewust van de aanwezige bezoeker, stormden de salon in. Toen ze me ontwaarden, bleven ze staan, bekeken me van top tot teen, en keken vervolgens elkaar aan. Het was een oogverblindend stel, de ene blond, de andere donker; en beiden hadden ze die onmiskenbare uitstraling. Die had ik al talloze keren gezien, maar zelden in zo'n weelderige omgeving.

Ze boden hun excuses aan (onnodig: ik had hun elke vrijpostigheid vergeven) en wilden zich net terugtrekken toen er een derde vrouw in de deuropening verscheen.

Ze was nog net zo mooi als ik me herinnerde; gekleed naar de laatste mode, chic gekapt en behangen met sieraden, en ze had nog steeds die natuurlijke gracieuze manier van bewegen. Ze trad me tegemoet met diezelfde warme, hartelijke blik als waarmee ze me de eerste keer had begroet in haar vaders huis. Nadat haar mooie gezellinnen waren vertrokken, liepen we de tuin in en praatten honderduit, we waren immers oude vrienden, totdat een dienstmeisje uit het huis kwam om Bella mee te delen dat er een bezoeker op haar wachtte.

'Kom je nog eens langs?' vroeg ze. 'Volgens mij heb ik alleen maar over mezelf gepraat, maar ik ben ook zeer benieuwd hoe het jou is vergaan en wat je toekomstplannen zijn.'

Meer aansporing had ik niet nodig, en ik zei dat ik de volgende dag terug zou komen, als dat schikte.

Geen van beiden hadden we iets gezegd over wat zich achter de deuren van Blithe Lodge afspeelde; dat was ook niet nodig. Uit mijn blik en toon kon ze afleiden dat ik haar werkzaamheden allerminst schokkend of walgelijk vond; en ik had met eigen ogen gezien dat ze inderdaad niets tekort kwam – zoals ze me zo vaak had verzekerd – en dat haar uitspraak dat ze tevreden was met haar lot niet geveinsd was.

De volgende dag kwam ik terug, en werd voorgesteld aan mevrouw

D. De week daarop was ik te gast op een soirée, waar zich de fine fleur van de hoofdstedelijke geslaagde zakenlieden had verzameld. Langzaam maar zeker werden mijn bezoekjes frequenter en begon mijn broederlijke bezorgdheid over te gaan in iets van meer intieme aard. Omdat ik speciale vrijstelling genoot, werd van mij niet verlangd dat ik een bijdrage leverde aan het huishoudinkomen. 'Je bent hier altijd van harte welkom, lieve jongen,' zei mevrouw D bij wie ik spoedig een grote favoriet was geworden, 'zolang je Bella maar niet van haar werkzaamheden houdt.'

Mevrouw D was een kinderloze weduwe en had daarom al geruime tijd geleden laten vastleggen dat Bella, die als een dochter voor haar was, op den duur de heerschappij over dit welvarende rijk der zinnen zou overnemen. Om die reden noemde ik haar soms mijn kroonprinsesje, en als ik haar de vette jaren voorspiegelde die zouden aanbreken na het onvermijdelijke verscheiden van de nu eenenzestigjarige mevrouw D en Bella's aansluitende opvolging, verscheen er een tevreden lachje op haar gezicht.

'Ik denk er liever niet te veel over na,' zei ze toen we na het voorval in Cain-court in het donker naast elkaar lagen en het over de naderende pensionering van mevrouw D hadden, 'want ik ben erg gesteld op Kitty en ze is altijd bijzonder aardig voor me geweest. Maar toch, onwillekeurig verheug ik me toch wel op het vooruitzicht, al verdien ik het eigenlijk niet.'

Goedmoedig berispte ik haar om haar gewetensbezwaren en zei dat het dwaasheid was – erger nog – om te denken dat we ons geluk niet waard zijn, vooral als we er recht op hebben. Ze kuste me en trok me dicht tegen zich aan, maar ik voelde me plotseling eenzaam en verlaten. Want was ik ook niet een erfgenaam, en nog wel van een veel groter rijk dan het hare? Alleen was míjn erfenis mij ontnomen en was er geen enkele mogelijkheid om er nog aanspraak op te maken. Dat was al moeilijk te verkroppen, maar daar kwam bij dat ik door een welbewuste daad van verraad een nog groter verlies had geleden, waardoor al mijn hoop op eerherstel was vervlogen. Het cliché wil dat mensen een gebroken hart hebben. Een hart breekt echter niet; het klopt gewoon door, het bloed blijft stromen, zelfs in de bittere nadagen van het verraad. Maar er breekt wél iets als men een onbeschrijflijke pijn lijdt; een verbinding die er ooit was met licht en hoop en zonnige ochtenden, wordt dan onherstelbaar doorgesneden.

Het liefst had ik mijn mantel van leugens en dat lachende masker van zorgeloosheid afgeworpen, waarachter ik mijn schuimende, kokende razernij verborg. Maar ik kon Bella niet de waarheid over mijzelf vertellen, noch hoe ik ertoe was gekomen die avond een onbekende in Cain-court om het leven te brengen. Want in de storm van tegenslag en gevaar, waarvan ze niets wist, was ze de enige liefdevolle constante in mijn leven geworden; maar ook zij was verraden, alleen wist ze dat niet. Ik was haar al kwijt maar ik kon haar niet laten gaan – nog niet – en haar evenmin bekennen wat ik u nu beken, mijn onbekende lezer.

Slechts één mens weet wat ik Bella niet kan vertellen. En het zal niet lang duren of ook hij komt erachter hoe vindingrijk ik kan zijn.

2

Nominatim*

Ik had een onrustige nacht gehad, me bewust van het zachte, warme lichaam van Bella dat tegen het mijne lag gedrukt terwijl ik op de grens van slapen en waken verkeerde. Hoewel er af en toe iets van angst opspeelde, bleef ik ervan overtuigd dat niemand mij in verband kon brengen met mijn slachtoffer, en dat ik mijn proefmoord ongezien had gepleegd. Elke gedachte aan de man die ik als man had vermoord, had ik steeds welbewust onderdrukt, waardoor ik haast onverschillig tegenover de gruwelijkheid van mijn pas gepleegde daad stond. Ik was schuldig, maar toch had ik geen last van schuldgevoelens. Wel was het zo dat als ik even mijn ogen sloot, er beelden van de roodharige onbekende voor me verschenen; maar ook in deze schemertoestand, tussen waken en slapen, waarin het geweten dikwijls gruwelen uit de krochten van ons wezen opdiept, voelde ik nog steeds geen walging over mijn daad.

Achteraf vond ik het opmerkelijk dat ik in gedachten niet naar het fatale moment zelf terugkeerde, toen het mes in het zachte vlees van mijn slachtoffer drong, maar dat ik mezelf steeds achter de man door een donker, verlaten steegje zag lopen. Zo nu en dan passeerden we een streep ziekelijk geel licht die uit een openstaande deur in een hoog raamloos gebouw viel. Daarna liepen we weer door het donker. Elke keer dat ik in een onrustige slaap viel, kwam ik in deze eindeloze ommegang door donkere, onbekende straten terecht. Zijn gezicht kon ik niet zien; hij had steeds zijn rug naar me toegekeerd tijdens onze tocht van de ene oase van gelig licht naar de volgende. Vlak voor het ochtendkrieken, toen ik wegsoesde, zag ik hem opnieuw.

* 'Bij naam'. JJA

Het was een stille, warmlome middag en we zaten in een kleine roeiboot, die hij traag over de kalme rivier roeide. Ik lag achter in het bootje, mijn ogen strak gericht op zijn rugspieren die zich met elke roeibeweging onder zijn jas spanden. In weerwil van de mooie dag had hij dezelfde kleren aan als op die koude oktoberavond, ook zijn handschoenen, sjaal en zwarte hoge hoed. Toen we een vaargeul invoeren, liet hij de riemen op het water rusten, draaide zich naar me om en glimlachte.

Maar het was niet het gezicht van mijn naamloze slachtoffer. Het was het gezicht van Phoebus Rainsford Daunt, de man wiens leven ik zo verbeten wilde beëindigen.

Ik liet Bella slapen en drukte, zoals ik altijd in zo'n geval deed, een kusje op haar rozige wang bij wijze van afscheid en ging op weg naar mijn kamers. Het werd al licht boven de ontwakende stad en overal om me heen waren de geluiden van de zich roerende Grote Leviathan: het gerammel van melkbussen; een loeiende kudde ossen die door de lege straten werd gedreven; de vroege kreet 'Verse waterkers!' toen ik in de buurt van de Farringdon-markt kwam. De kerkklokken sloegen zes uur, ik bleef bij een koffiekraam naast de ingang van de markt staan om mijn handen te warmen, want het was een frisse ochtend; de man keek me verontwaardigd aan, maar ik verblikte niet en uiteindelijk trok hij zich verwensingen mompelend terug.

Toen ik bij Temple Bar kwam overwoog ik nog even om opnieuw naar de plek van mijn recente treffen met de roodharige man te lopen, om me ervan te vergewissen dat alles in orde was; maar koos toch voor ontbijt en schone kleren. Op de hoek van Temple-street, Whitefriars, ging ik de donkere smalle trap op die vanaf de straat naar de bovenste verdieping van mijn pension voerde en van daar betrad ik een lange, betimmerde zitkamer onder de hanenbalken.

Ik woonde er alleen, het enige bezoek dat kwam was van vrouw Grainger, die op gezette tijden enkele bescheiden huishoudelijke taken verrichtte. Mijn schrijftafel was bezaaid met papier en opschrijfboekjes; het grootste deel van de vloer werd bedekt door een ooit fraai, inmiddels verschoten oosters tapijt, en in de kamer stonden her en der meubels die ik uit mijn moeders huis in Dorset had laten overkomen. Vanuit dit vertrek kwam een deur uit op een pijpenla, mijn slaapkamer, die licht kreeg uit een klein dakraam, en daarachter bevond zich een nog kleinere ruimte – weinig meer dan een kast – die dienst deed als klerenkast en cabine de toilette.

Het gezicht dat me aankeek in het gebarsten spiegeltje op een plank boven de wastafel in dit hok kwam mij, in mijn onbevooroordeelde ogen, niet voor als het gezicht van een kille moordenaar. De ogen keken vriendelijk terug, met kalme concentratie. Dit was een betrouwbaar gezicht, een gezicht om je op te verlaten; toch had ik een ander mens uit de weg geruimd, op bijna even achteloze wijze als ik een insect zou doodslaan. Was ik dan soms een misleidende duivel in mensengedaante? Nee, ik was maar gewoon een mens, een mens met het hart op de juiste plaats, dat zeker, die zich geroepen voelde recht te doen wedervaren. Ik vond dat door de wrede tegenspoed die mijn leven kenmerkte, althans zo zag ik het destijds, mij niets kon worden aangerekend, zelfs moord niet. Voor mij was deze kracht de Meestersmid, die onafgebroken de ketenen smeedde die al mijn handelen bepaalden. Ik geloofde dat het in de sterren stond geschreven dat ik, koste wat kost, mijn rechtmatige bezit moest terugvorderen.

Ik tuurde opnieuw in de spiegel. Een lang mager gezicht, met grote, half geloken donkere ogen; olijfkleurige huid; een ietwat scheefstaande neus, maar wel mooi van vorm; een mond waaromheen een zweem van een lachje speelde, zelfs in rust; donker haar dat van het voorhoofd was weggestreken, zonder makassarolie, en aan de zijkanten vol en weelderig, hoewel ik moet bekennen dat mijn haargrens begon te wijken en dat mijn slapen al aardig grijs waren. Mooie knevel. Keurig. Alles welbeschouwd geloof ik dat ik als een redelijk knappe kerel door het leven ging.

Maar wat was dat? Ik bracht mijn gezicht dichter naar het verweerde spiegelglas. Daar, op het puntje van mijn boord, zat een dofrood spatje.

Ik bleef even voorovergebogen voor de spiegel staan, bevangen door een plotse wezenloze angst. Deze stille maar veelzeggende getuige van mijn nachtelijke escapade in Cain-court had me volledig verrast. Dat het me achtervolgd had, kwam me voor als een inbreuk, en ik ging dadelijk bij mezelf na wat de mogelijke gevaren konden zijn.

Had het me misschien verraden? Had een van de kelners bij Quinn's het wellicht opgemerkt toen het nog een helder, onmiskenbaar vlekje was, of de bloemenverkoopster toen ik was teruggegaan – dom, bleek misschien nu – naar de plek van het misdrijf? Had Bella het gezien, ondanks ons heftige liefdesspel? Elk van bovenstaande personen zou zich, naar aanleiding van berichten over de moord, kunnen herinneren dat er bloed op mijn overhemd zat en dan kon er achterdocht ontstaan. Ik keek nog eens goed naar het belastende overblijfsel van mijn experiment.

Op zich was het een onbeduidend spatje, maar er ging een wereld van betekenis achter schuil. Het was het laatste restje levensbloed van de onbekende die ik toevallig op zijn weg door Threadneedle-street was tegengekomen, zonder dat hij wist wat hem boven het hoofd hing. Misschien ging hij na een werkdag op de bank terug naar zijn vrouw en kinderen, of was hij op weg naar een diner in de stad met een aantal vrienden? Hoe heette hij en wie zou om hem treuren? Hoe had hij zich zijn levenseinde voorgesteld? (Niet in een plas bloed in een openbaar steegje, vermoed ik.) Leefden zijn ouders nog en zouden die ontroostbaar rouwen om het gruwelijke verlies van hun geliefde zoon? Als een soldaat op het slagveld had ik dergelijke vragen in het vuur van de strijd verdrongen; maar nu, starend naar het vlekje opgedroogd bloed op mijn boord, kwamen ze onwillekeurig en hardnekkig bij me boven.

Mijn pas aangeschafte handschoenen waren brandschoon, dat wist ik zeker, maar waren er soms nog andere sporen van het misdrijf die me niet waren opgevallen? Haastig pakte ik mijn overjas van de kapstokhaak en spoedde me naar de zitkamer om hem op mijn schrijftafel uit te spreiden, terwijl ik een vergrootglas vanonder een stapel papieren griste.

In het sterker wordende ochtendlicht bestudeerde ik nauwgezet elke centimeter van het kledingstuk, liet de stof methodisch door mijn handen gaan, bekeek her en der een stukje dicht onder mijn vergrootglas, als een juwelier die opgewonden een zeer kostbaar voorwerp onderzoekt. Daarna trok ik mijn jasje en broek uit, vervolgens mijn vest, overhemd en das: alles werd aan hetzelfde koortsachtige, nauwgezette onderzoek onderworpen. Als laatste legde ik mijn hoed en mijn hoge schoenen op de tafel, die baadde in een bleek zonnetje. Met een vochtige zakdoek wreef ik zorgvuldig, met rondgaande bewegingen, de bovenkant en zolen van beide schoenen schoon, en om de paar seconden controleerde ik of er soms belastende bloedresten op het witte katoen zaten.

Nadat ik me ervan overtuigd had dat er verder geen zichtbare sporen waren die mij met mijn slachtoffer konden verbinden, ging ik naar het washok, waar ik mijn boord in koud water zette om de bloedvlek eruit te krijgen. Enkele minuten later had ik me gewassen, geschoren en gekamd, en met een schoon overhemd aan was ik klaar om de dag te beginnen.

Het was 25 oktober 1854: St. Crispijn. Ver weg op de Krim, al wist Engeland dat toen nog niet, voerde de heldhaftige lichte brigade van lord Cardigan een charge uit tegen de Russische kanonnen bij Balaclava. Voor mij verliep de dag rustig. 's Ochtends occupeerde ik mij met het onderwerp waaraan ik inmiddels mijn hele leven had gewijd: de vernietiging van mijn vijand. Over hem zult u in de loop van deze bladzijden nog meer te weten komen – veel meer – maar vooralsnog moet u van mij aannemen dat bepaalde gebeurtenissen zijn bestaan op deze aarde niet rechtvaardigden. Het bewijs van mijn wilskracht dat de avond ervoor in Cain-court zijn beslag vond, had mij genoegzaam aangetoond dat ik in staat was te doen wat me te doen stond; en de dag dat ik voor het allerlaatst oog in oog met mijn vijand zou staan kwam met rasse schreden naderbij. Maar voordat het zover was moest ik nadenken, beramen en wachten.

In de middag had ik wat zaken te regelen, en ik kwam pas laat, tegen de avond, op mijn kamers terug. Op mijn schrijftafel lag een exemplaar van *The Times* die vrouw Grainger er eerder op de dag voor me had neergelegd. Ik zie mezelf nog gedachteloos de pagina's van de courant omslaan tot mijn aandacht opeens werd getrokken door een berichtje, en mijn hart begon te bonzen. Met licht bevende handen liep ik naar het raam, want het was al donker binnen, en begon te lezen:

> Gisteravond om ongeveer zes uur... Cain-court, The Strand... de heer Lucas Trendle, Eerste Assistent van de Hoofdkassier van de Bank of England... Stoke Newington... op beestachtige wijze om het leven gebracht... vooraanstaand overheidsfunctionaris... Elm-lane Chapel... vele liefdadige werken... grote afschuw onder zijn vele vrienden... autoriteiten zeker van opsporen moordenaar...

Hij was op weg geweest naar een vergadering in Exeter Hall voor een of andere charitatieve onderneming die als doel had om de Afrikanen bijbels en degelijk schoeisel te verschaffen. Op dat moment herinnerde ik me een groepje geestelijken die in vol ornaat voor de prachtige Korintische zuilen van de Hall hadden gestaan toen ik vanaf Cain-court langs The Strand liep. Uit het artikel bleek dat de politie geen direct motief voor de moord kon ontdekken, aangezien er niets van het slachtoffer was ontvreemd. Ik dronk de details van dit fatsoenlijke, schuldloze leven gretig in; één ding nestelde zich in mijn gedachten, en zit daar nog steeds. Hij was niet langer de roodharige man. Hij had een naam.

Vlak nadat ik het artikel had gelezen, liep ik ontstemd wat op en neer door mijn kamer, onverwachts geërgerd door deze informatie. Ik had liever gehad dat hij voor altijd in zijn voormalige anonimiteit opgesloten was gebleven; nu maakte ik onwillekeurig een voorstelling van het leven dat hij geleid kon hebben. De enge ruimte van mijn zolderkamer begon me danig te benauwen. Op het laatst werd die schier onverdraaglijk. In zo'n bui moest ik altijd de rauwe smaak van Londen op mijn tong proeven.

Terwijl de regen tegen het dakraam van mijn slaapkamertje begon te tikken, deed ik mijn overjas aan en liep haastig de trap af, de naderende avond tegemoet.

Even later ging het gespetter over in een meedogenloze regen, die in dikke schuimende stromen uit regenpijpen en dakgoten kletterde, in rechte schermen van daken, spitsen en balustrades hoog boven de krioelende stad viel, die straten en stegen in riekende riolen en slijk veranderde. In The Ship and Turtle in Leadenhall-street trof ik mijn oude vriend, Willoughby Le Grice, zoals ik op dit uur al verwachtte.

Le Grice en ik waren al bevriend sinds onze schooltijd, hoewel we verschilden als dag en nacht. Ik betwijfel of hij in zijn leven ooit een boek had gelezen; hij gaf niet om boeken, muziek of schilderijen, terwijl ik me daar juist bijzonder voor interesseerde; wat de vakken voor gevorderden betreft, ik geloof dat hij filosofie als hoogst verderfelijk beschouwde, en alleen al het noemen van metafysica deed hem in woede ontsteken. Le Grice was een sportman, ten voeten uit, en hij had ook bijzonder grote voeten. Hij was nog langer dan ik, met dik touwkleurig haar boven een resolute mannelijke blik, de nek en schouders van een jonge stier en een boogje overvloedig krullend haar boven zijn lip dat hem het uiterlijk gaf van een heuse Caractacus. Op en top een Engelsman, en een fijne bondgenoot als er gevaar dreigde, hoewel hij zo onschuldig als een lammetje was. We moeten een vreemd stel hebben gevormd, maar ik kon me geen betere vriend wensen.

We aten gebraden kip (op Indiase wijze), waar het etablissement beroemd om was, weggespoeld met gin-punch; daarna stemde Le Grice, die bij zulke gelegenheden altijd in een milde bui was, ermee in om de rivier over te steken en naar het Victoria Theatre* te gaan, net op tijd voor de voorstelling van negen uur.

Geen mooiere plek dan het Victoria om te zien hoe het lagere volk van de stad zich vermaakt; ik vond het keer op keer een fascinerend gezicht, net of men een steen optilt om het insectenleven eronder te bestuderen. Le Grice was minder gecharmeerd van zulke zaken dan ik; maar hij hield zijn gemak en zat achterovergeleund met zijn eeuwige sigaar verbeten tussen zijn tanden geklemd, terwijl ik me opgewonden vooroverboog. Onder onze loge zaten de harde houten banken propvol: straatventers, grondwerkers, schuitvoerders, koetsiers, kolensjouwers en allerlei dames van twijfelachtig allooi. Een woeste, zwetende, stinkende kudde. Alleen de nog luidere kreten van de varkenspootjesverkoopster en de suppoosten die de gangpaden en trappen bewaakten, waren boven het rumoerige gefluit en gejoel te horen. Op het laatst ging dan toch eindelijk het doek omhoog, de ceremoniemeester wist

* Gebouwd in 1816, geopend in mei 1818 'onder bescherming van Zijne Koninklijke Hoogheid Prins Leopold van Saxen-Coburg' en daarom The Royal Coburg Theatre genoemd. In juli 1833 werd het officieel herdoopt tot The Royal Victoria Theatre. Het stond aan Waterloo Bridge Road, Lambeth. JJA

met veel moeite de menigte tot bedaren te brengen, en de voorstelling – subliem in zijn banaliteit – begon.

Na afloop, in de New Cut, bleek de regen te zijn verminderd, en waren de straten bedekt met modder en gruis afkomstig van daken en goten. De mensheid op z'n ongunstigst, met bijbehorende stank, was alomtegenwoordig: ze had zich verzameld op hoeken, hurkte neer onder druipende poorten, zat op stoepjes, hing uit ramen of was in steegjes bij elkaar gekropen. Langs ons trok een stoet van gezichten, wanstaltig vertekend door het satanische schijnsel van de lantaarns en vuurpotten, en door de gloed van de gepofte-kastanje-branders die de straatstalletjes en de pubs verlichtten, als een optocht der verdoemden.

Terwijl we de Theems weer overstaken, stelde ik voor om even bij Quinn's binnen te lopen. Ik wilde per se naar Quinn's. Onder het voorwendsel dat ik misschien hier mijn portefeuille had laten liggen, ging ik op zoek naar de kelner die mij de avond ervoor had bediend. Al snel werd het me duidelijk dat hij zich mij niet herinnerde; en dus keerde ik met een opgelucht gemoed terug naar Le Grice, en wij vielen gretig aan op onze oesters en champagne. Le Grice verkondigde dat hij van oesters alleen nog maar meer honger kreeg. Hij had vlees en sterke drank nodig, en die waren op dit tijdstip van de avond alleen bij Evan's te verkrijgen. En zo kwam het dat we even na twaalven in King-street, Covent Garden, arriveerden.

De evenwijdige rijen tafels, die waren opgesteld als in de eetzaal van een college, zaten nog vol met luidruchtige soupergasten. Het stond er blauw van de sigarenrook (pijproken was terecht verboden) en er hing een zwaar aroma van grog en gebraden vlees. Een aantal zangers op het podium leverde ook nog een bijdrage aan het geanimeerde geroezemoes en gelach en stond uit volle borst een zesstemmig lied te zingen, waarbij hun krachtige, fraaie stemmen in een galmend crescendo boven het onophoudelijke gerammel van borden en bestek uitstegen. De tafeltjes om ons heen waren volgeladen met dampende worsten, gloeiendhete gepeperde niertjes, leerachtige aardappelen uit de oven en tientallen glinsterende gebakken eieren, als even zo vele miniatuurzonnen. We bestelden de met peper bereide karbonaadjes met bitter bier erbij, maar de bestelling stond nog niet op tafel of Le Grice werd door een van de andere kerels overgehaald een komisch lied te zingen.

Terwijl hij onder uitzinnig applaus aangeschoten naar het podium laveerde, sloop ik stilletjes weg. Het was inmiddels weer harder gaan regenen, maar Londen, schitterend en mooi van smerigheid, plus het gemoedelijke gezelschap van die brave Le Grice, hadden hun werk gedaan.

Ik was weer mezelf.

3

Praemonitus, praemunitus*

De volgende dag maakten Bella en ik een wandeling door Regent's Park. Het was een ongewoon mooie middag voor oktober in Londen; en nadat we de olifanten in de Zoölogische Tuin hadden bekeken, zaten we een tijdje bij de siervijver in het bleke najaarszonnetje te praten en te lachen. Rond vier uur begon het kil te worden en besloten we terug te lopen naar het hek dat op York-terrace uitkwam.

Bij de ingang van de tuinen van het Boogschuttersgenootschap** bleef Bella staan en draaide zich naar me toe.

'Kitty wil graag dat ik morgen met haar meega naar Dieppe.'

'Dieppe? Waarom in godsnaam?'

'Dat heb ik je toch al verteld, liefste. Dat is de geboorteplaats van haar moeder en daar wil zij haar oude dag doorbrengen. Er is een huis waar ze al een jaar een oogje op heeft en dat staat nu te koop. Ze wil graag dat ik meega om het te bezichtigen.'

'En ga je?'

'Maar natuurlijk.' Ze streek zachtjes met een gehandschoende vinger over mijn wang. 'Dat vind je toch niet erg, liefste? Zeg alsjeblieft van niet, het is maar voor een paar daagjes.'

Hoewel ik nogal van streek raakte bij de gedachte dat ik het aangename gezelschap van haar warme persoonlijkheid in deze benarde tijden

* 'Gewaarschuwd, gewapend'. JJA

** Dit genootschap, in 1781 door Sir Ashton Lever opgericht, stond aan de wieg van de opleving van de boogschutterskunst aan het einde van de achttiende eeuw. In 1833 kreeg het genootschap het recht een stuk grond te pachten van de Kroon in de binnenste ring van Regent's Park. JJA

zou moeten missen, zei ik dat ik het volstrekt niet erg vond; maar dat had ik nu natuurlijk juist níet moeten zeggen. Ik merkte dat mijn voorgewende onverschilligheid niet in goede aarde viel, want ze haalde dadelijk haar hand van mijn wang en keek me strak aan.

'Best,' antwoordde ze, 'dan kan ik net zo goed wat langer in Dieppe blijven, zoals Kitty graag wil. Er zullen daar ongetwijfeld genoeg heren zijn die me gezelschap willen houden.'

Het is vreemd, maar het feit dat Bella uit hoofde van haar werk met andere mannen moest verpozen, om het zo te zeggen, had me nooit gehinderd, en ik maakte weinig gedachten vuil aan het soort diensten dat ze aan Kitty Daleys selecte herenkring moest verlenen. Maar ik had gemerkt dat mijn welwillende houding haar enigszins begon te ergeren, en af en toe probeerde ze me een tikkeltje jaloers te maken – ik geloof dat veel dames dat als vleiend beschouwen. Haar poging van daarnet was uiterst doorzichtig; maar door de recente gebeurtenissen was ik zo gespannen dat ik inderdaad plotseling jaloers was op anderen die van haar lieftallige lichaam mochten genieten; in mijn huidige warrige gemoedstoestand zei ik onwillekeurig precies de verkeerde dingen.

'Doe wat je niet laten kunt,' zei ik op harde, onverschillige toon. 'Ik kan je niet tegenhouden.'

'Goed dan,' zei Bella. 'In dat geval zal ik zeker mijn eigen zin doen.'

Daarop tilde ze haar rokken op en liep nijdig weg.

Zo kon ik haar niet laten gaan, ik vond het vreselijk om haar boos en ontdaan te zien; daarom riep ik haar na.

Ze draaide zich om. Haar wangen waren rood, en ik zag duidelijk dat ik haar had gekwetst.

Ik ben geen onmens. Ik kon misschien een onbekende vermoorden, maar Bella van streek zien was onverdraaglijk, ook al had ik haar onredelijk behandeld. En daarom sloot ik haar in mijn armen – het werd al donker en we waren alleen op het paadje dat naar de uitgang van het park leidde – en kuste haar teder.

'O, Eddie,' zei ze en de tranen stonden in haar ogen, 'vind je me soms niet meer lief?'

'Niet meer lief?' riep ik uit. 'Natuurlijk wel. Meer dan, meer dan ik met woorden kan zeggen.'

'Heus?'

'Heus,' antwoordde ik. Ik zei dat ik het vreselijk vond dat ik haar zo van streek had gemaakt en dat ik haar vanzelfsprekend zou missen als ze weg was, en dat ik de uren zou tellen tot ze weer terug was. Het was oprecht gemeend, maar het ontlokte haar een berispend lachje.

'Nou, nou,' zei ze met gespeelde afkeuring, 'de dichter uithangen hoeft ook niet, hoor. Een paar keer per dag aan me denken is meer dan genoeg.'

We kusten elkaar weer, maar toen ze haar mond van de mijne nam, ontwaarde ik opnieuw die ernstige blik in haar ogen.

'Wat is er, Bella?' vroeg ik. 'Is er iets aan de hand?'

Ze aarzelde even. 'Nee, niet echt.'

'Je bent toch niet–'

'Nee, absoluut niet, nee.' Ze stak haar hand in haar zak. 'Dit heb ik gekregen. Het kwam gisterochtend, nadat je was vertrokken.'

Ze gaf me een opgevouwen velletje papier.

'Ik moet nu weg. Kitty wacht op me. Ik hoop dat je langskomt als we weer terug zijn.'

Ik keek haar na, wachtte tot ze uit het zicht was voordat ik het papier openvouwde en las.

Het was een kort berichtje, geschreven in een klein net handschrift:

Ik schrijf u dit omdat ik het goed met u voorheb. Pas op voor Edward Glapthorn. Hij is niet wie hij lijkt. Als uw geluk u lief is, verbreekt u dan ogenblikkelijk alle banden met hem. Ik weet waarover ik spreek. Wees gewaarschuwd.

Het briefje was ondertekend met 'Veritas' en was simpelweg aan 'mejuffrouw Gallini' gericht, zonder adres, waardoor de indruk werd gewekt dat het persoonlijk was afgegeven.

Wat een bericht; ik moet bekennen dat ik er even compleet door overrompeld was. Ik las het briefje nog een keer; maar aangezien het bijna donker was, besloot ik terstond naar Temple-street te gaan om aldaar de situatie op te nemen.

Ik moet nogal zenuwachtig zijn geweest, want toen ik langs het diorama op Park-square liep, meende ik een zacht tikje tegen mijn schouder te voelen. Toen ik me echter omdraaide, was er niemand te bekennen. De straat was verlaten, op een eenzaam rijtuig na, dat door de schemer in de richting van het park reed. Dit kon zo niet. Vastberaden omklemde ik mijn wandelstok en liep verder.

Terug op mijn kamer stak ik de lamp aan en legde het briefje opengevouwen op mijn tafel.

Het handschrift had iets bekends – er leek een verre herinnering aan te kleven, maar al mijn pogingen ten spijt kwamen er geen associaties bij me boven.

Ik hield het briefpapier dicht onder mijn vergrootglas, hield het tegen het licht, rook er zelfs even aan. Daarna bestudeerde ik een voor een de letters, liet mijn gedachten gaan over de keuze en volgorde van de woorden, en vroeg me af waarom de steller de naam Edward Glapthorn had onderstreept. Ik liet mijn oog over de krullen van de handtekening gaan, en probeerde te bedenken waarom de schrijver voor het pseudoniem 'Veritas' had gekozen. Nu ik dit opschrijf ben ik nog steeds verbaasd dat ik zo achterlijk was, dat ik niet dadelijk de waarheid doorhad, maar het is niet anders. Het kwam ongetwijfeld door het misdrijf dat ik zo kort geleden in Cain-court had gepleegd dat ik niet helder kon nadenken, en dat mijn anders zo scherpe waarnemingsvermogen vertroebeld was. In die donkere najaarsweken was ik reeds bezeten van een soort waanzin, buiten mezelf van een gruwelijk verraad en in toenemende mate vrezend voor mijn eigen leven, waardoor ik niet zag wat zich vlak voor mijn ogen voltrok, en op den duur ook voor die van u. Uiteindelijk bleek ik ruim een uur bezig te zijn geweest – steeds geagiteerder – met mijn pogingen om het briefje te dwingen zijn geheim prijs te geven; tevergeefs. Maar één ding wist ik wel: ik was er heilig van overtuigd dat het briefje, hoewel gericht aan Bella, voor mij was bedoeld. En dat bleek ook zo te zijn.

Wie? Wie wist het? Ik had nooit eerder een moord gepleegd, maar ik had me wel aan de duistere kant van de samenleving opgehouden. Zoals ik verderop zal vertellen, was ik door de aard van mijn werk gewend geraakt aan geweld en gevaar, en ik had mezelf alle kneepjes van het betaald spioneren eigengemaakt. Daarom had ik ook de grootste voorzorgsmaatregelen genomen en al mijn verworven vaardigheden aangewend om er zeker van te zijn dat niemand had gezien dat mijn slachtoffer en ik Cain-court waren ingegaan; niettemin bleek nu overduidelijk dat ik toch nalatig was geweest. Iemand had ons gevolgd. *Iemand had ons gezien.*

Ik liep op en neer door mijn kamer, tikte met mijn knokkels tegen mijn hoofd in de hoop dat elke seconde van die beslissende minuten me weer voor de geest kwam.

Ik herinnerde me nog dat ik, vlak na de dodelijke messteek, achterom had gekeken naar de ingang van de steeg, en nog een keer toen ik het mes door het rooster had laten vallen. Mijn geheugen gaf me niet één aanwijzing dat iemand me had gezien. Of toch... ja, een nauwelijks hoorbaar gerucht, maar geen beweging. Een rat, dacht ik op dat moment. Was het mogelijk dat iemand vanuit een van de donkere openingen tussen de muren stilletjes mijn slachtoffer en mij had geobserveerd?

Die gedachte vatte dadelijk post, en werd gevolgd door een andere. Hoe had de vermeende toeschouwer mijn identiteit achterhaald? Het antwoord moet zijn dat hij me reeds kende. Misschien hield hij me al geruime tijd in de gaten en had hij me gevolgd op mijn omzwervingen die avond, en gezien dat ik Blithe Lodge binnenging. Maar waarom had hij me, met de belastende informatie die hij had, nog niet aangegeven bij de instanties? Waarom had hij een dergelijk briefje aan Bella geschreven?

Ik kon maar één reden bedenken: chantage. Die conclusie bracht een zekere opluchting teweeg. Ik wist hoe ik zo'n probleem moest aanpakken. Ik moest simpelweg mijn belager direct de wind uit de zeilen nemen. Dan had ik hem beet. Toch wist ik nog niet precies hoe ik dat moest bewerkstelligen; en ik snapte nog steeds niet waarom de afperser zijn bedoelingen eerst aan Bella kenbaar had gemaakt. Misschien wilde hij me een weinig kwellen voordat hij de genadeslag uitdeelde.

Hij – het kon niet anders dan een man zijn, een ontwikkeld man – was slim. Dat moest ik hem nageven. Het briefje was subtiel geformuleerd. Er werd gezinspeeld op duistere zaken die iedere vrouw, zelfs een demi-mondaine als Bella, die niets wist van het voorval in Cain-court, van streek zouden maken. '*Hij is niet wat hij lijkt...*' Vrouwen hebben een instinctieve afkeer van het onbepaalde, en in hun verbeelding worden toespelingen en suggestieve opmerkingen al snel de onomstotelijke waarheid. Wat zou Bella's fantasie van deze vage doch verontrustende insinuaties maken? Vast en zeker niet iets ten gunste van mij, maar wel iets dat verwarring bij haar zou zaaien. Voor mij bevatte het briefje een indirecte boodschap: een dreigement dat mijn daad aan Bella onthuld zou worden als ik hem niet tegemoet kwam. Dat was het doortrapte eraan: het was bedoeld om ons beiden afzonderlijk te pijnigen; door op sluwe wijze bij de onschuldige Bella twijfel en onrust te zaaien, wist hij me dubbel te treffen.

Ik liep terug naar mijn schrijftafel en pakte het briefje weer op. Deze keer hield ik het tegen het lamplicht en bestudeerde het centimeter voor centimeter door mijn vergrootglas, naarstig op zoek naar iets dat de identiteit van de afzender verried, iets dat míj op zíjn spoor zou zetten. Ik wilde er net uit nijdige frustratie de brui aan geven toen mijn oog op een reeks gaatjes viel die in het papier waren geprikt, vlak onder de handtekening.

Bij nadere bestudering bleken ze opzettelijk in groepjes te zijn aangebracht, onderbroken door wit. Het duurde niet lang of ik ontdekte een uiterst eenvoudig code: elk groepje gaatjes vertegenwoordigde een getal, dat op zijn beurt voor een letter stond. Met weinig moeite wist ik de boodschap te ontcijferen: EZ/VII/VI. Ik pakte mijn bijbel en vond al vlug de passage uit Ezechiël waarnaar de code verwees: 'Een einde is er gekomen, dat einde is gekomen, het is opgewaakt tegen u; ziet, het kwaad is gekomen.'

Dat was een lelijke streep door mijn rekening, iets dat ik niet had kunnen voorzien, en ik was nu gedwongen om daar actie tegen te ondernemen. Ik had het idee dat de afzender graag wilde dat ik met name het woord 'opgewaakt' ter harte nam. Voorlopig kon ik de angst die het briefje bij Bella had gewekt niet bezweren; maar ik wist zeker dat ik binnenkort een nieuw bericht zou ontvangen en dat zou me, hoopte ik, mogelijkheid verschaffen om de afperser zijn verdiende loon te geven.

Ik bleef nog ongeveer een halfuurtje voor de open haard een sigaar zitten roken en daarna ging ik in een toestand van onderdrukte angst naar bed. Ik werd bestormd door beelden: de glimlach van de stervende Lucas Trendle, olifanten, een lachende Bella in de herfstzon, een rijtuig dat door een verlaten straat reed.

Toen de slaap eindelijk kwam, had ik een droom, die me nog steeds achtervolgt.

Ik loop door een onvoorstelbaar groot ondergronds gewelf, de galm van mijn voetstappen weerklinkt in de eindeloze donkere diepten aan weerskanten van wat eruitziet als een middenschip van reusachtige stenen zuilen. Ik heb een kaars vast, die met een regelmatige vlam brandt, waardoor achter de zuilen een open ruimte zichtbaar wordt. Vervolgens betreed ik die ruimte, waaraan geen einde lijkt te komen.

Zo loop ik een tijdje door, terwijl ik van alle kanten een enorme leegte op me voel drukken. Ik sta stil, en met een misselijkmakend *diminuendo* sterft de galmende echo van mijn voetstappen langzaam weg in de omringende onbegrensde ruimte. In het licht van de kaarsvlam is alleen duister te zien, onbegrensd, alles; maar dan weet ik plotseling dat ik niet alleen ben, en ik word bevangen door een wurgende doodsangst. Er is hier iets griezeligs, een onzichtbare aanwezigheid. Het is doodstil; ik heb alleen het geluid van mijn eigen voetstappen gehoord, toch weet ik dat het gevaar op me loert. Het volgende ogenblik voel ik tot mijn onvoorstelbare schrik een zacht tikje tegen mijn schouder, een warme ademtocht tegen mijn wang en ik hoor het lichte suizen van uitgeblazen lucht. Iemand – of iets – vlak achter me blaast zachtjes de kaarsvlam uit. Ik laat de gedoofde kaars vallen en stort in volslagen radeloosheid en afgrijzen ter aarde.

Drie of vier keer was ik zwetend en met bonzend hart uit deze nachtmerrie ontwaakt, de gedraaide lakens in mijn handen geklemd. Tegen de ochtend werd ik wakker met een kurkdroge mond en een ongenadige hoofdpijn. Zodra ik mijn zitkamer binnenkwam zag ik het: een witpapieren rechthoek die onder de deur was geschoven toen ik sliep.

Het was een zwartgerande kaart, in hetzelfde handschrift als het briefje dat Bella had ontvangen. Het leek mijn ergste vrees te bevestigen.

> Hierbij is de heer Edward Glapthorn van harte uitgenodigd aanwezig te zijn bij de teraardebestelling van de heer Lucas Trendle, in leven medewerker van de Bank of England, op 3 november 1854 om 15.00 uur, op de Abney-begraafplaats te Stoke Newington.
>
> 'Midden in het leven staan wij in de dood'

Aanvankelijk vond ik dit citaat uit de begrafenisliturgie vooral toepasselijk, meer niet, maar hoe langer ik ernaar keek, hoe nadrukkelijker de woorden een herinnering aan iets uit het verleden opriepen: een gezicht dat al in de duisternis van het geheugen wegglijdt; een plek van smart; regen en plechtige muziek. Het bracht me in verwarring en maakte me van streek, al kon ik niet precies zeggen waarom. Ik stelde vast dat ik er waarschijnlijk te veel achter zocht en legde de kaart weg.

Zeven dagen. Genoeg tijd om voorbereidingen te treffen. Ik verwachtte geen bericht meer; de afperser zou ongetwijfeld op de dag van de begrafenis – vermoedelijk in eigen persoon – de volgende zet doen. En als hij niet zelf aanwezig was, zou hij in een nieuwe brief nog iets meer van zichzelf moeten prijsgeven om zijn doel te bereiken; en dat zou mij wellicht de beoogde opening bieden. Ondertussen besloot ik om deze affaire voorlopig uit mijn gedachten te bannen, voorzover dat lukte. Er waren andere dringende zaken die voorgingen. De tijd was gekomen om met mijn vijand, Phoebus Daunt, af te rekenen.

4

Ab incunabulis*

De avond dat Bella uit Dieppe terugkeerde, 2 november 1854, nam ik haar mee uit eten in het Clarendon Hotel.** Mevrouw D was bijzonder gecharmeerd van het huis dat ze hadden bezichtigd en was in Frankrijk gebleven om de koopovereenkomst te regelen.

'Zodra de omstandigheden het toelaten wil ze zich er vestigen,' zei Bella, 'wat uiteraard betekent dat mijn eigen positie eerder dan verwacht zal veranderen.'

Ze deed haar best om zich even ongedwongen als anders te gedragen, maar ik zag dat het haar veel moeite kostte. Uiteindelijk kon ze de schijn niet langer ophouden.

'Heb je het briefje gelezen?'

Ik knikte.

'Wat betekent het, Eddie? Ik moet de waarheid weten.'

'De waarheid waarvan?' riep ik nijdig. 'De waarheid van een leugen? De waarheid van een vage, ongegronde belastering? Het bevat geen waarheid, echt niet, dat verzeker ik je.'

'Maar wie heeft dat dan naar me gestuurd?'

'Iemand die mij om een mij onbekende reden een hak wil zetten, iemand die een hekel heeft aan mij – of misschien aan jou...'

Ze schrok van dat idee.

'Aan mij? Hoe bedoel je?'

'Denk eens na, liefje, is er niet een lid van de Academie dat reden heeft om jou te kwetsen? Misschien iemand die onlangs namens jou

* 'Vanaf de wieg'. JJA

** In Bond Street. JJA

Braithwaite op bezoek heeft gehad?' Ik stelde de vraag hoewel ik donders goed wist dat deze kwestie niets te maken had met de Academie.

'Nee, niemand.' Ze dacht even na. 'Sir Meredith Gore – weet je nog? – is onlangs geroyeerd, maar ik was niet de enige die klachten over hem had. En die maakt nu een reis door Europa en komt pas over enige tijd terug, dus die kan het volgens mij niet zijn. En trouwens, wat levert hem dit op? En bovendien, ken jij de heer in kwestie?'

Ik moest bekennen dat het persoonlijk contact tussen sir Meredith en mij zich niet verder uitstrekte dan een toevallige ontmoeting 's avonds op de trap van Blithe Lodge, maar ik was vastbesloten dit valse spoor uit te zetten en legde haar uit dat het heel goed mogelijk was dat hij een lasterpraatje over me verspreidde zonder me persoonlijk te kennen, uit wraak voor het feit dat hij door haar toedoen geroyeerd was.

'Nee, nee,' zei Bella en ze schudde beslist haar hoofd, 'dat is te vergezocht – onmogelijk. Nee, het kan sir Meredith niet zijn.' Ze zweeg even terwijl de kelner onze champagneglazen bijvulde.

'Jij beweert,' ging ze verder, spelend met de steel van haar glas, 'dat de impliciete beschuldigingen geen grond hebben. Maar hoe weet ik dat zeker? Er moet per slot van rekening een reden zijn waarom het briefje aan mij is gestuurd. Ik weet dat je vader vóór jouw geboorte is gestorven, en dat je moeder, van wie je zegt zielsveel te hebben gehouden, schrijfster was; en je hebt veel verteld over je tijd in het buitenland. Maar zijn er soms dingen uit je verleden – belangrijke dingen, wellicht – die je opzettelijk voor me verzwegen hebt, waarop in het briefje wordt gezinspeeld? Zo ja, zeg het me dan alsjeblieft nu.'

'Ik dacht dat je van me hield zoals ik ben, dat alleen het hier en nu telt,' pruilde ik.

'De situatie is nu anders,' antwoordde ze achteroverleunend. 'Als Kitty naar Dieppe verhuist, word ik haar opvolgster op de Academie en dan zal ik ook geen heren meer van dienst hoeven te zijn.' Ze liet haar kalme blik op mij rusten. 'Het is belangrijk voor mij, Eddie, dat ik in deze nieuwe situatie alles weet over de man op wie ik mij heb verliefd.'

Het was haar eerste openlijke verklaring van haar gevoelens voor mij; de eerste keer dat het woord 'verliefd' was gevallen. Ik merkte dat ze op een wederkerige reactie van mij wachtte. Maar hoe kon ik haar zeggen wat ze het liefst wilde horen, terwijl ik nog vurig verlangde naar een ander, die nooit de mijne zou kunnen worden?

'Heb je daar niets op te zeggen?' vroeg ze.

'Alleen dat jij voor mij de liefste vriendin van de hele wereld bent, zoals ik je al eerder heb gezegd,' antwoordde ik, 'en dat ik het onverdraaglijk vind om je van streek te zien.'

'Goed, waardeer je me, wie weet houd je wel van me, alleen maar als vriendin?'

'Alléén als vriendin? Is dat niet genoeg?'

'Als je opeens de filosoof gaat spelen, dan weet ik het antwoord al.'

Ik pakte haar hand vast.

'Bella, lieveling, vergeef me. Als je mijn gevoelens voor jou 'liefde' wilt noemen, best. Je mag het noemen zoals je zelf wilt. Wat mijzelf betreft, voor mij ben je de dierbaarste, liefste vriendin die een man zich kan wensen. Als dat liefde is, dan heb ik je lief. En als het liefde is om me veilig en geborgen te voelen in jouw gezelschap, dan heb ik je lief. En als het liefde is te beseffen dat ik het allergelukkigst ben als je je handen om mijn gezicht legt en me kust, dan heb ik je lief. En als...' En zo ging ik nog een tijdje door, totdat ik de verwarring niet nog groter kon maken.

Ik toverde mijn meest innemende glimlach te voorschijn, hoopte ik, en die werd beloond met de aanblik van haar licht opkrullende mondhoeken.

'Laten we het er maar op houden, mijnheer Glapthorn, dat uw vele vindingrijke definities van liefde toereikend zijn, voorlopig althans.' Terwijl ze dit zei, trok ze haar hand los. 'Maar omwille van wat we samen hebben, nu en in de toekomst, wil ik graag uit jouw mond horen dat alles in orde is, volkomen in orde. Het briefje...'

'Is gelogen.' Ik keek haar kalm aan. 'Een en al verzinsels, geschreven door iemand die mij, ons, kwaad wil doen, om een nog onbekende reden. Maar we zullen hem kleinkrijgen, lieve Bella. Ik beloof je dat je alles over mij te weten komt, zodat zij geen macht meer over ons hebben. We hoeven niets te vrezen.'

Was dat maar zo. Bella was inderdaad, zoals ik in ernst had gezegd, de liefste vriendin ter wereld, en misschien voelde ik wel iets van liefde voor haar. Maar om haar verdriet en schande te besparen, en wellicht ook omwille van mijn eigen veiligheid, kon ik haar niet vertellen dat ik iemand had vermoord als voorbereiding voor de moord op een ander. Ze had er recht op iets meer over mij te weten, iets dat haar geruststelde totdat ik de middelen had om de afperser te ontmaskeren en het gevaar voorgoed was geweken. En dan? Zelfs als ik mijn vijand uiteindelijk had weten uit te schakelen en hem met gelijke munt had betaald, zou zij dan de plaats kunnen innemen van mijn verloren liefde, hoe dierbaar ze me ook was?

Het Clarendon was een fatsoenlijk hotel, en we hadden geen bagage bij ons; gelukkig was het personeelshoofd een oude bekende van mij en hij loodste ons discreet naar een kamer.

We bleven tot diep in de nacht op. Hier volgt een beknopt verslag van wat ik haar vertelde.

Mijn familie van moederskant, de familie More uit Church Langton, was een oud boerengeslacht in de West Country. Mijn moeders oom, Byam More, was rentmeester bij Sir Robert Fairmile, van Langton Court nabij Taunton, wiens enige dochter, Laura, ongeveer even oud was als mijn moeder. De meisjes groeiden samen op en werden hartsvriendinnen, en ook toen Laura trouwde en naar een graafschap in de Midlands verhuisde bleven ze bevriend.

Nog geen maand later trad mijn moeder ook in het huwelijk, al was haar echtgenoot van veel mindere komaf dan die van haar vriendin. Laura Fairmile was lady Tansor geworden, van Evenwood in Northamptonshire, een van de mooiste landhuizen van Engeland en de woonstede van een eeuwenoud, voornaam geslacht; mijn moeder werd de vrouw van een krachteloze non-actieve officier bij de Huzaren.

Mijn vader – die altijd 'de kapitein' werd genoemd – was een onopvallend lid van het elfde regiment lichte dragonders, de vermaarde 'kersenplukkers' die later roem vergaarden als Elfde Regiment Huzaren Prins Albert, onder bevel van lord Cardigan, al was de kapitein allang dood ten tijde van de legendarische actie van het regiment in de Russisch-Turkse Oorlog. Hij verliet het regiment nadat hij op het Iberisch schiereiland gewond was geraakt, en kreeg vervolgens een nonactiviteitstraktement. Helaas besteedde hij zijn vrije tijd niet bijzonder nuttig, het enige wat hij deed was zijn oude liefde voor sterke drank nieuw leven inblazen, en wel met zo'n overgave dat alle andere bezigheden ervoor moesten wijken. Hij bracht weinig tijd door bij zijn vrouw, kon nergens rust vinden, en als hij niet bij zijn buurtvrienden in The Bell and Book in Church Langton zat, dan bezocht bij oude kameraden uit het regiment, waarbij hij de bijbehorende liederlijke slemppartijen niet uit de weg ging. Ook de geboorte van zijn dochter veranderde niets aan zijn levensstijl, en op de avond van haar voortijdige dood, ze was slechts vijf dagen oud geworden, bleek hij op zijn vaste plek in The Bell and Book te zitten. Hij verdubbelde zijn zonden door ook nog eens afwezig te zijn – ik weet niet waar hij was, maar ik kan wel raden waarom – op de begrafenis van het arme kind.

Kort daarop verhuisden mijn moeder en de kapitein – op zijn aandringen – van Church Langton naar Sandchurch, in Dorset, waar verre familie van de kapitein woonde. Deze verhuizing veranderde niets aan zijn gedrag; hij ruilde The Bell and Book in Church Langton simpelweg in voor The King's Head in Sandchurch. Ik hoop hiermee overtuigend te hebben aangetoond wat voor nietsnut de kapitein was en hoezeer hij zijn verantwoordelijkheid als vader en echtgenoot uit de weg ging.

In de zomer van 1819 vergezelde mijn moeder haar vriendin Laura Tansor naar Frankrijk, waar ze een aantal maanden bleef. In maart van het jaar daarop ben ik daar geboren, in de Bretonse stad Rennes. Enige weken later vertrokken de twee reisgenotes naar Dinan, waar ze hun intrek namen in een pension bij de Tour de l'Horloge. Lady Tensor reisde door naar Parijs terwijl mijn moeder nog een paar dagen in Dinan bleef. Maar toen ze op het punt stond naar St. Malo af te reizen, ontving ze een afschuwelijk bericht uit Engeland.

De kapitein was op een pikdonkere nacht volkomen beneveld uit The King's Head op weg naar huis gegaan, van het pad geraakt, had zijn evenwicht verloren en was op nog geen twaalf meter van zijn voordeur van de rotsen naar beneden gevallen. Tom Grexby, de dorpsschoolmeester, had hem de volgende morgen met een gebroken nek gevonden.

Kennelijk had de kapitein er geen enkel bezwaar tegen gehad dat zijn vrouw met haar vriendin naar Frankrijk vertrok. Hij vond het best dat hij het huis voor zichzelf had, dat hij helemaal zijn eigen gang kon gaan, zonder lastiggevallen te worden om het handjevol huishoudelijke taken te verrichten dat ze hem had opgelegd. En toen was hij dood, een figuur van verachtelijke middelmatigheid.

Op een juniavond in het jaar 1820 ging ik met mijn moeder terug naar ons huis in Dorset, gewikkeld in een geruite deken op haar schoot, over de lange stoffige weg die van de kerk naar het witgepleisterde huisje op de rots leidde. Vanzelfsprekend leefden haar vrienden en buren in Sandchurch oprecht met haar mee. Verweduwd en met een vaderloos kind te moeten terugkeren! Iedereen in het dorp schudde ongelovig het hoofd om deze tweevoudige ramp. Mijn moeder was oprecht blij met de vele blijken van medeleven, want de plotse dood van de kapitein was een grote schok voor haar geweest, ondanks zijn falen als echtgenoot.

Deze feiten hoorde ik pas veel later, toen mijn moeder al was overleden. Nu ga ik verder met mijn eigen herinneringen aan mijn jeugd in Sandchurch.

We leidden een kalm bestaan – mijn moeder en ik, Beth, en Billick, een oude zeebonk die hout hakte, de tuin onderhield en de sjees mende. Het huis lag op het zuiden en keek uit over zachte plaggen in de richting van het Kanaal, en mijn duidelijkste jeugdherinneringen heb ik aan het ruisen van de golven en de wind, terwijl ik in mijn wieg onder de appelboom in de voortuin lag, of in mijn kamer met het ronde raampje boven de voordeur.

Er kwamen weinig mensen bij ons op bezoek. Byam More, mijn moeders oom, kwam twee à drie keer per jaar uit Somerset. Ook herinner ik me heel duidelijk een bleke vrouw met droeve ogen, juffrouw Lamb, die rustig met mijn moeder in de salon zat te praten terwijl ik op het haardkleedje speelde, en die zich af en toe vooroverboog om mij een aai over mijn bol te geven en met haar vingers langs mijn wang te strijken, op een uiterst zachtaardige, liefhebbende manier. Dat staat me nog levendig bij.

Een deel van mijn jeugd had mijn moeder last van ernstige somberheid, en inmiddels weet ik dat dat kwam door de dood van haar jeugdvriendinnetje, Laura, lady Tansor, van wie ik ook pas na de dood van mijn moeder de naam te weten kwam. Deze lady Tansor, zo ontdekte ik later, had mijn moeder af en toe discreet iets van haar eigen geld toegestopt, en op andere manieren geholpen. Maar na haar dood hield de geldstroom op en werd het voor mijn moedertje lastig de eindjes aan elkaar te knopen, want de schamele erfenis van de kapitein had ze allang opgebruikt. Niettemin was ze vastbesloten alles te doen wat in haar vermogen lag om ervoor te zorgen dat we zo lang mogelijk in het huis in Sandchurch konden blijven wonen.

En zo kwam het dat de uitgever, de heer Colburn, op een dag een in bruin papier gewikkeld pakketje op zijn bureau in New Burlingtonstreet aantrof met daarin *Edith of de Laatste der Fitzalans*, de eerste romance van de hand van een vrouw die aan de kust van Dorset woonde. In de begeleidende brief waarin ze Colburn haar welgemeende complimenten gaf, vroeg ze of hij zijn professionele mening over haar werk wilde geven.

Colburn reageerde per omgaande met een hoffelijke kritiek van twee pagina's lang met daarin de plus- en minpunten, en eindigde met de woorden dat hij het graag wilde uitgeven op voorwaarde dat mijn moeder bijdroeg in de kosten. Mijn moeder ging akkoord met het voorstel, al moest ze er geld voor aanspreken dat ze node kon missen. Maar het bleek een goede gok te zijn, en niet lang daarna kwam Colburn met een verzoek om een vervolgdeel, op veel betere voorwaarden.

Zo begon mijn moeders literaire loopbaan, die tien jaar lang tot aan haar dood ononderbroken heeft voortgeduurd. Haar pennenvruchten waren voor ons een welkome bron van inkomsten, maar de inspanning die het haar kostte was enorm, en naarmate ik ouder werd en haar magere kromme gestalte over de grote vierkante tafel die als schrijftafel diende gebogen zag, besefte ik hoezeer het schrijven haar gezondheid ondermijnde. Soms, als ik de kamer binnenkwam, keek ze niet eens op, maar sprak met zachte stem tegen me terwijl ze gewoon bleef doorschrijven met haar neus vlak boven het papier. 'Wat is er, Eddie? Zeg het even snel tegen mama, schat.' En dan zei ik wat ik wilde en dan zei zij dat ik dat maar aan Beth moest vragen – en weg was ik weer, terug naar de zorgen van mijn eigen wereld terwijl ik haar driftig liet voortpennen in de hare.

Toen ik zo'n jaar of zes was, nam Thomas Grexby mij onder zijn pedagogische hoede. Het schooltje van Tom, waar ik leerling werd, bestond uit hemzelf, een dikkige, dom kijkende jongen die Cooper heette en zelfs van de meest elementaire leerstof geen jota begreep, en mij. Jongeheer Cooper moest zich oefenen in de grondbeginselen van lezen en rekenen en zat lange uren in zijn eentje in opperste concentratie met zijn tong uit zijn mond te zwoegen, zodat Tom en ik samen konden lezen en praten. Ik maakte rasse vorderingen, want Tom was een uitmuntend onderwijzer en ik was een uiterst leergierige scholier.

Onder Toms hoede leerde ik binnen korte tijd lezen, schrijven en rekenen, en hij moedigde me aan op dat stevige fundament mijn eigen huis der kennis te bouwen. Elk onderwerp, elk thema binnen elk onderwerp waarover Tom me iets leerde, wakkerde alleen maar mijn leerhonger aan. Zo werd mijn geest gevuld met enorme hoeveelheden ruwe informatie over elk denkbaar onderwerp, van de wet van Archimedes tot de exacte dag waarop de wereld volgens aartsbisschop Ussher* was geschapen.

Geleidelijk aan begon Tom de druk op deze methode van kennisverwerving wat op te voeren. Ik kreeg een gedegen opleiding in de klassieke talen, maar ook grondig onderricht in geschiedenis en de belangrijkste literatuur in de diverse landstalen. Tom was bovendien een verwoed boekenliefhebber, al werden zijn pogingen om een bijzondere bibliotheek aan te leggen ernstig gedwarsboomd door zijn eeuwige geldgebrek. Dat nam niet weg dat hij een indrukwekkende kennis en deskundigheid op dit gebied had, en van hem leerde ik over incunabelen en colofons, kapitaalbanden en knepen, drukken en uitgaven, en alle andere weetjes die bibliofielen zo koesteren.

Tot mijn twaalfde zag mijn leven er zo uit, maar toen veranderde er iets.

Op mijn twaalfde verjaardag, in maart 1832, liep ik naar beneden om te ontbijten en zag daar mijn moeder aan haar schrijftafel zitten met een houten kistje in haar handen.

'Hartelijk gefeliciteerd, Eddie.' Ze glimlachte. 'Kom, geef me een kus.'

* James Ussher (1581-1656), aartsbisschop van Armagh. Zijn bekendheid dankt hij voornamelijk aan *Annales veteris testamenti* (1650-1654), waarin hij een chronologie van de bijbel had neergeschreven die lange tijd als standaard gold, met 4004 v.Chr. als het jaar van de Schepping. JJA

Dat deed ik maar al te graag, want ik had haar de laatste tijd maar weinig gezien omdat ze druk bezig was met het zoveelste boek voor Colburn en zijn almaar krappere inleverdata.

'Dit is voor jou, Eddie,' zei ze zachtjes terwijl ze me het kistje toestak.

Het was een diep, scharnierend kistje van ongeveer vijfentwintig bij vijfentwintig centimeter, gemaakt van warm donker hout, met iets boven de onderkant een strook lichter hout. Het deksel had opstaande afgeplatte randen en een van de zijden was versierd met een ingelegd familiewapen. Aan weerskanten zat een koperen handvat, en op het deksel zat een sleutelplaatje. Het kistje heeft jarenlang op mijn schoorsteenmantel in Temple-street gestaan.

'Maak maar open,' zei mijn moeder vriendelijk.

Erin lagen twee zachtlederen beursjes, die elk een grote hoeveelheid gouden munten bevatten. Ik strooide ze uit op tafel. Bij elkaar waren het tweehonderd sovereigns.*

Het spreekt vanzelf dat ik niet begreep hoe wij opeens aan zoveel geld waren gekomen, want mijn moeders meelijwekkende bleke gezicht liet er geen misverstand over bestaan hoe hard ze moest zwoegen, onafgebroken en zonder tijd voor ontspanning, om ons gezinnetje in leven te houden.

'Waar komt al dit geld vandaan?' vroeg ik verbijsterd. 'Mama, is dat van u?'

'Nee, schat,' antwoordde mijn moeder, 'het is van jou, om naar eigen goeddunken uit te geven. Een cadeautje van een heel oude vriendin, die heel veel van je hield, maar die jou nooit meer zal zien. Het was haar wens dat jij dit geld kreeg, zodat je weet dat jij altijd in haar gedachten bent.'

Welnu, de enige vriendin van mijn moeder die ik kon bedenken was

* Een niet meer bestaand Engels gouden pondstuk ter waarde van twintig shilling (oftewel een pond sterling). Het is behoorlijk lastig om de toenmalige waarde om te zetten naar de huidige; met gebruikmaking van de indexering en berekeningen zoals verschaft door J. O'Donoghue, L. Goulding en G. Allen in *Consumer Price Inflation Since 1750* (Office for National Statistic 2004) komt de waarde van tweehonderd goudstukken in 1832 ongeveer overeen met een waarde van 14.000 pond nu. Op de munten stond waarschijnlijk de beeltenis van William IV (overleden in 1837). JJA

de droef kijkende juffrouw Lamb; en zo kwam het dat ik jarenlang in de waan verkeerde, en mijn moeder liet me daarin, dat zíj mijn weldoenster was. Hoewel ik niet precies wist van wie de gulle gift afkomstig was, had het gewicht van de munten, in het holle van mijn handen, een krachtige uitwerking op me, want ik besefte terstond dat ik daarmee mijn moeder van haar literaire geploeter kon verlossen. Maar dat idee wees ze direct van de hand, met een verontwaardigde beslistheid die ik niet van haar kende. Na enig heen en weer gepraat kwamen we overeen om het geld, met aftrek van vijftig sovereigns die mijn moeder van mij moest aannemen, in bewaring te geven bij haar oom More, die het bedrag naar eigen inzicht hopelijk met winst zou gaan beleggen, totdat ik meerderjarig was.

'Er is nog meer, Eddie,' zei ze.

Ik moest naar school – een echte school, buiten Sandchurch. Deze speciale vriendin van mijn moeder, die zoveel van me had gehouden, had de wens geuit dat ik vanaf mijn twaalfde jaar als beursleerling naar Eton College zou gaan, en daarvoor had ze alle voorbereidingen getroffen. En die tijd was nu gekomen. Wanneer de zomer voorbij was en de kastanjeboom bij het tuinhek zijn bladeren begon te verliezen, zou ik, mits ik voor mijn toelatingsexamen slaagde, leerling worden op The King's College of Our Lady of Eton beside Windsor, gesticht door de zeer vrome, gelovige Engelse vorst Hendrik VI. Aanvankelijk wist ik niet hoe ik deze enorme verandering moest duiden, gunstig of juist niet, maar Tom Grexby wist me spoedig van het eerste te overtuigen. Het was het allerbeste dat me had kunnen overkomen, zei hij, en hij wist zeker – en wie kon het beter weten dan hij – dat deze wending in mijn leven een succesvol man van mij zou maken.

'Koester de dingen, Ned,' zei hij, 'die we samen hebben gedaan en richt je blik op de toekomst. Want jouw leven, je ware leven, zit niet hier,' (hij wees op zijn borst en het hart dat daarin klopte) 'maar hier–' en hij wees naar zijn hoofd. 'Dáár ligt jouw koninkrijk,' zei hij, 'en het is aan jou om het zo groot en zo fraai mogelijk te maken, tot aan het einde der aarde.'

Het toelatingsexamen dat ik in juli deed, stelde me niet voor onoverkomelijke problemen, en spoedig daarna kwam dan ook de brief met de verheugende mededeling dat ik boven aan de lijst stond. De rest van de zomer studeerden Tom en ik hard, en maakten samen lange wandelingen over de rotsen, waarbij we levendige discussies voerden over de onderwerpen die ons beiden na aan het hart lagen. En toen was het zo ver: Billick kwam voorrijden met de sjees, mijn koffers werden ingeladen en ik klom naast hem op de bok. Tom was uit het dorp komen lopen om me uit te zwaaien en een geschenk mee te geven: een mooie uitgave van Glanvills *Saducismus Triumphatus*.* Ongelovig en verrukt staarde ik naar het boek in mijn handen dat ik al had willen lezen sinds Tom me had gewezen op de beroemde uitspraak van Hamlet tegen Horatio, als hij de geest van zijn vader ziet: 'Daar is meer in de hemel en op aarde, vriend Horatio, dan waarvan uw wijsheid droomt.'**

'Een kleine aanvulling op je filosofische bibliotheek,' zei hij glimlachend. 'Maar mondje dicht tegen je moeder, die denkt natuurlijk dat ik je jeugdige geest probeer te bederven. En wees erop voorbereid dat je als je weer thuis bent erover wordt ondervraagd.' Daarop pakte hij mijn hand en schudde die krachtig – voor het eerst dat iemand dat deed. Voor mij een onmiskenbaar teken dat ik geen kind meer was maar man onder de mannen.

Alles was gereed en we wachtten in de felle, winderige zonneschijn op mijn moeder. Toen ze naar buiten kwam, viel het me op dat ze iets in haar hand had en even later zag ik dat het het kistje was waarin de tweehonderd sovereigns van haar vriendin hadden gezeten.

'Neem dit mee, Eddie, ter herinnering aan de lieve vrouw die dit mo-

* *Saducismus Triumphatus; or, Full and Plain Evidence Concerning Witches and Apparitions*, door Joseph Glanvill (1636-1680), een poging om sceptici te overtuigen van het bestaan van dergelijke verschijnselen. In feite was het een uitgebreide, postume uitgave (met aantekeningen van Henry More) van Glanvills *A Philosophical Endeavour Towards a Defence of the Being of Witches and Apparitions*, uitgebracht in 1666, waarvan de meeste exemplaren tijdens de grote brand in Londen in vlammen zijn opgegaan. Glanvills stelling was dat als men niet in duivels en heksen geloofde, men vanzelf ook niet in God en de onsterfelijkheid van de ziel geloofde. Tegenwoordig wordt het werk als een van de belangrijkste en invloedrijkste Engelstalige boek over dit onderwerp beschouwd. De eerste druk van *Saducismus Triumphatus* werd in 1681 voor S. Lownds gepubliceerd. JJA

** 'There are more things in heaven and earth, Horatio, than are dreamt of in your philosophy.' *Hamlet*, I: v. 174-175. JJA

gelijk heeft gemaakt. Ik weet dat je haar niet zult teleurstellen en dat je goed je best zult doen op school en dat je een uitmuntende leerling zult worden. Beloof je me te schrijven zodra je gelegenheid hebt? En vergeet niet dat je mijn allerliefste jongen bent.'

Toen pakte ze mijn hand, maar schudde die niet zoals Tom had gedaan, maar drukte er een kus op.

Aan Bella vertelde ik verder over mijn tijd als leerling op Eton, maar omdat de lezers van deze bekentenis op de hoogte moeten zijn van bepaalde gebeurtenissen die plaatsvonden toen ik daar op school was, vooral van de omstandigheden die tot mijn vertrek leidden, ben ik van plan daar op een geschiktere plaats in mijn relaas op terug te komen, tegelijk met het verhaal van mijn leven in de jaren direct erna.

Bella luisterde aandachtig en stond af en toe op om naar het raam te lopen terwijl ik aan het woord was. Toen ik uitgesproken was, bleef ze even in gepeins verzonken zitten.

'Je hebt niet veel over je huidige werkkring verteld,' zei ze opeens. 'Misschien ligt het antwoord daar wel. Ik geef toe dat ik niet precies weet wat voor werk je eigenlijk bij de firma Tredgold doet.'

'Dat heb ik toch al gezegd, ik ben de vertrouwensman van de oudste vennoot.'

'Neem me niet kwalijk, hoor, Eddie, maar ik vind je antwoord een tikje ontwijkend.'

'Begrijp dan toch, liefste, dat ik vanwege mijn beroepsgeheim niet meer kan loslaten. Maar ik verzeker je dat ons kantoor in hoog aanzien staat, en dat mijn taken – van zuiver adviserende aard – niets met de huidige kwestie te maken kunnen hebben.'

'Maar hoe weet je dat zo zeker?'

Haar volharding gaf mij de opening waar ik naar zocht. Ik stond op en begon rond te lopen, alsof ik opeens een ingeving had gekregen.

'Misschien heb je wel gelijk,' zei ik ten slotte. 'Het is best mogelijk dat het met een affaire op mijn werk te maken heeft.'

Ik bleef heen en weer lopen totdat zij uiteindelijk naar mij toekwam.

'Eddie, wat is er? Je ziet er zo vreemd uit.'

Smekend pakte ze mijn hand.

Het was wreed van mij om haar zo te laten lijden, maar ik kon haar onmogelijk de waarheid vertellen. Er zat niets anders op dan haar in de waan laten dat de inhoud van het briefje met een kwestie op mijn werk te maken had. En daarom nam ik mijn toevlucht tot de regelrechte leugen.

'Er is een man,' zei ik na een tijdje, 'een cliënt van ons kantoor, die mij verwijt dat ik onzorgvuldig met zijn zaak, die ons kantoor in behandeling had, ben omgesprongen.'

'En denk je dat die man het briefje kan hebben geschreven?'

'Wie weet.'

'Maar met welk doel? En waarom was het briefje dan naar mij gestuurd? En waarom staat erin dat je niet bent wie je lijkt?'

Ik vertelde dat de man die ik ervan verdacht het briefje te hebben geschreven rijk en machtig was, maar ook een twijfelachtige reputatie had; dat hij misschien opzettelijk tweedracht tussen ons wilde zaaien, om wraak te nemen om mijn vermeende aandeel in zijn verloren rechtszaak. Daar moest ze even over nadenken, en schudde toen haar hoofd.

'Maar het is naar míj gestuurd. Hoe weet hij nou van mijn bestaan of waar ik woon?'

'Misschien heeft hij mij door iemand laten volgen,' opperde ik. Ze verstijfde van schrik en haar adem stokte.

'Ben ik dan in gevaar?'

Dat, zei ik, was bijzonder onwaarschijnlijk, al verzocht ik haar om alleen onder begeleiding van Braithwaite de deur uit te gaan.

We praatten nog tot ver na middernacht met elkaar. Ik beloofde Bella dat ik zou uitzoeken hoe het zat en dat ik, als mijn vermoedens klopten, een aanklacht tegen de man zou indienen. Keer op keer verzekerde ik haar dat de toespelingen in het briefje volkomen uit de lucht gegrepen waren. Desondanks bleef ze zichtbaar ongerust, en het was duidelijk dat ik door mijn onhandige verzinsels de zaak alleen maar had verergerd. Een uur lang lagen we gekleed naast elkaar op bed, zonder iets te zeggen. Vlak voor het ochtendgloren vroeg ze of ik haar terug wilde brengen naar St John's Wood.

We slopen de zijdeur van het Clarendon uit, een bittere gele mist tegemoet, en liepen zwijgend door de bijna verlaten straten, allebei verzonken in onze eigen gedachten.

Bij Blithe Lodge vroeg ik of ik zondag langs mocht komen.

'Wat je wilt,' zei ze dof terwijl ze een sleutel uit haar reticule haalde en de deur openmaakte.

Ze ging naar binnen zonder me een kus te geven.

5

Mors certa*

Ik ging terug naar Temple-street, maar vond geen rust. Slapen kon ik niet en in lezen had ik geen zin, nergens in trouwens. Ik kon er zelfs niet toe komen mijn stukgelezen exemplaar te pakken van de preken van Donne, die meestal als een koud bad mijn daadkracht stimuleerden en me weer tot handelen aanspoorden. Ik zat daar maar voor de lege schouw, in sombere gepeinzen verzonken.

Het speet mij oprecht dat ik tegen Bella had gelogen; maar de leugen had zich in mij genesteld: feitelijk had ik haar al bedrogen, en in mijn hart ging ik daarmee door. Ik leefde voor een ander, hunkerde naar een ander, droomde er slechts van een ander te bezitten, maar die ander had ik nu onherroepelijk verloren. Hoe kon ik Bella dan de waarheid zeggen? Ik kon alleen maar tegen haar liegen. Dat was het minste van twee kwaden.

Bij het vage schijnsel van de traplantaarn onder mijn raam zag ik de mist, drukkend en wasemend tegen het glas. Een gevoel van beklemming gleed onstuitbaar bij me naar binnen, als een mes. Harder, dieper, snijdend. Ik wist waar het op uit zou lopen. Ik probeerde het, als altijd, op een afstand te houden, maar tevergeefs. Het bloed begon in mijn slapen te kloppen tot ik het niet meer uithield en toegaf aan mijn demonen; ik trok mijn overjas weer aan en liep de trap af. De nooit slapende, uitnodigende muil van de Grote Leviathan riep.

* 'De dood is vastgesteld'. JJA

Ik vond haar waar ik wist dat ze zouden zijn, waar ze altijd te vinden waren zolang er nog een restje nacht over was – naar huis terugkerend uit het West-end.

Op de hoek van Mount-street haalde ik haar in. Een paar woorden, en de prijs was vastgesteld.

Het huis was van een jodin, die zelfs op dit late uur opendeed op het kloppen van het meisje en ons argwanend stond na te kijken toen we drie smalle trappen opgingen naar een lage pijpenla op de derde verdieping.

De kamer was karig maar netjes gemeubileerd en redelijk schoon. Aan het andere uiteinde lag onder een dichtgespijkerd raam een rood katje te slapen in een doos waar felrode linten aan bevestigd waren en opzij in onbeholpen letters zijn naam, 'Teiger', op geschreven stond; op een tafel lag een stapeltje naaiwerk, waaruit de mouw van een dikke fluwelen japon als een dood ding tot bijna op de grond hing. Ertegenover stond, naast een raam aan de straatkant, met de gordijnen halfdicht, een eenpersoons Frans ledikant bedekt met een verstelde, verschoten sprei, te kort om de ongeleegde po eronder aan het oog te onttrekken.

'Heb je ook een naam?' vroeg ze.

'Geddington,' antwoordde ik, met een lachje. 'Ernest Geddington. Huisbediende. En wie ben jij?'

'Voor u lady Jane,' klonk haar antwoord, geforceerd grappig. 'En nu, mijnheer Ernest Geddington, huisbediende, zult u de kwaliteit van het gebodene wel eens willen keuren.'

Ze was een tenger meisje van een jaar of twintig, met roodbruin haar, en ze sprak met een zacht Cockney-stemgeluid, verruwd door haar leven in rokerige ruimten. Haar poging tot luchtigheid was geforceerd. Haar ogen waren vermoeid, de glimlach gemaakt. Ik zag haar rode knokkels, haar magere witte benen, en hoorde haar telkens zachtjes hoesten. Moeizaam wankelend op haar vermoeide, opgezette voeten begon ze zich uit te kleden totdat ze, een beetje rillend, voor me stond in haar hemd en onderbroek.

Ze trok me achteruit naar het ledikant en ging zitten.

'Uw rijtuig staat gereed, mijnheer Geddington,' zei ze, de vermoeidheid nu zichtbaar in een ternauwernood onderdrukte geeuw.

'O nee, my lady,' zei ik, en al pratend draaide ik haar om. 'Ik ken mijn plaats. Ik neem de achterdeur, met uw welnemen.'

En daarna naar Bluegate-fields, gevaarlijk, dodelijk. Een zwarte spleet van vochtige steen loopt vanuit een smalle steeg een ander soort mist in, droog en branderig, die al kringelend en zwevend door het vertrek pijn doet aan de ogen. Een laskaar zit ineengedoken op de vuile vloer vol regenplasjes, in een tegenoverliggende hoek zit een andere uitgemergelde gestalte te mompelen en wacht een lege divan.

Ik ga liggen, krijg het instrument der dromen aangereikt, gevuld met zijn werkzame lading, en de desintegratie begint. Wolken, schel zonlicht, de glanzende toppen van eeuwige bergen, en een koude, groene zee. Een olifant staart me aan met een blik van onzegbaar mededogen in zijn kleine, donkere oogjes. Een man met rood haar wiens gezicht ik niet kan zien.

De grenzen van deze wereld verschuiven voortdurend – van dag naar nacht, van vreugde naar verdriet, van liefde naar haat, en van het leven naar de dood; en wie kan zeggen op welk ogenblik we plotseling de grens zullen oversteken, van het ene bestaansstadium naar het andere, zoals wanneer warmte aan een ontvlambare stof wordt toegevoerd? Mij zijn mijn eigen immer wijzigende marges toebedeeld, die ik voortdurend, hongerig, overschrijd, als een zwervend dier. Soms beschaafd, dan weer ongetemd, soms openstaand voor fatsoen en menselijkheid, dan weer immoreel afgestemd op de meest duistere verlangens.

Ik beken deze ontaardheden omdat ze waar zijn, even waar als al het andere in deze bekentenis; even waar als de moord op Lucas Trendle en mijn haat jegens Phoebus Daunt; en even waar als de vervloekte liefde die ik koester en altijd zal blijven koesteren voor haar wier naam ik nog niet kan noemen. Als deze daden u doen walgen, het zij zo. Ik wil er – kan er – geen verontschuldigingen of verklaringen voor aanvoeren, want de verschrikkelijke, onverzadigbare drang om zonder ophouden tussen licht en duisternis te zwerven, als een soort arme Ahasverus,* zal mij niet verlaten, zal mij voortdrijven tot het uur van mijn dood.

* De wandelende jood uit de legenden. JJA

Een sigaar om bij te komen en dan ga ik weer de mistige straat op. Wederom beklim ik vermoeid de trap naar mijn kamers in Temple-street terwijl de dag moeizaam tot leven komt.

Toen ik in mijn zitkamer kwam, plofte ik neer in de stoel bij de haard die ik een paar uur eerder had verlaten en viel in een diepe, ongestoorde slaap.

Even voor het middaguur schrok ik wakker en dacht aan Jukes.

Fordyce Jukes was mijn buurman op de begane grond. Ik had een afkeer van zijn vettige, sluwe uiterlijk en kruiperige manier van doen. 'Prettig u te zien, mijnheer Glapthorn. Het is me een genoegen, mijnheer Glapthorn. Ietsjes koud vandaag, mijnheer Glapthorn.' Ik begon te rekenen op het opengaan van zijn deur net op het moment dat ik de trap op- of afging, op het temerige lachje waarmee hij mij begroette en het nooit falende gevoel van een waakzaam oog achter me.

Het was Jukes! Ik wist het zeker. Ik had het direct moeten begrijpen. Hij was me die avond gevolgd naar Cain-court. Hij wist alles.

Hij was kantoorklerk bij Tredgold, Tredgold & Orr, advocaten en notarissen, op Paternoster-row, waar ik ook in dienst was en waarover ik later nog uitvoeriger zal komen te spreken. Behoorlijk intelligent, dat is zeker; behoorlijk ontwikkeld, en voldoende op de hoogte van mijn komen en gaan om me in zijn netten te verstrikken. Ja, het moest Jukes zijn. Onder de schijn van wellevendheid volgde zijn blik me voortdurend, alsof hij half en half wist dat ik niet was wat ik leek. Ook had hij onlangs de gelegenheid gehad om in mijn papieren te snuffelen, zoals ik verderop zal vertellen. Weliswaar hadden we nooit over Bella gesproken; onze gesprekken waren altijd angstvallig neutraal over alle persoonlijke zaken; maar hij had me in het oog gehouden, was me gevolgd en was haar op het spoor gekomen.

Waardoor was het begonnen? Ik wist dat hij een verduiveld nieuwsgierige bemoeial was; mijn nachtelijke omzwervingen waren veelvuldig, en zijn altijd gespitste oren zullen aan het kraken van de trap hebben gehoord wanneer ik de deur uitging. Een opwelling op een avond – onweerstaanbaar voor hem – om me naar buiten te volgen, te kijken waar ik heen ging en wat ik deed, kwam op volgende avonden terug totdat het een gewoonte was geworden. Hoeveel donkere schimmen hadden zijn observerende blik verwelkomd, hoeveel deuropeningen, hoeveel duistere, verborgen plekken?

En toen, op een avond aan het eind van oktober, volgde hij me weer, wat vroeger dan gewoonlijk, verbaasd over het kennelijk ontbreken van een plan of doel, terwijl ik in de richting van Threadneedle-street liep. Hij kon Lucas Trendle, die voor de Bank stond, niet zien: alleen ik kon hem zien. Maar hij bleef kijken, nog steeds verbaasd, toen ik naar het westen liep, in de richting van The Strand.

Hij kon niet weten waarom ik de daad beging waar hij getuige van was, maar hij wist dat ik het gedaan had. *Hij wist het.*

Die ontdekking spoorde me aan tot actie. Ik spoelde mijn gezicht af met koud water en liep naar beneden. Zijn deur bleef dicht en binnen klonk geen geluid, want om deze tijd was hij natuurlijk gewoonlijk bij Tredgolds. Maar ik wist dat hij erin geslaagd moest zijn die middag vrij te krijgen van kantoor teneinde zijn voornemen uit te voeren mij in Stoke Newington aan te spreken, of zich er althans van te overtuigen dat ik gevolg had gegeven aan zijn uitnodiging om Lucas Trendle de laatste eer te bewijzen. Toch bleef ik onder aan de trap staan en overwoog me met geweld toegang te verschaffen tot zijn appartement, op zoek naar bevestiging dat de hand die verantwoordelijk was voor de twee anonieme briefjes de zijne was. Maar dat, besloot ik, was te onbezonnen en ook onnodig; dus ging ik de deur uit om het plan dat ik had gemaakt uit te voeren.

Ik was op tijd in Chancery-lane voor de omnibus van halféén naar Stoke Newington, want het was nu 3 november en Lucas Trendle zou begraven worden. De omnibus kwam en vertrok zonder mij – ik was niet van plan enig risico te lopen. Ik hield me daarom wat achteraf en keek goed naar ieder gezicht dat langskwam op straat, naar iedere stilstaande of rondhangende figuur. Toen ging ik achter aan de rij voor de volgende groene 'Favourite' staan, en daar stapte ik in om er onmiddellijk weer uit te stappen toen hij wegreed. Overtuigd dat ik niet gevolgd was, zocht ik ten slotte een plaats in de wagen van één uur en kwam uiteindelijk op mijn bestemming aan.

Door de Poort des Doods,* waarboven in hiërogliefen geschreven stond 'De poort tot het verblijf van het sterfelijk deel van de mens', liep ik de Abney-begraafplaats op, in het stille dorpje Stoke Newington. Londen lag achter me, onder een dreigende, verduisterende rood-gele wade die tussen aarde en hemel hing, het voortbrengsel van duizenden schoorstenen. Hier was de lucht schoon, de dag somber, maar met een belofte van opklaring.

Het was nog een uur voor de aangekondigde tijd. Ik dwaalde, zoals een toevallige bezoeker zou doen, tussen de uitgestrekte gazons en de libanonceders, en bekeek de monumenten van graniet en marmer – sommige opvallend, de meeste van een gepaste eenvoud, want dit was een rustplaats voor protestantse sterfelijken; de versteende engelen, de zuilen en met een doek bedekte urnen. Ik bekeek het gotische kapelletje en liep toen naar een afgeschoten gedeelte, rond een grote, eerbiedwaardige kastanje, die de plaats aangaf waar Dr. Watts,** vriend van de toenmalige lady Abney en huisleraar van haar dochters, zich bij voorkeur placht terug te trekken.

Terwijl ik daar nog wat rondwandelde, keek ik om me heen, nam de loop van paden en promenades in me op en probeerde me voor te stellen hoe de gebeurtenissen zich zouden afspelen.

Zou Jukes het in zo'n omgeving wagen mij rechtstreeks aan te spreken? Zou hij me onopvallend terzijde nemen en zijn voorwaarden voor verder zwijgen stellen? Ik voelde me door hem volstrekt niet lichamelijk bedreigd – zo'n ondermaatse, gluiperige figuur – en was in elk geval goed voorbereid op die mogelijkheid. Ik zou het initiatief ne-

* De monumentale poort in Egyptische stijl, die toegang geeft tot de begraafplaats. JJA

** Isaac Watts (1674-1748), de protestantse geestelijke, dichter en schrijver van kerkgezangen. De begraafplaats, aangelegd op het vroegere landgoed Fleetwood-Abney, was in mei 1840 in gebruik genomen. JJA

men en voorstellen de zaak beschaafd, als heren onder elkaar, te bespreken. Hij zou me erkentelijk zijn voor mijn voorkomendheid; er was geen reden voor onaangenaamheden, geen enkele reden. Gewoon een kleine zakelijke kwestie. Een wandelingetje, misschien, naar de kapel, en een afspraak voor later – op een voor beiden geschikte plaats en tijd in Londen – om de zaak te beklinken. Dan zou ik mijn superioriteit bewijzen, volledig en afdoend.

Zo fantaseerde ik terwijl ik langzaam over het pad heen en weer bleef slenteren, alsof ik rustig mijn omgeving in ogenschouw nam. Ik haalde mijn horloge te voorschijn. Enkele ogenblikken later sloeg de kerkklok drie.

Ik keerde terug naar het hek, waar ik een lijkkoets getrokken door vier paarden – met struisveren en kostbare sjabrakken – de begraafplaats op zag rijden, gevolgd door twee rouwkoetsen en een aantal kleinere rijtuigen gehuld in weelderig zwart fluweel. Ik telde vier doodbidders in hun lange mantels en een groepje van zo'n vijf, zes pages. Een tamelijk kostbare aangelegenheid, bedacht ik, ondanks het eenvoudige geloof van de heer Trendle.

Een groepje dorpelingen die niet bij de familiegroep hoorden, volgde de stoet op een afstandje. Deze groep bekeek ik nauwkeurig en ik liep er wat dichter naar toe, zo vlug als ik durfde, om naar de gezochte man te speuren.

De rouwstoet ging door een van de boogdeuren de kapel binnen; de kist werd door de dragers opgenomen en naar binnen gebracht; de rouwenden stapten uit en volgden de droeve last.

Ik was er een eindje vandaan gaan staan. Dat moest zijn moeder zijn: een tengere gestalte die leunde op de arm van een lange, jongere heer, misschien zijn broer. Ik bespeurde geen vrouw of kinderen, waar ik dankbaar voor was. Maar de aanblik van zijn arme moeder bracht me even van mijn stuk, toen ik in mijn herinnering de grijnslach weer zag die haar zoon me had geschonken toen ik het mes uit zijn nek trok.

Terwijl de familieleden hun plaatsen in de kapel innamen, inspecteerde ik voor de tweede keer de groep genodigden. Daar moest Jukes toch bij zijn, ook al was zijn opvallende gedrongen gestalte voor mij niet zichtbaar. Toen kwam ik op de gedachte dat hij misschien iemand anders had gestuurd; hoe onwaarschijnlijk dat ook leek, ik liet mijn blik nog eens over de toeschouwers glijden en kwam wat dichterbij, totdat ik deel uitmaakte van de kleine schare.

'Hebt u de heer Trendle gekend, mijnheer?'

De bedroefde vragenstelster was een kleine, nogal gezette vrouw, die me met lichte grijsgroene ogen aankeek van achter een gouden bril.

'Oppervlakkig, mevrouw,' antwoordde ik.

Mijn gesprekspartner schudde haar hoofd langzaam heen en weer. 'Zo'n voortreffelijk mens – voortreffelijk. Zo goed en edelmoedig, zo dol op zijn mama. U kent mevrouw Trendle, neem ik aan?'

'Oppervlakkig.'

'Maar misschien niet haar overleden echtgenoot?'

'Nee, die niet.'

Ik wilde het gesprek niet voortzetten, maar ze vroeg verder.

'Bent u misschien van de kerk?'

Ik antwoordde dat ik de overledene alleen voor zaken had ontmoet.

'Ach, zaken. Van zaken heb ik geen verstand. Maar mijnheer Trendle wel. Zo'n knappe man! Ik moet er niet aan denken wat die arme mensen in Afrika zonder hem moeten beginnen.'

Ze ging nog een tijdje door met haar jammerklacht en benadrukte vooral, met een merkwaardig soort melancholiek genoegen, de slechtheid en de onontkoombare verdoemenis van degene die de Afrikanen zo had beroofd van hun grote beschermer.

Ten slotte, niet aangemoedigd door enige reactie mijnerzijds, glimlachte ze flauwtjes en waggelde weg in haar fladderende rouwkleding, waarin ze een grote samengepakte bal roet leek, ontsnapt uit de gevangenis van mist die nog steeds als een donkere, dreigende streep boven de roezemoezige stad achter ons lag en op de arme zielen eronder drukte als het gewicht van de zonde zelf.

Geen spoor. Niets. Ik bewoog me door de menigte, ervoor zorgend er deel van uit te maken, maar op mijn hoede voor individueel contact. Wanneer zou hij komen? Zóu hij wel komen?

Na verloop van tijd luidde de klok van de kapel en werd de kist, gevolgd door de rouwenden en de verdere aanwezigen, teruggedragen naar de wachtende lijkkoets. Langzaam bewoog de stoet zich naar de plaats die in gereedheid gebracht was.

De begrafenisplechtigheid werd vervolgens voltrokken door een oudere, witharige geestelijke en ging gepaard met de gebruikelijke blijken van droefenis. Ik keek zonder het te willen naar de kist toen die behoedzaam werd neergelaten in de ontvangende aarde, het laatste sterfelijk verblijf van de onfortuinlijke Lucas Trendle, voorheen van de Bank of England. Want ik had hem daar gebracht, hoewel hij mij niets misdaan had.

Het gezelschap begon zich te verspreiden. Ik keek nog eenmaal naar zijn moeder en naar de heer die ik eerder aan haar zijde had gezien. Van onder de rand van zijn hoed kwam een smal gordijntje van rood haar te voorschijn.

Ten slotte bleef ik alleen bij het graf achter met de grafdelvers en hun assistenten. Fordyce Jukes was nergens te bekennen.

Ik wachtte bijna een uur en begaf me toen weer naar de Egyptische poort, terwijl de duisternis inviel. De poortwachter tikte aan zijn pet toen hij me een kleinere zijingang uit liet gaan. Ik haalde diep adem. Die ellendeling van een Jukes had me te pakken gehad, door me bij wijze van grap helemaal hierheen te sturen, en hij zou daar zwaar voor boeten wanneer het moment van de afrekening kwam.

Maar toen, terwijl ik onder de donkere poort door liep, de buitenwereld in, voelde ik een tikje op mijn schouder en wrong iemand – een man – zich langs me heen. Ik was intuïtief naar links uitgeweken, in de richting van de schouder waarop het tikje gegeven was; maar hij was naar rechts gegaan, en werd snel opgenomen in een achtergebleven groep rouwenden die vlak buiten het hek stonden, en verdween in de toenemende duisternis.

Het was niet Jukes. Hij was langer, breder, snel ter been. *Het was niet Jukes.*

Terneergeslagen en in verwarring ging ik terug naar Temple-street. Toen ik door het trapportaal kwam, ging de deur van de kamer op de begane grond open.

‘Goedenavond, mijnheer Glapthorn,’ zei Fordyce Jukes. ‘Ik hoop dat u een prettige dag hebt gehad.’

6

Vocat*

De overtuiging dat Fordyce Jukes mijn kwelgeest was, liet me niet los; en toch was hij niet in Stoke Newington geweest, en ook was er niemand geweest die probeerde zich aan mij bekend te maken – afgezien van dat tikje op de schouder, dat verontrustende gevoel van een zachte maar onmiskenbare, opzettelijke druk. Een toevallige aanraking door een vreemde die haast had, ongetwijfeld. Maar niet het eerste 'toeval' van dien aard – ik dacht nog steeds aan het incident bij het Diorama. En ook niet het laatste.

Waarom had Jukes me helemaal naar Stoke Newington laten gaan, als het niet in zijn bedoeling lag dat ik hem daar zou zien? Ik kon tot geen andere conclusie komen dan dat hij zijn tijd afwachtte; dat het tweede briefje, de oproep om naar de begrafenis van mijn slachtoffer te gaan, bedoeld was om het mes nog eens om te draaien, wat ik met samengestelde interest zou terugbetalen. Er waren twee boodschappen ontvangen. Misschien zou er na een derde iets gebeuren.

Vanaf dat moment hield ik Jukes goed in het oog. Uit het raam van mijn zitkamer kon ik, als ik mijn gezicht dicht tegen het glas hield, beneden net de plek zien waar het trappenhuis op straat uitkwam. Ik sloeg hem gade wanneer hij zijn boodschappen naar binnen droeg, of een praatje maakte met de bewoners van naburige kamers, en soms een eindje langs de Theems ging wandelen met zijn schurftige hondje. Zijn werktijden waren regelmatig, zijn privébezigheden onschuldig.

Er gebeurde niets. De verwachte derde boodschap kwam niet; er was geen zacht klopje op de deur, en niets wat duidde op een plan dat ten

* 'Hij roept'. De betekenis van de titel van dit gedeelte is niet geheel duidelijk. JJA

uitvoer gebracht werd. In de loop van de volgende dagen begon ik langzaam te herstellen van mijn uitputting en toen mijn krachten en concentratie terugkeerden, was ik op een ochtend, na een nacht goed geslapen te hebben – voor het eerst sinds minstens een week – weer in staat om me aan de vernietiging van mijn vijand te wijden.

Over zíjn geschiedenis en karakter zult u meer horen – veel meer – in het vervolg van dit verhaal. Hij was altijd in mijn gedachten. Ik ademde hem elke dag in, want zijn lot was verankerd aan het mijne. 'En ik zal zijn hoofd bedekken met de bergen van mijn toorn, en hem terneer-drukken,/ en hij zal door de mensen vergeten worden.' Dit is een van de zeldzame goede regels uit het epische werk van P. Rainsford Daunt (*De Maagd van Minsk*, Boek III); maar er is nog een betere van de dichter Tennyson, die mij voortdurend voor de geest zweefde: 'Ik ben *geboren* voor andere dingen.'*

Op de zondag na de begrafenis van Lucas Trendle ging ik naar Blithe Lodge, zoals afgesproken, en werd door Charlotte, het Schotse dienstmeisje, in de salon aan de achterkant gelaten. Ik wachtte een poosje totdat ik eindelijk het heel eigen geluid van Bella's trippelende voetjes op de trap hoorde.

'Hoe maak je het, Eddie?' vroeg ze. Ze pakte mijn hand niet, en kuste me niet spontaan zoals ze ooit wel gedaan zou hebben, ze keerde me zelfs niet haar wang toe om gekust te worden.

We wisselden de gebruikelijke kwinkslagen uit, terwijl zij op een chaise longue ging zitten, dicht bij het hoge schuifraam dat uitkeek over de donkere tuin beneden.

'En,' zei ze, 'vertel eens wat je zoal gedaan hebt. Het is hier zo druk geweest. Zoveel te doen, en zoveel dingen om over na te denken! En nu Mary weggaat – je weet natuurlijk dat kapitein Patrick Davenport met haar gaat trouwen! Zoveel opwinding – en zo dapper van hem! Maar ze

* Deze regel komt uit *In Memoriam* (1850), CXX: 'Let him, the wiser man who springs / Hereafter, up from childhood shape / His action like the greater ape, / But I was *born* to other things'. JJA

verdient het, de lieverd, en hij houdt zoveel van haar. Kitty heeft geregeld dat er morgen een nieuw meisje komt, maar natuurlijk weten we nooit hoe die dingen uitpakken, en bovendien is Kitty zelf teruggegaan naar Frankrijk en is het dus mijn taak het gesprek te voeren, naast alle andere dingen, en je weet dat Charlie naar Schotland gaat voor de bevalling van haar zuster...'

Een paar minuten babbelde ze luchtigjes door, lachte af en toe en bewoog onder het praten haar vingers op haar schoot. Maar het oude vuur in haar ogen was verdwenen. Ik zag en voelde de verandering. Ik hoefde niet naar de reden te vragen. Ik begreep dat ze bij het nuchtere daglicht nog eens had overdacht wat ik haar in het Clarendon Hotel had verteld en het niet overtuigend vond – met fatale gevolgen. Een verhaal dat je aan een kind vertelt, een flauwe, absurde fantasie over een bordkartonnen schurk en zijn geheimzinnige handlanger – een van mijn moeders verhalen, misschien, voor de gelegenheid afgestoft. Alleen om de waarheid te verbergen – welke afgrijselijke waarheid ook – over Edward Glapthorn, die niet was wat hij leek te zijn. Het was maar al te duidelijk dat ze 'Veritas' op zijn woord geloofde.

Charlotte bracht ons thee en Bella ging door met haar luchtige gebabbel – waar ik zwijgend bij zat, met af en toe een lachje of een knikje terwijl zij doorpraatte – totdat er op de voordeur geklopt werd, wat de komst aankondigde van een lid van De Academie dat ze moest ontvangen.

We stonden op; ik schudde haar hand, die ze schielijk terugtrok, en ging via de tuindeur weg. Ze was een lieve vriendin en kameraad voor me geweest; maar ik had niet van haar gehouden zoals zij zo graag had gezien. Ik had haar, uit diepe genegenheid, willen behoeden voor pijn; en als mijn leven anders was gelopen, had ik graag met haar willen trouwen en zou er tevreden mee zijn geweest mezelf alleen aan haar te geven. Maar mijn hart behoorde mij niet meer toe, ik kon het niet meer schenken aan wie ik wilde; het was me door een hogere macht ontrukt en aan een ander gegeven, tegen mijn wil, en zou nu in háár bezit blijven, als een arme vergeten gevangene, tot in eeuwigheid.

Toen ik me de volgende dag kittelorig en niet lekker voelde na het gesprek van de vorige avond met Bella, stuurde ik Le Grice een briefje met het voorstel een tochtje te maken met de roeiboot die ik bij de Temple Pier had liggen, waarmee hij direct instemde. Ons plan was naar de Hungerford Passenger Bridge te roeien, een lichte lunch te gebruiken op zijn club en dan terug te roeien. Die ochtend was het helder, maar er stond een flinke wind en toen ik de deur uitging om hem te treffen, snakte ik naar wat lichaamsbeweging.

Onder aan de trap stond de deur naar het appartement van Jukes op een kier. Ik kon het niet laten stil te blijven staan.

Aan de overkant van de straat zag ik de opvallende gestalte van mijn buurman, met zijn kromme rug naar me toe, verdwijnen in de richting van de Temple Gardens, met zijn hondje achter zich aan. Hij had zijn deur per ongeluk opengelaten, daar was ik zeker van, hij die zo'n voorzichtige, geslepen kerel was. Maar hij stond open, en dat was een uitnodiging die ik niet kon weerstaan.

De zitkamer was een groot, gelambriseerd vertrek, met in de tegenoverliggende hoek een boogdeurtje dat toegang gaf tot een slaap- en een toiletruimte. De inrichting was geriefelijk, en gaf blijk van een smaak en verstand van zaken die moeilijk te rijmen leken met de persoon van Fordyce Jukes. Wanneer ik vanuit mijn kamer onder het dak omlaag keek naar zijn komen en gaan had ik me vaak afgevraagd wat voor innerlijke wereld dat merkwaardige mannetje bewoonde; nu ik volslagen onverwacht de tastbare illustraties van die wereld aan wanden en op planken zag prijken, was ik even afgeleid van mijn onmiddellijke plan.

Naast de deur van zijn slaapkamer stond een elegante kast met glazen deuren waarin zich verscheidene magnifieke voorwerpen bevonden: miniaturen uit de Tudor-periode (een Hilliard?), kleine beschilderde doosjes, met groot vakmanschap vervaardigd, buitengewoon verfijnd Chinees ivoorwerk, Delfts aardewerk, Boheemse bokalen; een indrukwekkend assortiment voorwerpen met als enige verbindende schakel de verfijnde smaak – en het toereikende inkomen – waarmee ze verzameld waren. Aan de wanden waren, zorgvuldig ingelijst en opgehangen, al even verbazende blijken te zien van de onverwachte interesses van Fordyce Jukes. Werken van Altdorfer, Dürer, Hollar en Baldung. Ook boeken, die in het bijzonder mijn aandacht trokken. Ik staarde met verwondering naar de eerste editie van Thomas Netters *Sacramentalia* (folio, Parijs, François Regnault, 1523),* die ik al lang graag had willen hebben, en naar andere kostbare kleinoden die in schitterende rijen opgesteld stonden in een andere afgesloten kast naast het bureau.

Ik stond geheel sprakeloos. Dat een man als Jukes deze verzameling zeldzaamheden bijeen had kunnen brengen, terwijl ik er bij wijze van spreken met mijn neus bovenop zat, leek ondenkbaar. Hoe was hij daar allemaal aan gekomen? Waar had hij zich de smaak en de kennis eigen gemaakt? En waar haalde hij het geld vandaan om deze schatten te bekostigen?

Ik begon het vermoeden te koesteren dat chantage en afpersing wel eens Jukes' werkelijke stiel konden zijn, zijn heimelijke beroep, dat hij listig buiten het alledaagse leven van zijn werkzaamheden bij Tredgolds uitoefende, maar met zoveel succes dat ik het bijna niet kon geloven. Smaak en kennis zijn aan te leren; maar als geld niet al voorhanden is, zijn er andere capaciteiten vereist om het te vergaren. Misschien had hij er talent voor om, geholpen door de omstandigheid dat hij bij Tredgolds werkzaam was, cliënten van het kantoor die iets voor de buitenwereld te verbergen hadden geld af te persen.

Het leek eerst vergezocht, maar hoe langer ik erover nadacht, hoe meer het een soort mogelijkheid leek te worden, een verklaring voor wat ik had aangetroffen in die schatkamer die zo lang onopgemerkt onder mijn voeten had gelegen. Was ik dan alleen maar zijn meest recente slachtoffer? Dacht hij dat ik de middelen had om aan zijn eisen te voldoen en hem zodoende in staat te stellen een volgend zeldzaam,

* Thomas Netter (ca 1375-1430), geboren in Saffron Walden in Essex (en daarom in de kerkgeschiedenis bekend als Thomas Waldensis), was een karmelieter theoloog en polemist, en biechtvader van Hendrik V. Hij speelde een belangrijke rol in de vervolging van Wyclifieten en Lollards. De *Sacramentalia* is het derde deel van *Doctrinale antiquitatum fidei ecclesiae catholicae* van deze auteur, een complete apologie van de katholieke leer en liturgie, bedoeld om de aanvallen van Wycliff en anderen te weerleggen. Het is niet direct duidelijk waarom de verteller dit werk zo graag zou willen hebben. JJA

prachtig stuk te verwerven voor zijn wanden en kasten? Maar ik zou niet het slachtoffer van Fordyce Jukes worden, van niemand trouwens. Ik liet die gedachten voor wat ze waren en concentreerde me op de taak die voor me lag, het bureau, dat net als het mijne drie verdiepingen hoger voor het raam stond dat op straat uitkeek.

Op het gepolitoerde blad stond niets behalve een fraai zilveren inktstel. De laden waren goed afgesloten. Ik keek om me heen. Nog een afgesloten kast in de hoek. Geen papieren. Geen aantekenboekjes. Niets waarop het handschrift van Jukes te zien was, zodat ik het kon vergelijken met de briefjes die Bella en ik hadden gekregen. Alweer een teken, dacht ik, dat mijn nu nog sterkere verdenkingen gegrond waren. Een man die door afpersing zoveel bezit had vergaard zou zulk bewijsmateriaal niet achteloos open en bloot laten liggen.

Toen zag ik op een klein tafeltje bij de haard een open boek liggen. Dichterbij komend zag ik dat het een octavo-bijbel uit de zeventiende eeuw was, zij het niet van bijzondere schoonheid of zeldzaamheid. Mijn verbaasde blik viel op het opschrift van de geopende recto: 'Het Boek van de Profeet EZECHIËL'.

Ik had geen voorbeelden gevonden van 's mans handschrift, maar dit leek het bewijs te vormen dat Jukes de afperser was.

Ik draaide me om en bleef even bij de halfopen deur staan om te kijken of hij eraan kwam; maar de kust was veilig, dus ging ik naar buiten en liep in de richting van Temple Pier.

7

In dubio*

Le Grice stond, met een sigaar in zijn mond, leunend tegen een muur, al op me te wachten in de zwakke maar welkome zonneschijn.

'Godallemachtig, G,' vloekte hij opgewekt toen ik aan kwam lopen. 'Ik wacht al minstens een kwartier op je. Waar bleef je in godsnaam? Straks is het laag water voordat we vertrekken.'

We trokken de boot in het water, stouwden onze jassen achterin, stroopten onze mouwen op en koersten het inktbruine water op.

Achter ons waren de ontelbare masten van de havens, London Bridge, vol ochtendverkeer, en de hoog oprijzende koepel van de St Paul's; vóór ons de verre lijn van Waterloo Bridge en de trage kromming van de brede rivier in de richting van Hungerford Market. Overal om ons heen voeren boten en bootjes heen en weer en op beide oevers stak het kartelige silhouet van de stad af tegen het parelgrijze licht, overtogen met de altijd aanwezige nevel die de metropool uitwasemde. We kwamen langs doorkijkjes in donkere stegen die uitkwamen op de oever van de rivier, langs de grillige lijnen van schoorstenen en hoekige woonblokken, afgetekend tegen de lucht, en de nobeler contouren van torenspitsen en transen, langs de trappen en steigers van veerlui, en pakhuizen en tuinen. Overal om ons heen cirkelden en zwenkten meeuwen en hun schorre kreten vermengden zich met de geluiden van de rivier, golven die tegen aangemeerde scheepsrompen klotsten, het klapperen van zeilen en wimpels, het verre toeteren van een stoomsleper.

We roeiden gestaag door, zonder iets te zeggen, en genoten allebei

* 'In twijfel'. JJA

van het gevoel tegen de machtige stroom op te roeien, blij om buiten op het open water te zijn – al was het smerig Theemswater op een dag in november. Ik voor mij had een weldadig gevoel van vrijheid na de vele nachten waarin ik naar het daklicht boven mijn bed had liggen staren. De machtige rugspieren van Le Grice, die voor me zat, plooiden en spanden de oestergrijze zijde van zijn vest totdat die bijna scheurde, en even gingen mijn gedachten met een schok terug naar mijn droom van een tijdje geleden waarin ik over een warme, zomerse rivier roeide achter de dik ingepakte gestalte van Lucas Trendle. Maar het beeld verdween weer en ik roeide door.

Even voorbij Essex Wharf liep een vrouw met haveloze, smerige kleren, een mand die aan een leren riem om haar schouders tegen haar zij aan hing, en het restant van een gescheurde muts op haar hoofd, langs de waterlijn te prikken en te wroeten, kalm op zoek naar dingen van waarde in het slik en de stinkende modder aan de rand van de rivier. Ze keek op en bleef, tot haar enkels in de modder, met haar hand boven haar ogen tegen de in kracht toenemende zon, naar ons staan kijken terwijl we voorbij roeiden.

Nadat we hadden aangelegd bij de Hungerford Stairs, wilde ik onze jassen achter uit de boot pakken. Terwijl ik dat deed zag ik, een eindje achter ons, een man alleen in een klein roeibootje, de riemen rustend in het water. Hij was kennelijk stroomopwaarts gevaren, eenzelfde route volgend als de onze, maar was nu net als wij stil blijven liggen, al bewaarde hij enige afstand tot de oever.

'Had je hem niet gezien?' vroeg Le Grice, die zijn krachtige nek naar mij toe draaide en naar de eenzame figuur keek. 'Hij begon ons te volgen kort nadat we die vrouw bij Essex Wharf hadden gezien. Een vriend van je?'

Geen vriend van me, dacht ik. Hij vormde een dreigend silhouet, met zijn hoge hoed die pikzwart afstak tegen het licht dat nu naar het westen toe weerkaatst werd over het midden van de rivier.

Toen drong het tot me door. Wat een stomkop was ik geweest, om te denken dat Fordyce Jukes zou overwegen me zelf te volgen, terwijl hij wist dat ik hem ogenblikkelijk zou hebben herkend. Hij moest een handlanger hebben – en daar was hij, de man in het bootje, die onverbiddelijk zijn tijd afwachtte; misschien wel de man die me op mijn schouder had getikt bij het Diorama, en de man die zich langs me had gedrongen onder de Egyptische poort op de Abney-begraafplaats. Niet meer onzichtbaar, niet meer verborgen in het duister: hier was hij, op klaarlichte dag, hoewel nog steeds buiten bereik. Maar er viel een last van me af toen ik hem zag: want nu, hoopte ik, kon ik beginnen de rollen om te draaien. *Kom wat dichterbij*, fluisterde ik bij mezelf, *een klein eindje dichterbij. Laat me je gezicht zien.*

'Wat zei je?' Le Grice reikte naar achteren om zijn jas van me aan te pakken.

'Ik zei niets. Hier.'

Ik wierp hem zijn jas toe en keek toen weer achterom naar onze achtervolger. Als ik hem uit de veiligheid van zijn bootje naar de wal kon lokken, dan zou ik misschien een ontmoeting kunnen forceren. Ik trok mijn jas aan en voelde het geruststellende gewicht van de zakpistolen die ik altijd bij me had. Toen keek ik nog eenmaal achterom, om de spiedende figuur in de verte in mijn geheugen te prenten.

Hij was buitengewoon lang, met brede schouders – misschien nog wel breder dan die van Le Grice; gladgeschoren voorzover ik kon zien, hoewel zijn opgeslagen kraag nog wel bakkebaarden kon verbergen; en met zijn forse blote handen omklemde hij doelbewust de riemen in zijn gevecht met de stroom om stil te blijven liggen. Maar hoe langer ik hem observeerde, hoe angstiger ik werd. Een geduchte tegenstander, zeker; maar ik ben zelf ook fors en vertrouwde erop dat ik het er goed af zou brengen als het zover kwam. Vanwaar dan die angst? Wat was er met die ronddobberende figuur, dat ik zo van mijn stuk raakte?

We bereikten de weg en liepen naar de club van Le Grice, de United Service. Le Grice leidde al een paar jaar een onzeker bestaan zonder vaste vooruitzichten, maar als zoon van een militair had hij zich, nadat eerder dat jaar de vijandelijkheden in het Oosten begonnen waren en er een expeditieleger naar de Krim was gestuurd, geroepen gevoeld om zich in te kopen in het garderegiment, hoewel hij zijn taken nog niet had opgevat. Hij praatte enthousiast over zijn toekomstige militaire loopbaan. Net als iedereen in die tijd had hij zijn hoofd vol van de belangrijke gebeurtenissen op de Russische veldtocht, vooral van de heldhaftige charge van de Lichte Brigade bij Balaklava, die weldra zo onvergetelijk zou worden afgeschilderd in Tennysons indrukwekkende ode.* Ik liet hem rustig doorpraten, want mijn gedachten werden in beslag genomen door onze vriend op het water. Ik had verwacht hem langzamerhand in het oog te krijgen, maar tot mijn verbazing leken we niet gevolgd te worden.

Zonder incidenten kwamen we op het bordes van de club aan, waar juist veel leden arriveerden. De lunch was in alle opzichten voortreffelijk. Le Grice, die in een uitstekende stemming was, liet een tweede fles champagne brengen, en daarna nog een; maar ik wilde waakzaam blijven, want ik dacht nog aan onze achtervolger, en gunde hem daarom het leeuwendeel. Na ongeveer een uur begon het duidelijk te worden dat mijn vriend niet meer in staat was om met mij terug te roeien; en zodoende ging ik, nadat ik hem in een rijtuig had gezet, alleen terug naar de Theems.

Om de paar meter stond ik stil om te kijken of ik niet gevolgd werd, tot aan de Hungerford Stairs, waar ik de boot losmaakte om terug te varen. Ik dacht koortsachtig na. Waar was hij? Ik roeide weg, af en toe omkijkend in de verwachting dat hij er zou zijn, maar ik zag niets. Toen ik bij Temple Pier kwam, ging ik rechtop staan om het bootje af te meren, verloor mijn evenwicht en viel achterover in de rivier. Terwijl ik daar zat, in een halve meter koud, stinkend water, het voorwerp van de geamuseerde aandacht van een aantal voorbijgangers op de kade boven me, zag ik de donkere gestalte van de eenzame roeier. Weer had hij zijn bootje midden op de rivier stilgelegd en liet de riemen hangen, en hij zat met onheilspellende concentratie recht voor zich uit te kijken. Ook nu waren de trekken van zijn gelaat niet te onderscheiden, was er alleen die verontrustende houding van intense aandacht.

Zacht vloekend plaste en ploeterde ik terug naar Temple-street. Op elke hoek bleef ik staan en keek achterom of de geheimzinnige roeier uit zijn boot was gestapt en me volgde, maar hij was nergens te bekennen. Toen ik niet meer verder kon met al dat water in mijn laarzen, trok

* 'The Charge of the Light Brigade' verscheen op 9 december 1854 in *The Examiner*. Het gedicht werd herdrukt in *Maud, and Other Poems* (1855). JJA

ik ze in gefrustreerde woede uit en liep de laatste paar meter naar mijn kamers gewoon op kousenvoeten.

En zo gebeurde het, doordat mijn voetstappen door mijn doorweekte kousen op de trap bijna niet te horen waren, dat ik Fordyce Jukes bij mijn deur aantrof, zich bukkend om er iets onderdoor te schuiven.

Hij gilde als een mager speenvarken toen ik hem, na mijn druipende laarzen op de trap te hebben gegooid, in zijn ellendige nek greep en tegen de vloer smeet.

Terwijl ik hem nog bij zijn nekvel had, de hond, opende ik de deur en schopte hem naar binnen.

Hij kroop weg in de hoek, met een hand voor zijn gezicht.

'Mijnheer Glapthorn! Mijnheer Glapthorn!' jammerde hij. 'Wat is er aan de hand? Ik ben het, uw buurman Fordyce Jukes. Kent u me niet?'

'Of ik je ken?' grauwde ik terug. 'Ja zeker ken ik je. Ik ken je heel goed, schoft die je bent.'

Hij leunde wat achterover in de hoek en liet zijn hand omlaag zakken van zijn gezicht, waarop een blik van oprechte paniek te zien was. Ik had hem te pakken.

'Schoft? Wat bedoelt u toch? Wat heb ik u ooit voor schofterigs gedaan?'

Ik liep op hem af, terwijl hij zich uitzinnig nog verder in de hoek wrong en met de hakken van zijn laarzen luid over de planken schuurde, in een vergeefse poging aan het pak slaag te ontkomen dat ik hem nu wilde toedienen. Maar er was iets dat me tegenhield.

'Goed, laten we eens kijken,' zei ik. 'Misschien kan dit als voorbeeld dienen.'

Ik draaide me om en liep terug naar de deur, raapte het papier op dat hij er juist onderdoor had willen schuiven toen ik ongemerkt achter hem was komen staan, en begon het te lezen.

Het was in een zeer opvallend handschrift geschreven; maar het was het opvallende van de beroepsschrijver, het geoefende handschrift van een notarisklerk. Het vertoonde geen enkele gelijkenis met de briefjes die Bella en ik hadden ontvangen. En wat erin stond? Een uitnodiging voor de heer Edward Glapthorn om met de heer Fordyce Jukes en een paar andere vrienden op zaterdagavond 12 november in de Albion Tavern te gaan dineren om zijn verjaardag te vieren.

Ik was zo confuus dat ik geen woord kon uitbrengen.

Wat was er in hemelsnaam aan de hand? Ik had de schurk op heterdaad betrapt, dat dacht ik tenminste, en nu – dit! Was het een soort duivelse variatie op zijn gebruikelijke spelletje om me op een dwaalspoor te brengen? Maar hoe langer ik over de zaak nadacht, hoe waarschijnlijker het me leek dat ik me in de identiteit van de afperser had vergist – een gevaarlijke vergissing. Maar als het Jukes niet was, wie dan wel?

Mijn maag trok samen toen de dreigende figuur van de eenzame roeier voor mijn geestesoog verscheen. De angst die ik eerder had gevoeld kwam terug; maar de waarheid begon zich nog niet af te tekenen, en ik kon niet zien wat ik had moeten zien toen ik probeerde de chantagebrief te doorgronden om achter de identiteit van de schrijver te komen.

Jukes zat nog steeds weggedoken in de hoek, maar hij had mijn verwarring gezien toen ik de uitnodiging las en hij had zich enigszins ontspannen.

'Mijnheer Glapthorn, alstublieft. Sta toe dat ik ga staan.'

Ik zei niets maar liep naar mijn leunstoel bij de haard en liet me erin vallen, het stuk papier nog in mijn hand geklemd.

Ik hoorde hem overeind komen van de vloer, zijn kleren afvegen en naar de plek lopen waar ik zat.

'Mijnheer Glapthorn, toe, ik had geen kwaad in de zin, geen enkel kwaad. Misschien dat toen u me daar zo aantrof – het is nogal donker op uw overloop, vindt u niet? – ik begrijp – dat wil zeggen, ik neem aan dat u me voor een inbreker of zo aanzag. Een grote schrik, natuurlijk, om hier iemand aan te treffen. Maar geen kwade bedoelingen, mijnheer Glapthorn, nee, in het geheel niet...'

En zo ging hij maar door, hij gaf steeds opnieuw uiting aan dezelfde gevoelens en wrong zijn dikke handjes om zijn wroeging en spijt over het veroorzaakte ongemak te benadrukken.

Ik haalde diep adem, stond op uit mijn stoel en keek mijn buurman aan.

'Mijnheer Jukes, ik bied u mijn verontschuldigingen aan. Oprecht en uit de grond van mijn hart. Ik ben het die u onrecht heeft gedaan. Groot onrecht. U hebt gelijk. In het schemerdonker van de overloop dacht ik dat iemand probeerde in te breken. Ik ben op het water geweest, ziet u, en ik ben wat vermoeid en duizelig van de inspanning. Ik herkende u niet. Onvergeeflijk.'

Met alle wilskracht die ik kon opbrengen stak ik hem mijn hand toe.

Hij gaf me een slappe hand, waarna ik onmiddellijk terugliep naar mijn werktafel en weer ging zitten.

'Ik vond dat we elkaar de laatste tijd zo weinig zagen, mijnheer Glapthorn,' hoorde ik hem zeggen, al waren mijn gedachten al ver verwijderd van de gedrongen figuur in zijn ouderwetse kuitbroek en slipjas die, nog steeds handenwringend en zenuwachtig rondkijkend, op mijn oosterse tapijt stond. 'U bent tegenwoordig zo zelden op kantoor, en ik was zo gesteld op onze gesprekjes. Niet dat we ooit echt vrienden zijn geweest, dat weet ik wel, maar we zijn tenslotte buren, en buren moeten toch goede buren zijn. En zo dacht ik, misschien heeft mijnheer Glapthorn behoefte aan gezelschap? En toen dacht ik, zou ik niet een paar vrienden uit kunnen nodigen om deel te nemen aan een feestelijk dineetje – want ik ben zaterdag jarig – en mijnheer Glapthorn inviteren...'

Hij was stilgevallen.

'Helaas kan ik zaterdag niet, mijnheer Jukes, maar ik dank u voor uw invitatie.'

'Natuurlijk. Ik begrijp het, mijnheer Glapthorn. U bent ongetwijfeld een drukbezet man.'

Hij schoof een eindje naar de deur.

'En nu,' zei hij, in een poging zijn stem wat opgewekter te laten klinken, 'zal ik u maar alleen laten.'

Ik stond op het punt me nog eens te verontschuldigen voor mijn onbehouwen gedrag, maar hij was me voor en schudde snel zijn hoofd. 'Toe, zeg maar niets meer, mijnheer Glapthorn. Het was een vergissing. Er is niets aan de hand, volstrekt niets.'

Ik knikte. Toen kwam er een gedachte bij me op. Misschien was het een vergissing hem vrij te pleiten.

'Een ogenblikje, mijnheer Jukes.'

Hij keek op.

'Bent u een godsdienstig mens?'

'Godsdienstig?' zei hij, klaarblijkelijk verrast door mijn vraag. 'Ach, ik denk dat ik daarin mijn plichten even goed nakom als de meeste mensen. Ik ben streng opgevoed, maar misschien ben ik het wat minder nauw gaan nemen. Maar ik ga iedere zondagmorgen naar de Temple Church, en lees iedere dag in de bijbel – iedere dag.' Bij de laatste woorden keek hij op en trok zijn schouders naar achteren in een uitdagend gebaar, alsof hij wilde zeggen: Zo. Noem dat maar schofterig!

'Iedere dag?' zei ik vorsend.

'Iedere dag. Met de regelmaat van de klok, een paar bladzijden voordat ik met de kleine Fordyce ga wandelen. Het is verbazend hoe hard je opschiet. Ik ben alweer voor de tweede keer dit jaar bijna door het oude testament heen.'

'Zo,' zei ik, 'dat is prachtig. Prachtig. Tot ziens, mijnheer Jukes, en –'

Weer stak hij zijn hand omhoog. 'Hoeft niet, mijnheer Glapthorn, dat hoeft helemaal niet.' En daarop draaide hij zich om, glimlachte flauwtjes en sloot de deur.

Ik zat, nog altijd in mijn druipende kleren, uit mijn zolderraampje te kijken naar wolkenflarden die overdreven als rook boven een slagveld, totdat ik hem de trap af hoorde gaan en zijn eigen deur dichtslaan.

8

Amicus verus*

De volgende ochtend kwam er een briefje van Le Grice waarin hij zich verontschuldigde voor zijn overvloedige champagneconsumptie van de vorige dag, en liet weten dat hij die avond op zijn gebruikelijke tijd bij The Ship and Turtle zou zijn, mocht ik zin hebben dan ook te komen.

Hij was in een spraakzame bui en ik luisterde vergenoegd naar zijn verhalen over wat deze of gene had uitgevoerd, wie wat had gezegd op de Club en waar die-en-die was geweest, en die kletspraatjes werden aangevuld door een opgewonden relaas over alle zaken die hij aan het regelen was voordat hij naar het front vertrok. Ik vond het jammer dat hij wegging en maakte me natuurlijk zorgen over zijn veiligheid; maar het was onmogelijk je niet te laten meeslepen door zijn enthousiasme, zozeer dat ik er bijna spijt van kreeg dat ik er nooit over had gedacht zelf bij het leger te gaan.

Vlak voor middernacht namen we afscheid. Hij liep al in de richting van zijn woning in Albany** toen hij plotseling bleef staan.

'O ja,' riep hij, 'dat zou ik bijna vergeten. Dit kreeg ik toegestuurd op de Club. Het is voor jou.' Uit de binnenzak van zijn overjas haalde hij een klein pakje, waar kennelijk een boek in zat, en gaf het me.

'Je raadt nooit van wie het komt.'

* 'Een trouwe vriend'. JJA

** Aan de noordkant van Piccadilly, bijna recht tegenover Fortnum & Mason. Voorheen Melbourne House, gebouwd in 1770, en in 1802 door Henry Holland verbouwd tot negenenzestig luxueuze vrijgezellenappartementen. De auteur duidt het terecht aan als 'Albany' (zonder bepaald lidwoord). JJA

Ik keek hem vragend aan.

'Die vreselijke bursaal* Daunt. Je zult je hem nog wel herinneren. Je was toch een tijdje dikke vrienden met hem op school? Verdient nu de kost met verzen schrijven. Stuurt me een briefje met het verzoek dit aan jou te geven. Ik heb natuurlijk nog niet teruggeschreven. Ik wilde eerst jou spreken.'

Hij zag direct dat zijn woorden en het pakje hun uitwerking niet misten en hij werd rood.

'Hé, G, is er iets? Je kijkt nogal geschokt.'

Ik wachtte met antwoorden terwijl ik het pakje in mijn handen omdraaide.

'Heeft hij je weleens eerder geschreven?'

'Voor het eerst, kerel. Niet echt mijn type. Ik had nooit gedacht nog eens van hem te horen na onze studentenjaren. Hoogst onaangename snuiter, met zijn kouwe drukte. Het ziet er niet naar uit, als je de verhalen hoort, dat hij in zijn voordeel veranderd is.'

Toen ik niet reageerde, kwam Le Grice een stap dichterbij en keek me recht aan.

'Hoor eens,' zei hij, 'er is iets aan de hand, dat is duidelijk. Ik wil natuurlijk niet aandringen, maar als ik wat kan doen, ben ik altijd bereid om te helpen.'

'Zeg maar dat ik in het buitenland ben,' antwoordde ik. 'Huidige verblijfplaats onbekend. Datum van terugkeer onbekend.'

'Komt in orde. Geen moeite. Je kunt erop rekenen.' Hij kuchte nerveus en wilde weggaan, maar hij had nog maar een paar passen gedaan of hij bleef plotseling staan en draaide zich weer naar mij om.

'Er is nog iets. Zeg gerust dat ik het dak op kan, maar vertel eens, als je kunt. Waarom werden we gisteren op de Theems door die vent gevolgd? Je hoeft niet te zeggen dat het niet waar is, dus voor de draad ermee.'

Ik had die goeie ouwe beer wel kunnen omhelzen. Wekenlang had ik nu al de zenuwen, was in gedachten dag en nacht wanhopig in gevecht

* Benaming voor een leerling met een beurs (*King's Scholar* of *Colleger*), van het middeleeuws Latijnse *bursa*, 'beurs'. JJA

met mijn vijand, mijn geest gebroken door verraad, gemarteld door woede en wanhoop, maar niet in staat het aan een levende ziel te vertellen. Ik ging ervan uit dat ik geen bondgenoot had, dat ik op eigen kracht de grote strijd van mijn leven moest uitvechten; maar nu was daar die goeie Le Grice, standvastig in de vriendschap, trouw door dik en dun, en hij stak me zijn hand toe. Als ik die eens aannam? Er was niemand die betrouwbaarder was dan hij, niemand die zo bereid was tot de laatste snik naast je te vechten, om de zonden van een vriend te vergeven. Ja, maar als ik die hand aannam? Ik zou hem de geheimen moeten vertellen waar ik al zo lang mee leefde. Zou hij me dan trouw blijven, me bijstaan in de beslissende strijd, en me vergeven? Toen praatte hij verder.

'Jij en ik, G – zo verschillend als dag en nacht. Maar je bent de beste vriend die ik heb. Ik doe alles voor je, hoor, echt alles. Ik ben hier niet zo goed in, dus je zult het ermee moeten doen. Jij zit in de puree – het heeft geen zin om dat te ontkennen. Het staat al weken op je gezicht te lezen. Of het met Daunt te maken heeft, of met die vent op de Theems, dat weet ik niet. Maar er is iets mis, ook al probeer je net te doen of alles in orde is. Maar dat is niet zo, dus vertel het nou maar, dan kunnen we kijken wat eraan te doen is.'

Er zijn momenten in het leven dat een mens zijn directe lot in de handen van een ander moet leggen, ongeacht het risico. In een ogenblik had ik, al bleven er twijfels, besloten alles te vertellen.

'We gaan morgenavond eten bij Mivart's,' zei ik.

En toen gaven we elkaar een hand.

In gedachten verzonken keerde ik terug naar huis, twijfelend of het verstandig was Le Grice in vertrouwen te nemen, maar toch vastbesloten het te doen. Wel schrok ik terug voor het vooruitzicht op te moeten biechten wat er in Cain-court met Lucas Trendle was gebeurd, en wat ik van plan was te doen nu ik bewezen had in staat te zijn tot moord. Ik wist zeker dat ik, wanneer ik Le Grice mijn ware geschiedenis had verteld en hem de berekenende slechtheid van onze gemeenschappelijke kennis, Phoebus Daunt, had geschetst, op zijn onverdeelde sympathie en steun zou kunnen rekenen. Maar zou zelfs zijn trouwe ziel niet op de proef gesteld worden als hij wist tot welke daad ik gebracht was? En kon ik, al was het in naam van de vriendschap, hem vragen deze last te delen? Dit alles overwegend bereikte ik Temple-street en liep de trap op.

In mijn kamer gekomen opende ik het pakje dat Le Grice me had gegeven. Zoals ik al vermoedde, zat er een boek in – een kleine octavo in donkergroen linnen, niet opengesneden, met de titel *Rosa Mundi* erop. Ik pakte mijn pennenmes, begon langzaam de randen open te snijden en sloeg de titelpagina op:

ROSA MUNDI
en
Andere Gedichten

P. RAINSFORD DAUNT

Misce stultitiam consiliis brevem:
Dulce est desipere in loco.
Hor. Oden, iv.viii

Londen, Edward Moxon, Dover-street.
MDCCCLV*

* Het boek was in december 1854 verschenen, en gepostdateerd 1855. Het Latijnse motto van Horatius luidt: 'Meng onder uw ernstige bezigheden een beetje gekheid: het is prettig nu en dan eens gek te doen.' JJA

Op het schutblad had de auteur geschreven: 'Voor mijn vriend, E.G., met dierbare herinneringen aan vroeger, in de hoop op een spoedige hereniging.' Onder de opdracht stond een strofe: 'Eens rest slechts de Waarheid, gekend wijd en zijd,/ Ten lest' uit de kluisters der leugen bevrijd,' die, zoals ik later ontdekte, een citaat was uit een van de in het boek afgedrukte gedichten. Als er al enige betekenis in school, ontging die me.

Ik smeet het boek vol weerzin neer, maar bleef onwillekeurig naar het openliggende schutblad staren. Dat handschrift terug te zien, na al die jaren! Het was niet erg veranderd; ik herkende de karakteristieke krul van de hoofdletter 'W' van 'Waarheid', de ingewikkelde staartletters (waar zijn leraren op school zo'n hekel aan hadden), de gekunsteldheid ervan. Maar welke herinnering was erdoor gewekt? Aan Latijnse alcaeïsche strofen en hexameters, die we uitwisselden en bekritiseerden? Of aan iets anders?

De volgende avond trof ik Le Grice, zoals afgesproken, bij Mivart's.*

Hij was verlegen met de situatie en niet erg op zijn gemak, hij kuchte nerveus en ging voortdurend met zijn vinger langs de binnenkant van zijn boord, alsof die te strak was. Terwijl we een sigaar opstaken, vroeg ik hem of hij nog steeds wilde horen wat ik hem te vertellen had.

'Absoluut, kerel. Ik ben er klaar voor. Steek maar van wal.'

'Ik kan natuurlijk rekenen op je volledige – let wel, volledige – discretie?'

Hij legde zijn sigaar neer, hoogst verontwaardigd.

'Als ik iemand op de Club mijn woord geef,' zei hij, met grote ernst, 'dan kan hij ervan opaan dat ik me eraan houd, zonder vragen te stellen. Als ik jóu mijn woord geef, kan er dus niet de geringste – niet de geringste – twijfel bestaan dat ik, onder invloed van wat dan ook, geneigd zou zijn het vertrouwen waarmee je me vereert te schenden. Ik hoop dat dat duidelijk is.' Nadat hij deze korte maar krachtige redevoering

* Op Brook Street 51, Berkeley Square. In 1812 geopend door James Mivart, en nu beter bekend als Claridge's. JJA

had afgestoken, pakte hij zijn sigaar weer op en wierp me een blik toe waaruit duidelijk sprak: Zo, ik heb gezegd wat er gezegd moest worden; ga daar maar eens tegenin, als je durft.

Nee, hij zou me nooit verraden, zoals anderen gedaan hadden; hij zou zijn woord gestand doen. Maar ik had besloten dat er een limiet zou zijn aan wat ik hem vertelde – niet omdat ik hem niet vertrouwde, of bang was dat hij onze vriendschap zou verbreken als hij hoorde wat ik had gedaan, en wat ik nu voornemens was te doen; maar omdat alles weten dodelijk gevaar met zich meebracht, waaraan ik hem voor geen goud zou willen blootstellen.

Ik liet nog een fles komen en begon hem in grote trekken te vertellen wat ik u, mijn onbekende lezer, nu gedetailleerd en volledig wil gaan vertellen – de hoogst opmerkelijke omstandigheden van mijn geboorte, de persoonlijkheid en de slechte bedoelingen van mijn vijand, en de vruchteloze hartstocht die het me onmogelijk heeft gemaakt ooit weer lief te hebben.

Als het waar is, zoals de oude dichter betoogde, dat het opbiechten van onze fouten grenst aan onschuld,* dan hoop ik dat dit verhaal hen die het lezen enigszins te mijnen gunste zal beïnvloeden.

Ik begin met mijn naam. Toen 'Veritas' Bella waarschuwde dat Edward Glapthorn niet was wat hij lijkt, deed hij zijn pseudoniem eer aan. Voor Bella, voor mijn werkgever, voor mijn buren in Temple-street en voor anderen met wie u weldra kennis zult maken, was ik Edward Glapthorn. Maar ik ben geboren als Edward Charles Glyver – de naam waaronder ik op Eton bekend stond, toen ik Willoughby Le Grice leerde kennen, en waaronder, afgekort tot 'G', hij me nog altijd kent. Toch was ook dat niet mijn werkelijke naam, en kapitein Edward Glyver en zijn vrouw, uit Sandchurch in Dorset, waren niet mijn ouders. Het begon allemaal, moet u weten, met bedrog; en pas wanneer de waarheid eindelijk verteld is, zal er vergelding plaatsvinden en zal de arme, dolende ziel die aan het begin stond van al deze beproevingen, eindelijk rust vinden.

* Publilius Syrus (42 v. Chr.), *Spreuken.* JJA

U hebt al iets gehoord over de jeugdjaren van Edward Glapthorn, en dat was ook een weliswaar onvolledige, maar waarheidsgetrouwe beschrijving van de opvoeding van Edward Glyver. Op die geschiedenis en het vervolg ervan kom ik nog terug. Maar eerst wil ik wat meer vertellen over Phoebus Rainsford Daunt, mijn illustere maar tot nu toe schimmige vijand, wiens naam de bladzijden van dit relaas reeds opluisterde.

Hij zal velen van u natuurlijk al bekend zijn door zijn literaire werken. Ongetwijfeld zal op een gegeven moment een ondernemende werkezel ter verstrooiing van het nageslacht een zoetsappig *Leven en brieven* (in drie dikke, onleesbare delen) samenstellen dat ons hoegenaamd niets zal onthullen aangaande de ware aard en aandriften van het onderwerp.* Totdat het zover is wil ik uw gids zijn – zoals Vergilius Dante door de steeds lagere cirkels van de hel leidde.

Op wiens gezag verstout ik mij zo'n rol op me te nemen? Op mijn eigen gezag. Ik ben de speurder naar zijn leven geworden, en tracht al jarenlang zoveel mogelijk te weten te komen over mijn vijand. U zult dit vreemd vinden. Dat is het ook. Maar de wetenschappelijke aanleg waarmee ik rijk ben gezegend, neemt geen genoegen met gemakkelijke algemeenheden of met onbevestigde getuigenissen, laat staan met vertekeningen door al te grote eerzucht. Net als de jurist verlangt de geleerde bevestiging, verificatie, en zekere schriftelijke bewijzen uit de eerste hand: hij zift en weegt en verzamelt geduldig; hij analyseert, vergelijkt en combineert; hij hanteert het fijnste onderscheid om feit en verzinsel, mogelijkheid en waarschijnlijkheid uit elkaar te houden. Met gebruik van dergelijke methoden heb ik me in de loop van mijn leven over vele studieobjecten gebogen, zoals ik zal beschrijven; maar aan geen ervan heb ik zoveel tijd en zorg besteed als aan dit uitzonder-

* In 1874 is door J.R. Wildgoose (1831-1889) een poging ondernomen, maar deze werd gestaakt. Een fragmentarische biografische beoordeling van Daunt, op basis van het onderzoek van Wildgoose, verscheen in diens *Adventures in Literature* (1884). Wildgoose zelf was een dichter van het tweede plan en auteur van een korte levensbeschrijving van Daunts tijdgenoot Mortimer Findlay (1812-1878). Voor zover ik weet zijn er geen verdere pogingen gedaan om Daunts leven en werk aan de vergetelheid te ontrukken. JJA

lijke onderwerp. Geluk speelde ook een rol; want mijn vijand heeft roem verworven, en dat maakt de tongen los. 'O ja, ik heb hem als jongen gekend.' 'Phoebus Daunt – de dichter? Zeker herinner ik me hem.' 'U moet eens met die-en-die praten. Die weet veel meer over de familie dan ik.' En zo vordert het, stukje voor stukje, herinnering voor herinnering, totdat zich ten slotte een beeld begint te vormen, genuanceerd en vol details.

Je hoeft het alleen maar bij elkaar te zoeken, als je maar weet hoe. De voornaamste bronnen waaruit ik heb geput zijn de volgende: de fragmentarische herinneringen aan Daunts tijd op Eton die in de *Saturday Review* van 10 oktober 1848 zijn verschenen; een uitgebreidere herinnering aan zijn kindertijd, adolescentie en literaire loopbaan, steeds doorspekt met brokjes sentimentele poëzie en in 1852 verschenen als *Jeugdtaferelen*; het persoonlijke getuigenis van dokter T, de arts die voor en onmiddellijk na de geboorte van haar zoon Daunts moeder bezocht; passages uit het ongepubliceerde dagboek van dr. A.B. Daunt, zijn vader (dat ik, moet ik tot mijn spijt toegeven, op onorthodoxe wijze in handen kreeg); en de herinneringen van vrienden en buren, en ook die van talloze bedienden en anderen uit zijn omgeving.

Waarom ik deze biografische naspeuringen begon zal weldra duidelijk worden. Maar nu vraagt Phoebus – de stralende – onze aandacht. We mogen hem niet laten wachten.

TWEEDE DEEL

De opkomst van Phoebus
1819-1848

Nooit vond ik trots in een edele natuur:
noch nederigheid in een onwaardige geest.

Owen Felltham, *Resolves* (1623),
VI, 'Over verwaandheid'.

9

Ora et labora*

Hij werd – volgens zijn eigen beschrijving die is opgenomen in *Jeugdtaferelen* – om middernacht geboren, op de laatste slag van de eerbiedwaardige staande klok die op de overloop bij zijn moeders kamer stond, op de laatste dag van het jaar 1819, in het industriestadje Millhead in Lancashire.

Ongeveer een jaar voor deze belangrijke gebeurtenis was zijn vader door zijn College benoemd in de parochie Millhead, toen hij zijn Fellowship verbeurde door in het huwelijk te treden. Achilles Daunt, die als nog jonge Fellow van Trinity reeds de graad van doctor in de theologie had verkregen en ter verpozing naast de theologische disputen een uitstekende uitgave van Catullus had verzorgd, had in Cambridge de reputatie verworven van iemand die een grote taak te verrichten had in de wereld van de wetenschap en daartoe ook vastbesloten was. In ieder geval verwachtten zijn talrijke vrienden veel van hem, en zonder zijn plotselinge – en volgens sommigen onbegrijpelijke – besluit om te trouwen, zouden zijn talenten hem volgens ieders mening met weinig moeite op hoge posten in het College en de Universiteit hebben gebracht.

Men was het er tenminste over eens dat hij uit liefde was getrouwd, en dat is een nobele daad voor een man met ambitie en beperkte middelen. De dame in kwestie was weliswaar een onmiskenbare schoonheid en van redelijk goede familie, maar ze had een zwakke gezondheid en was niet bemiddeld. Maar liefde behoeft geen rechtvaardiging en is natuurlijk onweerstaanbaar.

* 'Bid en werk' (St. Benedictus). JJA

Toen de heer Daunt zijn besluit meedeelde aan de Master van zijn College, deed die, onverstoorbaar maar vriendelijk, zijn best hem te weerhouden van een stap die zijn universitaire carrière zeker zou vertragen, en wellicht zelfs beknotten. Want op dat moment had het College maar één vacante parochie te vergeven. Professor Passingham sprak openhartig: hij geloofde niet dat deze plaats geschikt was voor een man van Daunts karakter en standing. Het traktement was klein, nauwelijks genoeg voor een man alleen; de parochie was arm en het werk zwaar, en er was geen hulppredikant om hem bij te staan.

En dan de parochie zelf: een uiterst onaantrekkelijke plaats, verminkt door langdurige mijnbouw en de laatste jaren ook door talloze gieterijen, werkplaatsen en andere fabrieken, waaromheen een woestenij van zwart berookte baksteen was ontstaan. Passingham zei het niet, maar hij beschouwde Millhead, waar hij maar eenmaal was geweest, als het soort plaats waarmee geen heer graag in verband gebracht wil worden.

Nadat hij het enige minuten met kalme overreding had geprobeerd, begon het de Master lichtelijk te irriteren dat de heer Daunt niet zo op zijn goedbedoelde woorden reageerde als hij had gehoopt, maar volhardde in het verlangen de post, met de bijbehorende beproevingen, tot elke prijs te accepteren. Ten slotte restte Passingham geen andere keus dan bedroefd zijn hoofd te schudden en te beloven met grote spoed de zaken te regelen.

En zo namen de eerwaarde heer Achilles Daunt en zijn jonge vrouw op een koude dag in december 1818 hun intrek in de pastorie van Millhead. Het huis – dat ik persoonlijk heb bezocht en bekeken – is vierkant en donker, met aan de achterkant troosteloze heidevelden en aan de voorkant een somber uitzicht op hoge, zwarte schoorstenen en lelijke, dichtbebouwde woonwijken beneden in het dal. Dit was een grote verandering voor Daunt. De gazons, de bosschages en de binnenplaatsen van zachtgele steen van de aloude universiteit waren ver weg. Hij aanschouwde nu dagelijks een heel ander panorama, bevolkt door een heel andere mensensoort.

Maar de nieuwe bewoner van de pastorie van Millhead was vastbesloten hard te werken voor zijn kudde noorderlingen, en het viel zeker niet te ontkennen dat hij hier, op zijn eerste post, zijn taken met onverdroten ijver volbracht. Hij werd in de streek vooral vermaard om zijn zorgvuldig voorbereide preken, die met intellectuele passie en dramatische kracht werden voorgedragen en algauw 's zondags veel kerkvolk naar de St Symphorian lokten.

De heldennaam die zijn ouders voor hem hadden uitgezocht paste bij zijn verschijning: een lange, zelfverzekerde gestalte, met brede schouders, een diepe stem en een baard als van een profeet. Wanneer hij door de natte, vuile straten van Millhead stapte, straalde hij een intimiderend besef van eigen verdienste uit. Voor de buitenwereld leek hij een rots en een bolwerk, een onoverwinnelijke vesting. Toch begon hij langzamerhand te merken dat het niet gemakkelijk was om grote dingen tot stand te brengen in dit oord van sloven en ploeteren, waar weinig verwante geesten te vinden waren. Van zijn werk onder de arme arbeiders in de stad werd hij neerslachtiger dan hij had verwacht, en bevordering en vertrek uit Millhead kwamen niet zo snel als hij gehoopt had. Kortom, Daunt werd een wat teleurgesteld man.

De op handen zijnde geboorte van zijn eerste kind beurde hem wel wat op, maar helaas, nadat de kleine Phoebus ter wereld was gekomen, sloeg het noodlot toe. Drie dagen nadat ze Daunt een stamhouder had geschonken, overleed zijn knappe vrouwtje en bleef hij, afgezien van de aanhoudend brullende zuigeling, alleen achter in het naargeestige huis op de heuvel, zonder enig vooruitzicht er ooit weg te komen.

Zijn ontroostbare verdriet bracht hem op de rand van de wanhoop. Langdurige stiltes heersten in het huis toen de predikant dagenlang iedere omgang met mensen uit de weg ging. In die donkere tijd kwamen bezorgde vrienden uit hun kleine kring hem steun bieden in zijn vertwijfeling. Een van de meest behulpzame was mejuffrouw Caroline Petrie, die tot de groep behoorde die vol bewondering onder de preekstoel in de St Symphorian naar de heer Daunt had geluisterd. Langzamerhand ging mejuffrouw Petrie de voornaamste rol spelen bij het herstel van de predikant; ze zorgde voor een hoogst bevredigende afloop door in de herfst van 1821 de tweede mevrouw Daunt te worden.

Over de overgang van een staat van religieuze en geestelijke leegte naar hernieuwd geloof en vertrouwen heeft de heer Daunt nooit gesproken; we kunnen slechts raden naar de concessies die hij aan zijn ziel zowel als zijn geweten heeft moeten doen. Maar hij deed ze, en ze leidden tot enig voordeel voor hemzelf, en aanzienlijk nadeel voor mij.

De opmerkelijke mejuffrouw Caroline Petrie, die een klein maar welkom jaargeld meebracht naar de pastorie van Millhead, had niet sterker van de eerste mevrouw Daunt kunnen verschillen. Ondanks haar jeugd gaf ze op alle punten blijk van gerijpte geestkracht. Haar houding kon niet anders dan koninklijk genoemd worden, en ging gepaard met een waardigheid van gestalte en gelaatsuitdrukking die bij hoog en laag onmiddellijk de aandacht opeiste. Dit was deels te danken aan haar ongewone lengte (ze was zelfs nog een heel hoofd groter dan Daunt, en had het voordeel letterlijk neer te kijken op vrijwel iedereen met wie ze sprak) en deels aan haar opvallende voorkomen.

In die tijd was ze vierentwintig en woonde ze rustig bij haar oom, nadat haar beide ouders enige tijd daarvoor allebei waren omgekomen bij een ongeluk. Ze was geen schoonheid in de gebruikelijke zin, zoals de eerste mevrouw Daunt, en haar trekken wekten eerder de indruk van een doorstane beproeving – ze was ook zichtbaar getekend door overwonnen ziekte in de vorm van ontsierende pokkenlittekens.

Toch zou een dichter die zijn lauweren verdiende, of een schilder die snakte naar inspiratie, terstond uitzinnig enthousiast geworden zijn bij de eerste aanblik van dat trotse gelaat. Er leek altijd een uitdrukking van ernstige concentratie op te liggen, alsof ze op dat moment juist opkeek van een onweerstaanbaar boeiend stichtelijk werk waarin ze verdiept was geweest – al waren zulke werken haar goeddeels onbekend. Maar er was ook een verzachtende mildheid, iets toegeeflijks in de mond en de ogen dat, wanneer men het opmerkte, het hele effect van haar gelaat van mineur naar majeur omzette. Daarbij had ze pit, zeer innemende manieren wanneer ze wilde, en een nuchter gezond verstand. Bovendien had ze ambitie, zoals weldra uit de gebeurtenissen zou blijken.

Van het geld dat zij inbracht in het huwelijk werd een kinderjuffrouw

– vrouw Tackley geheten – in dienst genomen om over de kleine Phoebus te waken, wat ze zeer bekwaam deed totdat de jongen twee jaar was, het moment waarop zijn stiefmoeder de verantwoordelijkheid voor zijn opvoeding en welzijn geheel op zich nam. Tengevolge daarvan ging het karakter van de jongen in veel opzichten op het hare lijken, vooral wat betreft haar wereldse opvattingen, die sterk contrasteerden met het verlangen van haar echtgenoot weer het leven van een studeerkamergeleerde te leiden. Het was opmerkelijk hoe intiem ze werden, en hoe vaak de heer Daunt hen verdiept in een gesprek aantrof, als twee samenzweerders. Al was Daunt vanzelfsprekend nog altijd verantwoordelijk voor de opleiding van de jongen, in alle andere opzichten zag het ernaar uit dat zijn tweede vrouw, en niet hij, nu de meeste invloed had op het leven van zijn zoon; en zelfs in de studeerkamer werd zijn gezag dikwijls ondermijnd. De jongen deed in het algemeen goed zijn best bij de lessen, maar als hij zin kreeg in een ritje op zijn pony, of om te gaan vissen in het riviertje achter de tuin, in plaats van declinaties in zijn hoofd te stampen, dan hoefde hij het maar aan zijn stiefmoeder te vragen en hij werd dadelijk vrijgesteld van zijn arbeid. Ook bij andere gelegenheden ondervond de heer Daunt dat zijn wensen gedwarsboomd en zijn orders herroepen werden. Op een keer wilde hij dat de jongen met hem mee ging naar een van de verschrikkelijkste delen van de stad, waar de bittere armoede en uitzichtloosheid op iedere hoek genadeloos zichtbaar waren, ongetwijfeld omdat hij vond dat die ervaring dienstig zou zijn om bij zijn zoon enige compassie te wekken voor het lot van mensen die het zoveel slechter getroffen hadden in het leven dan hijzelf. Maar bij de voordeur werden ze tegengehouden door zijn woedende vrouw, die uitriep dat die arme Phoebus onder geen beding mocht worden blootgesteld aan zulke afgrijselijke, gevaarlijke taferelen. Daunt protesteerde maar tegenspreken had geen zin. Hij ging alleen naar de stad en probeerde nooit weer zijn zoon mee te nemen. Uit deze en andere voorbeelden van de dominante invloed van de tweede mevrouw Daunt moet de conclusie wel zijn dat Daunt langzamerhand, door methoden waartegen hij zich niet kon verzetten, van zijn zoon vervreemdde.

Door een kwaad toeval, of, zoals ik ooit geloofde, als gevolg van het noodlot dat mijn geschiedenis bepaalde, was de echtgenote van de heer

Daunt een achternicht van Julius Verney Duport, de vijfentwintigste baron Tansor van Evenwood Park in het graafschap Northamptonshire – wiens eerste vrouw al kort vermeld is in verband met mijn moeder. Dat adellijke familielid van mevrouw Daunt had een aantal prettige predikantsplaatsen in Northamptonshire te vergeven en die van Evenwood zelf kwam in het begin van de zomer van 1830 vacant. Toen ze dat vernam haastte mevrouw Daunt zich onmiddellijk, met fonkelende ogen, naar het zuiden, om bij de baron de belangen van haar echtgenoot te bepleiten.

Toen al schijnt deze geduchte dame echter nog door iets anders bezield te zijn geweest dan haar plicht als echtgenote. Volgens alle verhalen had ze dikwijls de wens te kennen gegeven met haar echtgenoot – en vooral met haar lieve kleine Phoebus – weg te gaan uit Millhead, dat ze verafschuwde; en zonder twijfel was het heel aardig aangeboden dat ze lord Tansor op de hoogte wilde brengen van de kwaliteiten van de heer Daunt. Haar echtgenoot zal zeker geroerd zijn geweest door de onbaatzuchtige bereidwilligheid van zijn vrouw in dezen. Ik vermoed echter dat onbaatzuchtigheid niet haar drijfveer was en dat ze, door met zo'n kennelijke haast naar het zuiden te snellen, in werkelijkheid gehoorzaamde aan de inblazingen van haar eigen eerzuchtige hart. Want als haar verzoek gehoor zou vinden, zou ze niet langer een vergeten, ver familielid in de buitenste duisternis van Millhead zijn; ze zou dan bij de Duports van Evenwood horen – en wie weet waartoe dat kon leiden?

Ik heb geen gegevens over het gesprek tussen mevrouw Daunt en lord Tansor, maar vanuit het gezichtspunt van mevrouw Daunt moet het een succes geweest zijn. Haastig werd er een uitnodiging naar de heer Daunt in het noorden gestuurd om haar te volgen; de kleine Phoebus werd bij familie in Suffolk ondergebracht. Het uiteindelijke resultaat was dat de heer en mevrouw Daunt twee weken later samen welgemoed uit Northamptonshire terugkwamen.

Er volgde een tijd van angstig afwachten; maar lord Tansor stelde hen niet teleur. Nauwelijks waren er twee weken voorbij of er kwam een brief – overweldigend in zijn neerbuigendheid – waarin bevestigd werd dat de heer Daunt de nieuwe predikant werd van de kerk van St Michael and All Angels in Evenwood.

Volgens een van mijn bronnen werd de kleine Phoebus de dag nadat hij terugkwam van zijn familie in Suffolk bij zijn stiefmoeder geroepen. Ze zat in een stoeltje met een gecapitonneerde rugleuning, dat voor het raam van de salon stond – hetzelfde stoeltje waarin de eerste mevrouw Daunt dikwijls treurig had zitten uitkijken over het laatste stukje heide dat nog tussen de pastorie en de oprukkende stad lag – en mijn informant hoorde haar de jongen inprenten hoe belangrijk de overplaatsing van zijn vader naar Evenwood was, en wat die voor hen alledrie zou betekenen. Het schijnt dat ze hem op warme, melodieuze toon aansprak als haar lieve kind, en teder zijn haar streelde.

Daarna vertelde ze hem het een en ander over hun familieleden en beschermers, lord en lady Tansor; hoe groot hun aanzien was in het graafschap, ja, in het hele land; dat ze ook een voornaam huis in Londen hadden waar hij mettertijd misschien nog wel eens zou komen als hij heel lief was; en dat hij hen oom en tante Tansor moest noemen.

'Je weet toch wel dat je oom Tansor zelf geen klein jongetje meer heeft,' zei ze, en ze pakte zijn hand en liep met hem naar het raam. 'Als je heel lief bent, en ik weet dat je dat zult zijn, dan zal je oom vast bijzonder aardig voor je zijn, want het is voor hem een vreselijk gemis dat hij geen zoon heeft, zie je, en het zou zo voorkomend van je zijn als je af en toe net zou doen of je zijn eigen jongetje was. Zou je dat kunnen, lieve Phoebus? Je zult natuurlijk altijd het jongetje van je vader zijn – en ook van mij. Het is maar een soort spelletje, snap je. Maar bedenk eens wat het zou betekenen voor die arme oom Tansor, die zelf geen zoon heeft, zoals jouw papa, om jou altijd bij zich te hebben en je dingen te kunnen laten zien, en misschien uitstapjes met je te maken. Dat zou je toch wel fijn vinden? Om leuke uitstapjes te maken?'

En de jongen zei natuurlijk dat hij dat fijn zou vinden. En daarna vertelde ze hem over alle wonderen van Evenwood.

'Zijn er ook schoorstenen op Evenwood?' vroeg de jongen.

'Ja natuurlijk, lieverd, maar die zijn anders dan de schoorstenen van Millhead, niet zo vies en akelig.'

'En is mijn oom Tansor een hele belangrijke man?'

'Ja zeker,' zei ze peinzend, uitkijkend over het zwarte dal, 'een heel belangrijk man.'

Op het overeengekomen tijdstip werden de bezittingen en het huisraad van de familie naar het zuiden verstuurd en stond de pastorie ten slotte leeg, met dichte luiken. Toen het rijtuig wegratelde van het sombere, door de wind geteisterde huis, stel ik me voor dat de heer Daunt achteroverleunde, zijn ogen sloot en in stilte een dankgebed tot zijn God richtte. Zijn verlossing was eindelijk gekomen.

10

In Arcadia*

Zo kwam de familie Daunt naar Evenwood, de plaats waarop al mijn verwachtingen en ambities ooit gevestigd waren.

Zijn nieuwe post was geknipt voor Daunt. Van een traktement van vierhonderd pond per jaar en nog eens honderd die het bij de pastorie behorende land opbracht, kon hij zich nu een rijtuig en een welvoorziene dis veroorloven en meer in het algemeen een positie van enig aanzien bekleden in de omgeving. Na de beproevingen van zijn tijd in Millhead was Daunt de zonnige haven van Evenwood binnengelopen en lag daar kalm en tevreden.

De pastorie, die licht en ruim was, stond in een goedverzorgde tuin, met daarbuiten een lieflijk uitzicht over golvende weilanden, en aan de overkant van de rivier de lokkende donkerte van dichte bossen. Een groot deel van het werk van de predikant – veel was er toch al niet te doen in deze kleine, welvarende plattelandsparochie – kon gemakkelijk worden overgelaten aan zijn hulppredikant, de heer Samuel Tidy, een zenuwachtig jongmens dat veel ontzag had voor de heer Daunt (en nog meer voor zijn vrouw). Lord Tansor deed zelden een beroep op de predikant en zijn weinige plichten vervulde hij moeiteloos. Algauw beschikte Daunt over ruim voldoende tijd en meer dan genoeg inkomsten om rustig door te gaan met de intellectuele en antiquarische bezigheden waaraan hij zich in Millhead zo wanhopig had vastgeklampt, en hij zag geen reden waarom hij dat niet zou doen.

Het duurde niet lang of zijn vrouw begon zich te beijveren om een zo hecht mogelijke band te smeden tussen de pastorie en het grote huis.

* De geïdealiseerde idyllische wereld beschreven in de *Bucolica* van Vergilius. JJA

Door haar verwantschap met de familie Duport was ze ontegenzeggelijk in een bevoorrechte positie, waar ze handig gebruik van maakte. Ze maakte zich snel onmisbaar voor lord Tansor, net zoals ze dat voor haar man geworden was na de dood van zijn eerste vrouw. Geen moeite was haar te veel. Ze liet niet toe dat de baron op enigerlei wijze ontriefd werd, hoe gering het ongemak ook was. Natuurlijk nam ze zelf geen huishoudelijke taken op zich, maar ze had een talent om anderen voor zich te laten werken. Weldra bezat ze een grondige kennis van de praktische gang van zaken in het huis en nam ze de touwtjes zo stevig in handen dat het verwonderlijk was om te zien. Dat alles deed ze bovendien zonder één klacht van het dienstpersoneel, dat – niemand uitgezonderd, zelfs Cranshaw niet, die al jarenlang bij de baron in dienst was als butler – haar bevelen gehoorzaamde zoals oude strijders de bevelen van een geliefd generaal gehoorzamen. Ja, ze wist zich in te dringen in alles wat in het huishouden omging, met zoveel tact, gepaard met ongedwongen charme, dat niemand de minste aanstoot leek te nemen aan wat anders misschien voor ongehoorde onbeschaamdheid zou zijn gehouden.

Lord Tansor was verrukt over de actieve bemoeienissen en huishoudelijke assistentie van zijn verwante, die hij voor haar huwelijk met Daunt nauwelijks had gekend, maar die hij nu beschouwde als een buitengewoon sieraad voor de gemeenschap van Evenwood. De diplomatieke gaven van mevrouw Daunt werden ook losgelaten op de zachtmoedige lady Tansor, die, volstrekt niet beledigd of verongelijkt dat de scepter in haar huis zo snel door eerstgenoemde was overgenomen, roerend dankbaar was ontlast te worden van taken die ze eigenlijk maar al te graag uit handen wilde geven.

Zo verwierven de heer Daunt en zijn vrouw zich een benijdenswaardige welstand en een vooraanstaande positie in de streek rond Evenwood. Als mevrouw Daunt, haar werk overziend, zich heimelijk het flauwst denkbare glimlachje van voldoening had gepermitteerd, dan was dat zeker vergeeflijk geweest. Maar bij het bereiken van haar doeleinden had ze een ware doos van Pandora geopend, met gevolgen die ze onmogelijk had kunnen voorzien.

De opkomst van Phoebus: 1819-1848

Af en toe stel ik me graag voor hoe de heer Daunt, die ik altijd oprecht heb hooggeacht, op een ochtend – bijvoorbeeld een zonnige augustusochtend in het jaar 1830 – zijn studeerkamer binnenkomt en de ramen openwerpt naar een nieuwe, fonkelende wereld, met een bewust gebaar van tevredenheid met zijn lot.

Kijk nu eens naar hem, op deze veronderstelde ochtend. Het is vroeg, de zon is net opgegaan, en zelfs de bedienden zijn nog niet op de been. Daunt is in een uitstekende stemming en neuriet zachtjes voor zich uit een vrolijk wijsje, terwijl de heerlijke, koele lucht langzaam uit de tuin naar binnen stroomt. Hij draait zich om en kijkt met trots en genoegen om zich heen.

Zoals ik zelf heb gezien, zijn alle wanden bedekt met boeken, systematisch geordend van de vloer tot het plafond; uniforme aantekenboeken (zorgvuldig gerubriceerd en geëtiketteerd) en verhandelingen (gesorteerd en van een korte inhoud voorzien) liggen netjes op stapeltjes bij de hand, samen met een royale voorraad schrijfmateriaal, op een grote vierkante tafel, waarop ook een bosje bloemen van het seizoen staat, dat dagelijks ververst wordt door zijn vrouw. Orde, comfort en gemak heersen er – precies zoals hij het graag heeft.

Hij blijft staan bij zijn bureau en kijkt liefdevol naar zijn bibliotheek. In een nis in de muur tegenover hem staan de werken van de kerkvaders – zijn blik onderscheidt de vertrouwde aanwezigheid van zijn Eusebius, Ambrosius (een bijzonder fraaie uitgave: Parijs, 1586), Irenaeus, Tertullianus en Johannes Chrysostomus. Naast de deur staan, in een rijkbewerkte kast, zijn Bijbelexegesen, de geschriften van de Europese hervormers en een geliefkoosde uitgave van de Antwerpse Polyglotte, terwijl aan weerszijden van de open haard de klassieke schrijvers staan waarvoor hij een niet aflatende passie heeft.

Maar dit is geen gewone ochtend. Het is in alle opzichten een nieuwe dageraad, want er ligt nu een taak voor hem die, zo het God behaagt, eindelijk zijn besluit de Universiteit te verlaten zal kunnen rechtvaardigen.

Aan het einde van de vorige middag was er een boodschap gekomen van lord Tansor met de vraag of de heer Daunt zo vriendelijk wilde zijn zodra het hem schikte naar het huis te komen. Het schikte toevallig op dat moment nogal slecht, want Daunt was eerder die dag voor zaken naar Peterborough gereden en was op de terugweg gedwongen geweest de laatste vier mijl te lopen omdat zijn paard een hoefijzer had verloren. Verhit, moe en slechtgehumeurd was hij in de pastorie aangekomen en hij had nauwelijks tijd gehad om zijn laarzen uit te trekken toen de bediende van lord Tansor op de voordeur klopte. Maar een verzoek uit het grote huis kon niet licht geweigerd worden – en zeker niet vanwege pijnlijke voeten en onbetamelijke transpiratie.

Hij werd binnengelaten en door een reeks formele ontvangstruimtes naar het terras geleid dat over de hele lengte van de westelijke gevel loopt. Hier trof hij de baron, gezeten in een rieten stoel, in het paarsige avondlicht, met zijn spaniël naast zich. Hij rookte een sigaar en keek naar de zonsondergang boven Molesey Woods, dat de westelijke grens van zijn land vormde.

Een paar woorden over Daunts beschermheer. Hij was van niet meer dan gemiddelde lengte; maar hij had de houding van een gardeofficier, en door zijn kaarsrechte rug leek hij veel langer dan hij werkelijk was. Zijn wereld was beperkt tot zijn buitenverblijf, Evenwood, zijn huis in de stad aan Park-lane, de Carlton Club en het Hogerhuis. Hij reisde zelden naar het buitenland. Hij had veel kennissen en weinig vrienden.

De baron was een man met wie niet viel te spotten. Een vermoeden van vrijpostigheid was bij hem snel gewekt. De enig mogelijke houding tegenover lord Tansor was respect. Volgens dat eenvoudige principe werd de wereld van Evenwood en alle bijbehorende domeinen in stand gehouden. Hij was de erfgenaam van een onmetelijk fortuin, dat hij al belangrijk vermeerderd had, en een geboren politicus met invloed op de hoogste niveaus. Wanneer het belang van Duport actie vereiste, hoefde de baron alleen maar zachtjes de regering iets in het oor te fluisteren en het werd geregeld. Van nature was hij een onverzoenlijk tegenstander van hervorming op ieder gebied, maar hij wist – beter dan wie ook – dat in het openbaar uitgesproken principes, van welke strekking dan ook, de zakenman ernstig in verlegenheid kunnen brengen, en daarom was hij erop gespitst zijn standpunten zo te formuleren dat hij altijd in het centrum van de macht bleef. Zijn mening werd gevraagd door mannen van alle partijen. Het was niet van belang wie er aan de macht was en wie niet: zijn scherpzinnigheid werd door iedereen naar waarde geschat. Lord Tansor was, kortom, belangrijk.

Ontboden worden door de baron was dus iets om altijd gevolg aan te geven, en misschien ongerust over te zijn. Of Daunt echt ongerust was toen hij zijn beschermheer naderde weet ik niet, maar hij zal zeker benieuwd zijn geweest waarom hij zomaar op een donderdagmiddag zo dringend naar het huis geroepen was.

Toen hij zijn bezoeker opmerkte, stond lord Tansor op, stak stijf zijn hand uit en wees zijn bezoeker een zitplaats naast zich aan. Ik heb me in het kort laten vertellen wat hun gesprek behelsde (door een zeer betrouwbare zegsman: John Hooper, een van de persoonlijke bedienden van de baron, met wie ik later vriendschap heb aangeknoopt), en daarop is de volgende weergave gebaseerd.

'Mijnheer Daunt, blij u te zien.'

'Goedenavond, lord Tansor. Ik ben zo snel mogelijk gekomen. Er is toch niets mis, hoop ik?'

'Mis?' blafte de baron. 'Volstrekt niet.' Toen stond hij op en gooide de nog brandende peuk van zijn sigaar in een urn die daar stond. 'Mijnheer Daunt, ik ben onlangs in Cambridge geweest waar ik heb gedineerd met mijn vriend Passingham.'

'Professor Passingham? Van Trinity?'

De baron negeerde de vraag en ging verder.

'Men heeft daar goede herinneringen aan u, mijnheer Daunt, zeer goede herinneringen. Ik ben nooit erg gesteld geweest op Cambridge, al kan er natuurlijk wel iets veranderd zijn sinds mijn tijd. Maar Passingham is een goeie kerel, en hij gaf hoog op van uw kwaliteiten.'

'Ik voel me zeer gevleid.'

'Ik zeg dat niet om u te vleien, mijnheer Daunt. Ik zal open kaart spelen. Ik vroeg welbewust naar Passinghams mening over uw wetenschappelijke capaciteiten. Ik begrijp uit zijn verklaring dat u indertijd vrij goed aangeschreven stond bij de meest vooraanstaande mensen daar?'

'Ik had een bescheiden reputatie, inderdaad,' antwoordde Daunt, met stijgende verbazing over de wending die zijn ondervraging nam.

'En u hebt, naar ik heb begrepen, uw wetenschappelijke werk voortgezet – gelezen, artikelen geschreven, en wat al niet.'

'Dat heb ik zeker gepoogd.'

'Welnu, de zaak zit zo. De inlichtingen die ik heb ingewonnen hebben mij de zekerheid gegeven dat u met uw talenten de geschikte man bent voor een opdracht die voor mij van het hoogste belang is. Ik hoop erop te kunnen rekenen dat u die zult aanvaarden.'

'O ja, zeker, als het in mijn vermogen ligt...' Daunt had vrij sterk het gevoel dat zijn voorbehoud overbodig was. Hij wist dat hij geen keus had. Dat besef krenkte zijn nog altijd niet geringe gevoel van eigenwaarde, maar hij had geleerd discreet te zijn. Sinds hij van Millhead naar Evenwood was gekomen had hij een snelle leerschool in nederigheid doorgemaakt, aangespoord door noodzaak en door de aanmaningen van zijn vrouw, die er altijd op uit was de Duports een dienst te bewijzen zodra zich daartoe een gelegenheid voordeed.

Lord Tansor draaide zich om en liep, gevolgd door zijn hond, naar een stel imposante openslaande deuren, en liet het aan Daunt over te bedenken dat van hem verwacht werd dat hij zou volgen.

Achter die deuren lag de Bibliotheek, een schitterend vertrek van nobele proporties, gedecoreerd in wit en goud, met een kostbaar beschilderd plafond van Verrio.* De grootvader van lord Tansor, de drieëntwintigste baron, had verscheidene, zij het wat moeilijk verenigbare, talenten gehad. Net als zijn vader en zijn grootvader was hij een schrander zakenman en hij was erin geslaagd de belangen van de familie uit te breiden, waarna hij zich op betrekkelijk jonge leeftijd terugtrok op Evenwood. Daar poseerde hij samen met zijn mollige vrouw en twee blozende zonen voor Gainsborough, plantte een groot aantal bomen, fokte varkens en ontving – zonder dat zijn vrouw zich daar in het minst aan stoorde – talloze bewonderaarsters (want de baron was een

* Antonio Verrio (ca. 1639-1707), een Italiaans decoratieschilder die zich kort na 1670 in Engeland vestigde. Hij kreeg veel koninklijke opdrachten, en werkte in Windsor Castle, Whitehall Palace en Hampton Court. Hij werkte ook in een aantal voorname huizen, waaronder, naast Evenwood, Chatsworth en Burghley. JJA

knappe man en bovendien buitengewoon viriel) in een eenzame toren op een afgelegen plaats in het park.

Van deze bezigheden schakelde hij in een ommezien over naar zijn andere grote liefde: zijn boeken. De baron was een van de grote verzamelaars van zijn tijd en maakte jaarlijks vele reisjes naar Parijs, Keulen, Utrecht en andere steden in het buitenland, waar hij onbekrompen en met verstand van zaken kocht bij de daar gevestigde boekverkopers en verzamelaars. Met als gevolg dat er bij zijn overlijden een verzameling was van meer dan veertigduizend boeken en manuscripten, en om die te herbergen had hij de voormalige balzaal aan de westzijde van Evenwood laten verbouwen tot de Bibliotheek waarin zijn kleinzoon en de heer Daunt nu stonden.

De tegenwoordige lord Tansor had in het geheel niets van de bibliografische passie van zijn grootvader geërfd. Zijn lectuur bleef in het algemeen beperkt tot de *Morning Post*, *The Times*, zijn boekhouding en een enkel uitstapje naar de romans (nooit de gedichten) van sir Walter Scott; maar hij besefte – beter dan wie ook – dat de boeken die hij onder zijn hoede had niet alleen een aanzienlijke waarde vertegenwoordigden, als ze ooit te gelde gemaakt zouden worden, maar ook een zichtbaar blijk waren van het talent van de familie om generatie op generatie haar stoffelijke eigendommen te vermeerderen. De immateriële betekenis van de verzameling interesseerde hem geen jota. Hij wilde alleen precies vaststellen wat hij bezat en wat de geschatte waarde in ponden, shillings en penny's was, al stelde hij de heer Daunt niet in die materialistische bewoordingen de taak in het vooruitzicht een *catalogue raisonné* van de hele verzameling te vervaardigen.

Toen ze de Bibliotheek binnenkwamen, keek een kleine man die een rond brilletje droeg, op van een secretaire aan de andere kant van het vertrek, waar hij druk doende was geweest met een stapel documenten.

'Trek je van ons niets aan, Carteret,' zei lord Tansor tegen zijn secretaris. De man hervatte rustig zijn werk, al merkte de heer Daunt dat hij af en toe een steelse blik in hun richting wierp en daarna overdreven geconcentreerd verderging met het doornemen van de documenten die op het bureau lagen.

'Het zou voor mij dienstig zijn te weten wat ik hier heb,' vervolgde lord Tansor tegen Daunt, met een ongeïnteresseerde blik op de rijen boekdelen die dicht opeengepakt achter hun vergulde metaalgaas stonden.

'En dienstig voor de wetenschap,' zei de heer Daunt, die zo opgetogen was dat hij een ogenblik alleen maar aandacht had voor het werk dat hem te doen stond.

'Precies.'

Dit was een buitengewoon nuttige en voor Daunt hoogst interessante onderneming. Hij kon zich geen taak voorstellen die hem meer zou liggen of beter bij zijn aanleg en voorkeuren paste. De schaal van het project ontmoedigde hem in het geheel niet; hij zag die juist als een voordeel waardoor de voleinding van het werk des te meer lof zou verdienen. Hij zag ook de mogelijkheid zijn geknakte academische reputatie nieuw leven in te blazen, want hij had al besloten om tijdens het vervaardigen van een catalogus van de verzameling bij de belangrijkste boeken uitvoerige verklaringen en commentaren te schrijven, die op zichzelf van blijvende waarde zouden zijn voor toekomstige generaties geleerden en verzamelaars. Het is onwaarschijnlijk dat lord Tansor een vermoeden had van Daunts onuitgesproken bedoelingen. Als zakenman wilde hij eenvoudigweg een nauwkeurig overzicht hebben van zijn bezit en het zag ernaar uit dat Daunt zowel bereid als in staat was hem dat te bezorgen.

Er werd snel overeengekomen dat het voorbereidende werk al de volgende dag zou beginnen. Daunt zou iedere ochtend, behalve natuurlijk op zondag, naar het huis komen om in de Bibliotheek te werken. Alles wat hij nodig had zou hem ter beschikking gesteld worden – daar zou Carteret voor zorgen; en, zei lord Tansor grootmoedig, de heer Daunt zou tijdelijk gebruik mogen maken van een van zijn eigen grijze Ierse schimmels voor de dagelijkse rit door het Park.

Ze liepen terug naar het terras. Er speelde een licht avondbriesje door de lindeallee die van de Franse tuin naar het meer liep. Het geritsel waarmee het langswaaide benadrukte alleen maar het gevoel van neerdalende stilte. Lord Tansor en de heer Daunt stonden een ogenblik uit te kijken over de bloemperken en de kriskras lopende kortgeknipte graspaadjes.

'Er is nog iets dat ik u wilde voorleggen, mijnheer Daunt,' zei lord Tansor. 'Ik zou graag zien dat het uw zoon goed gaat in het leven. Ik ben de laatste tijd dikwijls in de gelegenheid geweest hem gade te slaan en ik bespeur in hem kwaliteiten waar een vader trots op kan zijn. Is het uw bedoeling dat hij predikant wordt?'

De heer Daunt aarzelde even. 'Daar ben ik altijd... van uitgegaan.' Hij zei niet dat hij in zijn enige zoon al een onmiskenbare weerstand had bespeurd bij het vooruitzicht predikant te worden.

'Het is natuurlijk prettig,' vervolgde lord Tansor, 'dat de voorkeur van de jongeman overeenstemt met uw eigen wensen. Misschien maakt u het nog mee dat hij tot bisschop wordt benoemd.'

Tot zijn verbazing zag Daunt op het gezicht van lord Tansor een uitdrukking verschijnen die naar een stijf glimlachje neigde.

'Zoals u weet,' hernam hij, 'is uw vrouw zo vriendelijk geweest uw zoon vaak hier te brengen om ons te bezoeken, en ik ben op de jongen gesteld geraakt.' De ernst was weergekeerd op het gelaat van de baron. 'Ik geloof dat ik wel zou kunnen zeggen dat ik u benijd. Kinderen zijn voor ons een soort onsterfelijkheid, nietwaar?'

De predikant had zijn beschermheer nog nooit zo openhartig horen spreken en wist niet goed wat hij moest antwoorden. Hij was er natuurlijk van op de hoogte dat de zoon van lord Tansor, Henry Hereward Duport, overleden was, slechts enkele maanden voordat hijzelf met zijn gezin Millhead had kunnen verlaten, dankzij de inspanningen van zijn tweede vrouw. Bij het betreden van de grote hal stond de bezoeker van Evenwood tegenover een groot familieportret, geschilderd door sir Thomas Lawrence – de baron en zijn eerste vrouw, met haar zoontje in haar armen – overdag verlicht door een beglaasd gotisch koepeltje hoog erboven, en 's nachts door zes grote kaarsen in een halve cirkel van rijkversierde wandkandelaars.

Door de vroege dood van zijn zoon, op de leeftijd van zeven jaar, was lord Tansor gruwelijk overgeleverd aan wat hij het meest vreesde. Hoewel hij in het algemeen voor een trots man gehouden werd, was zijn trots van een bijzondere soort. Al had hij genoeg – meer dan genoeg – geërfd om de grootste kooplust en verkwistendheid te bevredigen, hij ging toch door met het verwerven van rijkdom en invloed, niet gewoon om zelf steeds belangrijker te worden, maar om een vergrote, onaantastbare erfenis aan zijn kinderen na te laten, net als zijn directe voorouders hadden gedaan. Maar toen zijn langverwachte zoon van hem weggenomen werd, kort na het verlies van zijn eerste vrouw, zag hij zich geconfronteerd met het verschrikkelijke vooruitzicht alles waar hij het meest aan hechtte te moeten verliezen, want zonder een directe opvolger was het zeer waarschijnlijk dat de titel, samen met Evenwood en het overige onvervreemdbare bezit, in handen zou komen van een andere tak van zijn familie – waar lord Tansor mordicus tegen was, al had hij daarvoor misschien geen rationele argumenten.

'Om terug te komen op uw zoon,' zei hij na enkele ogenblikken. 'Bent u nog steeds voornemens hem zelf voor te bereiden op de universiteit?'

De heer Daunt antwoordde dat hij er geen voordeel in zag zijn zoon naar school te sturen. 'Het zou onverstandig zijn,' vervolgde hij, 'hem aan omstandigheden bloot te stellen die wel eens schadelijk voor hem zouden kunnen zijn. Hij is in veel opzichten begaafd, maar zwak en gemakkelijk te beïnvloeden. Het is beter voor hem om hier te blijven, onder mijn toezicht, totdat hij wat verstandiger en vlijtiger is dan thans.'

'U bent misschien wat streng voor hem, mijnheer Daunt,' zei lord Tansor, iets afgemetener. 'En staat u me toe te zeggen dat ik het niet geheel eens ben met uw plan. Het is niet goed voor een jongen om thuis opgesloten te zitten. Een jongen moet op vroege leeftijd met de wereld in aanraking komen, anders zal het hem slecht vergaan wanneer hij er zijn weg in moet vinden – en dat zal uw zoon zeker moeten. Naar mijn mening, mijnheer Daunt, naar mijn *stellige* mening,' voegde hij er langzaam en nadrukkelijk aan toe, 'is het beter uw zoon zo spoedig mogelijk naar school te sturen.'

'Vanzelfsprekend respecteer ik uw opvatting over dit onderwerp,' zei de heer Daunt, en hij liet in zijn glimlachende reactie zoveel vastberadenheid doorklinken als hij durfde, 'maar u zult misschien erkennen dat de wensen van een vader in zo'n kwestie een grote rol moeten spelen.'

Zelfs bij een zo aarzelende uiting van verzet tegen zijn beschermheer voelde hij zich ongemakkelijk, en hij bedacht bij zichzelf dat de jaren veel verandering in hem hadden teweeggebracht, waardoor de scherpe kantjes van zijn vroeger zo opvliegende aard af waren en hij diplomatiek geworden was waar hij vroeger de confrontatie gezocht zou hebben.

Lord Tansor liet een van zijn dreigende stiltes vallen in het gesprek, en wendde zijn blik naar het donkere silhouet van bomen die zich nu zwart aftekenden tegen het laatste licht van de ondergaande zon. Met zijn handen gevouwen op zijn rug en nog steeds in het toenemende donker starend wachtte hij een paar seconden voordat hij verder sprak.

'Natuurlijk zou ik niet kunnen eisen dat uw wensen met betrekking tot uw zoon terzijde geschoven worden. Dat hebt u op me voor.' Hij wilde dat Daunt eraan herinnerd zou worden dat hij zelf geen zoon had, en welk verwijt dat inhield. 'Sta me echter toe op te merken dat uw nieuwe taak hier u weinig tijd zal laten om u aan het onderricht van uw zoon te wijden. Tidy kan veel van uw werk in de parochie overnemen, maar dan zijn er nog de zondagen' – het was een strikte eis van lord Tansor dat de predikant zelf voorging in alle zondagse diensten en de ochtendpreek hield – 'en het verbaast me dat u geen vermindering van uw andere bezigheden wilt overwegen om tijd te vinden voor de taak – de niet geringe taak – die u zo welwillend hebt toegezegd op u te nemen.'

De heer Daunt besefte welke kant het gesprek op ging en met de gedachte dat een beschermheer niet alleen kan geven maar ook kan nemen, gaf hij toe dat een zekere herschikking van zijn verantwoordelijkheden noodzakelijk zou zijn.

'Ik ben blij dat we het eens zijn,' reageerde lord Tansor, die Daunt nu recht in de ogen keek. 'Nu dat zo is, en we gelijkelijk de belangen van uw zoon voor ogen hebben, waarover ik onlangs het genoegen heb gehad met uw vrouw te spreken, wil ik de suggestie wagen dat het geen slecht idee zou zijn de jongen voor Eton op te geven.'

Er was geen nadere uitleg van lord Tansor nodig om Daunt te doen inzien dat er een decreet was uitgevaardigd. Hij deed verder geen pogingen om zijn standpunt te verdedigen en nadat ze nog wat praktische punten hadden besproken, stemde hij definitief met het voorstel in en probeerde zich zoveel mogelijk groot te houden. De jongeheer Phoebus zou dus naar Eton gaan, waarmee de familie Duport sinds lang betrekkingen had.

Nu de zaak beklonken was, wenste lord Tansor de heer Daunt goedenacht en wel thuis.

EEN DROOM VAN DE MEESTERSMID

DECEMBER MDCCCXLVIII

Schakels, allemaal schakels; langzaam in de mal gevormd, zich vermeerderend en verstrengelend, verfijnd en versterkt door de hand van de Meestersmid; steeds langer en zwaarder, totdat de keten van het Lot – sterk genoeg om zelfs de Grote Leviathan gevangen te houden – onverbreekbaar wordt. Een terloopse handeling, een toevallige gebeurtenis, een ongezocht gevolg: ze komen in een willekeurige dans bijeen en verenigen zich dan tot een onverbrekelijk geheel.

Klang! Klang! De onweerhoudb're hamer slaat.
De schalmen worden hecht aaneengesmeed,
Steeds vaster, tot wij saamgeklonken zijn.

We worden luttele maanden na elkaar geboren, net als miljoenen anderen. We halen voor het eerst adem en slaan onze eerste blik op de wereld, net als miljoenen anderen. Elk afzonderlijk, elk onder de invloed van onze eigen scholing en onze voorbeelden, groeien we op en worden we gevormd en gevoed, leren en denken we, net als miljoenen anderen. We hadden van elkaar gescheiden moeten blijven, binnen de muren van onze afzonderlijkheid, ver van elkaar. Maar wij beiden zijn door de grote Meestersmid uitgekozen. Wij worden bewerkt, wij ontvangen zijn meesterstempel, zodat we met elkaar in aanraking komen, en de schalmen sluiten zich om ons aaneen.

Uit het harde, donkere noorden kwam hij, met zijn papa en zijn stiefmama, om zich – zonder de rechten des bloeds – in te dringen in het paradijs dat mij toekwam; uit het zuiden, honingwarm in mijn herinnering, werd ik mee naar Engeland genomen, en nu zullen we elkaar voor het eerst ontmoeten.

11

Floreat*

De dagen dat Achilles Daunt voor zijn kleine genoegens afhankelijk was van zijn traktement mochten nu voorbij zijn, maar aangezien lord Tansor het niet nodig had gevonden zijn wens Phoebus naar Eton te sturen van een financiële tegemoetkoming vergezeld te doen gaan – hij zorgde slechts voor een aanbeveling bij de rector en het bestuur, die niet gemakkelijk te weigeren viel – was het ondenkbaar dat de zoon van de predikant daar als extern leerling ruim kon leven.** Er moest een beurs voor hem worden aangevraagd, al bracht het leven op kosten van de stichting een lage status met zich mee. Maar de jongeman wist zich goed te redden, zoals ook mocht worden verwacht van iemand die zijn leven lang zo kundig was onderwezen, en in het jaar 1832 – toen alles veranderde*** – werd Daunt de jongste van de leerlingen in wier levensonderhoud koning Hendrik de Zesde in zijn goedheid had voorzien.

Zo bracht de Meestersmid ons bij elkaar, met fatale gevolgen voor ons beiden. Op dezelfde dag dat Phoebus Daunt uit Evenwood in zuidelijke richting naar Eton reisde om zijn schoolloopbaan te beginnen, trok Edward Glyver uit Sandchurch met hetzelfde doel naar het noorden. Hier kan ik het vertellen misschien even aan Daunt zelf overlaten en uit de herinneringen citeren die hij voor de Saturday Review op schrift heeft gesteld. Die bestaan weliswaar uit het bekende zelfverheerlijkende gebazel, maar ik vlei me met de gedachte dat ze als tussen-

* 'Dat het bloeie'–toespeling op het motto van Eton, 'Floreat Etona'. JJA

** Een jongen die geen 'King's Scholar' (K.S.) was, woonde extern in de stad en werd door zijn familie onderhouden. JJA

*** Een toespeling op de zgn 'Reform Bill' in datzelfde jaar, maar dan met een persoonlijke connotatie. JJA

voegsel in dit verhaal niet oninteressant zullen zijn voor de lezers die al tot hier gevorderd zijn.*

Herinneringen aan Eton
door
P. RAINSFORD DAUNT

Ik ging naar Eton, als bursaal, in het jaar 1832, op instigatie van de beschermheer van mijn vader, lord T. Ik moet toegeven dat mijn eerste dagen aldaar nogal ellendig waren, want ik had heimwee en kende niemand op de School. Wij interne bursalen moesten ook naar oude traditie de ontberingen van de Long Chamber verdragen – die thans zijn afgeschaft – en ik kan bogen op de twijfelachtige eer een van de laatste getuigen van die aloude wreedheden te zijn geweest.

Mijn beste vriend en metgezel gedurende mijn schooljaren was een jongen uit mijn eigen Election,** die ik G zal noemen.

Ik zie hem nog voor me zoals hij op de dag van mijn aankomst over het Plein beende als een boodschapper van het Lot. Ik had de reis naar Eton alleen gemaakt – mijn vader had belangrijke zaken te doen voor het bisdom en mijn stiefmoeder was onwel – en stond onder het standbeeld van de Stichter de nobele proporties van de kapel te bewonderen toen ik een grote gestalte zag die zich bij de ingang van de Long Chamber uit een groepje jongens losmaakte. Hij kwam met een doelbewuste blik in zijn donkere ogen naar me toe, pakte hartelijk mijn beide handen en stelde zich voor als mijn nieuwe buurman. Een ogenblik later was aan de formaliteiten voldaan en werd ik meegesleept in een duizelingwekkende woordenstroom.

Door zijn lange, bleke gezicht en zijn fijne gelaatstrekken oogde hij wat teer, bijna meisjesachtig, maar dat werd weersproken door zijn brede schouders en zijn zeer grote, vierkante handen die op raadselachtige wijze van een ander lichaam van robuuster makelij aan het uit-

* Hier zijn enkele gedrukte pagina's uit de *Saturday Review* van 10 oktober 1848 ingevoegd. JJA

** Jaar van aankomst. JJA

einde van zijn armen terechtgekomen leken. Hij maakte direct de indruk de ervaring en wijsheid van een ouderejaars te bezitten, en hij was dan ook degene die me inwijdde in de gebruiken van het leven op deze School en het mysterieuze taalgebruik aldaar voor me verklaarde. En zo begon mijn slavernij. Ik ben nooit op de gedachte gekomen me af te vragen waarom G mij zo onder zijn hoede nam, terwijl hij me toch in het geheel niet kende. Maar ik was een volgzaam jongmens en maar al te blij G als een schaduw te mogen volgen, zonder aan mijn waardigheid te denken. Omdat hij zonder twijfel voor grootheid voorbestemd leek, op ieder gebied, kwam het mij zeker niet slecht uit als zijn vriend bekend te staan, en door deze connectie bleven de ergste de kwellingen die voor nieuwe leerlingen waren weggelegd mij bespaard.

Hij gaf blijk van een indrukwekkend voorlijk intellect en begripsvermogen en was daarmee ver boven de kudde verheven. Hij was onze Varro* en beschikte over een enorme schat – welhaast een overdaad – aan weetjes, al vormden die een verward, ordeloos geheel en werden ze voortdurend in onsamenhangende uitweidingen over ons uitgestort. Daardoor leek hij in onze ogen een soort wijze; het verleende hem een aura van brille en genialiteit. Ik had altijd les van mijn vader gehad en wist door zijn voorbeeld de ware geleerde te herkennen. En dat was G beslist niet. Hij vergaarde kennis, gretig doch zonder onderscheid; toch had het allemaal iets betoverends. Hij had zo'n fenomenaal geheugen en gebruikte dat op zo'n boeiende, expressieve manier dat hij de schoolmeester in mij tot zwijgen bracht.

Het onderwijs van mijn vader was gedegen, maar conventioneel geweest, en ik werd net als de anderen verblind door G 's vertoon van geleerdheid en deed mijn uiterste best om hem in de klas bij te houden. Hij maakte op zondag tijdens onze wandelingen zelfs hardop alcaeïsche verzen in het Latijn en jamben in het Grieks, terwijl ik langdurig op mijn verzen zwoegde en me daarover tot gek wordens toe opwond.

We hadden natuurlijk wel onze meningsverschillen. Maar vooral in de vijfde klas en daarna beleefden we gouden tijden waaraan ik nog

* Marcus Terentius Varro, dichter, satiricus, antiquaar, jurist, geograaf, natuurkundige en wijsgeer, door Quintillianus 'de geleerdste aller Romeinen' genoemd. JJA

steeds met genoegen terugdenk. Zomermiddagen op de rivier – we roeiden van Cliveden naar Skindle's, langs de ruisende bossen en dan terug om een koele duik in het Boveney Weir te nemen; voorts heb ik dierbare herinneringen aan het trage heen en weer slenteren over Slough Road, sloffend door het dikke tapijt van dorre iepenbladeren, terwijl G lange, drukke verhandelingen hield over de uitspraken van Avicenna over kwikzilver en de steen der wijzen, of over de aard van het martelaarschap van de heilige Livinus, waarna we weer naar Long Chamber teruggingen om bij het haardvuur thee te drinken en luchtige cake te eten.

G sprak nooit over zijn ouderlijk huis of over zijn familie, of het moest zijn om verdere vragen te ontmoedigen. Hij nodigde dan ook nimmer iemand uit om hem in de vakantie te komen bezoeken, en toen ik hem eens blozend voorstelde een deel van de zomer bij mij door te brengen, werd mijn invitatie koel afgewezen. Ik herinner me de gebeurtenis nog goed, want die viel samen met het begin van een verandering in onze betrekkingen. In een paar weken tijd werd hij steeds afstandelijker en meer op zichzelf, en soms leek hij mijn gezelschap zelfs uitgesproken minachtend af te wijzen.

Op een volmaakte herfstavond zag ik hem voor het laatst. We kwamen terug van Windsor na de avonddienst in St George's Chapel – waar wij met een groepje geestverwanten vaak heen gingen om tegemoet te komen aan G's passie voor oude kerkmuziek. G was in een uitgelaten stemming en het leek even alsof de verwijdering tussen ons een halt was toegeroepen. Toen we op Barnes Pool Bridge liepen, kwam de eerstejaars die als zijn oppasser dienstdeed ons tegemoet. G moest direct bij de rector komen.

Terwijl ik zijn vertrekkende gestalte nakeek, hoorde ik in de verte de klokken van Lupton's Tower. Dat geluid, gedragen door de stille avondlucht, klonk mij daar onder de donkere gevels in die lege straat zo droevig en betekenisvol in de oren dat ik me plotseling hulpeloos en verward voelde. Al snel werd duidelijk dat hij niet meer op Eton was. Hij is nooit teruggekomen.

Ik wil niet stilstaan bij de reden van zijn voortijdige vertrek van onze School. Voor mij, zijn beste vriend, is de gedachte aan die omstandigheden even pijnlijk als die voor hemzelf moet zijn.

Na zijn vertrek werd G al snel een legende. Weldra werden de nieuwe eerstejaars vergast op verhalen over zijn heroïsche verrichtingen bij de Wall* of op de rivier en over de geleerdheid waarmee hij zijn leraren versteld deed staan. Maar ik dacht alleen aan de G van vlees en bloed: de kleine eigenaardigheden in zijn manier van spreken, zijn gebaren, de hartelijke bescherming die hij zijn onwaardige metgezel zo genereus had aangeboden. Zonder zijn levendige aanwezigheid was het leven armzalig en saai geworden.

Een roerende geschiedenis, nietwaar? En ik ben natuurlijk niet ongevoelig voor de lofzangen die hij op mij heeft gemeend te moeten aanheffen. We waren inderdaad een tijdlang vrienden, dat geef ik toe. Maar hij is wat te veel de *littérateur* – hij ziet betekenissen die er niet waren, blaast onbelangrijke zaken op, dramatiseert het banale: de gebruikelijke fouten van de broodschrijver. Herinneringen die voor publiek gebruik zijn opgepoetst en aangekleed. En wat erger is: hij overdrijft de intimiteit van onze vriendschap, en zijn beweringen over onze respectievelijke intellectuele instelling zijn ook onjuist, want ik was de serieuze student en hij de begaafde dilettant. Ik had naast hem op Eton nog veel andere vrienden, ook onder de welgesteldere externe leerlingen – met name Le Grice; ik was dus voor mijn gezelschap bepaald niet aangewezen op de jongeheer Phoebus Daunt. Dan zou ik wel een bijzonder saai bestaan hebben gehad! Voorts vergeet hij ook te vermelden – al is dat gezien de gebeurtenissen wel begrijpelijk – dat onze vriendschap uit de tijd dat we eerstejaars en buren in de Long Chamber waren, tegen het eind van onze schooltijd in Eton door zijn verraderlijkheid al tot stof was vergaan.

* Het Wall Game op Eton, een uniek soort voetbal dat op 30 november wordt gespeeld, op St Andrew's Day. De eerste gedocumenteerde wedstrijd, van Bursalen tegen Externen, vond plaats in 1766. Het spel wordt gespeeld op een smalle strook gras langs een ongeveer 110 meter lange bakstenen muur, gebouwd in 1717. De spelregels zijn ingewikkeld, maar komen erop neer dat beide ploegen de bal (zonder die met de handen aan te raken) naar het andere eind van de muur moeten proberen te krijgen en dan een doelpunt te maken. Het is een zeer lichamelijk spel, waarbij alle spelers zich een weg door een ogenschijnlijk ondoordringbare menigte tegenstanders moeten zien te banen. JJA

Toch is dit het beeld van mijn karakter en mijn intellectuele vermogens dat Phoebus Daunt beweert aan onze eerste ontmoeting op het Schoolplein te hebben overgehouden en dat hij in de *Saturday Review* aan het Britse lezerspubliek heeft gemeend te moeten voorzetten. Maar wat was mijn indruk van hém, en wat was de ware aard van onze betrekkingen? Sta me toe u thans de waarheid te onthullen.

Mijn oude leermeester Tom Grexby was van Sandchurch met me naar Windsor meegereisd. Hij bracht me naar de School en nam toen logies in The Christopher.* Ik vond het prettig te weten dat die goede vriend dichtbij was, al vertrok hij de volgende morgen al vroeg naar Dorset en zag ik hem pas na het eerste halfjaar weer.

Mijn nieuwe omgeving bracht mij niet in het minst in verwarring, in tegenstelling tot een aantal andere nieuwe leerlingen, die ik op de hun toegewezen plaats in Long Chamber zag staan of zenuwachtig heen en weer zag schuifelen, sommigen bleek en stil, anderen met een geforceerde bravoure die alleen maar accentueerde dat zij zich geen raad met hun houding wisten. Ik was sterk, zowel van lichaam als van geest, en wist dat ik me door geen andere jongen zou laten intimideren of treiteren – ook niet door leraren, overigens.

Het bed naast het mijne was leeg, maar er stonden wel een valies en een zware ruwlinnen tas op de grond. Natuurlijk bukte ik om op het handgeschreven etiket te kijken dat op het eerste geplakt zat.

P.H. Daunt *Pastorie van* *Evenwood*

Ik zag de naam Evenwood, en die kwam me bekend voor, in tegenstelling tot die van mijn buurman. 'Juffrouw Lamb uit Evenwood komt

* The Christopher Inn (tegenwoordig Hotel), in Eton High Street. JJA

mama opzoeken'; 'Juffrouw Lamb wil je een kus geven, Eddie, want ze gaat weer naar Evenwood'; 'Juffrouw Lamb zegt dat je eens in Evenwood naar de hertjes moet komen kijken.' De echo's van jaren geleden weerkaatsten in mijn oren, flauw maar duidelijk verstaanbaar: dat was de in grijze zijde gehulde dame die in mijn kinderjaren bij mijn moeder op visite kwam, me zo droevig en lief had aangekeken en met haar lange vingers mijn wang had gestreeld. Ik bedacht dat ik haar al die jaren was vergeten, totdat de plaatsnaam – Evenwood – me haar vage beeld weer in herinnering bracht. Juffrouw Lamb. Ik glimlachte vertederd bij de gedachte aan haar naam.

Ondanks mijn afgezonderde jeugd in Sandchurch, zonder noemenswaardige vriendschappen – hoewel ik soms wel met de dorpsjongens speelde – was en ben ik van nature een gezelschapsmens, al geef ik daar zelden blijk van. Ik maakte weldra kennis met mijn nieuwe buren in Long Chamber en nam nota van hun naam en plaats van herkomst; daarna stommelden we naar beneden om voor het eten op het Schoolplein een luchtje te gaan scheppen.

Ik zag hem direct: hij hing triest en ingezakt rond bij het standbeeld van de Stichter en ik begreep meteen dat hij mijn nieuwe buur in Long Chamber moest zijn. Hij stond met zijn handen in zijn zakken, schopte wat steentjes weg en keek doelloos om zich heen. Hij was iets kleiner dan ik, maar goedgebouwd, en met donker haar, net als ik. Hij leek geen van de andere jongens te zijn opgevallen en niemand leek genegen naar hem toe te komen. Daarom stapte ik op hem af. Hij was tenslotte mijn buurjongen, en zoals Fordyce Jukes vele jaren later zou opmerken, moeten buren zich als goede buren gedragen.

In die geest van vriendschappelijkheid stapte ik met uitgestoken hand op hem af.

'Ben jij Daunt?'

Hij keek me achterdochtig aan van onder zijn nieuwe hoed, die iets te veel op de groei was gekocht.

'Waarom wil je dat weten?' vroeg hij nurks.

'Wel,' zei ik opgewekt en nog steeds met uitgestoken hand, 'we worden buren – en ook vrienden, hoop ik.'

Hij nam de aangeboden hand eindelijk aan, maar zei nog steeds niets. Ik nodigde hem uit met me mee naar de anderen te gaan, maar hij leek nog steeds niet bereid afscheid te nemen van het kleine territorium onder het standbeeld van koning Hendrik in zijn gewaad van de Orde van de Kousenband, dat hij inmiddels als zijn particulier eigendom leek te beschouwen. Maar het was nu tijd voor het avondmaal in de grote eetzaal, en schoorvoetend gaf hij eindelijk zijn plekje op en liep met me mee, als een jong hondje dat bestraffend was toegesproken, maar zich nog steeds niet gewonnen wilde geven.

Tijdens onze eerste gezamenlijke maaltijd slaagde ik erin hem wat aarzelende woorden te ontlokken. Ik vernam dat hij thuis van zijn vader les had gehad, dat zijn mama dood was, maar dat hij een stiefmama had die erg lief voor hem was, en dat hij niet erg met zijn nieuwe omgeving ingenomen was. Ik opperde dat hij waarschijnlijk net als sommige anderen wat heimwee had en dat dat heel natuurlijk was. Daarop verscheen er eindelijk een vonkje levendigheid in zijn bleekblauwe ogen.

'Ja,' zei hij met een merkwaardige zucht, 'ik mis Evenwood wel.'

'Ken je juffrouw Lamb?' vroeg ik.

Hij dacht even na. 'Ik ken wel een juffrouw Fox,' antwoordde hij toen, 'maar geen juffrouw Lamb.' En hij giechelde.

Door dit gesprekje blijkbaar aangemoedigd tot meer vertrouwelijkheid boog hij zich naar me toe, dempte zijn stem en fluisterde: 'Zeg Glyver, heb jij wel eens een meisje gekust?'

Ik kende feitelijk maar weinig meisjes van mijn leeftijd, laat staan een meisje dat ik zou willen kussen.

'Wat een vraag!' antwoordde ik. 'En jij?'

'O ja. Heel vaak – ik bedoel, ik heb hetzelfde meisje heel vaak gekust. Ik denk dat zij wel het mooiste meisje ter wereld moet zijn, en later wil ik met haar trouwen.'

Daarop ging hij over tot een beschrijving van de onvergelijkelijke deugden van zijn 'prinsesje', kennelijk een buurmeisje van hem in Evenwood, en weldra maakte de norse terughoudendheid die hij eerder aan de dag had gelegd, plaats voor een opgewonden spraakzaamheid: hij vertelde dat hij een beroemd schrijver wilde worden, veel geld wilde verdienen en nog lang en gelukkig in Evenwood wilde leven met zijn prinses.

'En oom Tansor is zo aardig voor me,' zei hij terwijl we van de grote zaal weer terug naar Long Chamber liepen, waar de interne leerlingen voor de nacht werden opgesloten. 'Mama zegt dat ik bijna een zoon voor hem ben. Hij is een heel belangrijk man, weet je.'

Even later kwam hij bij mijn bed staan.

'Wat heb je daar, Glyver?' vroeg hij.

Ik zat met het rozenhouten kistje waar mijn sovereigns in hadden gezeten in mijn handen; mijn moeder had me met klem aangeraden het mee te nemen als aandenken aan mijn weldoenster, van wie ik nog steeds meende dat het juffrouw Lamb was.

'Niets,' antwoordde ik. 'Een kistje.'

'Dat herken ik,' zei hij en hij wees naar het deksel. 'Wat is dat?'

'Een wapen,' antwoordde ik. 'Een versiering, meer niet.'

Hij bleef nog even naar het kistje staan kijken en ging toen weer naar zijn eigen bed. Later fluisterde hij in het donker:

'Zeg Glyver, ben je wel eens in Evenwood geweest?'

'Natuurlijk niet,' fluisterde ik geërgerd terug. 'Ga slapen. Ik ben moe.'

Zo werd ik de vriend en bondgenoot van Phoebus Rainsford Daunt – zijn enige vriend en bondgenoot zelfs, want hij leek niet geneigd andere contacten te leggen.

De gebruiken op onze School leken hem evenveel verbijstering als afgrijzen in te boezemen, zodat hij onvermijdelijk het doelwit van de natuurlijke plaagzucht van de anderen werd. Daar had hij tegen bestand moeten zijn, want zoals ik al zei was hij goed, zelfs vrij krachtig gebouwd, maar hij vertoonde niet de minste neiging zijn kwelgeesten tegenstand te bieden en ik moest hem dikwijls te hulp schieten om te voorkomen dat hij ernstig werd toegetakeld, zoals de keer dat hij kort na onze aankomst in Long Chamber werd overvallen en in het inwijdingsritueel dat bekendstond als '*Pricking for Sheriff*' met kegels werd geslagen. Nieuwe interne leerlingen behoorden dergelijke kwellingen opgewekt en onverstoorbaar te doorstaan, zich zelfs geamuseerd te tonen. Doch ik vrees dat Daunt zich ietwat meisjesachtig en luidruchtig beklaagde, zodat hij nog meer ongewenste aandacht trok van het soort jongens dat altijd staat te trappelen om hun medemensen het leven gruwelijk zuur te maken. Ikzelf werd nooit meer aan een dergelijke behandeling onderworpen nadat ik een keer het hoofd van een van de ergste kwelgeesten, een grijnzende boerenkinkel die Shillito heette, tussen de deur van Long Chamber had geklemd en hem pas losliet toen zijn gezicht al bijna blauw werd. Ik had geweigerd met een flauw spelletje mee te doen en hij had een kan ijskoud water over me heengegooid. Dat heeft hij nooit meer gedaan. Ik ben niet vergevensgezind van aard.

Daunt noemt onze vriendschap 'slavernij', maar dan was het wel een vreemd soort slavernij, want van de slaaf werd geen onderwerping verlangd. Na verloop van tijd begon ik me steeds meer aan zijn afhankelijkheid te ergeren. Hij kon en mocht doen wat hij wilde, vriendschap sluiten met wie hij maar verkoos, maar dat deed hij niet. Hij leek zijn afhankelijke staat te omarmen, ook al moedigde ik hem aan op eigen benen te leren staan. Ondanks die aanhankelijkheid bleek hij een deskundig en levendig debater, ook over onderwerpen waarvan het me verbaasde dat hij er iets van wist, en ik ontdekte weldra dat hij beschikte over een soepele geest, een snelheid van begrip en ook een zekere energieke sluwheid die moeilijk te rijmen vielen met de mokkende norsheid die hem zo dikwijls kenmerkte.

Ik zag ook de degelijke academische grondslag die zijn vader bij hem had gelegd, maar die werd welhaast tenietgedaan door Daunts noodlottig onvermogen zich op het onderwerp in kwestie te concentreren. Hij sloeg alles snel op en richtte zich dan weer op het volgende. Ook ik hongerde naar kennis over de mens en de wereld, maar bij mij was geen sprake van de haastige spoed die zelden goed is. Hij was bewonderenswaardig ontvankelijk voor de indrukwekkende, schitterende oppervlakken van de kennis in kwestie, maar de inwendige structuur van het bouwwerk bleef bij hem gammel en aan voortdurende verandering onderhevig. Hij was wendbaar, soepel, plooibaar, hij nam gemakkelijk iets op, maar was nooit zeker van zijn zaak. Ik streefde naar kennis en inzicht; hij verzamelde slechts weetjes. Zijn genie – want zo beschouw ik het toch wel – bestond in het vermogen de brille van anderen te weerkaatsen, maar op een manier die door een raadselachtige alchemistische transmutatie alleen hemzelf belichtte en vergrootte. Dit weerhield hem er evenwel niet van goed te leren: hij stond algemeen bekend als een van de beste leerlingen van de School, maar ik – die me graag vlei met de gedachte dat ik, net als zijn vader, van verfijndere makelij was – zag juist hierdoor zijn ware maat.

Zo kwamen we samen onze schooljaren door en behoorden op zeker ogenblik tot de oudere leerlingen. Hij leek zijn oude verlegenheid goeddeels te hebben afgelegd en onderscheidde zich nu zelfs dikwijls op het cricketveld en bij het roeien. Hoewel ik inmiddels een grote vriendenkring had opgebouwd, bestond er tussen ons beiden door die eerste ontmoeting nog steeds een bijzonder vertrouwelijke band. Maar toen begon hij tekenen van een terugkeer naar zijn oude gewoonten te vertonen door opnieuw blijk te geven van zijn afkeuring voor sommige van mijn nieuwe vrienden. Hij stond op de vreemdste tijdstippen ineens voor mijn neus om een gezamenlijke bezigheid voor te stellen, terwijl hij kon weten dat ik daarin niet de geringste lust had of dat ik al een andere bindende afspraak had. Het leek wel alsof hij exclusief beslag op mij wenste te leggen, met uitsluiting van ieder ander. Hij liet me niet met rust, en dat hardnekkige hangen aan mijn jaspanden, dat ten koste van mijn andere vriendschappen ging, begon me uiteindelijk zeer te ergeren, al deed ik mijn uiterste best dat niet te laten merken.

Op een dag, toen we terugkeerden van een wandeling over Slough Road, ging hij te ver: hij drong erop aan dat ik mijn betrekkingen met een aantal vrienden verbrak omdat hij hen ongeschikt achtte, en daarmee maakte hij me zo kwaad dat ik me genoodzaakt zag hem in zijn gezicht te zeggen dat ik zijn gezelschap beu werd en dat ik andere vrienden had die me sympathieker waren. Ik had onmiddelijk spijt van mijn harde woorden en verontschuldigde me daarvoor. Dit gesprek moet de aanleiding zijn geweest voor zijn verwijt dat ik 'kil' tegen hem werd, al bleef ik – tegen beter weten in – zoveel tijd met hem doorbrengen als ik kon, zelfs toen ik hard moest blokken om na het behalen van mijn einddiploma de Newcastle* te winnen.

Maar toen, niet lang na dit incident, gebeurde er iets waardoor ik de ware aard van Phoebus Rainsford Daunt te zien kreeg, iets waardoor ik

* De Duke of Newcastle-beurs, de voornaamste prijs die Eton kende en die Glyver in staat zou hebben gesteld te studeren aan King's College, Cambridge, het zusterinstituut van de school. JJA

de School moest verlaten. Hij stipt deze crisis kort en met veel tact aan in het verslag dat ik hierboven citeerde. Ik moest hardop lachen toen ik het las. Oordeel zelf over de betrouwbaarheid van onze held als u hebt gelezen hoe het werkelijk is gegaan.

12

Pulvis et umbra*

Toen ik op een woensdagmiddag in het najaar van 1836 met een groepje vrienden, waarbij Daunt zich onuitgenodigd had aangesloten, uit Windsor terug naar de School liep, werd ik naar de Upper School geroepen, waar ik bij de heer Hawtrey, de rector,** moest komen.

'Ik begrijp dat u bij hoge uitzondering toestemming hebt gekregen om gebruik te maken van de Fellows' Library?' vroeg hij.

Die bibliotheek was voor alle leerlingen streng verboden terrein, maar ik bevestigde dat ik van een van de docenten, de eerwaarde heer Thomas Carter, die me had lesgegeven toen hij nog Lower Master was, de sleutel had gekregen. De heer Carter had een aantal opstellen van mijn hand gelezen en begrepen dat ik buitengewoon in bibliografische zaken geïnteresseerd was, en daarom mocht ik van hem, bij hoge uitzondering en slechts tijdelijk, van de bibliotheek gebruik maken om materiaal te verzamelen voor een opstel over de geschiedenis en het karakter van de collectie, dat ik aan het schrijven was.

'En u hebt nog onlangs van dit voorrecht gebruik gemaakt?'

Ik begon me ongemakkelijk te voelen, maar ik wist dat ik niets had misdaan en ik wist ook dat de heer Hawtrey een bibliofiel van naam was, dus ik zei zonder aarzelen dat ik daar de vorige middag nog was geweest om aantekeningen over Gesners Bibliotheca Universalis (Zürich, 1545) te maken.

* 'Stof en schaduw'. JJA

** Edward Craven Hawtrey (1789-1862), opvolger van de infame Dr. Keate, die berucht was om zijn mishandeling en slechts twee jaar daarvoor was afgetreden. Hij was, zoals Glyver opmerkt, een groot bibliofiel en lid van de Roxburghe Club, een vooraanstaand bibliofiel genootschap. JJA

'En u was alleen?'

'Inderdaad.'

'Wanneer hebt u de sleutel teruggebracht?'

Ik antwoordde dat ik de sleutel normaal gesproken meteen naar de heer Carter zou hebben teruggebracht, maar dat ik gisteren met Le Grice was gaan roeien en de sleutel in zijn kosthuis had achtergelaten – waar ik ook een kamer tot mijn beschikking had – totdat we terugkwamen.

'Dus na terugkomst hebt u de sleutel aan de heer Carter teruggegeven?'

'Ja, mijnheer.'

'Mijnheer Glyver, ik moet u meedelen dat mij een ernstige beschuldiging tegen u ter ore is gekomen. Volgens de inlichtingen die ik heb ontvangen, heb ik redenen om aan te nemen dat u zonder toestemming een zeer waardevol stuk uit de collectie hebt meegenomen met de bedoeling het voor uzelf te behouden.'

Ik kon mijn oren haast niet geloven en mijn verbijstering moet duidelijk op mijn gezicht te lezen zijn geweest, want de rector beduidde me te gaan zitten en wachtte totdat ik mezelf weer meester was voordat hij verderging:

'Het betreft de Udall. U kent het werk?'

Natuurlijk kende ik het: ons unieke exemplaar, circa 1566, van *Ralph Roister Doister*, een van de eerste Engelse blijspelen, door Nicholas Udall, die rector van onze School was geweest. Ik had het nog niet lang geleden voor mijn onderzoek in handen gehad. Een zeer zeldzaam, kostbaar boek.

'We weten dat het dinsdagmorgen nog in de bibliotheek aanwezig was, want toen heeft een van de docenten het nog gezien. Het is er nu niet meer.'

'Ik verzeker u, mijnheer, dat ik hier niets van weet. Ik begrijp niet...'

'Dan zult u er wel geen bezwaar tegen hebben dat we uw bezittingen doorzoeken?'

Ik antwoordde zonder aarzelen dat ik daar geen enkel bezwaar tegen had, en weldra volgde ik de in toga gehulde heer Hawtrey naar beneden, naar het Schoolplein. Enkele minuten later waren we in de kamer in het kosthuis van Le Grice waar ik mijn persoonlijke spullen bewaarde en het ontbijt gebruikte. Bij het openen van mijn hutkoffer zag ik onmiddellijk dat die zich niet in de toestand bevond waarin ik hem had achtergelaten. Onder een warboel van kleren was de bruine kalfsleren band van het vermiste boek direct te zien.

'Ontkent u nog steeds dat u hier iets van weet, mijnheer Glyver?'

Voordat ik antwoord kon geven had Hawtrey het boek al gepakt, en hij gelastte me hem te volgen, naar de Upper School, waar de heer Carter en de Vice-Provoost – de Provoost zelf was voor zaken naar Londen – ons opwachtten.

Meer dan een halfuur lang werd ik streng ondervraagd, waarbij ik steeds kwader werd. Het was duidelijk dat ik het slachtoffer was van een geniepige samenzwering om mijn reputatie te vernietigen en me met schande en erger – ik zou mijn studiebeurs verliezen en worden weggestuurd – te overladen.

Hoe was dit mogelijk? Al sinds het begin noemden ze me 'de geleerde' en mijn verrichtingen bij de Wall wekten bewondering. Was ik niet algemeen geliefd, werd ik niet bewonderd door leerlingen én leraren? Toch had iemand het plan opgevat me te gronde te richten – ongetwijfeld jaloers op mijn kundigheid en mijn positie.

Ik hoorde het bloed steeds luider in mijn oren kloppen en de woede laaide als een verzengende vulkanische rookpluim uit het diepst van mijn wezen op. Ik kon het niet langer verdragen.

'Mijnheer,' riep ik uit, dwars door een vraag heen. 'Ik heb dit niet verdiend, werkelijk niet! Ziet u dan niet hoe belachelijk, hoe bespottelijk deze beschuldiging is, hoe verachtelijk? Ik smeek u, denkt u zich eens in: waarom zou ik zoiets in vredesnaam doen? Dat zou toch wel het toppunt van dwaasheid zijn. Denkt u werkelijk dat ik zo dwaas ben dat ik zo'n beroemd stuk zou stelen? Alleen een onnozele ezel zou kunnen denken dat een zo zeldzaam boek gemakkelijk te verkopen was – door een schooljongen nog wel – zonder achterdocht te wekken. Of denkt u soms dat ik het zelf wilde houden? Dat is al niet minder absurd. Ontdekking zou onvermijdelijk zijn geweest. Nee, u bent ernstig beetgenomen, heren, en ik ben het slachtoffer van laaghartige laster.'

Ik moet wel een verontrustende, zelfs vreesaanjagende indruk hebben gemaakt, zoals ik daar stond te razen en te tieren zonder aan de mogelijke gevolgen te denken. Maar de oprechtheid van mijn hartstochtelijk betoog was maar al te duidelijk en ik meende aan het gezicht van Hawtrey te zien dat het tij zich wellicht te mijnen gunste zou keren.

Ik ging nog even door met het betuigen van mijn onschuld en het onderstrepen van de bespottelijkheid van de aantijging. Ten slotte beduidde Hawtrey me te gaan zitten en beraadslaagde fluisterend met zijn beide collega's.

'Als u onschuldig bent, zoals u beweert,' zei hij uiteindelijk, 'moet iemand anders het Udall-kwarto uit de Bibliotheek hebben weggenomen om u ervoor te laten opdraaien. U zegt dat de sleutel in uw kamer lag. Hoe lang hebt u geroeid?'

'Niet meer dan een uur. De wind was nogal straf.'

Er volgde weer een beraadslaging van mijn ondervragers.

'We zullen de zaak nader onderzoeken,' zei Hawtrey ernstig. 'U kunt gaan. Maar u mag geen gebruik van de Bibliotheek maken en tot nader order het terrein van de school niet verlaten. Is dat duidelijk?'

De volgende ochtend werd ik weer bij Hawtrey geroepen. Hij deelde me meteen mee dat zich een getuige had gemeld die zwoer dat hij me het boek in mijn hutkoffer had zien leggen.

Ik heb niet vaak in mijn leven met mijn mond vol tanden gestaan, maar nu was ik met stomheid geslagen; ik kon niet geloven wat ik daar hoorde. Toen ik weer tot mezelf kwam, vroeg ik op woedende toon wie die getuige dan wel was.

'U mag niet verwachten dat ik u zijn naam meedeel,' zei Hawtrey.

'Wie het ook is, hij liegt!' riep ik. 'Ik zei toch al dat hier kwade opzet in het spel is. Het is toch duidelijk dat uw getuige zelf de dief is.'

Hawtrey schudde zijn hoofd.

'De getuige heeft een onberispelijke reputatie. Bovendien wordt zijn getuigenis door een andere leerling bevestigd.'

Omdat het onmogelijk was dat iemand, laat staan twee mensen, getuige kon zijn van een misdrijf dat ik niet had gepleegd, hield ik zo fel als ik kon vol dat ik onschuldig was en dat er mijns inziens maar één mogelijke toedracht kon zijn: ik was het slachtoffer van opzettelijke, boosaardige misleiding. Maar het haalde niets uit. Er was sprake van motief en gelegenheid, en die twee getuigen bezegelden mijn lot. Mijn argumenten werden van de hand gewezen en het vonnis werd uitgesproken. Mijn studiebeurs werd ingetrokken en ik moest de School onmiddellijk verlaten; het stond me vrij daarvoor de verklaring te geven die ik wenste. Als ik zonder protest vertrok zou er geen nadere actie worden ondernomen en werd de zaak als gesloten beschouwd. Anders zou ik publiekelijk en met schande overdekt worden weggestuurd.

Ik dacht aan mijn arme moeder, die helemaal alleen in de salon voor Colburn de ene bladzijde na de andere volschreef, en aan juffrouw Lamb, mijn vermeende weldoenster, aan wier gulheid ik mijn plaats op deze school te danken had. Om hunnentwil moest ik zonder ophef vertrekken, ook al was ik onschuldig. En zo capituleerde ik, hoewel het me zwaar te moede was en ik nog steeds ziedde van razernij. Hawtrey was wel zo vriendelijk te zeggen dat het hem bijzonder speet dat ik onder zulke droeve omstandigheden moest vertrekken, want hij beschouwde me als een van de beste leerlingen, die zeker uiteindelijk een Fellowship aan de Universiteit zou verwerven. Hij probeerde ook de onmiddellijke gevolgen van mijn vonnis te verzachten door vriendelijk voor te stellen dat ik kon logeren bij een van de docenten die een paar kilometer van Eton woonde, totdat mijn moeder op de hoogte was gebracht en kon zorgen dat ik werd opgehaald. Maar ik zei dat ik liever niet had dat hij mijn moeder schreef en dat ik er de voorkeur aan gaf haar zelf de redenen mee te delen waarom ik niet naar Eton zou terugkeren. Na enig nadenken stemde Hawtrey daarmee in. We gaven elkaar zwijgend een hand, en dat was het einde van mijn schooltijd. Erger was dat nu iedere kans op een studie te Cambridge was verkeken en dat mijn droom van een Fellowship aldaar nu nooit bewaarheid zou kunnen worden.

Op weg naar het kosthuis van Le Grice kwam ik op het schoolplein Daunt tegen, die in gesprek was met een nieuwe vriend – geen ander dan Shillito, wiens dikke kop ik ooit tussen de deur had geklemd. (Het zal u niet zijn ontgaan dat Daunt in zijn gepubliceerde herinneringen categorisch ontkende me nog te hebben gezien na de avond dat we terugkeerden van de dienst in St George's Chapel. Dat was een opzettelijke leugen, zoals ik thans zal aantonen.)

'Weer bij de rector geweest?' riep hij. Shillito schonk me een valse grijns, en toen begreep ik hoe de vork in de steel zat. Daunt had kans gezien de sleutel uit het kosthuis van Le Grice te halen en het boek uit de Bibliotheek weg te nemen; vervolgens had hij zich quasi-schoorvoetend als getuige gemeld – ik neem aan dat hij er een fraaie voorstelling van had gemaakt en ongetwijfeld had gezinspeeld op het feit dat zijn vader de rector kende – en daarna had hij Shillito bij zijn opzetje betrokken. Het was ook duidelijk waarom Hawtrey zoveel vertrouwen in zijn hoofdgetuige had. Hij meende dat we nog steeds vrienden waren, begrijpt u, dat we nog altijd de onafscheidelijke kameraden waren die we ooit waren geweest. Hij wist niet dat ik afstand van Daunt had genomen en geloofde natuurlijk niet dat mijn beste vriend een valse getuigenis tegen me zou afleggen.

'Glyver zit altijd met zijn neus in de oude boeken,' hoorde ik Daunt tegen Shillito zeggen, alsof hij voor mij sprak. 'Mijn ouweheer is net zo. Hij en de rector horen zelfs bij een club voor zulke mensen.* Waarschijnlijk wilde de rector Glyver over een oud boek spreken. Zo is het toch, Glyver?'

Hij keek me koel, brutaal aan, en in die blik lag alle kleinzielige afgunst besloten die hij tegen me koesterde en het rancuneuze verlangen me betaald te zetten dat ik hem de rug had toegekeerd ten gunste van ander, aangenamer gezelschap. Het stond allemaal duidelijk op zijn gezicht te lezen, en ook het achteloos uitdagende in de houding die hij aannam, als die van iemand die ervan overtuigd is dat hij zijn macht over een ander onomstotelijk heeft aangetoond, wees daarop.

'Zullen we de stad in gaan?' vroeg hij toen. Shillito grijnsde me wederom minachtend toe.

'Vandaag niet,' antwoordde ik met een glimlach. 'Ik moet nog werken.'

Mijn ogenschijnlijk beheerste gedrag leek hem van zijn stuk te brengen en ik zag zijn mond verstrakken.

'Is dat alles wat je te zeggen hebt?' vroeg hij, ietwat van kleur verschietend.

* De Roxburghe Club. JJA

'Ik kan zo snel niets anders bedenken. Maar wacht eens. Toch wel.' Ik ging iets dichter bij hem staan, tussen Daunt en zijn acoliet in. 'De wraak heeft een goed geheugen,' fluisterde ik hem in het oor. 'Een uitspraak waar je nog wel eens aan zult denken. Vaarwel, Daunt.'

En toen was ik weg. Ik hoefde niet om te kijken. Ik wist dat ik hem nog wel eens zou zien.

Toen ik dit verhaal aan Le Grice vertelde, meer dan twintig jaar later, in mijn gerieflijke stoel bij Mivart's, kwam de gekmakende woede die me die dag had verteerd weer helemaal terug.

Le Grice floot, verbijsterd. 'Dus het was Daunt,' zei hij. 'Dat heb je wel erg voor jezelf gehouden. Waarom heb je me dat nooit verteld?' Het leek hem verdriet te doen dat ik hem nooit in vertrouwen had genomen, en het kwam me nu ook wel vreemd voor dat ik nooit op dat idee was gekomen.

'Dat had ik moeten doen,' gaf ik toe. 'Dat begrijp ik nu wel. Ik was ineens alles kwijt: mijn beurs, mijn reputatie en vooral mijn toekomst. Allemaal door Daunts toedoen. Ik wilde het hem betaald zetten, maar pas als het moment daar was, op mijn eigen manier. En toen gebeurde dit, en toen dat, en de gelegenheid deed zich nooit voor. En als je eenmaal gewend bent alles voor je te houden, wordt het steeds moeilijker die gewoonte te doorbreken – zelfs tegenover je beste vriend.'

'Maar vervloekt nog aan toe, waarom doet hij nu ineens zo zijn best om je te vinden?' vroeg Le Grice, die na mijn woorden weer wat bijdraaide. 'Tenzij hij het misschien goed wil maken...'

Ik lachte hol.

'Een dineetje à deux? Berouwvolle woorden, spijtbetuigingen omdat hij me heeft zwartgemaakt en mijn vooruitzichten heeft vernietigd? Dat lijkt me niet waarschijnlijk. Maar je moet nog wat meer over onze vroegere klasgenoot weten om te begrijpen waarom ik niet geloof dat spijt de reden is dat Daunt me nu zo naarstig zoekt.'

'In dat geval,' zei Le Grice, 'moesten we maar afrekenen en naar Albany verkassen. Daar kunnen we op ons gemak tot morgenochtend doorpraten als je wilt.'

Bij een loeiend haardvuur in de gerieflijke zitkamer van Le Grice vertelde ik verder.

Ik maakte de terugreis naar Sandchurch in gezelschap van Tom Grexby, die meteen na ontvangst van mijn brief naar Eton was gekomen. Ik trof hem in The Christopher, maar voordat ik de kans kreeg iets te zeggen nam hij me apart om me het droeve bericht mee te delen dat mijn moeder ziek was geworden en dat men niet verwachtte dat ze zou herstellen.

De verschrikkingen volgden elkaar op, Pelion op Ossa gestapeld.* Zoveel verlies in zo korte tijd! Ik schreide niet – ik kon het niet. Ik staarde alleen zwijgend voor me uit alsof ik van het ene moment op het andere plotseling in een vreemd woestijnlandschap was beland waarin ik niets herkende. Tom pakte me bij de arm en nam me mee naar buiten, naar de binnenplaats, vanwaar we langzaam door de High Street naar de Barnes Pool Bridge liepen.

In mijn brief had ik niets geschreven over de omstandigheden die tot mijn vertrek uit Eton hadden geleid, maar toen we de brug naderden nadat we de weg vanaf The Christopher goeddeels zwijgend hadden afgelegd, zette ik hem de kwestie uiteen, al vermeldde ik niet dat ik wist wie me had verraden.

'Maar beste jongen!' riep hij uit, 'dit kan toch niet? Je bent onschuldig. Nee, nee, dit mag niet.'

'Maar ik kan mijn onschuld niet aantonen,' zei ik, nog steeds verdoofd, 'en de omstandigheden en de getuigenissen lijken tegen me te spreken. Nee, Tom. Ik moet me hierbij neerleggen en ik wil graag dat jij dat ook doet.'

* De ene geweldige gebeurtenis op de andere gestapeld, een toespeling op de reuzen, de Aloadae, uit de Griekse mythologie, die zich toegang tot de woonplaats van de goden wilden verschaffen door de berg Pelion op de berg Ossa te stapelen (twee hoge bergen in Thessalië) (*Odyssee* XI, 315). De verteller zinspeelt ongetwijfeld ook op de woorden van Laertes bij de dood van Ophelia ('Hoopt thans uw stof op levende'en op doode, / En maakt de vlakte hier tot berg, veel hooger / Dan Pelion' (*Hamlet*, V. I. 247). JJA

Ten slotte beloofde hij met enige reserve dat hij niets zou ondernemen, en we liepen terug om ons gereed te maken voor de reis naar Sandchurch. Tot mijn opluchting was Le Grice gaan roeien, dus ik kon mijn eigendommen uit het kosthuis meenemen zonder te hoeven liegen over de reden waarom ik zo plotseling weg moest en niet meer terug zou komen. Toen alles veilig in het rijtuig was gezet, kwam Tom naast me zitten, de koets reed weg in de richting van de Barnes Pool Bridge en ik nam voorgoed afscheid van Eton.

Toen we die avond laat bij het kleine huis op het klif aankwamen, werden we opgewacht door de dorpsdokter. 'Ik vrees dat je te laat bent, Edward,' zei dokter Penny. 'Ze is gestorven.'

Ik stond in de gang en keek uitdrukkingsloos naar al die oude vertrouwde dingen – de koperen klok bij de deur, die nog steeds net zo tikte als in mijn herinnering; het silhouetje van mijn grootvader, John More uit Church Langton; de hoge ronde bak met de draken en de chrysanthemums waarin de paraplu en de parasol van mijn moeder stonden – over alles hing de troostende geur van boenwas (mijn moeder was een fanatiek voorstandster van properheid). De deur van de salon stond open en ik zag haar schrijftafel met de hoge stapels papier. De gordijnen waren dicht. Een opgebrande kaars in een tinnen blaker stond precair in balans op een stapeltje boeken als een stomme getuige van haar laatste zwoegend doorgebrachte nachtelijke uren.

Ik liep naar boven, bedrukt door de verraderlijke aanwezigheid van de dood, en deed de deur van haar kamer open.

Haar laatste boek, *Petrus*, was nog maar net verschenen, en ze was alweer aan een nieuwe romance voor Colburn begonnen – de eerste bladzijden lagen nog op de vloer naast haar bed, waar ze uit haar hand waren gevallen. Het jarenlange sloven had eindelijk zijn tol geëist en ik was mijns ondanks blij dat er een eind was gekomen aan haar lijdensweg. Haar ooit zo mooie hartvormige gelaat was ingevallen en gerimpeld en heur haar – waarop ze in haar jeugd zo trots was geweest – was nu dun en grijs, ook al was ze slechts veertig jaar. Ook haar door het harde werken versleten vingers waren dun en nog steeds bevlekt met de inkt die ze had gebruikt om aan haar verplichtingen jegens haar uitgever te voldoen. Ik drukte een afscheidskus op haar koude voorhoofd en bleef tot de volgende ochtend bij haar zitten, gehuld in de verstikkende stilte van wanhoop en dood.

Zij was de enige familie die ik had, en ook mijn enige kostwinner totdat de ruimhartigheid van mijn weldoenster ons wat verlichting bracht, maar zelfs toen was ze met onverminderde vastberadenheid dag in dag uit blijven schrijven. Wat anders dan liefde dreef haar voort? Wat anders dan liefde had haar overeind gehouden? Mijn liefste moeder – nee, meer dan een moeder: een onvergelijkelijke vriendin, een wijze raadgeefster.

Ik zou haar nooit meer gebogen over haar schrijftafel zien zitten of samen met haar opgewonden haar nieuwste voortbrengsel uitpakken en het bij al haar andere boeken in de kast zetten die Billick had getimmerd van het wrakhout van een Frans oorlogsschip dat bij Trafalgar was vergaan. Ze zou me nooit meer verhalen vertellen, nooit meer met die lieve halve glimlach luisteren als ik haar uit mijn vertaling van *Les mille et une nuits* voorlas. Ze was er niet meer en de wereld leek nu net zo koud en donker als de kamer waarin ze lag.

We begroeven haar op het kerkhof in Sandchurch dat uitkeek op zee, naast haar van het rechte pad afgedwaalde man, de nauwelijks betreurde kapitein. Tom stond aan mijn zijde en ik was nog nooit zo blij geweest dat hij bij me was. Op mijn verzoek las de heer March, de predikant van Sandchurch, luidop boven het gekrijs van de meeuwen en het verre beuken van de golven uit, een passage van John Donne, en toen was ze voorgoed weg, buiten het bereik van mijn blikken, mijn gehoor en mijn aanrakingen, een verwelkte bloem in haar lijkwade van harde, meedogenloze aarde.

De dood van mijn moeder leek een afdoende reden voor mijn thuiskomst van school, en dezelfde aanleiding werd ook per brief tegenover Le Grice en mijn andere vrienden op Eton aangevoerd. Alleen Tom kende de ware toedracht, en ik wendde me nu tot hem om hulp.

Byam More, mijn enige nog levende familielid, bood aan mijn voogd te worden, maar omdat ik vastbesloten was niet naar Somerset te verhuizen, werd overeengekomen dat Tom tijdelijk *in loco parentis* zou optreden en dat hij me ook in intellectueel opzicht weer onder zijn hoede zou nemen; ik zou – afgezien van Beth en de oude Billick geheel alleen – in het huis te Sandchurch blijven wonen dat mijn moeder me had nagelaten. De vijftig sovereigns die ik haar had geprest voor zichzelf te houden, waren opgegaan aan een aantal onvermijdelijke kosten, dus zag ik me genoodzaakt me tot oom More te wenden, die tot mijn meerderjarigheid mijn geld beheerde, en hem te vragen een deel van mijn resterende kapitaal vrij te maken om de huishouding draaiende te houden.

Ondertussen deed ik mijn best te wennen aan de onverwachte gewaarwording op mijn zestiende heer en meester in mijn eigen huis te zijn. Het gaf me in het begin een zeer wonderlijk gevoel daar alleen te zijn, zonder mijn moeder, alsof ik half en half verwachtte haar op de trap tegen te komen of haar over het tuinpad te zien lopen als ik in mijn kamer naar buiten keek. Soms wist ik bijna zeker dat ik haar 's nachts in de salon bezig hoorde. Dan hield ik mijn adem in, ging mijn hart als een razende tekeer en luisterde ik ingespannen wat het nu eigenlijk precies was wat ik hoorde – of het werkelijk haar geest was die niet kon ophouden de pen op het papier te zetten en nu haar stoel bij de grote schrijftafel trok om een eeuwig onvoltooid karwei ter hand te nemen, of gewoon de planken van het oude huis die kraakten in de huilende zeewind.

Tot het najaar van 1838 bleef ik onder Toms hoede en onofficiële voogdij in Sandchurch wonen. Mijn oude klasgenoten, onder wie ook Phoebus Daunt, maakten zich op om Eton te verlaten en naar de universiteit te gaan, en ook ik wilde mijn studie aan een daarvoor in aanmerking komende instelling voortzetten. Op Toms aanraden werd besloten dat ik naar Heidelberg zou gaan, waar ik me voor een aantal vakken aan de universiteit inschreef en me geheel aan mijn vele interesses overgaf. Mijn intellectuele ambitie was gefnuikt doordat ik mijn school voortijdig had moeten verlaten en daardoor niet in Cambridge kon studeren of daar Fellow kon worden; daarom, al was ik niet voornemens een graad te behalen, was ik vastbesloten mijn tijd zo nuttig mogelijk te besteden.

Ik liep college en las als een bezetene, dag en nacht: wijsbegeerte, ethiek, jurisprudentie, retorica, logica, kosmologie – ik zoog alles op als een spons, alsof ik uitgedroogd was. Dan weer stortte ik me fanatiek op de favorieten uit mijn vroegste jeugd: de teksten van de oude alchemisten en de Rozenkruizers, de oude Griekse Mysteriën – en aan een van de hoogleraren aan de universiteit dankte ik een nieuwe hartstocht, de archeologie van de oude beschavingen, Assyrië, Babylonië en

Chaldea. Ook zocht ik graag in afgelegen kastelen in de wouden de schilderijen van de oude Duitse meesters op, of ik reisde *à l'impromptu* de hele streek af om een plaatselijke virtuoos Buxtehude te horen spelen op een vroeg-achttiende-eeuws orgel of een dorpskoor oude Duitse gezangen te horen zingen in een witgekalkt plattelandskerkje. Ik hing rond in boekwinkels in de oude Duitse stadjes en diepte schitterende, zeldzame werken op – gebedenboeken, missalen, geïllumineerde manuscripten van het Bourgondische hof en andere bibliografische schatten waarvan ik wel wist dat ze bestonden, maar die ik tot dan toe nooit had gezien. Ik wilde zien, horen, wéten!

Dat was mijn gouden tijd (dat mag Phoebus Daunt gerust weten): vooral het geluk op een zomerse ochtend de Philosophenweg* te volgen met een armvol boeken en mijn eigen plekje op te zoeken, hoog boven de Neckar, van waar ik neerkeek door de frisse, heldere lucht op de Heiliggeistkirche en de Alte Brücke neerkeek en me dan met mijn boeken en dromen in het zachte gras neer te vlijen terwijl de zon door de takken scheen en de zwaluwen langs wolken scheerden die wel door Poussin geschilderd leken, met boven mij een oneindigheid van blauw.

* De beroemde Philosophenweg leidt naar de noordelijke flank van de Neckar.

13

Omnia mutantur*

Een wijs man is sterk; en een man van wetenschap maakt de kracht vast,** zegt de spreukendichter, en dat heb ik wel bewezen toen ik dagelijks mijn begrip vergrootte van de onderwerpen waarmede ik mij bezighield. Ik ervoer een duizeligmakend gevoel van toenemende kracht in mijn geestelijke en lichamelijke vermogens, en ik kon me niet voorstellen dat iets zo ondoorgrondelijk kon zijn dat mijn begripsvermogen het niet kon bevatten, of dat een taak mij te zwaar zou zijn.

Niettemin leed ik voortdurend aan vlagen van een knagende woede, die dit toenemende zelfvertrouwen dikwijls dreigde te ondermijnen. Dan daalde er onaangekondigd een angstaanjagende zwartgalligheid over me neer, zelfs op de stralendste dagen, als de wereld om mij heen bruiste van leven en hoop. Op zulke ogenblikken sloot ik het licht buiten en liep ik als een gekooid beest door mijn kamer heen en weer, uren achtereen, terwijl slechts die ene gedachte aan me vrat.

Hoe kon ik me wreken? Ik draaide de vraag in gedachten om en om, stelde me allerlei manieren voor waarop ik Phoebus Daunt kon doen voelen wat ikzelf had gevoeld, ik zon op middelen om zíjn hoop de bodem in te slaan. Van Le Grice had ik vernomen dat hij nu te Cambridge studeerde, waar beiden hun plaats aan King's College hadden ingenomen. Daunt had, zoals verwacht, de Newcastle binnengehaald en werd aan King's ontvangen met alle verwachtingen die men gemeenlijk van de winnaar van een dergelijke prijs koestert. Zeker, hij toonde zich ook hier werkelijk geschikt voor zijn studie, maar wederom met die neiging

* 'Alles verandert'. JJA

** Spreuken 24:5. JJA

tot ongedisciplineerdheid die zijn nauwgezette vader zeer zou afkeuren. Doctor Passingham van Trinity, een goede vriend van de oude heer Daunt, deed zijn best een vaderlijk oogje op de jongeman te houden en zond van tijd tot tijd discreet een herderlijk verslag van diens vorderingen naar Northamptonshire. Het duurde niet lang voordat deze verslagen de vader zorgen begonnen te baren.

Van Le Grice ontving ik een relaas van een aantal incidenten waarvan hijzelf getuige was geweest en waaruit duidelijk een verachtelijk karakter naar voren trad, een schrille illustratie van de nuchterder blijken van bezorgdheid die steeds vaker tussen de Master's Lodge van Trinity en de pastorie van Evenwood werden uitgewisseld.

Het eerste zou kunnen worden afgedaan als een studentengrap (al legde de oude heer Daunt het anders uit toen het hem ter ore kwam). Toen Phoebus Daunt eens door de decaan van het College vriendelijk was terechtgewezen voor een klein vergrijp, had hij een grote mand voor diens deur gezet met een kaartje waarop stond 'Met de complimenten van Ph. Daunt'. De mand bleek een dode kat te bevatten, omringd door vijf gevilde ratten. Toen hij hierover werd aangesproken en ondervraagd hield Daunt koeltjes vol dat hij onschuldig was en voerde hij aan dat hij de mand toch zeker niet onder zijn eigen naam zou hebben verstuurd als hij de schuldige was. Men liet hem dus met een verontschuldiging gaan.

Het tweede incident maakt meer duidelijk over de richting waarin Daunts karakter zich ontwikkelde.

Hij was uitgenodigd voor een diner dat de Provoost gaf. Aan het hoofd van de tafel zat de heer Okes,* in een ernstig gesprek met de Visiteur van het College, bisschop Kaye, gewikkeld, terwijl aan de zijden een tiental mannen genoeglijk zat te praten. Daunt, een van de drie aanwezige eerstejaars, bleek naast Le Grice te zijn geplaatst; tegenover hen zat een oudere lector van het College, dr. George Maxton, die reeds op leeftijd was en zeer hardhorend.

Tegen het einde van de maaltijd boog Daunt zich naar voren en sprak deze eerbiedwaardige heer met een starre glimlach aan.

'Zo, mijnheer Maxton, hebt u het een beetje naar uw zin?'

* Dr. Richard Okes (1797-1888), Provoost van King's College. JJA

De brave heer Maxton zag dat men het woord tot hem richtte, maar aangezien hij door het geroezemoes niets had verstaan, knikte hij Daunt alleen glimlachend toe.

'Vond je het nogal te vreten, ouwe zot?' Weer een knikje.

Daunt ging nog steeds glimlachend verder:

'De oesters waren nauwelijks weg te krijgen, de wijn was abominabel, de conversatie was vermoeiend, en toch heb je je uitstekend geamuseerd. Wat ben je toch een windbuil.'

Daunt hield deze brutale, beledigende eenzijdige conversatie nog enkele minuten vol en maakte over de tafel heen de ene kwetsende opmerking na de andere tegen de arme dove lector, op een toon alsof hij het over de meest alledaagse zaken had. De hele tijd beantwoordde de heer Maxton, die niet begreep wat er werkelijk tegen hem werd gezegd, de onbeschaamdheden van de jongeman met zwijgende gebaren van een roerende hoffelijkheid, en Daunt ging maar door met het belachelijk maken van zijn medegast, steeds met een glimlach. Zoiets past een heer toch niet, merkte Le Grice op.

Er deden zich nog andere – zelfs talloze – voorbeelden van dergelijk gedrag voor tijdens Daunts verblijf aan de universiteit, die allemaal blijk gaven van een aangeboren valsheid en zelfzucht. Ik las de verslagen van Le Grice gretig; zij waren het begin van iets wat zou uitgroeien tot een uitgebreid arsenaal aan inlichtingen over de geschiedenis en het karakter van Phoebus Daunt.

Ik zou mijn wraak hebben. Dat werd een geloofsartikel voor me. Maar ik moest hem eerst kennen zoals mezelf: zijn familie, zijn vrienden en kennissen, de plaatsen die hij frequenteerde – alle uiterlijkheden van zijn leven, en dan zijn innerlijk: zijn hoop, zijn vrees, zijn onzekerheden en behoeften, zijn aspiraties en al de diepste geheimen van zijn hart. Pas als ik het onderwerp Phoebus Rainsford Daunt tot in de finesses beheerste, zou ik weten waar ik de slag moest toebrengen die hem in het verderf zou storten. Maar eerst moest ik mijn tijd beiden totdat ik naar Engeland terugkeerde om daar mijn plannen ten uitvoer te brengen.

Intussen naderde in Evenwood het grote werk van de oude heer Daunt aan de bibliotheek van Duport na bijna acht jaar arbeid zijn triomfantelijke voltooiing. Het was een roemruchte onderneming geworden, en in de periodieken verschenen geregeld artikelen over de voortgang; het verschijnen van de catalogus met noten en commentaar werd door de geleerden en verzamelaars in Engeland en op het vasteland met ongeduld verbeid. Daunt had tijdens zijn werkzaamheden honderden brieven geschreven en ontvangen, en lord Tansor had er uiteindelijk mee ingestemd een amanuensis in dienst te nemen om hem behulpzaam te zijn bij het volvoeren van zijn grote taak. De particulier secretaris, Paul Carteret, was ook ingeschakeld om waar nodig te helpen, en nu was, mede dankzij deze kleine staf en de tomeloze gedrevenheid en energie van Daunt zelf, het eind in zicht.

De hulp van Carteret was van onschatbaar belang gebleken, met name zijn brede kennis inzake de familie Duport, waar hijzelf ook deel van uitmaakte. Zijn vertrouwdheid met de familiedocumenten, die in Evenwood in het Archief bewaard werden, maakten het Daunt mogelijk vast te stellen waar, wanneer en van wie de drieëntwintigste baron Tansor bepaalde stukken had aangekocht, en de herkomst te achterhalen van boeken die al langer in de collectie aanwezig waren. De belangrijke en veeleisende taak van het catalogiseren en beschrijven van de manuscripten, die Carterets bijzondere belangstelling hadden, werd ook aan hem toevertrouwd.

Lord Tansor had een superieur soort inventaris van zijn bezittingen gewild, maar hij was niet zo'n barbaar dat de ware aard van zijn eigendom hem geen voldoening schonk of dat hij niet trots was op wat zijn grootvader voor het nageslacht had vastgelegd. Uiteindelijk bleek de materiële waarde van het geheel moeilijk vast te stellen, of het moest zijn dat die vrijwel onschatbaar was, maar de waarde in andere opzichten was door het werk van Daunt boven iedere twijfel verheven en nu kon de hele wereld zien dat zijn collectie een van de belangrijkste in zijn soort van heel Europa was. Alleen al met die bevestiging, en met de grote faam die de openbaarmaking van de catalogus aan zijn naam toevoegde, was lord Tansor hoogst ingenomen.

De intellectuele en artistieke schatten van de Collectie-Duport waren hem van zijn grootvader via zijn vader toegevloeid. Op wie zouden ze nu overgaan? Hoe konden ze intact aan een volgende generatie worden doorgegeven, en aan de generatie daarna, en aan de erfgenamen en afstammelingen daarvan, en zo een levend symbool worden van de continuïteit waar zijn ziel naar hunkerde? Er was nog steeds geen erfgenaam voortgekomen uit zijn echtvereniging met de tweede lady Tansor. In de ogen van de baron benadrukte de voltooiing van het werk van Daunt slechts zijn precaire dynastieke positie. Zijn echtgenote was inmiddels tot op het bot vermagerd; ze volgde hem gedwee waar hij ook ging, naar stad of platteland, krachteloos en diep ongelukkig. Alle hoop leek vervlogen.

Juist in die tijd begon lord Tansor – daartoe aangespoord door zijn verre nicht mevrouw Daunt, naar ik vrees – bijzonder welwilende aandacht te schenken aan de zoon van Daunt. Het volgende is gebaseerd op inlichtingen die ik een aantal jaren na de beschreven gebeurtenissen heb verkregen.

Tijdens de Grote Zomervakantie van het jaar 1839 gaf lord Tansor te kennen dat het hem goed leek als de zoon van de heer Daunt 'zich wat verpoosde', waarmee de baron bedoelde dat een periode van onschuldige ontspanning voor een veelbelovend student geen kwaad zou kunnen. Hij opperde dat een verblijf van een paar weken in zijn huis in Park-lane, waarheen hij op het punt stond zich samen met lady Tansor te begeven, geschikt zou zijn om de jongeman nuttig en aangenaam bezig te houden. De stiefmama van de jongeman in kwestie begon bijna te spinnen van genoegen toen ze lord Tansor zo geestdriftig hoorde uitweiden over de mogelijkheden om haar stiefzoon in de betere kringen te introduceren.

Aangaande zijn toekomst gaf de jongeman zelve na zijn afstuderen er blijk van niet geheel vooringenomen te zijn, hetgeen zijn vader ongetwijfeld zeer verontrustte, maar lord Tansor wellicht niet onwelgevallig was; diens knikjes van stilzwijgende instemming bij het wijdlopig betoog van de knaap over de diverse mogelijkheden na het behalen van zijn graad – die geen van alle in de richting van een geestelijke roeping wezen, doch waarvan er één, een loopbaan in de letteren, zeer tegen de wensen van zijn vader indruiste – waren de machteloze oude heer niet ontgaan, zeer tot zijn verdriet.

Die zomer verpoosde Phoebus Daunt zich inderdaad enigszins, onder het wakend oog van lord Tansor. Hij ging daarbij de perken niet te buiten. Een opeenvolging van saaie diners in Park-lane, waarbij ministers, politieke verslaggevers van de serieuzere soort, vooraanstaande geestelijken, hooggeplaatste militairen van de land- en zeemacht en andere publieke figuren de voornaamste gasten waren; voor luchtiger vermaak een middagconcert in het Park of een bezoekje aan de paardenrennen (dat zeer zijn goedkeuring kon wegdragen). Vervolgens naar Cowes, voor het zeezeilen en een aantal stijve partijtjes. Lord Tansor hield zijn vlakke rechterhand met de vingers tegen elkaar en de arm bij de elleboog gebogen achter de rug van de jongen als hij hem voorstelde: 'Phoebus, mijn jongen' – hij noemde hem inmiddels 'mijn jongen' – 'dit is lord Cotterstock, mijn buurman. Hij wil graag kennis met je maken.' 'Phoebus, mijn jongen, heb je al kennisgemaakt met mevrouw Gough-Palmer, de echtgenote van de ambassadeur?' 'Morgen komt de minister-president, mijn jongen, en ik wil je graag aan hem voorstellen.' En Phoebus werd voorgesteld, maakte kennis, nam iedereen voor zich in, weerkaatste allerwegen de stralen van lord Tansors goedkeuring en genegenheid als een spiegel, totdat iedereen ervan overtuigd was dat er geen betere kerel op aarde rondliep.

Zo ging het de hele vakantie. In september, toen hij in Evenwood terugkeerde, leek hij een ware man van de wereld: groter, en met iets zwierigs en zelfverzekerds in zijn manier van doen dat daar nog maar kort geleden, toen hij nog een schooljongen was, ten enenmale aan ontbrak. Ook zijn uiterlijke verschijning had een zekere glans verworven, want oom Tansor had hem bij zijn kleermaker en hoedenmaker langs gestuurd, dus het was begrijpelijk dat zijn stiefmama even naar adem moest happen bij het zien van de voornaam geklede gestalte – helblauwe frak, geruite pantalon, hoge hoed en schitterend vest, dit alles gecompleteerd door een stel bakkebaarden in wording – die uit de koets van His Lordship stapte.

Van toen af aan werd de student bij al zijn bezoeken aan Evenwood onmiddellijk in het grote huis uitgenodigd om zijn beschermheer te vergasten op een verslag van zijn doen en laten in het voorafgaande trimester. Het schonk de baron veel voldoening te vernemen hoe gunstig de docenten over de jongen dachten en hoe hij zich op de universiteit onderscheidde. Er lag zeker een aanstelling als Fellow in het verschiet, deelde hij 'oom Tansor' mee, hoewel hijzelf meende dat een dergelijke gang van zaken niet geheel met zijn talenten strookte. Daar was lord Tansor het mee eens. Hij had in de regel weinig op met hoogleraren en lectoren en zou liever zien dat zijn jongen zijn weg vond in de grote wereld van de hoofdstad. Daar kon zijn jongen zelf slechts mee instemmen.

Er leek geen eind te komen aan de successen van Phoebus Rainsford Daunt. Iedere maand bedacht lord Tansor nieuwe manieren om de jongeman vooruit te helpen in de wereld; hij liet geen gelegenheid voorbijgaan om hem in de betere kringen te introduceren en hem voor te stellen aan mensen die er, net als lord Tansor zelf, *toe deden.*

Op de eenendertigste december 1840, halverwege zijn laatste jaar aan de universiteit, werd Daunt meerderjarig, en het behaagde His Lordship te zijner ere een diner te geven. Het werd een schitterende aangelegenheid. De maaltijd bestond uit verschillende soepen en vissoorten, zes voorgerechten, schildpaddenvlees, braadstukken, kapoenen, poulardes en kalkoen, duiven en snippen met een garnituur van truffels, champignons, rivierkreeftjes en asperges; desserts, ijs, en zelfs enkele flessen van de Bordeaux van 1784 die de vader van lord Tansor had opgelegd; de bediening was in handen van een aantal speciaal daarvoor in dienst genomen lakeien en huisknechts – tot ontsteltenis van het eigen personeel – met het oog op de *service à la française.*

Onder de gasten, ongeveer dertig in getal, bevonden zich ten gerieve van de eregast een aantal vooraanstaande letterkundigen, want lord Tansor was, enigszins tegen zijn aangeboren vooroordeel tegen het beroep van schrijver in, onder de indruk van de toewijding aan de letteren die de jongeman aan de dag begon te leggen. Dikwijls trof hij hem in een hoekje van de Bibliotheek aan (waar hij een groot deel van zijn tijd doorbracht als hij thuis was), geheel verzonken in een boek. Een paar maal bleek hij zelfs verdiept in een hoogdravend epos van Southey, en als lord Tansor een uur later weer ging kijken, bleek de jongen tot zijn verbijstering nog steeds geboeid te zitten lezen – het kwam de baron onbegrijpelijk voor dat iemand zo veel tijd en aandacht aan zoiets ondraaglijk saais kon wijden. (Hij had zich eens gewaagd aan een blik in een bundel van de Hofdichter* en was daarna zo verstandig

* Robert Southey was Hofdichter van 1813 tot zijn dood in 1843. JJA

geweest het daarbij te laten.) Maar het was niet anders. Bovendien gaf de jongen zelf ook blijk van enig talent in die richting; een onnozele ode van zijn hand in de trant van Gray was in de *Eton College Chronicle* verschenen, en een vergelijkbaar product in de *Stamford Mercury*. Lord Tansor kon uiteraard niet oordelen over de kwaliteit, maar hij meende dat deze dichterlijke aspiraties voor aanmoediging in aanmerking kwamen; ze waren immers onschadelijk, en als ze succes hadden, kon dat bijdragen tot de meerdere eer en glorie van hemzelf als beschermheer van het jeugdige genie.

De door lord Tansor ontboden dichters kwamen gehoorzaam opdraven: Horne, Montgomery, De Vere, Heraud* en nog een paar anderen van hetzelfde garnituur. Toegegeven, het waren geen talenten van de eerste rang, maar lord Tansor was heel tevreden, zowel met hun komst als met hun aanmoediging toen de jongeheer Phoebus zich liet overhalen hun inzage in enkele van zijn eigen ontboezemingen te vergunnen. De letterkundigen leken van mening dat de jongeling de ziel en het oor – ja, de roeping – van de ware bard bezat, hetgeen voor de baron een aangename bevestiging was van zijn eigen opvatting dat hij er goed aan had gedaan de jongen zijn eigen zin te geven bij zijn keuze van een loopbaan. De schrijver zelf was ook gevleid door de welwillende aandacht van Henry Drago,** de bekende recensent en redacteur van *Fraser's* en *Quarterly*, die hem zijn kaartje gaf en aanbood te bemiddelen bij het zoeken van een uitgever voor zijn gedichten. Twee weken later arriveerde er een brief van deze heer waarin hij meedeelde dat Moxon,*** een persoonlijke vriend van hem, na lezing van de verzen die de criticus hem had voorgelegd, zo aangenaam verrast was dat hij de vurige wens had uitgesproken het jonge genie zo snel mogelijk te ontmoeten en hem een voorstel voor een uitgave te doen.

Nog voordat Daunt te Cambridge zijn graad had behaald, had hij *Ithaca: Een Lyrisch Drama* voltooid, dat samen met nog enkele andere

* De dichters Richard Hengist Horne (1803-1855), Robert Montgomery (1807-1855), Aubrey Thomas de Vere (1814-1902), John Abraham Heraud (1799-1887). JJA

** Henry Samborne Drago (1810-1872), dichter en criticus. JJA

*** Edward Moxon (1801-1858), uitgever van o.a. Elizabeth Barrett Barrett, haar latere echtgenoot Robert Browning en Tennyson. JJA

pennenvruchten in het najaar van 1841 door Moxon werd uitgegeven. Zo werd P. Rainsford Daunt in de literaire wereld gelanceerd.

Mevrouw Daunt, die inmiddels de positie van feitelijke chatelaine van Evenwood had verworven, bezag deze ontwikkelingen uiteraard met warme voldoening; ze was zeer verheugd met het welslagen van haar plannen om haar stiefzoon bij lord Tansor geliefd te maken. Haar echtgenoot, die meer onderscheidingsvermogen bezat, werd in niet geringe mate verontrust door de overduidelijk holle verafgoding die zijn zoon ten deel viel, terwijl zijns inziens al die loftuitingen uitsluitend aan de grillen van zijn beschermheer, lord Tansor, te danken waren. Nu zijn werk aan de catalogus bijna voltooid was, kon hij zijn volledige aandacht weer richten op het karakter en de toekomstperspectieven van zijn zoon. Maar zijn positie was zwak naast de toenemende alleenheerschappij van lord Tansor over zijn enige kind. Wat kon hij doen? Zijn gerieflijke positie te midden van schoonheid en overvloed opgeven en het risico nemen weer in een oord als Millhead te belanden? Daarvan kon geen sprake zijn.

Toch voelde hij zich verplicht zijn uiterste best te doen om zijn zoon voor zich te herwinnen en hem een weg te wijzen die meer met zijn opvoeding en antecedenten overeenkwam. Waarschijnlijk kon hij hem niet bewegen een geestelijk ambt na te streven – zijn meest gekoesterde hoop – maar hij kon misschien wel de gevolgen van de steeds overvloediger attenties van lord Tansor enigszins beperken.

Daunt meende een oplossing te hebben gevonden. Als hij zijn zoon voor langere tijd uit Evenwood en de omgeving van lord Tansor weghaalde, zou de greep van de beschermheer op zijn zoon wellicht ietwat verslappen. Met dit doel voor ogen had hij in stilte via een neef, aartsdeken Septimius Daunt van Dublin, maatregelen getroffen om de jongen nog een jaar aan het Trinity College te laten studeren. Hij hoefde nu alleen nog zijn zoon en lord Tansor van zijn besluit op de hoogte te stellen.

14

Post nubila, Phoebus*

Toen P. Rainsford Daunt een week meerderjarig was, kon men hem, zichtbaar geagiteerd en met een hoogrode kleur, op de geleende grijze Ierse schimmel van zijn vader van de pastorie van Evenwood naar het grote huis zien vertrekken, waar hij door een bezorgde lord Tansor met voorrang werd ontvangen.

De oude heer Daunt had zijn zoon vroeg ontboden om hem zijn besluit bekend te maken dat hij na het behalen van zijn graad zijn studie in Dublin moest voortzetten. Er werden wellicht aan beide kanten woorden gesproken – ik beschik niet over een exacte transcriptie – en dingen gezegd die een compromis onmogelijk maakten. In ieder geval heeft Daunt zijn zoon koel en onomwonden meegedeeld dat hijzelf naar lord Tansor zou gaan om deze laatste te verzoeken namens hem op te treden als de jongeman niet met de regeling akkoord ging.

De arme man. Hij begreep kennelijk niet dat het al te laat was, dat hij al zijn invloed op de toekomst van zijn zoon had verspeeld en dat lord Tansor geen hand zou uitsteken om hem in dezen te steunen.

'Ik wil natuurlijk niet beweren dat het een slecht idee is,' meende lord Tansor toen de heer Daunt die middag voor hem stond, 'om de jongen naar Ierland te sturen – dat is uiteraard aan u. Ik zeg alleen dat al dat reizen in het algemeen nogal wordt overschat en dat de mensen – vooral jonge mensen – er verstandiger aan doen thuis te blijven en te kijken wat daar hun mogelijkheden zijn. En Ierland – er kunnen maar weinig gebieden op aarde zijn waar een Engelse heer zich minder thuis zou voelen, lijkt mij, of waar hij minder kans heeft het comfort te vinden

* 'Na regen komt zonneschijn (Phoebus was de zonnegod)'. JJA

waarop zijn stand hem recht geeft of al datgene aan te treffen wat het leven aangenaam maakt.'

Nadat hij Daunt met zijn fraaiste bariton nog een aantal van dergelijke uitspraken had toegeblaft, begreep de laatste tot zijn verdriet hoe de zaken ervoor stonden. Zijn zoon ging niet naar Dublin.

Phoebus Daunt studeerde die zomer af en keerde op een mooie, warme dag terug naar Evenwood om zijn toekomst uit te stippelen.

Een passage uit een onvoltooide romance in proza, getiteld *Marchmont, of de laatste der FitzArthurs,** is ongetwijfeld een beschrijving van die thuiskomst, al wordt deze voor het dramatische effect van de zomer naar de herfst verplaatst. Hieronder volgt een fragment.

Fragment uit 'Marchmont'
door
P. RAINSFORD DAUNT

Voorbij de stad duikt de met bomen omzoomde weg van de hoogte waarop het plaatsje E. gelegen is, steil omlaag om zich naar de rivier te slingeren. Gregorius had altijd al veel van die weg gehouden, maar vandaag, na de vervelende, weinig gerieflijke reis uit Paulborough achter in een vrachtkar bij zijn koffers, genoot hij wel bijzonder van de steeds snellere afdaling door de tunnel van kale takken, waar het zonlicht nu doorheen viel.

Onder aan de heuvel splitste de weg zich. In plaats van de rivier via de brug bij de watermolen over te steken, sloeg Gregorius af naar het noorden, want hij wilde de langere route nemen, door de dichte bossen, teneinde het Park aan de westzijde binnen te gaan. Hij had zich voorgenomen nog een poosje in de Griekse Tempel te zitten, op een heuveltje met terrassen even voorbij de poort, van waar hij over het glooiende grasland zijn geliefkoosde uitzicht op het grote huis zou kunnen aanschouwen.

* Gepubliceerd in Daunts *Jeugdtaferelen* (1852). JJA

De bossen waren vochtig en kil in dit stervende jaargetijde en hij was blij toen hij het gevlochten tenen hek in de muur bereikte dat toegang gaf tot het Park, waar hij uit de schaduw weer in het zwakke zonlicht kwam. Een paar meter verder liep het steenachtige pad van de rijweg naar de Tempel, die op een steile helling stond en aan drie zijden door een plantage van flinke bomen omringd was. Hij hield zijn ogen opzettelijk op de keitjes van het pad gericht om zichzelf dadelijk te kunnen verrassen met het plotselinge, overweldigende genot van de aanblik van het huis vanaf zijn gedroomde uitkijkpunt.

Maar voordat hij halverwege het pad was, hoorde hij een rijtuig, dat achter hem door de westelijke ingang het Park in reed. Hij was nog niet ver van de weg, dus hij draaide zich om teneinde te zien wie er naderde. Een rijtuig met tweespan ratelde de lichte afloop achter de poort af. Een ogenblik later had het voertuig de plaats bereikt waar hij stond. In het voorbijgaan zag hij een gezicht dat naar hem keek. Het was slechts een vluchtige glimp, maar het beeld bleef op zijn netvlies toen het rijtuig de glooiing al voorbij was en in de richting van het huis afdaalde.

Hij bleef het rijtuig nog enkele ogenblikken nastaren toen het al uit het gezicht was verdwenen, en hij begreep niet waarom hij niet dadelijk zijn weg naar de Tempel had hervat. Hij zag het bleke, lieftallige gelaat nog steeds voor zich, als een ster aan een koude, donkere hemel.

Ondanks de onhandige poging de plaats ('Paulborough' voor 'Peterborough') en zichzelf ('Gregorius') onherkenbaar te maken, en hoe verhullend en gekunsteld het verhaaltje ook is, toch zijn plaats, tijd en oorzaak van de lyrische herinnering van de auteur gemakkelijk te achterhalen. Op 6 juni 1841, de dag dat Phoebus Daunt voorgoed uit Cambridge thuiskwam, keerde om ongeveer drie uur in de middag mejuffrouw Emily Carteret, de dochter van de secretaris van lord Tansor, na een tweejarig verblijf buitenslands terug naar Evenwood.

Mejuffrouw Carteret was op die aanvalligste aller leeftijden – zij was zojuist zeventien jaar geworden. Ze had bij de jongste zuster van haar overleden moeder in Parijs verbleven en kwam nu terug naar Evenwood om zich bij haar vader in het Douairièrehuis te vestigen. De heer en mevrouw Daunt, vlak achter de Parkmuur, waren hun naaste buren, en zij en de zoon van de predikant hadden beiden reeds van jongs af aan een zeer vastomlijnd beeld van elkanders karakter en temperament.

De kleine Emily Carteret was een ernstig meisje met ernstige gedachten en hooggestemde verwachtingen van anderen. Haar buurjongen, die wel tot ernst in staat was als het hem zo uitkwam, stoorde zich vaak aan haar bedachtzame aard, want hij wilde alleen maar met haar een helling af rollen, of in een boom klimmen, of de kippen opjagen, maar zij wilde altijd over alles *nadenken*, en zo lang; uiteindelijk gaf hij ten einde raad zijn pogingen haar over te halen op en liet haar rustig nadenken terwijl hij zijn genoegens alleen najaagde. De jongedame vond hem soms ruw en zijn wilde bokkensprongen angstaanjagend, maar ze wist dat hij ook zeer vriendelijk tegen haar kon zijn en dat hij zeker niet dom was.

Het zou wel zeer vreemd zijn geweest als haar terughoudendheid tegenover de jongen zijn fascinatie voor haar niet had vergroot. Hoewel mejuffrouw Carteret vier jaar jonger was, leek zij hem te regeren met de wijsheid van een veel oudere, en met de jaren werd haar heerschappij over hem compleet. Uiteindelijk vroeg hij haar natuurlijk om een kus. Zij aarzelde. Hij vroeg het opnieuw, en zij dacht er nog wat over na. Maar ten slotte gaf ze toe. Op zijn elfde verjaardag klopte ze op de deur van de Pastorie met een presentje. 'Nu mag je me kussen,' zei ze. En dat deed hij. Hij begon haar zijn Prinsesje te noemen.

Voor hem was zij Dulcinea en Guinevere, alle verre, onbereikbare heldinnen uit de legenden, alle Rosalinds en Celia's, alle sprookjesprinsessen over wie hij ooit had gelezen of gedroomd, want ze bezat naast haar ernstige geest ook een ernstige en fascinerende schoonheid. Haar vader, Paul Carteret, had maar al te duidelijk gezien hoe het ervoor stond met de gevoelens van Phoebus Daunt voor zijn dochter, reeds lang voor haar vertrek naar het vasteland. Na twee jaar reizen en scholing en enig contact met de beste Parijse kringen was ze onweerstaanbaar geworden.

De kwestie was dat Carteret, in weerwil van de opvattingen op Evenwood, onmogelijk een veelbelovend voorbeeld van Britse mannelijkheid in Phoebus Daunt kon zien. Hij had de zoon van de predikant altijd een sluwe, gladde vleier gevonden, die zich gewiekst in de gunst drong als hij daar de kans toe zag en doortrapt en rancuneus wraak nam als hij daarin werd gedwarsboomd. Men mag derhalve aannemen dat hij zich niet verheugde op het vooruitzicht van de terugkeer van zijn dochter naar Evenwood en de attenties van P.R. Daunt in een tijd dat de ster van die jongeman onstuitbaar leek te stijgen. Ronduit gezegd: de heer Carteret vond de protégé van lord Tansor onsympathiek en onbetrouwbaar. Hij had hem meer dan eens in het Archief aangetroffen, waar hij niets te zoeken had, snuffelend in de daar opgeslagen documenten en akten, en hij wist haast zeker dat hij heimelijk de correspondentie van de baron had gelezen, die op de schrijftafel van de secretaris lag.

Maar net als zijn buurman, de predikant, was Carteret ook afhankelijk van de gunsten van lord Tansor. Hij wist dan ook niet goed wat hij zou moeten doen als de jongeman – wat zeer wel mogelijk leek – zijn gevoelens voor zijn dochter aan zijn beschermheer opbiechtte. Kon hij eventuele amoureuze avances die de goedkeuring van de baron hadden, verbieden zonder zijn eigen belangen ernstig in gevaar te brengen? Voorlopig kon hij slechts toezien en hopen.

Bij hun eerste ontmoeting na haar terugkeer uit Frankrijk, in tegenwoordigheid van haar vader, ontving mejuffrouw Carteret de jongeman hoffelijk doch terughoudend. Ze informeerde beleefd hoe hij het maakte, bevestigde dat hij sinds hun laatste ontmoeting zeer was veranderd en aanvaardde een vroege druk van *Ithaca*, door de auteur gesigneerd. Ze was bijzonder mooi geworden, in haar Franse kleren en met haar hoed *à la mode* met de gepunte linten in tere kleuren en het kleine boeketje rozen, viooltjes en sleutelbloemen, maar haar vader bemerkte tot zijn grote opluchting dat zij nog even bedachtzaam en gehoorzaam was als voorheen. Gelukkig bleef mejuffrouw Carteret bij de vele daaropvolgende gelegenheden waarop ze elkaar die zomer moesten zien steeds even kalm en hoffelijk doch gereserveerd tegenover haar vroegere speelkameraad.

Toen het jaar 1841 zijn einde naderde, was P. Rainsford Daunt vastbesloten de wereld van de letteren te veroveren. Het voorjaar daarop liet lord Tansor zijn portret schilderen, en er ontstond een hevige opwinding in de boezem van mevrouw Daunt toen voor de jonge heer een uitnodiging van Hare Majesteit ter pastorie arriveerde voor het bal masqué in Buckingham Palace, waar het hof van koning Eduard III en koningin Philippa op verbluffend schitterende wijze zou worden herschapen. Een week later werd hij officieel aan het hof voorgesteld tijdens een levée in St James's Palace, lachwekkend schitterend uitgedost met een kuitbroek, schoenen met gespen en een zwaard.

Zijn bedroefde vader trok zich middelerwijl in zijn studeervertrek terug teneinde de drukproeven van zijn catalogus na te zien; de baron bracht een flink deel van zijn tijd in de stad door, waar hij achter gesloten deuren beraadslaagde met Christopher Tredgold, zijn rechtskundig raadsman, en ik zette mijn eerste schreden op het pad dat mij uiteindelijk naar Cain-court, Strand zou voeren.

15

Apocalypsis*

In februari 1841 vertrok ik uit Heidelberg om eerst naar Berlijn en daarna naar Frankrijk af te reizen. Twee dagen voor mijn eenentwintigste verjaardag arriveerde ik in Parijs, waar ik me vestigde in het Hôtel des Princes** – ietwat duur wellicht, maar mijn middelen waren toereikend. Bij het ingaan van mijn meerderjarigheid vloeide de rest van mijn kapitaal, dat mijn oom Byam More had beheerd, mij toe. Aangespoord door deze verheugende gedachte stond ik mijzelf toe diep in de buidel te tasten, in de verwachting dat die weldra weer gevuld zou worden, en gaf ik mij over aan de oneindig veelsoortige genoegens die Parijs te bieden heeft aan een jongeman met een niet onaangenaam voorkomen, een levendige fantasie en een gezonde dosis zelfvertrouwen. Aan alle genoegens komt evenwel een eind, en al spoedig begon zich dag en nacht het koppige, onaangename besef aan mij op te dringen dat ik binnenkort moest omzien naar een manier om in mijn onderhoud te voorzien. Met tegenzin begon ik na zes hoogst amusante weken voorbereidingen te treffen voor mijn terugkeer naar Engeland.

Toen, op de ochtend voorafgaand aan mijn voorgenomen vertrek, liep ik in Galignani's Reading Room,*** mijn dagelijks toevluchtsoord tijdens mijn verblijf te Parijs, Le Grice tegen het lijf. Een heerlijke avond lang wisselden wij verhalen uit over alles wat er was geschied nadat onze wegen zich na onze laatste ontmoeting hadden gescheiden.

* Onthulling. JJA

** In de Rue de Richelieu. JJA

*** In de Rue Vivienne: 'een prachtig toevluchtsoord voor de Engelsman in Parijs', volgens Murrays *Hand-book for Travellers in France* (Nieuwe editie, 1844). JJA

Natuurlijk had hij veel over een aantal oude schoolkameraden te vertellen, onder wie ook Daunt. Ik luisterde beleefd, doch gaf het gesprek een andere wending zodra zulks met goed fatsoen mogelijk was. Ik behoefde niet aan Phoebus Daunt te worden herinnerd; hij was voortdurend in mijn gedachten en het verlangen doeltreffend wraak op hem te nemen voor wat hij mij had aangedaan, brandde fel en gestaag in mijn gemoed.

Le Grice was *en route* naar Italië, met geen ander doel dan zich in een fraaie omgeving met aangenaam gezelschap te verpozen terwijl hij zich op de toekomst beraadde. Gezien mijn eigen onzekerheid daaromtrent was er zijnerzijds weinig overredingskracht voor nodig om mij over te halen de plannen voor mijn terugkeer naar Sandchurch te laten varen en hem bij zijn omzwervingen te vergezellen. Onverwijld zond ik oom More een schriftelijk verzoek het saldo van mijn kapitaal op mijn rekening te Londen te deponeren en liet ik Tom weten dat ik nog iets langer op het vasteland zou verblijven. De volgende morgen vertrokken Le Grice en ik naar het zuiden.

Na vele aangename omzwervingen kwamen we eindelijk te Marseille aan, van waar we langs de Ligurische kust naar Pisa reisden alvorens ons met enige pracht en praal in een adellijk Florentijns palazzo in de omgeving van de Duomo te vestigen. Hier bleven we een aantal weken en we leidden een indolent leventje, totdat de zomerse hitte ons naar de koelere lucht in de bergen, en uiteindelijk naar Ancona aan de Adriatische kust dreef.

Tegen eind augustus, toen we in noordelijke richting waren getrokken en in Venetië waren aangeland, begon Le Grice tekenen van rusteloosheid te vertonen. Ik kon geen genoeg krijgen van kerken, schilderijen en beeldhouwwerken, maar dat alles lag niet zo in zijn lijn. De ene kerk leek sterk op de andere, merkte hij vermoeid op, en over de opeenvolging van kruisigingen en voorstellingen van de geboorte van Christus gaf hij van vergelijkbare gevoelens blijk. In de tweede week van september namen we uiteindelijk afscheid van elkaar met de belofte elkaar in Londen wederom te zien zodra de omstandigheden het toelieten.

Le Grice vertrok naar Triëst om scheep te gaan naar Engeland, terwijl ik na nog enkele dagen in Venetië weer koers zette naar het zuiden. Het volgende jaar zwierf ik met Murrays *Hand-book to Asia Minor* als mijn gids door Griekenland en de Levant, helemaal tot Damascus, en voer toen via de Cycladen naar Brindisi. Na een verblijf in Napels en Rome was ik in de nazomer van 1842 weer in Florence.

Bij ons eerste bezoek aan de stad van de Medici hadden we een Amerikaans echtpaar ontmoet, de heer en mevrouw Forrester. Toen ik in de stad terugkeerde, maakte ik mijn opwachting ten huize van de familie Forrester, en toen de positie van huisleraar van hun beide zoons wegens ongeschiktheid van de vroegere functionaris vacant was, bood ik terstond mijn diensten aan. Ik bleef de volgende drieënhalf jaar in de niet veeleisende en goedbetaalde dienst van de heer en mevrouw Forrester, werd lui en verwaarloosde mijn eigen studie schandelijk. Ik dacht dikwijls aan mijn vroegere leven in Engeland, waarheen ik ooit moest terugkeren, doch die gedachten riepen steeds de schim van Phoebus Daunt en onze openstaande rekeningen op. (Zelfs in Florence kon ik hem niet ontlopen: ter ere van mijn drieëntwintigste verjaardag schonk mevrouw Forrester, een notoire blauwkous, mij zijn nieuwste bundel, *De Tatarenkoning: Een vertelling in XII Canto's*. 'Ik dweep met Daunt,' zuchtte ze smeltend. 'Een genie, en nog zo jong!')

In deze tijd begon ik ook bepaalde gewoonten aan te nemen die bijwijlen de resten van de hogere talenten waarmede ik gezegend ben, onherstelbaar dreigen te verwoesten. Mijn misstappen waren destijd nog bescheiden, maar ik begon mijzelf en het leven dat ik leidde te verafschuwen. Uiteindelijk, na een betreurenswaardig incident waarbij de dochter van een der notabelen van de stad betrokken was, maakte ik mijn excuus bij de familie Forrester en verliet ik enigszins overhaast Florence.

Ik had nog steeds geen verlangen naar mijn vaderland terug te keren en reisde noordwaarts. In Milaan maakte ik kennis met een Engelse heer, een zekere Bryce Furnivall, van de Afdeling voor Gedrukte Boeken in het British Museum, die op het punt stond naar St. Petersburg te vertrekken. Mijn gesprekken met Furnivall hadden mijn oude passie voor boeken weer aangewakkerd, en toen hij vroeg of ik lust had hem naar Rusland te vergezellen, stemde ik met graagte toe.

In St. Petersburg werden we hartelijk ontvangen door de vermaarde bibliograaf V.S. Sopikov, wiens winkel in Gostini Dvor een dagelijks oord van toevlucht voor mij werd.* Na ongeveer een week moest mijn reisgenoot, Furnivall, terug naar Londen, maar ik verkoos te blijven. Ik was betoverd door de prachtige wit met gouden stad, gefascineerd door de grootse openbare gebouwen en paleizen, de weidse vergezichten, de kanalen en de kerken. Ik vond kamers in de omgeving van de Nevski Prospekt, leerde de Russische taal en sloot zelfs de barre winters met een zekere verrukking in mijn hart. In bont gehuld dwaalde ik dikwijls 's nachts door de straten terwijl overal om mij heen de sneeuw viel, en ik bleef peinzend op de Leeuwenbrug over het Kanal Griboedova staan of keek naar het stroomafwaarts drijvende ijs op de machtige Neva.

Er verstreek bijna een jaar voordat ik eindelijk overwoog huiswaarts te keren. Voor zijn vertrek had de heer Furnivall me hartelijk uitgenodigd hem na mijn terugkeer op te komen zoeken in het Museum om over een recent vrijgekomen positie op zijn afdeling te spreken. Aangezien ik geen andere toekomstplannen had, begon dit mij aantrekkelijk voor te komen. Ik had te lang in ballingschap geleefd. Het werd tijd om iets van mezelf te maken. Zo vertrok ik in februari 1847 uit St. Petersburg om op mijn gemak westwaarts te reizen, waarbij ik af en toe een omweg maakte als me dat zo inviel, en in de eerste week van juni kwam ik te Portsmouth aan.

Billick kwam me in Wareham met de sjees van de diligence uit Portsmouth halen. Bij het weerzien klopten wij elkander even recht hartelijk op de rug en maakten toen de twee uur lange reis tot wederzijdse tevredenheid in volledige stilte, afgezien van het kauwen van mijn reisgezel op een oude tabakspruim, totdat we in Sandchurch waren.

'Zet me hier maar af, Billick,' zei ik toen we bij de kerk waren.

Hij reed verder de helling op en ik klopte op de deur van het scheve huisje naast het kerkhof.

* Vasili Stjepanovitsj Sopikov, boekhandelaar en schrijver van *Opyt rossijskoj bibliografii* (Proeve van een Russische bibliografie), een standaardwerk. JJA

Tom deed open, met het boek dat hij aan het lezen was onder zijn arm.

Hij stak me lachend zijn hand toe en het boek viel op de grond.

'De thuiskomst van de reiziger,' zei hij. 'Kom binnen, kerel, en doe alsof je thuis bent.'

Een tweede thuis was deze lage, stoffige kamer ooit voor me geweest, vol boeken, van de vloer tot het plafond en langs de trappen tot aan het dak; boeken in alle soorten en maten. De dierbare vertrouwdheid – het driepotige ladenkastje dat werd ondersteund door een kreunende stapel schimmelige leren foliobanden, de gekruiste vishengels boven de haard, de verkleurde marmeren buste van Napoleon op een plankje naast de deur – was tegelijk schrijnend en pijnlijk. Ook Tom zelf met zijn lange, gerimpelde gezicht dat opglansde bij de gloed van het haardvuur, zijn grote oren met de grijze plukjes haar en zijn zangerige Norfolkse accent, bracht me mijn kinderjaren met een schok in herinnering.

'Tom,' zei ik, 'ik geloof dat je zelfs het weinige haar kwijt bent dat je bij onze laatste ontmoeting nog had.'

En we lachten, en dat betekende voor die avond het einde van de stilte.

We praatten en praatten, uur na uur, over alles wat ik op het vasteland had gezien en gedaan, over vroeger, totdat de klok middernacht sloeg en Tom zei dat hij de lantaarn zou pakken en met me mee de heuvel op zou lopen om me veilig naar huis te begeleiden. Bij het hek onder de kastanjeboom nam hij afscheid en ik ging het stille huis binnen. Na bijna negen jaar van omzwervingen lag ik die nacht weer in mijn eigen bed en sloot ik mijn ogen bij de eeuwige muziek van de zee die het land ontmoet.

De zomer ging rustig voorbij. Ik hield mezelf zo goed mogelijk bezig, las veel en probeerde wat aan het huis en de tuin te doen. Maar toen de herfst naderde, begon ik me rusteloos en onvoldaan te voelen. Tom kwam bijna iedere dag wel even bij me zitten en ik zag duidelijk dat mijn indolentie hem verontrustte.

'Wat ga je doen, Ned?' vroeg hij uiteindelijk.

'Ik zal de kost wel moeten gaan verdienen,' zuchtte ik. 'Ik heb bijna mijn hele kapitaal opgesoupeerd, het huis is in slechte staat en nu schrijft oom More dat mijn moeder voor haar dood honderd pond van hem heeft geleend die hij nu nodig heeft.'

'Als je nog niets bepaalds op het oog hebt,' zei Tom na een korte stilte, 'heb ik misschien wel een voorstel.'

Vanuit de Levant had ik hem over mijn nieuwe passie voor de oude beschavingen van Klein-Azië geschreven. Toen hij vernam dat ik op het punt stond naar Engeland terug te keren en nog niet wist dat ik de betrekking bij het British Museum overwoog, had hij namens mij vast informatie ingewonnen over de mogelijkheid met een expeditie mee te gaan die toevallig juist op touw werd gezet om opgravingen te doen bij de monumenten van Nimrod.

'Daar zou je ervaring kunnen opdoen, Ned, en wat geld verdienen, en je zou naam kunnen maken op een gebied dat toekomst lijkt te hebben.'

Ik zei dat het een schitterend idee was en dankte hem hartelijk omdat hij het me aan de hand had gedaan, al had ik eigenlijk mijn reserves. Degene die de leiding had en die Tom via een familielid kende, woonde in Oxford; we kwamen overeen dat Tom hem direct zou schrijven om voor te stellen dat hij en ik de professor bij de eerste gelegenheid kwamen opzoeken.

Het antwoord liet een aantal weken op zich wachten, maar toen, op een zonnige, winderige herfstmorgen, kwam Tom zeggen dat hij een brief van professor S in Oxford had gekregen* waarin deze schreef dat hij me gaarne in New College zou ontvangen om mijn kandidataur voor de expeditie te bespreken.

De kamers van de professor stonden barstensvol afgietsels en frag-

* 'Professor S' heb ik niet kunnen identificeren, en ik weet niet waarom de auteur zijn anonimiteit heeft willen respecteren. Hij lijkt iets te maken te hebben gehad met een rivaliserende expeditie naar Nimrod tegenover die van Austin Henry Layard (1817-1894), die nooit heeft plaatsgevonden. JJA

menten van bas-reliefs, inscripties in het raadselachtige kegelvormige schrift waarover ik in Rawlinsons verslag van zijn reizen door Soesiana en Koerdistan* had gelezen, en uitsneden van gespierde, gevleugelde stieren in donker glimmend basalt. De vloer was bedekt met kaarten en plattegronden, waarvan er ook een aantal over tafels en stoelleuningen uitgespreid lagen, en op een ezel in het midden van de kamer stond iets wat ik aanvankelijk voor een zwartwitschilderij van een reusachtige gekroonde koning aanzag, met een baard, gevlochten haar en een houding die almacht uitstraalde, en met een gevangengenomen vijand of opstandeling aan zijn voeten, verstard in zijn nederige overgave aan de machtige overwinnaar.

Toen ik beter keek, zag ik dat het geen schilderij was, maar iets wat de professor, die mijn belangstelling opmerkte, beschreef als een fotogene afbeelding, een calotype – een techniek die Talbot,** een medebestudeerder van het kegelvormige schrift, had uitgevonden. Ik was verbijsterd, want de afbeelding van die koning – een gigantische, dreigende stenen aanwezigheid in een uitgestrekte zandwoestijn – was niet met behulp van een vergankelijke, door mensen gemaakte stof, maar door het eeuwige licht zelf vervaardigd. Het licht van de wereld; de zon die ooit het oude Babylon had beschenen en nu met veel moeite de sombere, herfstige negentiende-eeuwse straten van Oxford verlichtte, was gevangen en vastgehouden, net als de slaaf aan de voeten van de koning, en voorgoed vastgelegd.

Dit alles vertel ik omdat het een belangrijk ogenblik in mijn leven was, zoals spoedig zal blijken. Tot dan toe had ik de vertrouwde wegen van de kennis gevolgd die uit de veilige haven van de humaniora voortvloeiden. Nu zag ik dat de exacte wetenschappen, die bij mijn scholing wat verwaarloosd waren, mogelijkheden openden waarvan ik nooit had durven dromen.

* Het verslag van de expedities in 1836 and 1838 voor de Royal Geographical Society door Henry Creswicke Rawlinson (1810-1895). JJA

** William Fox Talbot (1800-1877), Brits pionier van de fotografie. Hij werkte sinds 1835 aan 'fotogene tekeningen'. Op 31 januari 1839 werd er voor de Royal Society een lezing over zijn 'fotogene' technieken gegeven. In 1841 verwierf hij het patent op zijn verbeterde 'calotype' of 'talbotype'. JJA

De hoogleraar rook ietwat overrijp in zijn benauwde kamers op de zolderverdieping en leek te denken dat dicht bij iemand staan en zeer luid in zijn gezicht praten de aangewezen manier was om een gesprek te voeren. Hij bevroeg me indringend over mijn kennis van Mesopotamië, de Babylonische koningen en nog een aantal verwante zaken terwijl Tom de gebeurtenissen op enige afstand met een hoopvolle glimlach volgde.

Het is goed mogelijk dat ik een bevredigende indruk maakte. Ik weet zelfs zeker dat dat het geval was, want een paar dagen na onze terugkeer naar Sandchurch schreef de professor dat ik zo spoedig mogelijk weer naar Oxford moest komen om kennis te maken met de andere leden van de voorgenomen expeditie.

Maar inmiddels had mijn hart een nieuw verlangen gevonden. Ik raakte in de ban van het prachtige vangen van licht en schaduw dat ik had aanschouwd in de calotype van de grote stenen koning, en de verleiding met mijn nagels in de hitte en het stof van de Mesopotamische woestijn te graven werd van zijn plaats verdrongen. Bovendien had ik genoeg van het reizen. Ik wilde me vestigen, een aangename betrekking zoeken en de fotografische kunst leren beheersen, waarmee ik wellicht ooit mijn brood zou kunnen verdienen.

Ik zei niets tegen Tom, maar verzon listige uitvluchten om niet naar New College te hoeven gaan zoals de professor wilde, en door een lichte maar tijdelijk bijzonder hinderlijke ongesteldheid voor te wenden, kon ik paar dagen in huis blijven.

Op de eerste dag van mijn voorgewende ziekte kwamen er vanuit het zuiden hevige regenbuien opzetten, die vanaf het Kanaal bleven neerstriemen totdat de duisternis over het klif gleed en het huis omsloot. Die morgen had ik me met Buckinghams *Travels in Assyria** in de vensterbank van de salon genesteld, vanwaar ik over zee kon uitkijken, in een vergeefse poging mijn kwade geweten te sussen, dat opspeelde om-

* *Travels in Assyria, Media and Persia* (1830) door James Silk Buckingham (1786-1855). JJA

dat ik Tom bedroog, maar toen Beth mij mijn déjeuner kwam brengen, had ik reeds genoeg van Buckingham en nam mijn geliefde oude band met preken van John Donne ter hand, waarin ik de verdere middag verzonken bleef.

Na de avondmaaltijd begon ik over praktische zaken na te denken. Ik moest nog zeer veel doen om me een goede, betrouwbare positie te verwerven, te meer daar ik geen universitaire graad bezat. Voordat Tom namens mij stappen had ondernomen was ik van plan geweest het huis te verkopen en naar Londen te verhuizen om te zien of ik daar een positie kon vinden waarbij een beroep op mijn intellectuele capaciteiten zou worden gedaan. Ik had eerst gehoor willen geven aan de uitnodiging van Bryce Furnivall me te presenteren voor de vacature bij diens afdeling van het British Museum. Dat bleef een aanlokkelijke mogelijkheid, want het bibliografisch vuur brandde nog steeds in mijn gemoed en ik wist dat ik in deze voor mij zo fascinerende studie een leven lang nuttig werk zou kunnen doen.

Waarheen ik mijn schreden ook zou richten, naar Mesopotamië of naar Great Russell-street – ik had geld nodig om de eerste periode door te komen. Ook zou ik moeten beginnen met het uitzoeken en ordenen van de papieren van mijn moeder, want daarin was ik tot dan toe laks geweest en ze lagen nu al elf jaar onaangeroerd en verwijtend in gebundelde stapels op haar schrijftafel. Aan die taak kon ik nu tenminste beginnen. Ik nam me dan ook voor er de volgende ochtend dadelijk naar te gaan kijken, stak een sigaar op (een slechte gewoonte die ik in Duitsland had opgevat), trok mijn stoel dichter naar het haardvuur en maakte aanstalten de avond genoeglijk door te brengen met een fraai bundeltje gedichten van lord Rochester.

Maar terwijl de vlammen flakkerden en de regen tegen het raam bleef striemen legde ik op zeker ogenblik het boek terzijde en richtte mijn blikken op de vergeelde, aan de hoeken opkrullende stapels papier op de schrijftafel.

Aan de muur naast de tafel stond de door Billick gemaakte kast met de gepubliceerde werken van mijn moeder, in groepjes van twee of drie delen, donkergroen of blauw linnen, waarvan de ruggen met de gestempelde titels glansden bij de gloed van het vuur, in volgorde van verschijnen, van *Edith* tot *Petrus of de Nobele Slaaf*, haar ietwat halfslachtige poging tot een historische roman, die in het jaar van haar dood was verschenen. Onder deze kleine bibliotheek lag de arena van haar arbeid zelf – de grote, vierkante, tweeënhalve meter brede schrijftafel die later in mijn kamers in Temple-street zou staan.

Het was een papieren landschap met kleine bergtoppen en schaduwrijke dalen, duizelingwekkend steile afgronden met hier en daar de zichtbare gevolgen van kleine aardschokken, waar een korst van omkrullende bladen over een aantal lager gelegen soortgenoten was gegleden en nu schots en scheef opgestuwd lag. De massa papier bevatte, zo wist ik, kladversies, aantekeningen en fragmenten van romans, maar ook rekeningen en andere geschriften die met de huishouding te maken hadden. Mijn moeder had er een wonderlijk systeem op nagehouden waarbij ze kleine bataljons papieren en stukken die betrekking op een bepaalde categorie hadden, bijeen legde en er een touwtje, lintje of smal strookje zijde omheen bond. Die bundeltjes stapelde ze dan zonder etiket op elkaar, min of meer op volgorde van hun ontstaan. Het effect, voorzover dat intact was gebleven, leek nogal op een schaalmodel van het slagveld van Pharsalus* dat ik eens had gezien, met tegenover elkaar geplaatste carrés en opeengestapelde echelons. In het midden, aan drie zijden omringd door opdringende muren van papier, lag de ruimte, niet breder dan een foliovel, waar ze werkte.

Er lagen ook een aantal kleine vierkante aantekenboekjes met harde glimmende kaft, allemaal dichtgebonden met tere lintjes in dezelfde kleur, die mij als kind zeer boeiend voorkwamen vanwege hun gelijkenis met plakken donkere chocolade. Daaraan vertrouwde mijn moeder haar gedachten toe, waarbij ze zich nog dieper over het papier boog dan gewoonlijk bij haar literaire arbeid, want de bladzijden waren klein – slechts zeven à tien centimeter in het vierkant, zodat ze haar handschrift moest aanpassen. Waarom ze had verkozen zichzelf zo veel moeite te bezorgen – de aantekenboekjes werden speciaal voor haar gemaakt door een winkelier in schrijfbehoeften in Weymouth, hetgeen een voor haar zeer ongewone luxe leek – heb ik nooit begrepen. Een tiental van die boekjes stond nu in het gelid aan de ene kant van de

* In Thessalië, in het noorden van Griekenland, waar Julius Caesar in het jaar 48 v.Chr. Pompejus' strijdkrachten van de Senaat versloeg. JJA

werkruimte, aan de rand van de tafel gesteund door het rozenhouten kistje waarin eens mijn tweehonderd sovereigns hadden gezeten.

De gedachte viel me in voor het slapengaan even zo'n zwart boekje in te zien. Ik had nooit geweten wat erin stond, en een plotselinge hevige nieuwsgierigheid – ik kan de tinteling van nerveuze verwachting niet verklaren die me beving toen ik naar de tafel liep – verdreef de slaperigheid die over mij begon te komen toen ik bij het vuur de welsprekende dubbelzinnigheden van lord Rochester zat te lezen.

Ik nam het voorste boekje uit de rij en maakte het zijden lintje los. Ik legde het in de lichtkring van de kaars, sloeg het harde zwarte omslag open en begon de minuscule lettertjes te lezen waarmee de bladzijde met zoveel zorg van onder tot boven was bedekt. Er was sprake van haar laatste weken in Church Langton voordat zij en de kapitein naar Sandchurch verhuisden. Geïntrigeerd las ik nog een paar bladzijden, sloot het boekje en pakte het volgende. Zo ging ik bijna een uur voort, van het ene boekje naar het andere. Het was bijna elf uur toen ik bedacht dat ik nog één deeltje zou inzien en dan naar bed gaan.

De eerste bleekgele bladzijden bevatten weinig belangwekkends; voornamelijk korte, weinig ter zake doende samenvattingen van dagelijkse bezigheden. Ik wilde het boekje al dichtslaan en het volgende pakken, toen bij het bladeren mijn oog op de volgende passage viel:

> Dat dit dwaasheid, volkomen dwaasheid was, wist ik maar al te goed. Al mijn gevoelens verzetten zich ertegen, het vooruitzicht is in strijd met alles wat ik heilig acht. En toch – het wordt van mij verlangd, & ik moet de beker ledigen. Mijn aard behoort mij blijkbaar niet toe en moet door een andere hand – niet die van God – in een andere vorm worden gedrukt. We hebben gisteren uitvoerig beraadslaagd. Dikwijls was L. in tranen, vaak ook boos, en dreigde met erger dan mij hier werd voorgesteld. Is iets ergers denkbaar? Ja! En zij is daartoe in staat. Hij zou die nacht niet thuiskomen & daardoor was ons meer tijd vergund. Na het avondmaal kwam L wederom naar mijn kamer en wij schreiden tezamen. Daarop keerde haar vastberadenheid evenwel terug & zij was weer een & al staal & vuur en vervloekte hem met een heftigheid die afgrijselijk was om te aanschouwen. Zij vertrok eerst bij het ochtendgrauwen en liet mij achter, uitgeput door haar woede, zo-

dat ik eerst hedenmiddag in staat was uit E. terug te keren. De kapitein was er niet en kon dus geen aanmerkingen maken.

De passage was gedateerd '25.vi.19'.

Het scheen me toe als een grove inbreuk op de persoonlijke sfeer van mijn moeder dat ik zo aandachtig in haar dagboek las, maar ik kon het niet over mijn hart verkrijgen het zijden lint weer dicht te strikken en niet verder van de inhoud kennis te nemen. Als dit een journaal of persoonlijke kroniek was, moest ook de waarheid omtrent haarzelf erin staan, iets verborgens doch waars over de kleine, verstrooide, gebogen, immer schrijvende gestalte die ik me uit mijn kinderjaren herinnerde. Ik voelde me gedwongen te ontdekken wat er achter de woorden school die ik zojuist had gelezen, ook al moest ik mijn toekomstplannen ervoor uitstellen.

Doch het ontging mij ten enen male welke waarheid deze raadselachtige passage kon bevatten. Dit was niet slechts een verslag van gebeurtenissen, zoals de eerdere passages die ik had gelezen; hier was sprake van een naderende crisis en ernstige gewetensvragen, doch de aanleiding bleef vooralsnog een raadsel. Een volgend gedeelte, enkele dagen later geschreven, was weliswaar in de details duidelijker, maar verzette zich verder evenzeer tegen onmiddellijke duiding:

Het plotseling, wild & onverwacht verschijnen van L. aan de deur veroorzaakte veel ophef, hetgeen nog werd verergerd doordat Beth juist op dat ogenblik naar beneden kwam en haar hoorde kloppen alsof zij de baarlijke Duivel zelve was. Beth vroeg of mevrouw onwel was, doch ik liet haar iets te drinken halen zodra ik L. de salon in had geloodst, & toen ze terugkeerde was L. weer zo beheerst en welgemanierd als maar mogelijk was. Hij was teruggekomen, doch had wederom geweigerd - & ditmaal was er nog meer gebeurd (wat nog verschrikkelijker was), zij wilde niet zeggen wat het was, maar het was de aanleiding tot het ontstaan van een nieuwe kloof tussen hen. Ik zag dat haar woede weer opstak en drong er teder en bezorgd op aan dat ze bedaarde, hetwelk zij even later ook deed. Ze was helemaal hierheen gekomen om mij mede te delen – aangezien zij, als altijd, slechts hare eigene gefluisterde woorden vertrouwde – dat Mme de Q aanstaande Ma. en Di. in de stad zou zijn en dat ik kort daarna meer nieuws kon verwachten.

Wie was L? Wie was de man op wie werd gezinspeeld: de kapitein of iemand anders? En 'Mme de Q'? Ik was nu klaarwakker, in een ijzeren greep gehouden door wat ik zojuist gelezen had. Ik probeerde de herinnering aan het rustige, werkzame leven van mijn moeder te rijmen met deze duidelijke toespelingen op een dreigende climax waarbij zij betrokken was geraakt, doch dit gaf ik al spoedig op en ik las koortsachtig verder, zocht snel of er op de kleine vergeelde bladzijden niet iets stond wat licht op dit mysterie kon werpen.

Zo begon het. Ik sloeg een volgend zwart boekje open en toen nog één, zo geconcentreerd dat ik wel in trance leek, in het besef dat alles wat ik las zeer vreemd was, doch hevig geboeid, totdat mijn ogen te moe werden. Toen ik eindelijk opkeek, nadat de tweede of derde kaars die ik had ontstoken begon te sputteren, zag ik dat er buiten langzaam een roze boog licht boven de horizon begon te stijgen. Er was een nieuwe dag aangebroken, voor de buitenwereld en voor mij.

16

Labor vincit*

Later die ochtend hoorde ik Tom op de voordeur kloppen. Ik deed open en hoefde niet eens vermoeidheid voor te wenden.

'Beste kerel,' zei hij terwijl hij naar binnen liep en mij aan de arm weer naar mijn leunstoel voor de haard bracht, waar ik nog geen uur daarvoor in slaap was gevallen. 'Gaat het wel goed? Zal ik dokter Penny laten komen?'

'Nee, Tom,' antwoordde ik, 'dat is echt niet nodig. Het zal vast wel weer over gaan. Slechts een lichte ongesteldheid.'

Hij hield me gezelschap terwijl ik wat ontbeet. Toen hij het exemplaar van Buckinghams boek op de vensterbank zag liggen, vroeg hij of ik nog over de expeditie naar Mesopotamië had nagedacht. Uit mijn ontwijkende antwoord leidde hij af dat mijn belangstelling voor de onderneming tanende was, maar hij was vriend genoeg om te zeggen dat ik er vast anders over zou denken als ik eenmaal weer de oude was. Die gedachte echter wilde ik hem meteen uit het hoofd praten, dus zei ik dat ik definitief had besloten niet naar Nimrod te gaan, waar professor S aan het werk was.

'Bijzonder spijtig dat te horen, Ned,' zei hij, 'want ik denk dat het een veelbelovend begin had kunnen zijn, waar je in alle opzichten wijzer van was geworden. Maar wellicht heb je iets anders op het oog om in je levensonderhoud te voorzien?'

Ik had Tom niet vaak boos op me gezien, doch ik kon hem zijn verontwaardiging niet kwalijk nemen. Het vooruitzicht op avontuur en de kans iets te leren op het gebied van de archeologie was slechts een

* 'Arbeid adelt.' JJA

bevlieging geweest en het was wel zo eerlijk jegens Tom geweest als ik die meteen de kop had ingedrukt. Ik probeerde de lucht te klaren met de mededeling dat ik overwoog te vragen of er in het British Museum een betrekking vacant was, maar ontkrachtte deze uitspraak weer door eraan toe te voegen dat het misschien op dit moment niet opportuun was.

'Goed, dan,' zei Tom en hij stond op, 'ik zal de professor schrijven. Tot ziens, Ned. Ik wens je een spoedig herstel.'

Het onuitgesproken verwijt in zijn afscheidswoorden liet ik zwijgend op me inwerken. Somber stond ik bij het raam en keek hoe hij over het pad terug naar het dorp liep.

Mesopotamië zou ik nooit zien, en Great Russell-street moest het zonder mij stellen, want de zwarte opschrijfboekjes op mijn moeders bureau oefenden een onweerstaanbare aantrekkingskracht op mij uit. Het verlangen uit te zoeken wat mijn moeder precies had bedoeld zou alleen maar groter worden, op den duur zelfs allesoverheersend, en zou uiteindelijk culmineren in verwikkelingen die ik op dat moment in de verste verte niet kon bevroeden.

De dag daarop begon ik serieus met het ontcijferen – zo mocht het toch wel genoemd worden – van mijn moeders dagboeken en documenten, en die eerste periode was ik daar twee à drie maanden aaneengesloten mee bezig. Tom was naar een neef in Norwich vertrokken, ongetwijfeld met de gedachte dat het voor ons beiden beter was het onderwerp van mijn toekomst voorlopig te laten rusten. En ik zat binnen, alleen en ongestoord, op de dagelijkse bezoekjes van Beth na, dag en nacht aan mijn project te werken. De enige keren dat ik het huis uitging was om achtergrondgegevens te verzamelen of bewijzen voor een bepaalde bewering.

Mijn moeder had niet alleen uitvoerig haar persoonlijke gedachten aan haar dagboeken toevertrouwd, maar had ook, omdat ze niets weg kon gooien, alle praktische zaken bewaard; zo lagen er op het papieren slagveld talloze rekeningen, kwitanties, kaartjes, allerlei kattenbelletjes, lijstjes, brieven, kladversies, memoranda – in stapeltjes bijeengebonden. Dag in dag uit, nacht in nacht uit was ik bezig me een weg door deze berg te banen. Met alle academische vaardigheden die ik had opgedaan en mijn intellectuele vermogen om te analyseren en te concluderen, schiftte, plakte, sorteerde, categoriseerde ik om orde in de chaos te scheppen, om inzicht en ondubbelzinnige klaarheid te brengen in de vluchtige, ongrijpbare duisternis waarin de volledige waarheid nog steeds schuilging.

Geleidelijk aan kwam er een verhaal uit deze duisternis te voorschijn; of, liever gezegd, de versnipperde, onvolledige onderdelen van een verhaal. Als een archeoloog die potscherven uit de aarde opdiept, verzamelde ik met pijn en moeite alle fragmenten en legde die naast elkaar, in de hoop dat er een verbindend patroon ontstond, de grondslag die licht kon werpen op het geheel.

Er was één woord dat een uiterst belangrijke aanwijzing bleek te zijn. Eén woord. Aanvankelijk was de plaatsnaam slechts een vage herinnering voor me, maar allengs kreeg die steeds meer vorm en zag ik twee beelden voor me die ogenschijnlijk niets met elkaar te maken hadden: het eerste was een dame in grijze zijde; het tweede een reistas, een doodgewoon valies, met een etiket waarop de naam en het adres van de eigenaar stond:

P.R. Daunt
Pastorie van Evenwood
Evenwood, Nthants

Evenwood. Deze naam had mijn moeder op een dag in juli 1820 – onbewust, nam ik aan – voluit opgeschreven. Voordien had ze het steeds simpelweg met 'E' aangeduid, waardoor ik er, dom genoeg, geen acht op had geslagen. Maar toen ik eenmaal de volledige naam wist, zag ik allerlei verbanden: juffrouw Lamb had in Evenwood gewoond; Phoebus Daunt kwam uit een plaats met dezelfde naam. Konden er misschien verschillende Evenwoods zijn? Mijn moeder had ten behoeve van haar werk een uitgebreide boekenverzameling aangelegd, en Bell's

Gazetteer en Cobbett's *Dictionary** boden al snel uitsluitsel. Nee, er was slechts één Evenwood, en wel in Northamptonshire; zes kilometer van Easton, achttien kilometer van Peterborough; Evenwood Park: onderkomen van Julius Verney Duport, de vijfentwintigste baron van Tansor.

Die eerste avond in Eton had ik in Long Chamber, onze slaapzaal, aan Daunt gevraagd of hij juffrouw Lamb soms kende, en later had hij gevraagd of ik weleens in Evenwood was geweest. Beiden hadden we ontkennend geantwoord, en daarmee was deze toevalligheid voor mij afgedaan. Maar nu, vijftien jaar na dato, kwam zijn vraag me opeens vreemd voor; of, liever gezegd, de behoedzame, haast achterdochtige toon waarop hij de vraag had gesteld leek me nu ergens op te duiden. Maar wat kon Daunt met dit alles te maken hebben?

Vervolgens boog ik me over de betekenis van de 'L'; de hoofdpersoon van het mysterie. Zou dat juffrouw Lamb kunnen zijn? Dagenlang ploegde ik door de stapels brieven en andere papieren in een poging te achterhalen of haar voornaam, evenals haar achternaam, met een 'L' begon; maar tot mijn stomme verbazing kon ik nergens een briefje van haar hand vinden, sterker nog, ze werd niet één keer ergens genoemd. Toch was deze dame als mijn moeders vriendin bij ons over de vloer gekomen en was ze, zo dacht ik toen nog, buitengewoon genereus jegens mij geweest.

Gefnuikt en uit het veld geslagen nam ik mijn toevlucht tot de enige zekerheid die ik had: de plaats die juffrouw Lamb, Phoebus Daunt en mijn moeder met elkaar verbond. Ik pakte Burke's *Heraldic Dictionary*,** de uitgave van 1830, uit de kast en sloeg het open bij het lemma over de baronnen van Tansor:

* James Bell (1769-1833), *A New and Comprehensive Gazetteer of England and Wales* (1833-1834). William Cobbett (1763-1835), *A Geographical Dictionary of England and Wales* (1832). JJA

** John Burke (1787-1848), *A General and Heraldic Dictionary of the Peerage and Baronetage of the British Empire*, voor het eerst in 1826 uitgegeven door Henry Colburn, en beter bekend onder de titel *Burke's Peerage* (Burke's rode boekje). De uitgave van 1830 was de derde. JJA

Baron van Tansor (Julius Verney Duport), van Evenwood Park, grsch. Northampton in Engeland, geb. 15 okt. 1790, opv. in 1814 van zijn vader Frederic James Duport als vijfentwintigste houder van de titel; opl. Eton Coll., Trinity Coll., Cambridge; geh. met Laura Rose Fairmile (gehuwd 5 dec.1817, overl. 8 febr.1824), enige dochter van sir Robert Fairmile, van Langton Court, Taunton, Somerset. Uit eerste huwelijk werd een zoon geboren: Henry Hereward, geb. 17 nov. 1822, overl. 21 nov. 1829.
Tweede huwelijk met Hester Mary Trevalyn, gehuwd 16 mei 1827, tweede dochter van John David Trevalyn, van Ford Hill, Ardingly, Sussex...

Deze passage las ik verschillende keren over en liet mijn blik rusten bij de eerste vrouw van lord Tansor, de dochter van sir Robert Fairmile van Langton Court. Deze laatste naam was me welbekend: hij was namelijk de werkgever geweest van Byam More, mijn moeders oom en mijn voormalig fondsbeheerder. Mijn hart begon sneller te kloppen toen ik de overlijdensdatum van de eerste lady Tansor opschreef. Vervolgens sloeg ik een van de zwarte notitieboekjes open en bladerde naar de pagina van 11 februari 1824, en las die voor de eerste keer:

Juffr. E heeft me een brief gestuurd met de mededeling dat het op vrijdagavond afgelopen was. Hiermee is een licht uit de wereld en uit mijn leven verdwenen, en van nu af aan moet ik door de avondschemering van mijn dagen lopen tot ook ik word geroepen. In haar laatste brieven maakte L een afwezige, verwarde indruk, en ik vreesde voor haar geestelijke gezondheid. Maar juffr. E zegt dat het een vredig heengaan was, zonder pijnlijk ziekbed, een zegen waar ik God voor dank. Ik had haar niet meer gezien sinds ze op bezoek was geweest met het kistje voor de kleine E, en over de voorbereidingen had verteld die ze had getroffen voor de tijd dat hij naar school zou gaan. Ze zag er slecht uit, en de aanblik van haar magere gezicht en handen deed me bijna in tranen uitbarsten. Ik weet nog dat E tijdens haar bezoek heel de tijd aan haar voeten zat te spelen, en o, die meelevende blik in haar lieve ogen! Het is zo'n fijne, levenslustige jongen, iedere moeder zou trots op hem zijn. Maar ze wist dat hij nooit zou weten wie ze was, of dat ze hem het leven had geschonken, en dat deed haar zielsveel verdriet. Haar wilskracht vond ik bewonderenswaardig en dat zei ik haar; maar had ze op het laatst nog besloten om alles te herroepen, dan had ik hem haar meegegeven, ook al houd ik van hem als was hij mijn eigen kind. Maar L bleef koppig bij haar besluit, hoewel ze het er ook ernstig mee te kwaad had, net als toen ze me voor het eerst bij haar plan had betrokken, en ik zag dat niets haar er nog vanaf kon brengen. 'Hij is nu van jou,' zei ze zachtjes voordat ze wegging, en die woorden deden me schreien. Als ze haar wettige echtgenoot ontrouw was geweest, was de hele zaak misschien minder pijnlijk geweest. Maar het kind was binnen de echt verwekt, en zijn vader zal de rest van zijn leven niet weten dat hij een zoon heeft. Het onrecht dat ze hem had aangedaan, knaagde steeds meer aan haar, maar niets ter wereld kon haar ertoe bewegen het ongedaan te maken. Dat is de vloek van een hartstochtelijke natuur.

We omhelsden elkaar en ik liep met haar mee over het pad naar het rijtuig, waarin juffrouw E zat, dat voor het hek onder de kastanjeboom stond te wachten. Ik keek hoe ze over de helling van het klif omlaag in de richting van het dorp reden. Toen ze bijna onderaan waren verscheen er, op het moment dat het rijtuig een bocht maakte, een slappe zwart-gehandschoende hand uit het raampje die een triest vaarwel wuifde. Die hand zal ik nooit meer zien. Nu ga ik voor het behoud van haar ziel bidden, dat ze in de eeuwigheid de rust mag vinden die haar rusteloze, dolende natuur op deze aarde niet was vergund.

'Juffrouw E' was al eerder genoemd, maar ik had geen aandacht aan haar besteed; want reeds spoedig ontdekte ik dat de verwijzingen naar 'L' in de loop van het dagboek steeds minder frequent werden totdat ze in april 1824 helemaal ophielden. Er kon geen twijfel over bestaan: Laura Duport, lady Tansor, was 'L'.

Met de oplossing van dit kleine raadsel kwam er een nog veel groter mysterie aan het licht, en het leek erop dat de kern ervan in deze opvallende passage lag besloten. Een passage die me bij eerste lezing volkomen overrompelde. Ik zal u niet verder vermoeien met de wijze waarop ik, na lang puzzelen, de implicaties doorzag van wat mijn moeder had geschreven, en begreep wie degene was die zij 'kleine E' noemde.

Wat ervoer ik toen ik het laatste stukje waarheid op zijn plaats legde? Een gruwelijk gevoel van eenzaamheid. Een zielenpijn groter dan tranen. Ik bleef – hoe lang? Een uur? Twee uur? – uit het raam zitten staren naar de kastanje bij het hek, en naar de rusteloze zee daarachter. Toen het al donker werd, stond ik eindelijk op en liep naar het strand, waar ik aan de vloedlijn ging staan en schreide tot ik al mijn tranen had vergoten.

Juffrouw Lamb had nooit bestaan, het was de schuilnaam van lady Tansor als ze bij ons – mijn moeder en mij – op bezoek kwam. Nu begreep ik waarom de dame in het grijs me zo verdrietig had gadegeslagen wanneer ik bij haar op de grond zat te spelen; waarom ze zo teder mijn wang had gestreeld, waarom ze me op mijn twaalfde verjaardag het kistje met de sovereigns had gegeven, en waarom ik op haar initiatief naar Eton was gestuurd. Dat had ze allemaal gedaan omdat zij de vrouw was die me het leven had geschonken. Lady Tansor was mijn moeder.

'*Hij is nu van jou.*' Ongeloof sloeg alras om in nijdige verwarring. Een raadsel: de moeder van wie ik had gehouden was niet mijn moeder; mijn echte moeder had me in de steek gelaten; en toch schenen ze allebei van me te hebben gehouden. Maar wier kind was ik nu? Deze schier onontwarbare kluwen deed me duizelen!

Toch waren de hoofdlijnen van het verhaal me inmiddels wel duidelijk: mijn moeder was samen met haar vriendin, Laura Tansor, die in prille verwachting was, naar Frankrijk afgereisd; daar was ik geboren en teruggebracht naar Engeland als zoon van Simona Glyver, in plaats van lady Tansor. Maar ik wist nog niet welke drijfveren en emoties achter deze simpele reeks gebeurtenissen lagen, want die hielden zich op een onbekend aantal geheime plaatsen schuil. En hoe moest ik die ooit boven water krijgen?

Voor de vrouw die toen ik klein was elke avond op mijn bed had gezeten, die met me naar de top van het klif was gelopen om naar de zonsondergang te kijken, en die de spil was geweest waar mijn kleine wereld omheen had gedraaid, voelde ik een mengeling van boosheid en medelijden; boosheid omdat ze de waarheid voor me had achtergehouden; medelijden omdat het vreselijk zwaar voor haar moest zijn geweest het geheim van haar vriendin te bewaren. Haar handelwijze was een soort van verraad, en dat nam ik haar kwalijk; aan de andere kant had ik me geen betere moeder kunnen wensen.

Er was nog zoveel dat ik moest ontdekken, maar geleidelijk aan drong het tot me door dat ik niet de zoon was van kapitein Edward Glyver en zijn vrouw. Mijn bloed was niet het hunne. Het verbond me met een andere plaats en een andere tijd, en met een andere naam – een eeuwenoude, adellijke naam. Ik had niets in me van de man die ik mijn vader had gewaand, niets van de vrouw die ik mijn moeder had genoemd. De ogen die mij elke ochtend bij het opstaan in de spiegel aankeken, waren niet haar ogen, zoals ik altijd had gedacht. Maar van wie waren ze dan wel? Op wie leek ik – op mijn echte vader, mijn echte moeder, of mijn overleden broer? – *Wie was ik?*

Dag en nacht maalden deze vragen door mijn hoofd. Ik ontwaakte uit een onrustige slaap met een schrikkelijk opgejaagd gevoel, alsof de grond onder mijn voeten was weggeslagen en ik door een oneindige ruimte viel. Dan stond ik op en dwaalde door het huis, soms uren achtereen, in een poging dit gruwelijke gevoel van verlatenheid uit te bannen. Maar dat gelukte niet. Ik voelde me niet meer thuis op de plek die ooit mijn vertrouwde huis was, maar waar het verleden geen betekenis meer bleek te hebben.

Geleidelijk aan begon ik mijn situatie met een meer heldere, nuchtere blik te bekijken. De achterliggende reden van deze daad was me nog onbekend, die zou mij eerst in de loop der tijd geopenbaard worden. Gesteld dat de conclusies klopten die ik uit mijn moeders notities had getrokken, dan volgde daaruit een simpel doch ontzagwekkend feit: *ik was de wettige erfgenaam van een van de oudste, machtigste families van Engeland.*

Een absurd idee. Er was vast een andere verklaring. Maar hoe ik ook zocht in haar dagboeken, steeds opnieuw kwam ik tot dezelfde conclusie. Wat moest ik aanvangen met deze kennis die ik wel voor waar moest houden? Wie zou nu geloven dat wat mijn moeder – iets anders kon ik haar niet noemen – had geschreven de zuivere waarheid was en geen sprookje? En gesteld dat men mij wel geloofde, hoe kon ik het dan bewijzen? Ongegronde veronderstellingen, onbevestigde waarschijnlijkheden, meer niet. Dat zou natuurlijk het voor de hand liggende oordeel van elke rechter zijn. Maar waar moest ik de grond, de bevestiging zoeken? De vragen stapelden zich weer op en bleven zo genadeloos door mijn hoofd malen dat ik vreesde mijn verstand te verliezen.

Ik bestudeerde nog eens het beknopte overzicht van de Tansors in Burke's adelsboek. Vier dichtbeschreven kolommen met de namen en de afstamming van mij volslagen onbekenden, maar die ik opeens mijn voorouders moest noemen. Maldwin Duport, de eerste baron van Tansor, die in 1264 naar het parlement was geroepen; Edmund Duport, de zevende baron, die onder Hendrik de Vierde tot graaf was geridderd, maar geen nakomelingen had voortgebracht; Humfrey Duport, de tiende baron, in 1461 beschuldigd en geëxecuteerd wegens verraad; Charles Duport, de twintigste baron, die pausgezind werd en met Jacobus II de Tweede in ballingschap was gegaan;* en dan mijn meer directe voorouders – William Duport, de drieëntwintigste baron en oprichter van de grote Bibliotheek van Evenwood; en ten slotte mijn vader, Julius Duport, de vijfentwintigste baron, die na de dood van zijn oudste broer de titel had geërfd; en mijn eigen overleden broer, Henry Hereward. Ik pakte een opschrijfboekje waarin ik hun namen, geboorte- en overlijdensdata en alle overige bijzonderheden noteerde die ik uit Burke wist te halen alsmede uit andere gezaghebbende bronnen die ik tot mijn beschikking had.

Wat een vreemde gewaarwording, onuitsprekelijk vreemd, om mezelf als lid van dit eeuwenoude geslacht te beschouwen! En zou ik zelf ooit een plekje krijgen in een toekomstig deel? Zou een nieuwsgierig heraldisch onderzoeker honderd jaar later misschien Burke opslaan en over Edward Charles Duport lezen, geboren op 9 maart 1820, te Rennes, Ille-et-Vilaine, Frankrijk? Alleen als ik ergens onweerlegbaar, onomstreden bewijs vond dat de indirecte, vage getuigenis uit mijn moeders dagboeken kon staven. Als...

* Charles Duport (1648-1711) werd tot hertog verheven in de Jacobijnse adelstand – Engels gebruik waarbij men een adellijke titel kreeg die niet overerfbaar was. Zijn zoon Robert (1679-1741), een overtuigd protestant, erfde alleen de baronie zonder de titel. JJA

Het lemma in Burke besloot met de volgende opmerkingen over het geslacht Tansor:

> *Verheffing in de adelstand* – per koninklijk decreet: 49 HENDR.III, 14 december 1264.
> *Wapen* – gevierendeeld schild, eerste en vierde kwartier, in or, drie punten uitgaande van de linkerzijde in keel; tweede kwartier, hermelijn gedeeld zaagswijze getand en hermelijnen op keper, gedeeld zaagswijze getand, in or en in argent vijf rozen met punt in keel en geknopt in natuurlijke kleur; derde kwartier, in argent gutté d'huile achterpoot van een leeuw afgerukt in lazuur, dij doorboord met zwaard in linker schuinbalk met anders gekleurde greep, gevest en schede in or. *Helmteken* – Halfmens met kroon getooid in natuurlijke kleur, gehaard en bebaard in argent, gekleed in mantel in keel met hermelijnen voering, in rechterhand een scepter en in linkerhand een gouden bol. *Schilddragers* – Twee boogschutter-leeuwen, elk met getrokken pijl en boog in natuurlijke kleur, zijkanten van kop met lazuur gestreepte cirkel omgeven. *Wapenspreuk* – FORTITUDINE VINCIMUS.*

Boven de beschrijving stond een afbeelding van het familiewapen van de Tansors. Terwijl ik de ongebruikelijke schilddragers, de boogschutter-leeuwen,** bestudeerde, werd ik nog eens in mijn overtuiging gesterkt dat wat in mijn moeders dagboeken stond waar was. Op het houten kistje waarin de tweehonderd sovereigns hadden gezeten, prijkte hetzelfde wapen.

Fortitudine Vincimus was de wapenspreuk van de familie Tansor. En vanaf nu ook de mijne.

Tom kwam geregeld op bezoek en dan praatten we een halfuur over koetjes en kalfjes. Ik merkte dat hij met ontzetting naar de papierzee keek die over de hele werktafel en inmiddels ook op de vloer verspreid

* 'De aanhouder wint'. JJA

** Een boogschutter-leeuw is half mens, half leeuw.

lag; bovendien merkte ik dat hij de rusteloze bezeten blik in mijn ogen had gezien, een onmiskenbaar teken dat ik weer zo spoedig mogelijk aan het werk wilde, al liet ik over de aard van dat werk niets los. Hij had me nog niet steeds geheel en al vergeven dat ik de kans niet had aangegrepen om met professor S naar Mesopotamië te gaan, en het baarde hem zorgen dat ik geen enkele poging deed om ander werk te vinden. Mijn kapitaal was sneller geslonken dan ik had verwacht, voornamelijk door mijn tijd in het buitenland; de nagelaten schulden van mijn moeder, die ze tijdens haar leven met de inkomsten van haar boeken had weten te voldoen, had ik eveneens uit het kapitaal afgelost, maar nu werd het zaak dat ik een regelmatige bron van inkomsten vond.

'Wat is er toch met je aan de hand, Ned?' vroeg Tom op een ochtend in maart, terwijl ik meeliep om hem uit te laten. 'Het doet me verdriet dat je jezelf dag in dag uit in huis opsluit zonder enig duidelijk toekomstbeeld.'

Ik kon hem niet vertellen dat ik in werkelijkheid uiterst vastomlijnde plannen had. In plaats daarvan wendde ik voor dat ik naar Londen wilde om op zoek te gaan naar een tijdelijke positie totdat zich vanzelf een gerichte aanpak aandiende.

Hij keek me sceptisch aan. 'Dat is geen plan, Ned,' zei hij, 'maar doe wat je het beste lijkt. Londen heeft uiteraard veel meer te bieden dan Sandchurch, en ik zou je willen aanraden zo spoedig mogelijk te gaan. Hoe langer je je hier opsluit, hoe moeilijker het wordt om nog weg te komen.'

De week daarop kwam hij weer langs en troonde me mee naar buiten om een frisse neus te halen, want eerlijk gezegd was ik al enkele dagen niet het huis uit geweest.

We liepen onder langs het klif en daarna over het gladde stuk nat zand waarover de golven spoelden. De lucht was volmaakt blauw – het blauw dat ik me herinnerde uit Heidelberg – en de zon scheen in al zijn schitterende pracht en wierp blinkende lichtpuntjes over de oprijzende schuimkoppen, alsof God in eigen persoon ontelbare nieuwe sterren over het wateroppervlak strooide.

Zwijgend liepen we een eind voort.

'Ben je gelukkig, Ned?' vroeg Tom plotseling.

We bleven staan en ik keek over de dansende golven naar waar het hemelgewelf de trillende einder raakte.

'Nee, Tom,' antwoordde ik, 'ik ben niet gelukkig en ik weet werkelijk niet waar ik het geluk in mijn leven moet zoeken. Maar ik heb een besluit genomen.' Ik keek hem glimlachend aan. 'Dit heeft me goed gedaan, Tom, maar dat wist jij natuurlijk al. Je hebt gelijk. Ik heb mezelf hier te lang opgesloten. Er is een ander leven dat ik moet leiden.'

'Ik ben blij dat te horen,' zei hij terwijl hij mijn hand pakte. 'Ik zal je missen, en hoe. De beste leerling die ik ooit heb gehad, en de beste vriend. Maar ik zou het erger vinden als je hier blijft wegkwijnen en niet je stempel op de wereld drukt.'

'O, maar ik ben vast van plan mijn stempel op de wereld te drukken, Tom, wees niet bang. Hier staat een herboren man voor je.'

En dat was ook zo. Turend naar de machtige kolkende zee, die bruiste in het zonlicht, voelde ik me doorstroomd met een nieuwe energie – een nieuw besef dat mijn leven doel en richting had gekregen. Mijn besluit stond vast. Ik ging naar Londen en daar zou ik aan mijn grote onderneming beginnen.

Mijn eerherstel.

17

Alea iacta est*

De enige die ik in Londen kende was mijn oude schoolvriend en reisgenoot, Willoughby Le Grice, die ik direct aanschreef of hij misschien een geschikt kosthuis wist. Per omgaande antwoordde hij dat een kerel van zijn sociëteit had gezegd dat ik me moest vervoegen bij signor Prospero Gallini, een voormalig schermmeester, die naar verluidt een keurig kosthuis in Camberwell bestierde.

Ik had besloten om niet meer onder de mij gegeven naam Glyver door het leven te gaan, behalve voor een handjevol oude bekenden, zoals Le Grice en Tom. Het was niet mijn ware naam maar eerder een soort pseudoniem, dat mij buiten mijn weten en goedkeuring door anderen was opgelegd. Wat bond me aan de naam Glyver? Niets. Kapitein Glyver was niet mijn vader. Waarom zou ik dan zijn naam dragen? Ik was wie ik was, ongeacht welke naam ik had. Daarom besloot ik, totdat ik mijn wettige naam en rechtmatige titel had teruggekregen, onder een schuilnaam te opereren, afhankelijk van mijn plannen van het moment. Mijn hele leven zou een dekmantel zijn, een dagelijkse wisseling van kleding en persoonlijkheid. Ik zou een gekostumeerde wereld betreden en me, naar gelang de situatie, nu eens als het ene personage dan weer als het andere voordoen. Ik zou *incognitus* zijn. Onbekend.

Bovendien waren er praktische overwegingen. Als ik onder de naam Glyver navraag zou doen naar mijn ware afkomst kreeg ik misschien nul op het rekest. Aan het plan dat lady Tansor had gesmeed kleefden vast nog allerlei onvoorziene aspecten; en als ik mijn moeders getrouwde naam gebruikte, zou meteen mijn belangstelling en mijn ver-

* 'De teerling is geworpen'. JJA

wantschap met de hoofdrolspelers duidelijk zijn. Nee, het was beter dat ik voorlopig in de luwte opereerde.

Daarom schreef ik signor Gallini aan onder de naam Edward Glapthorn: de naam waaronder ik in mijn nieuwe leven bij de meesten bekend was. De week erop kreeg ik een bevestigend antwoord en vertrok per diligence uit Southampton voor een zakelijke bespreking met mijn nieuwe huisbaas, die inderdaad aan de beschrijving van Le Grice's vriend voldeed: lang, hoffelijk en beminnelijk, met een melancholiek adellijk voorkomen, als een Romeinse keizer in ballingschap.

Het dorp Camberwell was – ondanks de nabijheid van de steeds groter wordende stad – een lief plaatsje, met overal weidse akkers en moestuintjes, en door de bossen en lanen kon je naar het naburige Dulwich met zijn schilderijenkabinet wandelen. Het huis van signor Gallini stond aan een rustige straat, dicht bij de Green – niet ver van, zoals ik later ontdekte, het geboortehuis van de dichter Robert Browning.* Hij bood me twee kamers aan op de eerste verdieping – een ruime zitkamer met een klein aangrenzend slaapvertrek – tegen een zeer schappelijke huur, zodat ik ter plekke besloot de kamers te nemen.

Net toen ik wilde vertrekken, nadat we de overeenkomst naar tevredenheid hadden beklonken met een glas wijn en een sigaar, beide van uitstekende kwaliteit, ging de deur open en kwam het mooiste meisje binnen dat ik ooit had gezien. In die tijd vond ik mezelf al een hele man van de wereld waar het vrouwelijk schoon betrof; maar ik moet bekennen dat ik me een bleu schooljongetje voelde toen ik die stralende donkere ogen zag en het wulpse figuur dat ternauwernood werd verhuld door haar lichtblauwe ochtendjapon en korte cape met kanten kraagje.

'Mag ik u voorstellen aan mijn dochter, Isabella?' zei signor Gallini. 'En dit, lieveling, is de heer die ons is voorgedragen. Het doet me deugd dat hij bereid is de kamers te aanvaarden.'

Hij sprak vlekkeloos Engels, met nog slechts een zweempje van een Italiaans accent. Juffrouw Gallini glimlachte, stak me haar hand toe en sprak de hoop uit dat Camberwell me zou bevallen, waarop ik alleen

* Robert Browning is geboren in Southampton Street 6, Camberwell, op 7 mei 1812. JJA

maar kon antwoorden dat het me nu al zeer goed beviel. En zo maakte ik kennis met Isabella Gallini, mijn mooie Bella.

Het was tijd om afscheid te nemen van Sandchurch. Ik pakte mijn moeders dagboeken en paperassen in drie stevige hutkoffers en gaf de heer Gosling, haar vroegere raadsman, opdracht om het huis te koop te zetten. Het viel me zwaar om Beth te moeten ontslaan, want ze maakte al zo lang ik me kon heugen deel uit van ons huishouden, en ook sinds mijn terugkeer uit Europa had ze voor me gekookt en schoongemaakt; gelukkig was overeengekomen dat ze bij Tom dezelfde taken zou gaan verrichten en dat verlichtte mijn geweten enigszins. Billick hoorde het nieuws van mijn vertrek met zijn gebruikelijk zwijgzaamheid aan: hij neep zijn lippen, knikte bedachtzaam alsof hij stilzwijgend het onvermijdelijke erkende, en schudde pompend mijn hand. 'Dank u zeer, m'neer,' zei hij terwijl hij het beursje munten aannam dat ik hem toestak; daarop spuwde hij een pluk pruimtabak uit en liep al fluitend het pad af naar het dorp. Dat was de laatste keer dat ik hem zag.

Ik begon niet geheel zonder een plan de campagne aan mijn nieuwe leven. Sinds het ogenblik dat ik de calotype van de prachtige stenen koning had gezien bij professor S in Oxford, had zich bij mij het idee gevormd dat met het maken van dergelijke afbeeldingen wellicht een boterham te verdienen was, of ten minste een aanvulling op mijn inkomen. Dit had ik nog niet aan Tom verteld, uit angst dat het opnieuw een twistpunt tussen ons zou worden, maar ik had me in het geheim al verdiept in de mogelijkheden en technieken van dit wonderbaarlijke nieuwe medium. Ik vlei mezelf graag met de gedachte dat ik een van de pioniers ben geweest, en als mijn leven geen andere wending had genomen, had ik misschien wel naam gemaakt in de fotografie, en werd ik wellicht door het nageslacht in één adem genoemd met de heer Talbot en Monsieur Daguerre.*

Ik was altijd geboeid geweest door de camera obscura en de mogelijkheid om daarmee vluchtige beelden op papier vast te leggen, de schepping van een moment dat even vlug weer verdween als de camera werd weggehaald. Tot mijn onuitsprekelijke vreugde bezat Tom er een,

* Louis-Jacques Mandé Daguerre (1787-1851), Franse pionier op het gebied van de fotografie en uitvinder van de methode van de Daguerreotypie. JJA

en als jongen zeurde ik, wanneer we klaar waren met onze lessen en het een mooie zomeravond was, of we naar zijn tuintje mochten om daar in de 'toverspiegel' te kijken. Deze herinneringen kwamen meteen weer boven bij het zien van de calotype bij professor S thuis, en ik was vastbesloten om zelf te leren hoe je licht en donker voorgoed kon vangen.

Enkele weken eerder had ik met dat doel William Talbot aangeschreven, en hij had me een vriendelijke uitnodiging gestuurd om bij hem in Lacock* te komen, waar ik werd ingewijd in de prachtige kunst van het vervaardigen van calotypes, zoals ik die in New College had gezien, en in het mysterie van het negatief-positiefprocedé,** ontwikkelaars en belichting. Ik kreeg zelfs een van Talbots eigen camera's cadeau, waarvan er tientallen in en rond het huis slingerden. Het waren heuse mirakeltjes: slechts een eenvoudig houten kistje – sommige niet meer dan zes of acht vierkante centimeter groot (mevrouw Talbot noemde ze 'muizenvallen') – gemaakt door een plaatselijke timmerman naar ontwerp van Talbot, met aan de voorkant een met koper omrande lens; maar wat een wonderen kwamen eruit te voorschijn! Hevig gepassioneerd voor dit nieuwe tijdverdrijf keerde ik terug naar Sandchurch, popelend van ongeduld om zo snel mogelijk mijn eigen fotografieën te gaan maken.

Toen kwam de warme julidag waarop ik de voordeur van het huis op het klif voor het laatst achter me dichttrok, althans dat dacht ik. Onder de kastanje bij het hek bleef ik even staan om nog een blik achterom te werpen naar het huis dat altijd mijn thuis was geweest. De herinneringen kwamen vanzelf naar boven. Ik zag mezelf spelen in de voortuin, enthousiast de kastanje in klimmen om vanuit mijn kraaiennest over het immer veranderende water van het Kanaal uit te kijken, hoe ik in elk jaargetijde en in zon, regen en hagel over het pad banjerde op weg naar het schooltje van Tom. Ik herinnerde me nog hoe ik door het raam van de salon naar mijn moeder keek die over de tafel gebogen zat te zwoegen, dag in dag uit, zonder ook maar één keer op te kijken.

* Lacock Abbey, nabij Chippenham in Wiltshire. JJA

** Wat sir John Herschel later 'negatieven' noemde, de term die we nog steeds gebruiken. JJA

Voorts herinnerde ik me het geluid van de wind uit zee, de krijsende zeevogels die ik elke ochtend bij het ontwaken hoorde, het nimmer aflatende breken van de golven op de kust onder het klif, het bulderende geraas in een storm, alsof er in de verte een kanon afging. Maar dat waren de herinneringen van Edward Glyver, niet de mijne. Ik had ze slechts geleend, en nu mocht hij ze weer terughebben. Het werd tijd dat mijn nieuwe persoonlijkheid zijn eigen herinneringen kreeg.

Tijdens mijn eerste weken in Camberwell was ik een aantal keren naar de stad geweest om op zoek te gaan naar werk. Alle keren tevergeefs, en omdat de bodem van mijn schatkistje in zicht kwam, was ik bang dat ik mijn oude vak van huisleraar weer zou moeten oppakken: geen aangenaam vooruitzicht. Als ik een titel had, was het misschien gemakkelijker voor me geweest, maar die had ik nu eenmaal niet. En dat was de schuld van Phoebus Daunt.

De zomer liep ten einde, en ik verdiepte me weer in mijn moeders dagboeken, omdat ik niet wilde vervallen in lamlendig nietsdoen. En toen deed ik een opzienbarende ontdekking.

Mijn oog viel toevallig op een pagina met de datum, 31, VII, '19: 'Gisteren naar mijnheer AT, L was er niet, maar hij stelde me meteen op mijn gemak & legde uit wat er vereist werd.' 'L' was vanzelfsprekend Laura Tansor, maar de persoon van 'mijnheer AT' was me onbekend. Ik kreeg de ingeving de bijeengebonden stapel met verscheidene documenten, alle uit het jaar 1819, een voor een te bekijken. En al snel had ik een rekening gevonden voor een overnachting, op 30 juli van dat jaar, in Fendalls Hotel, Palace Yard. Aan de achterkant zat een kaartje bevestigd:

DHR. ANSON TREDGOLD
OUDSTE VENNOOT

TREDGOLD, TREDGOLD & ORR

PATERNOSTER-ROW 17, CITY OF LONDON

Mijnheer AT, dacht ik, zou weleens Anson Tredgold, advocaat en procureur, kunnen zijn. Dat verklaarde meteen ook een eerdere dagboeknotitie: 'L heeft ingestemd met mijn verzoek & zal met haar raadsman overleggen. Ze begrijpt dat ik bang ben dat het uitkomt & en een bewijs wil dat mij geen blaam treft, als een dergelijk document tenminste opgesteld kan worden.' Hieruit bleek wel dat er een soort juridische akte of overeenkomst was opgemaakt, ondertekend door beide vrouwen.

Tussen mijn moeders paperassen vond ik echter geen spoor van een dergelijke overeenkomst; maar omdat ik begreep dat het van levensbelang was voor mijn zaak, begon ik ter plekke te bedenken hoe en waar ik een afschrift ervan zou kunnen bemachtigen. Mijn grote onderneming was begonnen.

De volgende dag schreef ik een brief naar het kantoor van Tredgold, in een verdraaid handschrift, en onder de naam Edward Glapthorn. Ik stelde mezelf voor als secretaris en particulier assistent van de heer Edward Charles Glyver, zoon van wijlen Simona Glyver, uit Sandchurch, Dorset, en verzocht om een onderhoud met Anson Tredgold, over een vertrouwelijke kwestie aangaande voornoemde dame. Gespannen wachtte ik op antwoord, maar dat bleef uit. Moeizaam sleepten de weken zich voort, waarin al mijn verdere pogingen om werk te vinden op niets uitliepen. Augustus kwam en ging, en ik begon al te wanhopen ooit nog bericht van Anson Tredgold te krijgen. Pas in de eerste week van september kwam er een kort briefje met de mededeling dat de heer Christopher Tredgold me aanstaande zondag gaarne voor een persoonlijk, dat woord was onderstreept, gesprek uitnodigde.

Het gerenommeerde advocaten- en notarissenkantoor Tredgold, Tredgold & Orr is al eerder te sprake gekomen in dit relaas, met betrekking tot mijn buurman Fordyce Jukes, en als de raadslieden van lord Tansor. Hun burelen waren gevestigd aan Paternoster-row,* in de schaduw van St Paul's Cathedral: een juridisch eilandje in een zee van

* Paternoster-row werd tijdens de Blitz op 29 december 1940 met de grond gelijk gemaakt. JJA

uitgevers en boekhandelaren, wier nering de straatnaam voor boekkenners spreekwoordelijk hadden gemaakt. Het kantoor was gehuisvest in een fraai vrijstaand huis, tegenover het Chapter coffee-house; een deel van het pand, bleek mij later, was bij de huidige oudste vennoot, Christopher Tredgold, nog steeds in gebruik als woning, iets wat in de City niet veel meer voorkwam. Op de begane grond bevonden zich de werkkamers van de kantoorbedienden, en op de eerste verdieping de vertrekken van de oudste vennoot en zijn ondergeschikten; daarboven, op de tweede en derde verdieping, waren de privévertrekken van de heer Tredgold. Een opvallend kenmerk van de indeling van het pand was dat je het woongedeelte ook vanaf de straat via twee zijtrappen kon bereiken, elk met een eigen ingang die uitkwam op twee gangetjes aan weerszijden van het huis.

Het was een mooie ochtend, onbewolkt en droog, met reeds een zweem van herfst in de lucht, toen ik voor het eerst voor het kantoor van Tredgold, Tredgold & Orr stond, dat me spoedig heel vertrouwd zou worden. Het was ongewoon stil op straat, ik hoorde alleen het gelui van een kerkklok in de verte en het ritselen van afgevallen bladeren die over de stoep werden geblazen en zich in een draaikolkje naast me ophoopten.

Ik werd door een bediende naar de tweede verdieping gebracht, waar de heer Christopher Tredgold me in zijn zitkamer ontving: een ruime etage met twee hoge ramen die uitkeken op straat en rijkelijk behangen waren met velours gordijnen in een schitterende lichtgele tint, waardoorheen het zonlicht van buiten zachtglanzend werd gefilterd.

Het was er een en al glans en zachtheid. Het tapijt, in een subtiel patroon van roze en lichtblauw, had een hoge veerkrachtige pool, die me deed denken aan de graszoden waarop ik had gelegen op mijn verborgen plekje boven de Philosophenweg. Het meubilair – spaarzaam maar van eersteklas kwaliteit, en in groot contrast met de onelegante smaak van nu – glom; het licht danste fonkelend in het gepoetste zilverwerk, de koperen armaturen en het blinkende glas. De lange zitbank en een tête-à-tête-stoel,* allebei van blauw met gouden bekleding, die rond de elegante Adam Tudor-schouw waren neergezet – en alle zetels om-

* Een dubbele stoel waarin twee personen naast elkaar konden zitten. JJA

vatten een overdaad aan volmaakt gevulde kussens versierd met Berlijns borduurwerk – zagen er diep en uitnodigend uit. In de ruimte tussen de twee ramen stond, onder een mooi klassiek medaillon, een cello op een bewerkte koperen standaard, terwijl op een Chippendale-tafeltje de bladmuziek van de hemelse werken van Bach voor dit onvergelijkelijke instrument opengeslagen lag.

Christopher Tredgold was een deftig heerschap van een jaar of vijftig, schatte ik. Hij was van gemiddelde lengte, gladgeschoren, met een bos vlossig grijs haar, een ferme vierkante kaak en in zijn brede, gebruinde gezicht stonden twee ogen van het ongelooflijkste helblauw. Hij was onberispelijk gekleed in een duifgrijze broek en glimmende schoenen, en in zijn linkerhand hield hij een monocle die met een donkerblauw zijden lint aan zijn vest zat. Tijdens ons gesprek poetste hij het glas voortdurend met een roodzijden zakdoek die hij speciaal voor dit doel bij zich had. Toch heb ik hem, ook later, de monocle nooit in zijn oog zien klemmen.

Het eerste woord dat bij me opkwam toen ik de heer Christopher Tredgold voor het eerst zag, was *dulcis*. Aangenaam, zacht, charmant, meegaand, beschaafd: al deze ongrijpbare indrukken van zijn persoonlijkheid leken zich met de sfeer, de elegantie en de geur van de kamer te vermengen, waardoor er een sensatie van zoete, dromerige loomte ontstond.

Tredgold verhief zich uit zijn stoel bij het raam, gaf mij een hand en nodigde me uit om in de tête-à-tête-stoel plaats te nemen, terwijl hij (enigszins tot mijn opluchting) op de bank ging zitten. Hij had een brede glimlach op zijn gezicht en ook toen hij aan het woord was bleef hij stralend lachen.

'Toen ik uw brief ontving, mijnheer... Glapthorn...' – hij aarzelde even terwijl hij een blik sloeg op het stapeltje papieren in zijn hand – 'leek het mij het beste om het gesprek buiten ons kantoor om te voeren.'

'Ik ben u zeer erkentelijk, mijnheer Tredgold,' antwoordde ik, 'dat u tijd voor mij hebt willen vrijmaken.'

'Met alle plezier. Alle plezier. Uw brief heeft me namelijk nieuwsgierig gemaakt, mijnheer Glapthorn. Ja, ik mag wel zeggen zéér nieuwsgierig.'

Weer die stralende lach.

'En als mijn nieuwsgierigheid is gewekt,' ging hij verder, 'dan moet het wel om een bijzondere kwestie gaan. Daar heb ik nu eenmaal een goede neus voor. Het is me een aantal keren overkomen. Mijn nieuwsgierigheid is gewekt; ik onderzoek de zaak buiten kantoortijd, zorgvuldig, onopvallend en op mijn gemak; en dan – strijk en zet – zie ik op de bodem iets heel ongewoons liggen. Het gewone laat ik over aan anderen. Het óngewone houd ik voor mezelf.'

Deze mededeling deed hij met een zoetgevooisde, hoge stem, duidelijk en langzaam articulerend, waardoor de indruk van een recitatief werd gewekt. Voordat ik antwoord kon geven, had hij zijn paperassen alweer geraadpleegd, zijn monocle opgewreven en hij was begonnen met een onmiskenbaar ingestudeerde inleiding op ons gesprek.

'In uw brief, mijnheer Glapthorn, noemt u de heer Edward Glyver en wijlen zijn moeder, Simona Glyver. Mag ik vragen wat uw relatie met deze twee personen is?'

'Zoals ik heb aangegeven in mijn brief ben ik door de heer Glyver aangetrokken als secretaris om hem te helpen de paperassen van zijn overleden moeder uit te zoeken en te kijken wat bewaard moet worden en wat weg kan.'

'Ach,' glunderde Tredgold, 'de schrijfster.'

'U kent haar werk?'

'Van naam.'

Pas later kwam me dit vreemd voor, dat Tredgold wist wie er achter de anonieme en onder pseudoniem gepubliceerde boeken schuilging. Hij knikte me bemoedigend toe.

'De heer Glyver verblijft momenteel op het vasteland en wil zo spoedig mogelijk de zaken van zijn moeder hebben afgehandeld. Aangezien het ondoenlijk voor hem is om deze taak op eigen kracht te volbrengen, heeft hij mij opdracht gegeven de zakelijke kant op me te nemen.'

'Ach,' zei Tredgold, 'de zakelijke kant. Wat u zegt.' De monocle werd weer gepoetst. 'Mag ik u vragen, mijnheer Glapthorn, ik hoop dat u het mij niet kwalijk neemt, of u iets bij zich hebt waaruit blijkt dat u gemachtigd bent?'

Hier had ik al op gerekend en ik haalde iets uit mijn jas.

'Een brief van de heer Edward Glyver,' zei ik, 'waarin hij me de tijdelijke volmacht over zijn zaken geeft.'

'Juist,' antwoordde hij terwijl hij het papier aanpakte en doorlas. 'Ietwat ongebruikelijk, misschien, maar het lijkt me verder in orde, hoewel ik natuurlijk niet het genoegen heb gehad de heer Glyver persoonlijk te ontmoeten, en ik geloof ook niet dat we correspondentie van hem hebben.'

Ook daar had ik op gerekend.

'Een bevestigende handtekening, misschien?' opperde ik.

'Dat zou zeker voldoende zijn,' zei Tredgold, en ik gaf hem een kwitantie, door mezelf getekend uiteraard, voor de levering van een bijzondere uitgave in zakformaat van Plato, vertaald door Ficino (Lyon, 1555, in een fraaie Franse band), uitgegeven door Field & Co., Regent's Quadrangle. Hiermee bleek de oudste vennoot tevreden te zijn, hij poetste nog eens zijn monocle op, leunde achterover en reageerde met een nieuwe vraag.

'U had het over een vertrouwelijke kwestie die verband houdt met wijlen de geachte schrijfster, de moeder van de heer Glyver. Mag ik weten wat die behelst?'

Hij sperde zijn hemelsblauwe ogen ietsje open terwijl hij zijn hoofd schuin hield en een springerige haarlok van zijn voorhoofd streek.

'In de paperassen van mevrouw Glyver heb ik een overeenkomst gevonden tussen haar en een zekere dame, van wie ik vermoed dat ze een cliënte van uw kantoor was. Wijlen Laura, barones van Tansor?'

Tredgold reageerde niet.

'Helaas blijkt mevrouw Glyver geen afschrift van deze overeenkomst bewaard te hebben, en haar zoon voorziet natuurlijk dat het nogal wat inspanning zal kosten om die namens haar te ontbinden.'

'Dat is bijzonder loffelijk,' zei Tredgold. Hij stond op, liep naar een kleine secretaire, trok een la open en haalde er een vel papier uit.

'Dit is, denk ik, wat u zoekt.'

18

Hinc illae lacrimae*

Ik was stomverbaasd. Ik had verwacht dat Tredgold er als een rechtgeaard jurist omheen zou draaien en de kwestie zou ontwijken, mij misschien zelfs op mijn plaats zou zetten; alles behalve deze gemakkelijke, snelle inwilliging van mijn verzoek.

Het bleek een betrekkelijk eenvoudige overeenkomst te zijn.

> Hierbij verklaar ik, Laura Rose Duport van Evenwood in het graafschap Northamptonshire, plechtig en onherroepelijk dat Simona Frances Glyver te Sandchurch in het graafschap Dorset, gevrijwaard is van elke verantwoordelijkheid, blaam, schuld, vervolging of strafbaarheid voortvloeiende uit de regeling aangaande mijn persoonlijke zaken die voornoemde Simona Frances Glyver en ik, Laura Rose Duport, bindend overeengekomen zijn, en verklaar tevens dat voornoemde Simona Frances Glyver is gevrijwaard en uitgesloten van enige gerechtelijke aanklacht of vervolging *in toto*, en in nul en generlei opzicht verantwoordelijk kan worden gehouden voor enig gevolg voortvloeiende uit voornoemde overeenkomst, en ten laatste dat de bepalingen hierin vervat te zijner tijd zullen worden opgenomen in mijn wilsbeschikking en testament.

De akte was door beide partijen getekend en gedateerd op 30 juli 1819.

'En door wie is dit opgesteld?'

'Door Anson Tredgold, wijlen mijn vader. Destijds al op leeftijd, vrees ik,' antwoordde zijn zoon hoofdschuddend.

* 'Vandaar deze tranen' (Terence, *Andria*). JJA

Ik vroeg niet of een dergelijke verklaring enige rechtsgeldigheid bezat, want ik begreep dat dat er niet toe deed. Het was vooral een gebaar geweest, een blijk van goede wil van lady Tansor die tegemoet wilde komen aan de begrijpelijke wens van haar vriendin om in geval van nood op een schijnzekerheid te kunnen terugvallen, want de twee waren een zeer gevaarlijk verbond aangegaan.

‘Volgens mij,’ ging Tredgold verder, ‘hoeft de heer Glyver niet bang te zijn dat deze overeenkomst hem nog in enig opzicht kan schaden. Het is en blijft, nou ja, het blijft een hypothetisch curiosum. En zoals ik al heb gezegd, iets ongewoons.’

Hij glunderde.

‘Hebt u – had uw vader – kennis van de aard van de persoonlijke overeenkomst waarvan in deze akte sprake is?’

‘Ik ben blij dat u dat vraagt, mijnheer Glapthorn,’ antwoordde hij na een opmerkelijk lange stilte. ‘Ik was natuurlijk niet zelf aanwezig bij de opstelling van het contract, aangezien ik hier nog niet zo lang werkzaam ben. Mijn vader was de juridisch raadsman van lord Tansor, en daarom lag het voor de hand dat zijn echtgenote zich tot mijn vader wendde om haar zaken te behartigen. Maar nadat ik uw brief had gekregen, ben ik me er wat in gaan verdiepen. Mijn vader was een ordelijk, verstandig mens, zoals een advocaat natuurlijk betaamt; maar in dit geval is hij, vrees ik, ietwat laks geweest in zijn werkzaamheden voor lady Tansor want ik heb geen enkele notitie of ander soort van memorandum kunnen vinden over deze kwestie. Zoals ik heb gezegd, hij was ook al op leeftijd...’

‘En weet u of lord Tansor zelf op de hoogte was van het feit dat zijn vrouw uw vader over deze kwestie had geraadpleegd?’

Tredgold poetste zijn monocle weer op.

‘Wat dat betreft, kan ik u met zekerheid zeggen dat dat niet het geval was. Ik kan verder nog zeggen dat de akte die u daar heeft uiteindelijk niet in de wilsbeschikking van de barones is opgenomen, want enige tijd later kwam ze weer bij me, ditmaal was lord Tansor wel volledig op de hoogte, om haar testament te wijzigen in verband met de geboorte van haar zoon, Henry Hereward Duport.

Ik had nog één laatste kwestie met de oudste vennoot te bespreken.

‘Mevrouw Glyver...’

'Ja?'

'Ik geloof dat er een zekere regeling is getroffen, van praktische aard?'

'Dat klopt; een maandelijkse toelage, die door ons kantoor via Dimsdale & Co werd verstrekt.'

'En die regeling is beëindigd?'

'Sinds het verscheiden van lady Tansor, in het jaar 1824.'

'Juist. Goed, dan, mijnheer Tredgold, ik zal u niet langer ophouden. Het lijkt me dat de zaken zo naar ieders tevredenheid zijn opgelost, en ik denk dat ik aan de heer Glyver kan rapporteren dat hij zich over deze kwestie geen zorgen meer hoeft te maken.'

Ik wilde al opstaan toen Tredgold opeens met een snelheid die me verraste uit zijn stoel opsprong.

'Geen sprake van, mijnheer Glapthorn,' zei hij terwijl hij mijn arm pakte. 'Daar komt niets van in! U blijft hier voor de lunch – die is al klaar.'

En met dit volkomen onverwachte gebaar van hartelijkheid loodste hij me naar een zijkamer, waar een overvloedige koude lunch gereedstond. Ruim een uur lang praatten we ontspannen onder het genot van een werkelijk uitstekende maaltijd – bereid en opgediend door een protégé van niemand minder dan Monsieur Brillat-Savarin* zelve. We kwamen er spoedig achter dat de oudste vennoot ook enige tijd in Heidelberg had gestudeerd, zodat we gezamenlijk goede herinneringen aan de stad en omgeving konden ophalen.

'Die kwitantie die u me zo-even liet zien, mijnheer Glapthorn,' zei hij na een tijdje. 'Hebt u misschien net als de heer Glyver belangstelling voor bibliografie?'

Ik antwoordde dat ik me in het onderwerp had verdiept.

'Misschien kunt u me dan uw mening over iets geven?'

Waarop hij naar de vitrinekast achter in de hoek van de kamer liep en een boek pakte – Battisto Marino's *Epithalami*** (Parijs, 1616 – de eerste gebundelde uitgave, en de enige editie die buiten Italië was gedrukt) – dat hij aan mij liet zien.

* Jean-Anthelme Brillat-Savarin (1755-1826), wiens beroemdste werk *La physiologie du goût* in 1825 is verschenen. JJA

** Giambattista Marino (1569-1625), Italiaanse barokdichter, wiens extravagante, sensuele beeldtaal invloed heeft gehad op de Engelse dichter, Richard Crashaw. JJA

'Prachtig,' zei ik bewonderend.

Tredgolds opmerkingen over de eigenschappen, de herkomst en de zeldzaamheid van het boek waren terzake en deskundig, en hoewel zijn kennis op dit gebied niet zo groot was als de mijne, wist hij me toch te imponeren met zijn aanzienlijke expertise. Hij zei erbij dat hij zich direct neerlegde bij wat hij vriendelijk mijn onmiskenbaar superieure oordeelsvermogen op dit gebied noemde, en opperde voorzichtig dat ik misschien nog eens langs wilde komen zodat ik op mijn gemak zijn verzameling kon bekijken.

Zo wist ik dus de heer Christopher Tredgold voor me te winnen.

Ik verliet het pand door een van de zijdeuren, uitgeleide gedaan door de bediende die me een paar uur daarvoor had binnengelaten. Net toen we onderaan de trap waren, riep Tredgold me van boven toe: 'Kom aanstaande zondag langs.'

En dat deed ik; en de zondag daarop ook en die daarop. Rond mijn vijfde bezoek aan Paternoster-row, begin oktober, had ik een plannetje uitgebroed dat, naar ik hoopte, dankzij mijn groeiende vriendschappelijke band met de oudste vennoot zou slagen.

'Ik vrees, mijnheer Tredgold,' zei ik toen ik aanstalten maakte naar Camberwell te vertrekken, 'dat dit wellicht onze laatste plezierige zondag samen was.'

Hij keek op en voor het eerst was er geen stralende lach op zijn gezicht.

'Hoezo? Wat bedoelt u?'

'Mijn dienstbetrekking bij de heer Glyver was slechts tijdelijk, zoals u weet. Wanneer hij een dezer dagen terugkeert van het vasteland ben ik niet meer nodig en zal ik de laatste bijzonderheden van mijn opdracht persoonlijk aan hem overdragen.'

'Maar wat gaat u dan doen?' vroeg Tredgold met een gezicht waaruit oprechte bezorgdheid sprak.

Ik schudde mijn hoofd en zei dat ik nog geen direct vooruitzicht had op ander werk.

'Kijk aan,' glunderde hij, 'dat heb ik wel voor u.'

Het had nog beter uitgepakt dan ik had durven hopen. Ik had op manieren gezonnen hoe ik het kantoor als jongste bediende of zelfs als manusje van alles kon binnenkomen; maar dat was niet meer nodig nu Tredgold me zelf een betrekking als zijn particulier assistent aanbood. Bovendien sprak hij het voornemen uit me voor te stellen aan Sir Ephraim Gadd, Queen's Counsel, degene die de belangrijkste zaken van het kantoor voor zijn rekening nam, en die op het moment iemand zocht om oude talen te doceren aan gegadigden zonder academische titel die lid wilden worden van het prestigieuze juridische genootschap van de Inner Temple.

'Maar ik heb ook geen academische titel,' zei ik.

Tredgold glimlachte nogmaals, gelukzalig.

'Dat zal geen bezwaar zijn, kan ik u verzekeren. Sir Ephraim is altijd bereid om het advies van Tredgold, Tredgold & Orr op te volgen.'

Bij mijn nieuwe functie hoorde een goed jaarsalaris van honderdvijftig pond,* en een aantal kamers op de bovenste verdieping in Temple-street, in een pand dat eigendom van het kantoor was, tegen een bescheiden huur. We kwamen overeen dat ik op de eerste dag van november met mijn werkzaamheden zou beginnen – waarvan de precieze aard haast opzettelijk in het vage werd gehouden –, dat was over nog geen vier weken, als de kamers die mij waren toebedeeld door de huidige bewoner zouden zijn ontruimd.

Opgetogen met mijn overwinning keerde ik terug naar Camberwell, maar dat ik mijn gerieflijke kamers moest verlaten stemde me ietwat droef. Signor Gallini, die me in de korte tijdsspanne dat we elkaar kenden met zoveel vriendelijkheid en attenties had overladen, was de eerste nieuwe vriend die ik in Londen had opgedaan en het deed me werkelijk verdriet om zijn rustige huisje vaarwel te moeten zeggen, om nog te zwijgen van de charmes van de verrukkelijke mejuffrouw Bella, en te verhuizen naar het overvolle hart van de stad. Maar ik ging en ruilde begin oktober Camberwell in voor Temple-street. Dankzij deze nieu-

* Tegenwoordig ongeveer 12.500 pond. JJA

we wending in mijn leven vierde ik Kerstmis 1848 in de Temple Church, waar ik uit volle borst meezong met mijn kerkgaande nieuwe buren, in diepgevoelde dankbaarheid.

De eerste brief die ik in mijn nieuwe onderkomen ontving kwam van Signor Gallini en Bella (met wie ik vastbesloten was het contact te onderhouden), die me een gelukkig kerstfeest wensten en de hoop uitspraken dat ik me zou thuisvoelen in mijn nieuwe werkkring. Een paar dagen na kerst werden er nog twee brieven bezorgd, deze keer bij het postadres dat ik, even verderop, in Upper Thames-street had genomen, waar ik eventuele post gericht aan Edward Glyver kon ontvangen.

De ene was van de heer Gosling, mijn moeders raadsman in Weymouth, die meedeelde dat het huis in Sandchurch was verkocht maar vanwege de ietwat bouwvallige staat niet de prijs had opgeleverd die we hadden verwacht. Met de opbrengst was volgens mijn aanwijzingen gehandeld: de schuld aan de heer More was terugbetaald en na aftrek van andere noodzakelijke uitgaven was er een tegoed van 107 pond, 4 shilling en 6 pence overgebleven. Dat was veel minder dan ik had gedacht, maar ik had tenminste werk en een dak boven mijn hoofd.

De andere brief was van dokter Penny, de huisarts die mijn moeder aan haar sterfbed had bijgestaan.

Sandchurch, Dorset
4 januari 1849

WAARDE EDWARD

Het doet me groot verdriet je te moeten meedelen dat onze arme Tom Grexby gisteravond is overleden. Het was gelukkig een zachte, snelle dood, hoewel zeer onverwacht.

Ik had hem een dag eerder nog gezien en toen leek hij kerngezond. In de middag werd hij onwel. Ik werd ontboden, maar hij was al buiten bewustzijn toen ik aankwam en ik kon niets meer voor hem doen. Kort na acht uur is hij vredig gestorven.

De begrafenis is volgende week, de elfde. Het spijt me dat ik je deze droevige tijding moet brengen.

Met de meeste hoogachting,

MATTHEW PENNY

Een week later, op een bitterkoude januarimiddag, ging ik voor de laatste keer in mijn leven terug naar Sandchurch om te zien hoe mijn goede vriend en oude schoolmeester ter aarde werd besteld op het kleine kerkhof dat uitkeek over het grijze water van het Kanaal. Er stond een snijdende oostenwind en door de aanhoudende strenge vorst was de grond zo hard als graniet. Toen iedereen weg was en ik alleen achter was gebleven op het kerkhof, keek ik hoe de laatste resten van de dag voor de naderende duisternis weken, totdat niet meer te zien was waar de hemel ophield en het immense donkere woelige wateroppervlak begon.

Ik voelde me moederziel alleen, nu ik was beroofd van het meelevende gezelschap van Tom; want hij was de enige in mijn leven geweest die mijn drang tot geestelijke verrijking werkelijk had begrepen. Toen ik zijn leerling was, had hij me door mij ruimhartig en onzelfzuchtig te laten delen in zijn enorme kennis en door me op alle mogelijke manieren te stimuleren de middelen aangereikt om ver uit te stijgen boven het intelligentieniveau van de gemiddelde mens. Omdat hij een broertje dood had aan starre, rechtlijnige systemen, leerde hij me hoe ik moest nadenken, hoe ik moest analyseren en deduceren, hoe ik mij een onderwerp eigen kon maken en beheersen. Al deze geestelijke vermogens zou ik nodig hebben voor wat me te doen stond, en het was dankzij Tom Grexby dat ik erover beschikte.

Ik stond een tijdje bij het graf tot ik haast verdoofd was van de kou terwijl ik dacht aan de dagen van weleer die ik bij Tom in zijn stoffige boekenhuis had doorgebracht. Hoewel ik mezelf niet kon troosten met de vrome zekerheden van het christelijk geloof, want enig geloof in een godsdienst was mij inmiddels vreemd, was ik nog wel ontvankelijk voor de poëtische kracht ervan, en onwillekeurig barstte ik uit in de glorieuze woorden van John Donne, die ook tijdens mijn moeders begrafenis waren gesproken.

> En door die poort zullen zij ingaan, en in die woning zullen zij verblijven, daar waar geen wolk zal zijn noch ook zon, geen duisternis noch ook schittering, maar één bestendig licht, geen geluid noch ook stilte, maar één bestendige muziek, geen vrees noch ook hoop, maar één bestendig bezit, geen vijanden noch ook vrienden, maar één bestendige gemeenschap en gelijkheid; geen einde noch ook begin; maar één bestendige eeuwigheid.*

Ik verliet de begraafplaats, tot op het bot verkleumd en diepbedroefd, en verlangde naar de warmte en gerieflijkheid van de King's Head. Ondanks het lichamelijke ongemak besloot ik om het pad naar het klif op te lopen en voor het allerlaatst een blik op mijn oude huis te werpen.

Daar stond het, in de duistere vrieskou, donker en de luiken dicht, de tuin verwilderd, het witte tuinhekje omgewaaid door de stormen van de afgelopen tijd. Het oprukkende verval in ogenschouw nemend, wist ik niet wat ik voelde: of het nu verdriet was om wat er niet meer was of schuldbewuste droefheid omdat ik het huis van mijn jeugd in de steek had gelaten. De kale takken van de kastanje boven me waarin ik mijn kraaiennest had gebouwd, kreunden en kraakten in de ijzige wind. Nooit zou ik meer naar mijn oude uitkijkpost in de boom klimmen, om uit te kijken over de immer-veranderende zee en dromen van Scheherazades ogen, of van Sindbad met wie ik door de Vallei der Diamanten** liep. Maar aan alles komt nu eenmaal een eind; daarom keerde ik het verleden de rug toe en wendde mijn gezicht naar de oostenwind, die spoedig mijn tranen had gedroogd. Ik had nog een lange weg te gaan, maar ik vertrouwde erop dat ik uiteindelijk die poort zou binnengaan, en dat huis, waar rust en vrede heersen, waar, zoals Donne in zijn preek had gezegd, vrees en hoop voor altijd zijn uitgebannen, in één bestendig bezit.

* 'Een preek gehouden in White-hall. 29 februari. 1627' Uit *XXVI sermons* (1660). JJA

** Beschreven in de Tweede Reis van Sindbad de Zeeman, in *De vertellingen van duizend-en-één-nacht*. JJA

In diezelfde koude januarimaand ontviel mij nog een vriend: Prospero Gallini, die door een val van de trap zijn nek had gebroken. In een brief stelde Bella me op de hoogte van het tragische nieuws en ik ging natuurlijk direct naar Camberwell om bij haar te zijn.

'Ik weet nog niet wat ik ga doen,' zei ze toen we na de begrafenis van de kerk huiswaarts liepen, 'maar ik kan hier niet blijven, dat is zeker. Er zijn nog openstaande schulden en het huis moet verkocht worden. Ik zal naar Londen gaan en zo spoedig mogelijk een betrekking zoeken.'

Ik zei dat ze me vooral moest laten weten wanneer ze op orde was, en drukte haar op het hart om mij als haar vriend en beschermer in Londen te beschouwen. Bij het afscheid gaf ze me een alleraardigste uitgave van Dante's *Vita Nuova* die van haar vader was geweest.

'Voor mijn lieve, attente vriend,' zei ze, 'die altijd een warm plekje in mijn hart zal hebben.'

'Beloof je dat je me zult schrijven?'

'Ja.'

Enkele weken later kwam er een brief met het bericht dat ze een betrekking had gevonden als gezelschapsdame van een zekere mevrouw Daley uit St John's Wood. Daar was ik blij om, vooral omwille van haar vader, en ik nam me voor om via een regelmatige briefwisseling een oogje in het zeil te houden. Dat deed ik ook, alleen zou het nog vier jaar duren voordat we elkaar weer zagen.

De grote tafel waaraan mijn moeder zoveel uren had zitten zwoegen stond nu voor het raam in mijn nieuwe onderkomen in Temple-street, Whitefriars. Daarop lagen, keurig geordend, de dagboeken die mijn verloren identiteit aan het licht hadden gebracht, net als in Sandchurch, omstuwd door tientallen stapels vergeeld papier, elk in chronologische volgorde gerangschikt, met een etiket waarop de inhoud stond vermeld. Onbeschreven notitieboekjes, vers van de kantoorboekhandel, had ik in stapeltjes klaargelegd; potloden waren geslepen; inkt en pennen lagen klaar. Ik kon beginnen aan mijn grote onderneming en de wereld bewijzen wie ik werkelijk was.

Het begin was veelbelovend. De overeenkomst tussen mijn moeder en lady Tansor, die indirect van groot belang was voor mijn aanspraak, was nu in mijn bezit; en door een gelukkig toeval had ik een betrekking bij Tredgolds bemachtigd, de raadslieden van lord Tansor. Ik kon niet voorspellen wat deze wending betekende. Maar er zou zich ongetwijfeld nog een gunstige gelegenheid voordoen waarin ik het volledige vertrouwen van Christopher Tredgold kon winnen.

En een vindingrijk mens heeft aan een gunstige gelegenheid, hoe vluchtig ook, meestal genoeg.

Mijn eerste bezoeker op Temple-street was Le Grice, die op een namiddag door de sneeuw onaangekondigd aan kwam zetten, enkele dagen nadat ik van Toms begrafenis was teruggekeerd. Zijn voetstappen die dreunend de houten trap omhoogkwamen, en daarna de drie oorverdovende kloppen op de deur waren herkenbaar uit duizenden.

'Gegroet, o, grote Koning!' bulderde hij, terwijl hij me naar zich toetrok en met zijn enorme vlakke hand een klap op mijn rug gaf. Hij stampte de sneeuw van zijn laarzen en nam vervolgens, terwijl hij zijn hoed afzette en een stap achteruit deed, mijn nieuwe koninkrijk in ogenschouw.

'Gezellig,' knikte hij goedkeurend, 'heel gezellig. Maar wie is dat gruwelijke onderkruipsel op de begane grond? Hij stak zijn afzichtelijke neus om de hoek en vroeg of ik soms bij mijnheer Glapthorn moest wezen. Ik gaf hem beleefd te verstaan dat hij zich met zijn eigen zaken moest bemoeien. Maar wie mag die Glapthorn dan wel wezen?'

'Dat onderkruipsel draagt de naam Fordyce Jukes,' zei ik. 'En mijnheer Glapthorn is ondergetekende.'

Deze mededeling deed mijn bezoek uiteraard verbaasd opkijken.

'Glapthorn?'

'Jazeker. Heb je er bezwaar tegen dat ik een nieuwe naam heb aangenomen?'

'Allerminst, ouwe reus,' zei hij. 'Je zult daar wel je redenen voor hebben. Zitten er wellicht schuldeisers achter je aan? Woedende echtgenoot, pistool in de aanslag, die stad en land afzoekt naar E. Glyver?'

Ik moest onwillekeurig even lachen.

'Geen van beide of beide, wat je wilt,' zei ik.

'Goed, ik zal niet verder aandringen. Als een vriend zijn naam wenst te veranderen, en diezelfde vriend wenst de redenen voor zich te houden, dan is dat zijn eigen zaak, vind ik. Gelukkig kan ik je gewoon 'G' blijven noemen. Maar als je hulp nodig hebt, moet je het vooral zeggen. Ik sta altijd voor je klaar.'

Ik verzekerde hem dat ik geen hulp nodig had, financieel of anderszins, dat ik alleen wilde dat hij voortaan alle post die hij naar Templestreet of naar het adres van mijn werkgever stuurde, richtte aan de heer E. Glapthorn.

'Zeg eens,' zei hij plotseling, 'je werkt toch niet als geheim agent of iets dergelijks voor de regering, hè?'

'Nee,' zei ik, 'beslist niet.'

Hij leek teleurgesteld, maar hij hield zich aan zijn woord en drong niet verder aan. Toen stak hij zijn hand in zijn zak en haalde er een opgevouwen exemplaar van de *Saturday Review* uit.

'À propos, die zag ik toevallig op de club liggen. Hij is van een paar maanden terug. Heb je het gezien? Pagina tweeëntwintig.'

Ik had het niet gezien, want het was geen periodiek dat ik regelmatig las. Ik keek naar de datum op het omslag: 10 oktober 1848. Op de bewuste pagina stond een artikel met de kop 'Herinneringen aan Eton. Door P. Rainsford Daunt', waaruit ik al eerder heb geciteerd.

'Jij komt er uitgebreid in voor,' zei Le Grice.

Het was al zo lang geleden dat Daunt me had verraden; maar mijn verlangen om wraak te nemen was onverminderd hevig. Ik had al een aantal gegevens over hem verzameld, die ik in een blikken trommel onder mijn bed bewaarde: boekbesprekingen en kritische beschouwingen over zijn werk, artikelen die hij voor de literaire pers had geschreven, passages over zijn vader uit openbare bronnen, en mijn eigen persoonlijke indrukken van zijn eerste huis, Millhead, dat ik het jaar daarvoor in november had bezocht. Het was nog maar een bescheiden archief, maar het zou groter worden door mijn zoektocht naar alle bijzonderheden over zijn verleden en karakter die ik tegen hem kon gebruiken.

'Ik lees het later wel,' zei ik terwijl ik het tijdschrift op mijn schrijftafel gooide. 'Ik heb honger en wil eten – copieus. Waar zullen we heen gaan?'

'The Ship and Turtle! Waar anders?' riep Le Grice uit en hij gooide de deur open. 'Ik trakteer, ouwe reus. Londen verwacht ons. Pak uw jas en uw hoed, mijnheer Glápthórn, en laat mij uw gids zijn.'

In november 1854 zat ik met een glas cognac voor een laaiend haardvuur in Le Grice's kamers in Albany en kon nauwelijks geloven dat ik pas zes jaar geleden uit Sandchurch was vertrokken en naar Londen gekomen. Het leek haast een heel leven – zoveel herinneringen die bovenkwamen, zoveel hoopvol optimisme en zoveel uitzichtloze wanhoop! Gezichten in de vlammen; de geur van een septemberochtend; dood en verlangen: voor mijn ogen zweefden beelden en indrukken, kwamen samen en gingen weer uiteen, een massa geesten in een eeuwige dans.

'Ik heb er met geen sterveling over gesproken, weet je,' zei Le Grice zachtjes, met zijn hoofd achterovergeleund, terwijl hij keek hoe de rook van zijn sigaar rondwervelend naar het diep donkere plafond opsteeg. 'Met geen woord, over het leven dat je leidde. Als een van de clubgenoten naar je vroeg, zei ik altijd dat je op reis was, of dat ik niets van je had gehoord. Dat klopt toch? Zo wilde je het toch?'

Hij keek op, recht in mijn ogen, maar ik gaf geen antwoord.

'Ik weet niet waar dit allemaal heengaat, G, maar als het waar is wat je zegt...'

'Het is allemaal waar. Elk woord.'

'Dan begrijp ik het natuurlijk. Als je niet Edward Glyver was, dan kun je net zo goed Edward Glapthorn zijn. Ik dacht altijd dat er schuldeisers of zoiets achter je aanzaten en dat je dat niet wilde toegeven. Maar je moest het voor je houden, dat begrijp ik, totdat alles was rechtgezet. Maar wat een verhaal, G! Ik zal niet zeggen dat ik het niet geloof, want als jij zegt dat het waar is, dan is het zo. Dit is nog lang niet alles, dat is duidelijk, en ik hang aan je lippen, ouwe reus. Maar wil je er nu mee doorgaan, of hier blijven slapen en morgen de rest vertellen?'

Ik keek op de klok. Tien voor twee.

'We blijven op,' zei ik. 'En dan zal ik je nu wat meer vertellen over de heer Tredgold.'

INTERMEZZO

1849-1853

I

Tredgolds kabinet

Christopher Tredgold deed zijn woord gestand, en had het kopstuk van de juridische wereld, Sir Ephraim Gadd, Queen's Counsel, onverwijld de raad gegeven om een beroep te doen op mijn didactische kwaliteiten. Het was de bedoeling dat ik kandidaten zonder de benodigde academische titel die in aanmerking wilden komen voor het lidmaatschap van de Inner Temple klaar zou stomen voor een colloquium doctum Latijn en Grieks. Deze kandidaten vielen onder het gezag van Sir Ephraim in zijn hoedanigheid van Bencher.* Het lesgeven viel me absoluut niet zwaar en ik kon het gemakkelijk inpassen in mijn dagelijks werkzaamheden bij Tredgold, waarvan ik hieronder een beschrijving zal geven.

De opmerkelijke amicaliteit waarmee Tredgold me tijdens ons eerste gesprek tegemoet was getreden, trof me wederom op mijn eerste werkdag. Zodra ik Paternoster-row was binnengelopen, werd ik door Fordyce Jukes direct naar Tredgolds privévertrekken gebracht. Jukes was een kantoorklerk die al een eeuwigheid op het kantoor werkte en een verheven plaats achter een hoge lessenaar bezette bij de ingang van het kantoor, waar hij als een poortwachter cliënten welkom heette en hen naar een van de vennoten boven bracht.

Zijn bewondering voor de oudste vennoot kende geen grenzen, maar alras werden ook zijn uitingen van achting voor mij, die hij nog nauwelijks kende, bijna even buitensporig. Hij was voortdurend aan het knipmessen, altijd even voorkomend, keek glimlachend op van zijn werk of knikte gedag als ik langsliep.

* Een ouder lid van het gerechtshof. JJA

Vanaf het allereerste begin had ik een hekel aan hem, met zijn stierennek en platte mopsneus. Hij had kortgeknipt haar, als een lid van de schutterij, en aan de voorkant had hij het recht omhoog geschuierd tot een kroon van zwarte piekjes. Door de kaarsrechte lijn tussen zijn haar en het vlees van zijn nek, en om zijn oren en slapen, leek zijn kapsel op een vreemdsoortige pet of hoed die hij over een verder volkomen normale haardos had getrokken. Ik had ook een hekel aan zijn schurftige hondje, aan zijn donkerrode, gladgeschoren tronie en de sluwheid die uit zijn blik sprak. Hij was altijd met zijn vingers aan het knippen, zijn hoofd aan het schudden of op zijn borstelkop aan het krabben, terwijl in zijn groene oogjes een gespannen onrust opflakkerde, die nooit direct zichtbaar werd maar voortdurend verstoppertje speelde, als een sluipende huurmoordenaar die zich platdrukt tegen deuren en muren van steegjes om zijn slachtoffer te verrassen. Al deze eigenschappen bij elkaar maakten hem in mijn ogen weerzinwekkend.

Zijn attenties werden zelfs zo hinderlijk opdringerig dat ik elke ochtend bij kantoor aangekomen de ingang meed en via de zijtrap naar mijn kamer ging; maar dan kwam ik hem nog vaak aan het einde van de dag tegen, als hij mij drentelend op straat opwachtte. 'Ach, daar bent u, mijnheer Glapthorn,' zei hij dan met zijn vreemde piepstemmetje. 'Ik dacht dat we misschien samen konden oplopen. Aangenaam gezelschap en een praatje aan het einde van de dag, wat kan een mens zich meer wensen?'

De zeer ongewenste belangstelling van Jukes was begonnen op mijn allereerste werkdag in Paternoster-row: ik was de voordeur nog niet binnen of hij sprong vanachter zijn lessenaar en begon gedienstig te buigen.

'Zeer vereerd u te ontmoeten, mijnheer Glapthorn,' zei hij, ondertussen driftig mijn hand schuddend, 'zéér vereerd. Ik hoop dat we elkaar goed zullen leren kennen, zowel in persoonlijk als zakelijk opzicht. Buren, begrijpt u. Vers bloed is altijd welkom, mijnheer – smeermiddel voor de machtige Tredgold-machine, nietwaar? Stilstand is achteruitgang, wat u, mijnheer Glapthorn? Ja, zeker. Een verstandige zet van de O.V. om u binnen te halen, maar aan de andere kant, we verwachten ook niet anders van de O.V.'

Zo kakelde hij maar door tot we voor de deur van Tredgolds werkkamer stonden. Hij liet me de kamer binnen, met de zoveelste kruiperige buiging, en daarna trok hij met een wiebelend hoofd zachtjes de deur achter zich dicht.

Glunderend stond de oudste vennoot op vanachter zijn bureau.

'Welkom, welkom, mijnheer Glapthorn!' zei hij mij hartelijk de hand schuddend. 'Gaat u toch zitten, alstublieft. En, kan ik u soms iets aanbieden? Zal ik thee laten brengen? Het is een tikje fris vanochtend, vindt u niet? Misschien wilt u iets dichter bij de haard zitten?'

Op deze hartelijke, innemende toon ging hij nog een poosje voort totdat ik hem ervan had overtuigd dat ik het in het geheel niet koud had en geen behoefte had aan een warme drank om me op te kikkeren. Ik vroeg wat voor taken ik precies voor het kantoor zou moeten verrichten.

'Taken? Ach, natuurlijk. Taken zijn er zeker.' Hij poetste even zijn monocle en glunderde.

'Mag ik u vragen wat die taken behelzen?'

'Natuurlijk mag u dat. Maar eerst, mijnheer Glapthorn, moet u iets over mijn collega's weten. We heten Tredgold, Tredgold en Orr, maar er is op het ogenblik slechts één Tredgold, en dat ben ik. Donald Orr is de jongste vennoot; en dan hebben we nog Thomas Ingrams. Er zijn zes kantoorbedienden, onder wie Jukes, hij is tevens de oudste van het stel. We hebben een gevarieerde praktijk. Strafzaken, echtscheidingen, faillissementen en insolventie – daarin is Donald Orr gespecialiseerd –, eigendomsrecht, het beheer van onroerende zaken, enzovoorts; en ten slotte behartigen we de belangen van een groot aantal vooraanstaande personen.'

'Zoals lord Tansor?'

'Precies.'

'En op welk gebied van de praktijk zullen mijn taken liggen?'

'U houdt veel van taken, begrijp ik, mijnheer Glapthorn, en het is duidelijk dat u popelt om aan de slag te gaan.'

'Aan de slag met wat, mijnheer Tredgold?'

'Tja, eens even nadenken. Het lijkt me het beste als u misschien eerst eens een blik werpt op een aantal documenten over een faillissementszaak waarin we onlangs als curator zijn opgetreden. Zou u dat aanstaan?'

'Het hoeft mij niet aan te staan, mijnheer Tredgold,' antwoordde ik. 'Ik ben hier om werk te doen dat u aanstaat en om in mijn onderhoud te kunnen voorzien.'

'Maar het staat mij ook allemaal aan,' riep hij, 'en nog meer als u zo vriendelijk zou willen zijn die documenten te bekijken.'

'Mag ik vragen of u nog een andere opdracht voor me heeft behalve het inkijken van deze documenten?'

'Voorlopig niet. Kom!'

En daarop pakte hij me bij de arm en loodste me door de gang naar een donker kamertje met een groot bureau in het midden en een gezellig knappend haardvuur.

'Als u hier even wilt wachten,' zei hij. Even later was hij terug met een grote stapel papieren die hij op het bureau legde.

'Zit u zo prettig?'

'Kan niet beter.'

'Dan laat ik u nu aan het werk. Ik ben de rest van de dag afwezig. U kunt weggaan wanneer u wilt. Goedendag, mijnheer Glapthorn.'

Ik begon meteen de documenten door te lezen die Tredgold me had gegeven. Toen ik ze had doorgenomen, ben ik bij gebrek aan ander werk maar teruggegaan naar Temple-street. De rest van de week trof ik elke ochtend in mijn werkkamertje een nieuwe stapel papier aan, die ik ijverig doorlas, zonder dat het doel me duidelijk was, en als ik klaar was ging ik naar huis. Op vrijdag, net toen ik op het punt stond naar huis te gaan, ging de deur van Tredgolds kamer open.

'Een uiterst vruchtbare week, mijnheer Glapthorn. Mag ik aanstaande zondag weer rekenen op uw aangename gezelschap, rond het gebruikelijke tijdstip?'

En zo bevond ik mij opnieuw in de privévertrekken van Tredgold waar ik een heerlijke koude lunch kreeg voorgezet. Zoals gewoonlijk begonnen we na het eten een gesprek over boeken. Toen de bediende, Harrigan, me via de zijtrap uitgeleide deed, gaf hij mij een sleutel.

'Deze kunt u bij uw volgende bezoek gebruiken, met de complimenten van mijnheer Tredgold. U mag binnen zonder te kloppen.'

Ik was hoogst verbaasd over dit blijk van vertrouwen van de oudste vennoot, en ik blikte even naar Harrigan, maar die vertrok geen spier. Op dat moment zag ik vlak achter hem een vrouw van mijn leeftijd staan, die me eveneens onbewogen aankeek. Deze twee mensen – van wie ik inmiddels wist dat het het echtpaar Albert en Rebecca Harrigan was – waren de enige andere aanwezigen in het pand wanneer ik op zondag bij Tredgold op bezoek ging. Af en toe zag ik een flits van hen in het voorbijgaan, zwijgend verrichtten ze hun huishoudelijke taken en zeiden ook tegen elkaar geen woord.

Een week ging voorbij. Elke dag liep ik van Temple-street naar Paternoster-row, las aandachtig de paperassen door die Tredgold op mijn tafel had gelegd, en liep dan weer terug naar huis. Toen ik op de tweede vrijdagmiddag uit mijn kamer kwam, vroeg een stralende Tredgold of ik aanstaande zondag weer bij hem thuis op bezoek wilde komen. Deze keer had ik mijn eigen sleutel en ik ging door de zijdeur naar binnen.

Na de lunch installeerden we ons in de ottomanes voor de open haard en al snel kwam het gesprek op boeken. Tijdens onze bibliofiele conversaties stond Tredgold geregeld op om ter ondersteuning van zijn betoog een boek uit zijn verzameling te pakken of om mijn mening te vragen over een bepaalde typografische kwestie of de herkomst van iets. Deze keer had hij het over enkele ongebruikelijke wilsbeschikkingen die bij hen op kantoor waren opgemaakt, wat mij op de anekdote bracht over het zelfverzonnen testament dat Aretino* voor Hanno, de huisolifant van paus Leo x, had laten opmaken, waarbij de dichter de edele delen van het dier officieel aan een van de kardinalen van Zijne Heiligheid had nagelaten.

'Ah, Aretino,' glunderde Tredgold en hij poetste zijn monocle. 'De beruchte Zestien Posities.'

Tijdens mijn verblijf in Heidelberg was ik in zeker opzicht een kenner der erotische literatuur geworden (ik had mooie uitgaven van Rochester en Cleland** op de kop getikt, alsmede zeldzame exemplaren van het genre uit eerdere periodes). Ik wist meteen waar hij op doelde, maar ik was ook ietwat verbluft dat mijn gastheer zonder enige gêne dit beroemde meesterwerk der erotische verbeelding ter sprake bracht.

* Pietro Aretino (1492-1556), Italiaans dichter. In 1524 schreef hij begeleidende sonnetten bij zestien pornografische gravures van Giulio Romano, leerling van Rafaël. JJA

** John Cleland (1707-1789), auteur van de beruchte 'Herinneringen van een Vrouw van Plezier' (1749), beter bekend onder de titel *Fanny Hill*. JJA

'Mijnheer Glapthorn.' Hij legde zijn roodzijden zakdoek neer en keek me strak aan. 'Zoudt u me uw mening over iets willen geven?'

Hij stond op en liep naar een groot walnoothouten kabinet dat me al eerder was opgevallen. Het stond tussen de twee deuren die toegang gaven tot de kamer. Tredgold haalde een sleuteltje aan een fijn gouden kettinkje uit zijn vestzak en maakte het slot van het kabinet open. De kast bevatte zes of zeven planken die vol stonden met boeken en een aantal smalle, donkergroene houten dozen. Hij haalde een van de boeken eruit, draaide de sleutel om en ging weer zitten.

Tot mijn stomme verbazing was het de uiterst zeldzame Parijse uitgave uit 1789 (P. Didot) van Aretino's sonnetten, met gravures van Coiny naar Carrache. Zo iets bijzonders was ik op mijn bibliografische speurtochten nog nooit tegengekomen.

'Ik neem aan, mijnheer Glapthorn,' zei hij, 'dat u belangstelling voor een dergelijk werk hebt, als deskundige én als verzamelaar. Ik hoop natuurlijk niet dat ik u affronteer?'

'Geenszins,' antwoordde terwijl ik het boekwerk voorzichtig omdraaide om de band te bewonderen. De inhoud van de illustraties en de begeleidende verzen kende ik uiteraard al: de gespierde lichamen, de heftig verstrengelde armen en benen, de gezwollen delen, de hartstochtelijke copulerende paren op weelderige kussens onder grote hemelbedden. Maar dat mijn werkgever er ook bekend mee was, kwam voor mij als een volslagen verrassing.

Het te voorschijn halen van het boek leidde tot een meer algemene discussie over het genre als geheel, en het werd al snel duidelijk dat Tredgold op dit specifieke gebied een nog grondiger kennis bezat dan ik. Hij vroeg me mee te lopen naar het kabinet, maakte de deur weer open en ruim een uur verpoosden we ons met het bewonderen van allerhande juweeltjes der venerische literatuur die hij de afgelopen twintig jaar had verzameld.

'Dit zal u allicht ook boeien,' zei hij en hij haalde een van de smalle groene dozen eruit die me al eerder waren opgevallen.

Op een bedje van zacht gepreegd papier lag liefdevol de complete verzameling prenten van Rowlandson gevlijd, waarop de kunstenaar verscheidene toeschietelijke dames had geportretteerd die hun vrouwelijke charmes aan de hongerige mannelijke blik tonen. In de andere doos zaten gelijksoortige prenten, vervaardigd door de besten uit het métier.

Mijn mond viel open van verbazing.

'Kennelijk houdt u er een verborgen leven op na,' zei ik met een glimlach.

'Ach, weet u,' zei hij glunderend. 'Het vak van jurist kan bijzonder eentonig zijn. Een onschuldig verzetje op zijn tijd kan geen kwaad. Als tegenwicht.'

We zetten onze gemoedelijke kout bij een kopje thee voort en bespraken de verschillende zeldzame exemplaren uit de erotische literatuur waar we beiden onze zinnen op hadden gezet. Tredgold was er met name op gebrand zijn verzameling aan te vullen met een exemplaar van *Het kabinet van Venus*, de anonieme, gedeeltelijke vertaling uit 1658 van het beroemde *Geneanthropeia* van Sinibaldi. Dat prentte ik in mijn geheugen, omdat ik meende te weten waar ik een exemplaar kon bemachtigen, met de achterliggende gedachte dat deze aanschaf mijn werkgever mij nog meer voor zich zou innemen.

Rond vijf uur, veel later dan mijn gebruikelijke tijdstip van vertrek, maakte ik aanstalten op te stappen. Maar voordat ik iets kon zeggen, was Tredgold al opgesprongen en had mijn hand gepakt.

'Ik wil graag zeggen, Edward – ik hoop dat je er geen bezwaar tegen hebt dat ik je bij je voornaam noem – dat ik bijzonder tevreden ben over je werk van de afgelopen week.'

'Dat vind ik fijn te horen, mijnheer Tredgold, al weet ik niet in welk opzicht ik u tevreden heb kunnen stemmen.'

'Je hebt toch gedaan wat ik je heb opgedragen?' vroeg hij.

'Uiteraard.'

'En je hebt je naar je beste kunnen en vermogen van je taak gekweten?'

'Ik dacht van wel.'

'Ik ook. En als ik je nu een vraag stel over de inhoud van een dezer documenten, denk je dat je daar het antwoord op weet?'

'Zeker, als u mij tenminste toestaat mijn aantekenboekje in te zien.'

'Je hebt aantekeningen gemaakt! Grandioos! Maar misschien vond je het werk een tikje saai? Het antwoord laat zich raden: natuurlijk vond je het saai. Een man van jouw kaliber moet niet opgesloten zitten.

Ik wil dat je je talenten ontplooit, Edward. Mag ik je die kans bieden?'

Op deze vreemde vraag wist ik niet zo snel een antwoord, daarom zweeg ik, wat Tredgold als een instemming opvatte.

'Goed, dan, Edward, je proeftijd is voorbij. Kom morgen na tienen naar mijn kamer. Ik zou graag een kwestie met je willen bespreken.'

Na deze woorden wenste hij me glunderend een prettige avond en verdween in zijn werkkamer.

II

Madame Mathilde

Zoals Tredgold had gevraagd, maakte ik mijn opwachting in zijn werkkamer. Een uur later, toen ik vertrok, was ik de vertrouwensman van de oudste vennoot, een functie die, zoals hij niet naliet te benadrukken, verscheidene werkzaamheden behelsde van discrete, persoonlijke aard. Met deze werkzaamheden, waarvan alleen Tredgold en ik wisten, zou ik de eerstkomende vijf jaar bezig zijn en met groot succes, mag ik wel stellen.

Men kan zich indenken dat een vooraanstaand, geslaagd jurist als Tredgold dikwijls gegevens voor een bepaalde zaak nodig had die niet altijd – zogezegd – via de gebruikelijke kanalen te bemachtigen waren. In dergelijke gevallen, als het beter was dat Tredgold niet wist waar en hoe de gegevens waren verkregen, werd ik op zijn kamer ontboden en stelde hij voor om een ommetje door de Temple Gardens te maken. Dan werd een bepaalde ingewikkelde kwestie van het kantoor geschetst – als hypothese, uiteraard – en besproken (in abstracto).

'Ik vraag me af,' zei hij dan, 'of hier iets aan gedaan kan worden?'

Dat was alles, en vervolgens wandelden we op ons gemak terug naar Paternoster-row en praatten ondertussen over koetjes en kalfjes.

Er werden geen officiële opdrachten uitgevaardigd, geen gesprekken genotuleerd. Maar als er iets gedaan moest worden – van discrete, persoonlijke aard – was ik degene bij Tredgold, Tredgold & Orr die ervoor zorgde dat het in orde kwam.

Het eerste 'probleempje' dat Tredgold me als hypothetische kwestie voorlegde betrof een zekere mevrouw Bonner-Childs, en is een treffend voorbeeld van het werk dat ik de eerstkomende paar jaar zou verrichten.

Deze dame was klant bij een zaak in Regent-street, Het Rijk der Schoonheid, gedreven door ene Sarah Bunce, alias Madame Mathilde.* Hier probeerde Madame naïeve vrouwen die er alles voor over hadden om hun schoonheid te behouden (een niet onaanzienlijke markt, zou men denken) geld – of meestal geld van hun echtgenoot – uit de zak te kloppen door hen een behandeling te geven met slim bedachte smeerseltjes met exotische namen (die beloofden dat alle rimpels voorgoed verdwenen, of dat voor altijd een jeugdige teint werd behouden) voor twintig guineas per keer. In de zaak bevond zich tevens een vertrek dat weelderig als Turks Bad was ingericht. De onfortuinlijke mevrouw Bonner-Childs, die was overgehaald om ook eens van deze accommodatie gebruik te maken, kwam uit het bad en ontdekte toen ze bij haar kleren kwam dat haar diamanten ring en oorhangers verdwenen waren. Toen ze verhaal ging halen bij Madame Mathilde, gaf de eigenares haar te verstaan dat als ze het waagde misbaar te maken over de diefstal, Madame de echtgenoot van mevrouw Bonner-Childs – niemand minder dan de tweede secretaris bij de Brits-Indische Handelskamer – zou inlichten dat zijn vrouw het bad voor onzedelijke doeleinden had gebruikt.

Het succes van Madame Mathilde's zaak stoelde – evenals de Academie van Kitty Daley – op het spookbeeld van een publiek schandaal, wat zijn uitwerking niet miste op de stakkers die zich door deze en gelijksoortige listen in de luren lieten leggen. In dit geval echter vertelde mevrouw Bonner-Childs direct aan haar man wat er was gebeurd, en hij, die onvoorwaardelijk in de onschuld van zijn vrouw geloofde, ging meteen te rade bij zijn advocaat, Christopher Tredgold.

Mijn werkgever en ik gingen onverwijld een ommetje door de Temple Gardens maken. De heer Bonner-Childs was bereid het zo nodig op een rechtszaak te laten aankomen, maar hij had de hoop uitgesproken dat Tredgold een manier wist om dat te vermijden en ervoor te zorgen dat de sieraden van zijn vrouw werden geretourneerd. Hoe dan ook, het honorarium van het kantoor – ongeacht de hoogte – speelde geen enkele rol.

* Deze dame lijkt een voorloopster te zijn geweest van de bekendere Rachel Leverson, dievegge en oplichtster, die in 1868 werd aangeklaagd en vijf jaar gevangenisstraf kreeg voor hetzelfde soort praktijken als Madame Mathilde. JJA

'Ik vraag me af of hier iets aan gedaan kan worden?' peinsde Tredgold hardop, waarna we gemoedelijk babbelend naar Paternoster-row terugliepen.

De volgende dag posteerde ik me vlak bij Het Rijk der Schoonheid om te kijken wie er zoal in- en uitgingen. Het duurde niet lang of ik had gevonden wat ik zocht.

De motregen aan het eind van de ochtend was langzaam overgegaan in harde regen. Om me heen dreunde en raasde de stad. Stadsbewoners van elk denkbaar bestaansniveau, van de armzaligste leefomstandigheden tot de meest uitbundige weelde, baanden zich een weg door de verstopte, vuile aderen van het machtige wakende beest, ieder volgens zijn eigen rang en stand in het leven – sommigen ploegden door modder en slijk, anderen zaten veilig achter de gordijntjes van rijtuigen, sommigen zaten knie aan knie in hotsende, volgepakte omnibussen of gevaarlijk hoog op de lading van vrachtkarren – en ieder ging volkomen op in zijn eigen besognes.

Hoewel het nog geen twaalf uur was, leek de schemer al te zijn ingetreden, en in de etalages en achter de ramen van huizen waren de lampen reeds ontstoken. Het is een duistere wereld, zoals ik dominees vaak heb horen verkondigen, en op deze dag leken deze figuurlijke woorden letterlijk waar geworden.

Ik stond al een poosje in Regent-street ietwat doelloos in de etalage van Johnson & Co.* te staren en overwoog om mezelf een nieuwe hoed cadeau te doen, toen ik in de ruit een vrouwengestalte weerspiegeld zag. Ze was rond de dertig, en was achter me langsgelopen en keek op naar het felgekleurde uithangbord boven de ingang van het Rijk. Ze aarzelde even maar liep weer door; na enkele passen bleef ze toch weer staan en liep terug naar de ingang van de zaak.

Ze had een open, beschaafd gezicht en droeg kostbare oorhangers van smaragd. Meteen stapte ik op haar af om haar de weg te versperren. Ze keek even geschrokken op maar ik wist haar er snel van te overtuigen dat ze niet naar binnen moest gaan. Dit was mijn eerste les in directheid, en ik bleek een goede leerling. Bovendien ontdekte ik tot mijn verbazing dat ik in dergelijke situaties over een natuurlijke overre-

* Hofleverancier van hoofddeksels. JJA

dingskracht beschikte, en het kostte me weinig moeite om het vertrouwen van de vrouw te winnen. We trokken ons in een zijstraatje terug om de kwestie te bespreken en ze besloot mee te werken met mijn plan.

Enkele minuten later ging ze de zaak binnen en vroeg meteen om een stoombad. In de kleedruimte deed ze haar kleren en sieraden af, net als mevrouw Bonner-Childs had gedaan. Ik had gezien dat er niemand aanwezig was, alleen Madame Mathilde, en was achter mijn handlangster naar binnen geslopen. Ik had gewacht tot ze de badruimte had betreden, waarna ik tot mijn vreugde Madame op heterdaad betrapte terwijl ze zich de smaragden oorhangers van de klant toeëigende.

We hadden een kort gesprek, waarin ik Madame ervan wist te overtuigen dat ze iets strafbaars had gedaan. Ze verdiende een goede boterham met Het Rijk der Schoonheid, en ze kon zich niet veroorloven het op een rechtszaak te laten aankomen, waarmee ik haar dreigde.

'Een vergissing, mijnheer, een domme vergissing,' zei ze klaaglijk. 'Ik wilde de spulletjes alleen maar opbergen zodat ze niet gestolen zouden worden – zoals het meisje bij die andere dame ook deed, alleen had ze dat toen buiten mijn medeweten gedaan...'

En zo ging het een tijdje voort totdat ze de sieraden van mevrouw Bonner-Childs met veel misbaar en gejammer te voorschijn haalde, en plechtig zwoer dat ze het meisje dat zo onnadenkend was geweest om de spullen op eigen houtje weg te bergen, zou ontslaan.

Tredgold was zeer in zijn nopjes dat de kwestie zo snel en discreet was afgehandeld, zonder dat de rechtbank eraan te pas hoefde te komen, en mevrouw Bonner-Childs voldeed direct de aanzienlijke som voor de geleverde diensten, waarvan een aardig deel op mijn rekening bij Coutts & Co werd bijgeschreven.

Verder wil ik graag nog even de zaak van Josiah Pluckrose aanstippen, als voorbeeld van de minder aangename kanten van het werk voor de firma Tredgold. Er zijn ook nog andere redenen, maar die worden later wel duidelijk.

Deze Pluckrose was een volks type; een slager uit een lange generatie van slagers, die een fiks kapitaal had weten te bemachtigen met middelen die door Tredgold fluisterend als 'twijfelachtig' werden omschreven. Op zijn vierentwintigste had hij de brui aan het slagersvak gegeven, had wat aan boksen gedaan, als schuitvoerder en borstelmaker gewerkt, en hij was toen op wonderbaarlijke wijze als een zogenaamde nette mijnheer uit de drek gerezen, met een huis in Weymouth-street en een gespekte bankrekening.

Pluckrose was groot en log, met reptielenogen en een luguber litteken over zijn wang. Zijn echtgenote had altijd een dienstje gehad bij een deftige familie, en tijdens de korte duur van hun huwelijk had hij haar vreselijk mishandeld. Op een dag, in de herfst van 1849, werd deze arme vrouw dood aangetroffen – haar hersenen waren op gruwelijke wijze ingeslagen – en Pluckrose werd aangehouden voor moord. Voordien had hij de firma Tredgold al voor enkele zakelijke kwesties geconsulteerd, daarom was het logisch dat zij als zijn pleiters zouden optreden. 'Een onaangename noodzakelijkheid,' vertrouwde Tredgold me toe, 'maar aangezien hij een aantal cliënten bij ons heeft aangebracht, kunnen we er denkelijk niet onderuit. Hij beweert dat hij onschuldig is, natuurlijk, maar het is allemaal een tikje onsmakelijk.' Hij vroeg of ik misschien een manier wist om dit 'probleempje' aan te pakken.

Om kort te gaan, ik had inderdaad een manier bedacht, maar voor het eerst sinds ik met dit werk was begonnen, speelde mijn geweten ietwat op. Het is niet nodig op de bijzonderheden in te gaan; de zaak kwam in januari 1850 voor de rechter; Pluckrose werd onverwijld vrijgesproken van de moord op zijn vrouw; en later werd een onschuldige man ervoor opgehangen. Ik ben hier niet trots op, maar ik kweet me zo goed van mijn taak dat niemand – zelfs Tredgold niet – een vermoeden van de waarheid had. Enfin, van die verschrikkelijke Pluckrose waren we gelukkig verlost.

Dat dacht ik althans.

De zaak rond Madame Mathilde, in februari 1849, luidde voor mij een leven in dat ik een halfjaar eerder niet voor mogelijk had gehouden, zo ver stond het af van mijn eerdere aspiraties en interesses. Al snel ontdekte ik dat ik een onmiskenbaar talent had voor het werk dat ik voor

Tredgold moest verrichten – ja, ik deed het met een inzet en gedegenheid die zelfs mij met mijn zelfverzekerde aard verraste. Ik vergaarde gegevens, richtte een netwerk van laag- en hooggeplaatste personen in de hoofdstad op; ik ontdekte kleine misstappen, wist de hand te leggen op vluchtige bewijzen, ik observeerde, volgde, waarschuwde, vleide, en in een enkel geval dreigde ik. Afpersing, oplichting, echtbreuk,* zelfs moord – het maakte niet uit wat voor soort zaak het was. Ik raakte bedreven in het opsporen van de zwakke plekken in een zaak, waarna ik de middelen aanleverde om het fundament van een tegen een cliënt aangespannen zaak voorgoed te ondermijnen. Mijn grootste talent, had ik ontdekt, was mijn neus voor menselijke zwakheid – de kiemen van basale driften en eigenbelang, die als je ze in het daglicht zette en flink water gaf, konden uitgroeien tot zelfvernietiging. En zo floreerde het kantoor, en werd de stralende lach van Tredgold almaar breder en breder.

Londen werd mijn werkterrein, mijn atelier, mijn studeerkamer, waarop ik al mijn talent van combineren en deduceren losliet. Ik trachtte de stad geestelijk in mijn greep te krijgen, zoals ik me vroeger elk onderwerp waarop ik mijn zinnen had gezet had eigengemaakt; ik wilde mijn symbolische beeld van de Grote Leviathan, het nimmer slapende monster in wiens almaar uitdijende plooien ik nu woonde, temmen en onderwerpen.

Van de hoogste hoogte tot de diepste diepte, van schitterende beschaving en klasse tot de afvoerputten van ruwe barbarij, van Mayfair en Belgravia tot Rosemary-lane en Bluegate-fields: in alle geledingen van de samenleving ontdekte ik alras de dwarsverbanden, hoe de vele soorten met elkaar verweven waren, de ontelbare verschillen en gradaties. Ik observeerde de gannefen en de gauwdieven,** en alle andere geledingen van het nette oplichtersgilde, die overdag aan het werk waren in de krioelende mensenmassa van het West-end, en de straatrovers die in het donker bruut hun slag sloegen. De taxonomie van de lichte zeden had mijn bijzondere belangstelling: de in zijde gehulde courtisanes die opzichtig aan de arm van hun hoge heren hingen, de volkse kal-

* Echtbreuk is overspel als delict. JJA

** Straatboefjes, en handige zakkenrollers en tasjesdieven. JJA

letjes en mokkeltjes, en alle overige typen publieke vrouwen. Elke dag voegde ik iets aan mijn kennisvoorraad toe; en elke dag deed ik nieuwe ervaring op in wat deze stad – uniek op deze aarde – een man van hartstocht en verbeelding had te bieden.

Ik zal u niet vermoeien met mijn vele amoureuze avontuurtjes; dergelijke verhalen zijn voornamelijk slaapverwekkend. Maar er is een ontmoeting die ik u niet mag onthouden. De vrouw in kwestie was een zogeheten camernumphie.* Het was kort na de affaire rond Madame Mathilde, en ik was naar Regent-street gegaan om nogmaals de collectie van Johnson & Co te bekijken. Net op het moment dat ze wilde oversteken, maakten we oogcontact. Ze was goedgekleed, klein en slank, met een kuiltje in haar kin en fijne oortjes. Het was een druilerige, mistige ochtend, en vanaf mijn plek kon ik de vochtpareltjes zien die aan haar gefriseerde krullen kleefden. Ze voegde zich bij een groepje voetgangers die bij een schoongeveegde doorgang wilden oversteken. Toen ze aan de overkant was, bleef ze staan en draaide zich een kwartslag om, terwijl ze zenuwachtig aan een verdwaalde lok draaide. Op dat moment zag ik een oudere vrouw een paar meter achter haar de straat oversteken. Inmiddels wist ik dat deze vrouw haar chaperonne was, die werd betaald uit het loon van het meisje om er zich ervan te vergewissen dat ze er niet vandoor ging met de gekregen ensembles. Zulke meisjes waren te arm om zich het mooie goed te veroorloven waarmee je je onopvallend kon prostitueren, zoals in de vigilantes die zich onder de overkapping van de schouwburg en het Café Royal bevonden.

Ik ging haar achterna. Met kwieke pasjes baande ze zich doelgericht een weg door de menigte. In Long Acre haalde ik haar in. De zaak was snel beklonken, haar chaperonne verdween in een nabijgelegen dranklokaal, terwijl het meisje en ik een huis op de hoek van Endell-street ingingen.

Ze heette Dorrie, afkorting van Dorothy. Later vertelde ze dat ze in dit beroep verzeild was geraakt om in het levensonderhoud te voorzien van haar moeder, een weduwe, die zelf geen vaste betrekking meer kon vinden. We praatten een poosje en ik merkte dat ik verkikkerd op haar

* Een prostituee in een stil huis. JJA

raakte. Op mijn verzoek bracht ze me, met haar chaperonne in ons kielzog, naar een klein, benauwd kamertje in een naargeestig straatje even verderop. Haar moeder, schatte ik, was pas in de veertig, maar ze was al krom en breekbaar, met een rochelende hoest. Toen ik die onmiskenbare tekenen van onafgebroken zwoegen en lijden op haar gezicht zag, moest ik onmiddellijk aan het voortdurend ploeteren van mijn moeder denken, en de tol die dat had geëist – al waren zij beiden nauwelijks met elkaar te vergelijken.

Bijna gedachteloos trof ik een regeling met haar en daar heb ik nooit spijt van gehad. Een paar jaar lang, totdat de situatie het niet meer toeliet, kwam vrouw Grainger twee à drie keer per week naar Templestreet om mijn kamers schoon te maken, mijn wasgoed mee te nemen en mijn vuilnisemmers te legen.

Als ze 's ochtends binnenkwam, zei ik: 'Goedemorgen, vrouw Grainger. Hoe gaat het met Dorrie?'

'Heel goed, mijnheer, dank u. Nog steeds een oppassend meiske.' En meer zeiden we niet.

Zo werd ik de weldoener van Dorrie Grainger en haar moeder. Dit spontane liefdewerk mijnerzijds bleek later een verbindende draad te worden in het fatale web van gebeurtenissen dat zich reeds om mij heen sloot.

DE GROTE LEVIATHAN

Bij het ontwaken, februari, MDCCCL *

O Stad! Zo diep en weids!
Moederschoot van alle dingen!

Deze Zon, deze Maan, deze sterren – ik raak ze aan en voel ze.
Ik brand. Ik bevries.
Deze bergen verpulver ik onder mijn hand.
Deze stromen neem ik tot me, deze wouden verslind ik.

Ik leef in alle dingen, in licht en lucht, en nooit gehoorde muziek.
O Stad van bloed en bot en vlees!
Van spier en pees, van tand en oog!

Schouwtoneel van alle ijdelheid, de hel waarnaar ik hunker:
Wild en razend onder mijn voeten.
Mijn leven. Mijn dood.

* Net als bij de passage over de Meestersmid (p. 116) het geval is, zijn deze regels op dit punt op de pagina geplakt. De reden waarom ze hier zijn opgenomen is niet direct duidelijk, maar ze waren kennelijk belangrijk voor de schrijver; verder mogen we misschien aannemen dat ze onder invloed van opium geschreven zijn. JJA

III

Evenwood

Nadat ik me in Temple-street had gevestigd en met mijn werkzaamheden bij Tredgolds was begonnen, waren mijn fotografische aspiraties een tijdlang op de achtergrond geraakt, hoewel ik nog steeds correspondeerde met de heer Talbot. Maar toen ik gewend was aan mijn nieuwe omgeving, richtte ik in een met gordijnen afgeschoten gedeelte van mijn zitkamer een kleine donkere kamer in. Daar bewaarde ik ook mijn camera's (kort daarvoor gekocht bij Horne and Thornethwaite),* evenals mijn lampen, gaas, schalen en kommen, bakken en zachte borsteltjes, fixeer- en ontwikkelvloeistoffen, maatbekers, glazen, vellen papier, spuiten en schepjes en alle andere noodzakelijke parafernalia. Ik deed hard mijn best om vertrouwd te raken met de nodige chemische en technische processen, en nam op zomeravonden mijn camera mee naar de Theems, of naar schilderachtige hoekjes van de nabijgelegen Inns of Court, om mijn compositietechniek te oefenen. Op die manier bouwde ik ervaring en kennis op en verzamelde ik langzamerhand ook een flink aantal voorbeelden van mijn eigen fotografische arbeid.

De voldoening van gespannen, geconcentreerde waarneming, de noodzaak de geringste gradaties van licht en schaduw op te merken en de juiste hoek en elevatie te kiezen, het geduldig bestuderen van achtergrond en omgeving – die dingen bleken me een innige bevrediging te geven en verplaatsten me naar een andere wereld, ver weg van mijn vaak bedenkelijke bezigheden bij Tredgolds. Mijn grootste voorliefde, artistiek gesproken – het zaadje dat geplant was bij het zien van een fo-

* Opticien, 'fabrikant van chemische en filosofische instrumenten', en ook een van de belangrijkste leveranciers van fotografische benodigdheden, op Newgate Street 121 en 123. JJA

tografische afbeelding die de heer Talbot van Lacock Abbey had gemaakt – ging uit naar het vastleggen van de sfeer of de stemming die op bepaalde plaatsen heerst. Londen bood zo'n verscheidenheid aan onderwerpen – eeuwenoude paleizen, woonhuizen van alle soorten en tijden, de rivier met zijn bruggen, schitterende openbare gebouwen – dat ik al gauw een goed oog kreeg voor architectonische lijn en vorm, voor schaduwen en lucht, voor structuur en contouren.

Toen ik vond dat ik een aardig niveau had bereikt, besloot ik op een zondag in juni 1850 wat proeven van mijn fotografische arbeid aan de heer Tredgold te laten zien.

'Ze zijn werkelijk uitstekend, Edward,' zei hij, terwijl hij een paar op bordkarton bevestigde afdrukken doorkeek die ik van Pump-court en van Sir Ephraim Gadds kamers op King's Bench-walk had gemaakt. 'Je hebt er een buitengewoon goed oog voor. Buitengewoon.' Hij keek plotseling op, alsof hem iets te binnen was geschoten. 'Weet je, ik geloof dat ik je een opdracht zou kunnen bezorgen. Wat zou je daarvan vinden?'

Ik antwoordde natuurlijk dat ik daar erg blij mee zou zijn.

'Uitstekend. Ik moet volgende week een bezoek brengen aan een belangrijke cliënt, en nu ik jouw werk zie, bedenk ik dat deze heer misschien wel een paar fotografische afbeeldingen van zijn landgoed zou willen hebben, om het onuitwisbaar vast te leggen voor het nageslacht. Het betreffende landgoed zal zeker de meest verrukkelijke mogelijkheden voor je camera bieden.'

'Dan zal ik met des te meer genoegen ingaan op het voorstel. Waar ligt dat landgoed?'

'Evenwood, in Northamptonshire. De woonplaats van onze belangrijkste cliënt, lord Tansor.'

Ik weet niet of de heer Tredgold zag hoe verbaasd ik was. Hij keek me stralend aan, zoals hij zo dikwijls deed, maar zijn blik had iets angstvalligs, alsof er een onaangename reactie zou kunnen komen. Hij schraapte zijn keel.

'Ik dacht,' ging hij verder, 'dat je misschien ook benieuwd zou zijn naar het huis waar lady Tansor gewoond heeft – ik doel natuurlijk op haar vriendschap met de overleden moeder van je vorige werkgever, mevrouw Simona Glyver. Maar mocht dit voorstel je niet aanstaan...'

Ik hief mijn hand.

'Daar is geen sprake van. Ik kan u verzekeren dat ik geen enkel bezwaar heb tegen zo'n reisje.'

'Mooi. Dat is dan afgesproken. Ik zal lord Tansor onmiddellijk schrijven.'

Hoe had ik kunnen weigeren in te stemmen met het onverwachte voorstel van de heer Tredgold, terwijl Evenwood de enige plek op aarde was waar ik heen wilde? Door verschillende publicaties was ik al vertrouwd geraakt met de geschiedenis van het grote huis, de ligging van de gebouwen en de topografie van het uitgestrekte park. Nu werd me de gelegenheid geboden om met eigen ogen te aanschouwen wat ik me zo vaak had voorgesteld.

Sinds ik bij Tredgolds in dienst was gekomen, was ik weinig opgeschoten met het zoeken naar een objectief bewijsstuk dat zou bevestigen wat ik in mijn moeders dagboeken had gelezen. Ik had wat suggesties en vage aanwijzingen, die een sterke, en voor mij doorslaggevende, getuigenis vormden van de waarheid omtrent mijn geboorte, maar ze waren niet onweerlegbaar en wierpen geen licht op de redenen voor het complot van mijn moeder en de eerste vrouw van lord Tansor of op de uitvoering van hun plan. Ik had nu ieder woord van mijn moeders dagboeken meer dan eens gelezen en er uitvoerig aantekeningen bij gemaakt, en was begonnen met het opnieuw bekijken en indexeren van ieder stukje papier dat ze had nagelaten, van rekeningen en kwitanties tot brieven en lijstjes (ik ontdekte dat mijn moeder een verwoed lijstjesmaakster was geweest, er waren er vele tientallen). Ik hoopte een stukje van de waarheid te vinden dat ik over het hoofd had gezien, maar het werd me langzamerhand duidelijk dat er weinig meer uit de documenten in mijn bezit te halen viel, en dat ik niets zou bereiken door thuis te blijven zitten broeden over mijn verloren erfenis. Als ik die erfenis in mijn bezit wilde krijgen, moest ik eerst mijn blik verbreden, en hoe kon ik daar beter mee beginnen dan door mijn voorouderlijk huis zelf te gaan bekijken?

Een paar dagen later liet Tredgold me weten dat lord Tansor ermee instemde dat ik met hem mee zou komen naar Evenwood, waar ik vrij zou mogen ronddwalen. De volgende ochtend namen we de trein naar het noorden, naar Peterborough, opgelucht de hitte en het stof van Londen achter ons te kunnen laten.

Intermezzo: 1849-1853

Toen we in de trein zaten, raakten Tredgold en ik zoals gewoonlijk onmiddellijk aan de praat over boeken en dat onderwerp hield ons de hele reis naar Peterborough bezig, hoewel ik af en toe probeerde mijn werkgever aan te moedigen over Evenwood en zijn voornaamste bewoners te praten. Aangekomen in Easton, ongeveer vier mijl van Evenwood, ging de heer Tredgold vooruit naar het grote huis, en reed ik met de wagen van de vrachtrijder mee om een oogje te houden op de koffer met mijn reisuitrusting. Bij het poortgebouw, even buiten het dorp Evenwood, stapte ik uit en liet de wagen verder rijden. Het liep tegen tweeën toen ik over de lange, vanaf het hek steeds stijgende weg liep en op het hoogste punt bleef staan om het panorama te overzien dat zich aan de overzijde van de rivier voor mijn begerige ogen uitspreidde.

En nu zal ik u eindelijk Evenwood laten zien, zoals ik het voor het eerst aanschouwde op die volmaakte junimiddag in 1850 – net zo'n middag, misschien, als die waarop de heer Daunt er twintig jaar eerder met zijn vrouw en kind was aangekomen. Ik zie alles weer in mijn herinnering, even duidelijk als op die dag.

Het dorp ligt stil en afgelegen aan de Even, of Evenbrook zoals de plaatselijke bevolking meestal zegt, een traag stromend zijriviertje van de Nene, dat door het park kronkelt en een paar mijl naar het oosten in de rivier uitkomt. Een kerk met de pastorie ernaast, een fraai Douairièrehuis uit eind zeventiende eeuw, een groepje schilderachtige boerenhuisjes, wat verspreide boerderijen en dan het grote huis zelf: een dergelijk geheel is op veel plaatsen in Engeland te vinden, maar Evenwood is met niets ter wereld te vergelijken.

De altijd ruisende rietkragen en de overhangende wilgen, de huizen van lichte steen met hun daken van riet of van Collyweston-leien,* het glooiende park met zijn meer en zijn oude bomen en daar middenin de betoverende pracht van het woonhuis van lord Tansor, dat alles vormt een bron van intense, blijvende vertroosting voor wie de wereld van aledag moe is. Het lijkt op de een of andere manier buiten de tijd te staan, ingesloten en beschut tegen de ellende van het bestaan door het

* De beroemde stenen dakleien van noordelijk Northamptonshire. JJA

meanderende riviertje met de licht beboste hellingen aan weerszijden, die bij mooi weer oplossen tot lange, zachte stroken grijsgroen.

Als u de saaie maar betrouwbare *Gids voor het graafschap Northamptonshire* van Verekker raadpleegt (een exemplaar van de vermeerderde druk uit 1812 heb ik op dit moment voor me liggen),* zult u lord Tansors landgoed beschreven zien als 'aangenaam gelegen in een uitgestrekt, boomrijk park, beplant met statige boomgroepen, eiken, essen en iepen, en van water voorzien door de Even of Evenbrook. Het huis, of landhuis, is gebouwd van baksteen en zandsteen. De in de loop der eeuwen aangebrachte veranderingen hebben het huis een innemende onregelmatigheid van vorm verleend, imposant en tegelijkertijd romantisch.' U zult van Verekker ook de blote bouwkundige feiten omtrent het huis vernemen: de vergunning om kantelen aan te brengen, verleend in 1330, de gedeelten die in de tijd van koningin Elizabeth aan het middeleeuwse versterkte woonhuis zijn toegevoegd, de verfraaiingen onder haar opvolger, de modernisering door Talman in het begin van de vorige eeuw en de verbeteringen in de klassieke stijl die recent tot stand zijn gebracht door Henry Holland, die ook werkte aan een van de andere grote huizen in het graafschap, Althorp.

Wat u niet zult vinden in Verekker, noch in enige andere gids, is een analyse van de betoverende uitwerking van Evenwood op ziel én zintuigen. Wellicht is geen mens in staat het door zulke plaatsen gewekte gevoel te beschrijven van iets dat verloren maar toch eeuwig aanwezig is. Bij ieder licht en in ieder jaargetijde bezit het een transcendente schoonheid, maar in de zomer is het een waar paradijs. Benader het zo mogelijk – zoals ik de eerste keer deed – vanuit het zuiden, op een zomerse middag. Loop na het betreden van het park de genoemde helling op en op het hoogste punt zult u zeker stil blijven staan, net als ik, om voor het eerst het grote huis in het oog te krijgen. Links van u, boven de lage ommuring, danst het licht op de rivier, die flauw naar het westen buigt, en dan ziet u de kerk – de delicate torenspits die zich op zo'n dag aftekent tegen een wolkeloze, intens blauwe hemel – en ertegenover, aan de andere zijde van een kleine dodenakker, de met klimop begroeide pastorie.

*Conrad Verekker (1770-1836). De eerste druk van zijn gids kwam uit in 1809. JJA

Loop een eindje door. De oprijlaan daalt af naar de rivier, steekt die over via een mooie, van balustrades voorziene brug, buigt daarna naar rechts, wordt vlakker en biedt een vollediger zicht op het huis en de golvende nevel van bomen erachter; dan splitst hij zich en omsluit een volmaakt ovaal gazon, met in het midden een fraaie klassieke groep – Poseidon met tritons – om dan onder zware ijzeren hekken door naar een omsloten, met grind bedekt voorplein te lopen.

Steeds wordt uw blik opwaarts getrokken naar een woud van geveltoppen en gecanneleerde schoorstenen en boven alles uit zes hoog oprijzende torens bekroond met ronde koepels van fijnbewerkt lood. Achter de strakke voorzijde van Holland vertonen de overblijfselen van vroeger tijden een schilderachtige wanorde: keienstraatjes tussen hoge muren, een overwelfde kloostergang die uitkijkt op een tuin. De bakstenen van de Tudorstijl en glad hardstenen metselwerk wisselen elkaar af; erkers en kantelen contrasteren met klassieke zuilen en frontons. En ertussenin een verscholen middeleeuwse binnenplaats vol vazen en beeldhouwwerk, 's zomers vervuld van de geur van lavendel en lelies, en altijd het geluid van vogels en druppend water echoënd.

Evenwood. Ik had in dromen door de gangen en zalen gedwaald, er afbeeldingen van verzameld, gretig de hand gelegd op iedere gepubliceerde verhandeling over geschiedenis en karakter, hoe banaal of onbeduidend ook, van William Camden tot het in 1825 verschenen pamflet van Daunts voorganger als predikant. Jarenlang was het voor mij geen bouwwerk van steen en hout en glas geweest, dat je kon aanraken en onder het licht van zon en maan kon beschouwen, maar een vage droomwereld van een onbereikbare volmaaktheid, zoals het grootse Paviljoen van het Kalifaat dat zo volmaakt beschreven is door de dichter Tennyson.*

Nu lag het voor me. Geen droom, het stond diep geworteld in de aarde die mijn eigen voeten betraden, overspoeld door de regen van eeuwen, verwarmd en verlicht door ontelbare zonsopgangen, gegrondvest en gevormd door voorbije generaties sterfelijke mensen.

Ik was overweldigd, bijna verstikt door tranen, bij de eerste aanblik van het oord dat ik alleen nog maar met het inwendige oog had gezien.

* In 'Recollections of the Arabian Nights', oorspronkelijk verschenen in *Poems, Chiefly Lyrical* (1830). JJA

En toen – met een gevoel dat bijna lichamelijke pijn leek – wist ik met steeds grotere zekerheid dat ik het eerder had gezien, niet in boeken en op schilderijen, niet in de verbeelding maar met mijn eigen ogen. Ik zei tegen mezelf: hier ben ik geweest. Deze lucht heb ik ingeademd, deze geluiden van wind door de bomen en de muziek van verre wateren heb ik gehoord. In een ommezien was ik weer een kind, dat droomde van een groot gebouw, half paleis, half vesting, met hoge torens die naar de hemel reikten. Maar hoe zou dat kunnen? Aan de naam van deze plaats waren vage associaties uit mijn jeugd verbonden, maar geen enkele herinnering aan enig bezoek dat ik hier gebracht zou hebben. Waar kwam dan deze zekerheid vandaan dat het een hernieuwde kennismaking was?

In een soort duizeling, verward door het samenkomen van werkelijkheid en onwerkelijkheid, liep ik wat verder en het perspectief begon te veranderen. Schaduwen en hoeken werden zichtbaar en verzachtten of omlijnden; begrenzingen werden harder, verhogingen verbreedden en versmalden zich. Een hond blafte en ik zag roeken krassend rond de torens en schoorstenen cirkelen en witte duiven fladderen. Omgeven door hoge muren lag, donker en glad, een visvijver, waarop twee kleine paviljoens van lichte steen uitkeken. Toen ik nog dichterbij kwam, werden details van gewone menselijke activiteit zichtbaar: beplanting, een bezem die tegen een muur geleund stond, gordijnen die bewogen in het warme briesje, rook die uit een schoorsteen opkringelde, een wateremmer die onder een poort was neergezet.

Uit het verslag van zijn leven dat in de *Saturday Review* heeft gestaan, weten we dat de jeugdige Phoebus Daunt door Evenwood getroffen werd als Paulus door zijn visioen. Het leek – in zijn eigen woorden – ‘bijna alsof ik tevoren niet geleefd had’.

Ik kan het de kleine Phoebus niet kwalijk nemen dat hij dat gevoel kreeg toen hij de schoonheid van Evenwood voor het eerst ervoer. Die laat niemand onberoerd die ogen heeft om te zien of een hart om te voelen. Ook ik kreeg datzelfde gevoel toen ik voor het eerst die koepels en kantelen zag oprijzen uit de zomernevel; en grotere vertrouwdheid leidde tot grotere verknochtheid, totdat Evenwood mij zelfs in de herinnering zozeer kon betoveren dat ik soms ziek werd van het verlangen mijn leven daar door te brengen en het volkomen te bezitten.

Als de eerste aanblik van Evenwood voor Phoebus Daunt werkelijk zo'n bovennatuurlijke ervaring was, dan vergeef ik hem van harte. Trek het van de rekening af, met mijn zegen. Maar als hij de woorden geloofde die hij in zijn gepubliceerde herinneringen schreef, dat Evenwood 'een hof van Eden, gemaakt voor mij alleen' was, dan had hij beter moeten weten.

Het was voor míj gemaakt.

Mijn reiskoffer met mijn camera, statief en andere benodigdheden stond op een karretje op een smalle binnenplaats bij het voorplein. De bediende die me bij het werk assisteerde, een zekere John Hooper, was een aardige, inschikkelijke kerel en we raakten gemakkelijk aan de praat toen hij hielp het karretje naar de eerste locatie te trekken. Later zou ik hem discreet om informatie vragen over bepaalde zaken in verband met Evenwood, en hij zou die bereidwillig geven.

Ik had een dozijn chassis meegebracht met negatieven die waren bewerkt volgens het procédé dat de Fransman Blanquart-Evrard kort daarvoor had geïntroduceerd.* Ik werkte drie uur door en was ervan overtuigd dat lord Tansor tevreden zou zijn met de resultaten.

Toen ik juist een paar opnamen had gemaakt van de orangerie en door een hekje liep dat in een oud gedeelte van een hardstenen muur was aangebracht, bleef ik plotseling stilstaan omdat ik iemand hoorde lachen. Voor me lag een groot, kort gemaaid grasveld waarop vier personen, twee dames en twee heren, een spelletje croquet speelden.

Ik zou zijn aanwezigheid niet hebben opgemerkt als hij niet had gelachen; maar zodra ik dat karakteristieke, snuivende geluid hoorde, wist ik dat hij het was.

* Louis Désiré Blanquart-Evrard (1802-1872), een lakenfabrikant uit Lille. Hij ontwikkelde een verbeterde versie van het calotype-procédé waardoor het mogelijk was papieren negatieven van te voren te prepareren en uren of zelfs dagen na het belichten te ontwikkelen. De negatieven waren ook lichtgevoeliger en hoefden dus minder lang belicht te worden. In 1850 introduceerde Blanquart-Evrard het afdrukprocedé op albuminepapier, dat de belangrijkste afdrukdrager werd totdat na 1890 kooldrukpapier beschikbaar kwam. JJA

Het leek of hij langer was geworden, en hij had bredere schouders dan ik me herinnerde en een donkere baard, die hem, samen met de zijden zakdoek die hij om zijn hoofd had gebonden, iets van een piraat gaf. Daar was hij, in eigen persoon: P. Rainsford Daunt, de beroemde dichter, wiens kortelings verschenen bundel, *De verovering van Peru*, enthousiast ontvangen was.

Ik bleef als aan de grond genageld staan. Hem hier te zien, leunend op zijn croquethamer, en zijn stem te horen toen hij zijn partner, een opvallend lange jongedame met donker haar, galante complimentjes maakte, leek het mes om te draaien in de wond die al zo lang in mij voortwoekerde. Ik dacht er even over me aan hem bekend te maken, maar toen ik naar mijn stoffige laarzen keek, zag ik dat ik een scheur in mijn broek had opgelopen toen ik in het grind van het voorplein knielde om mijn statief recht te zetten. Al met al zag ik er niet op mijn best uit, met mijn vuile handen en rode hoofd, want ik had het warm gekregen van het gesjouw met het karretje van de ene plek naar de andere. Daunt daarentegen stond elegant en ontspannen op het pas gemaaide grasveld, in een vest dat glansde in het zonlicht, zich niet bewust van zijn vroegere vriend, die aan het oog onttrokken werd door een grote laurierstruik.

Ik moet bekennen dat ik mijns ondanks jaloers op hem was, waardoor het mes nog wat verder gedraaid werd. Hij leek zo zelfverzekerd, zo gewend aan een gemakkelijk leven. Als ik toen de volle omvang van zijn voorspoed had gekend, had ik me misschien laten verleiden tot een onbezonnen daad. Maar in mijn onwetendheid stond ik gewoon naar hem te kijken; ik dacht aan de laatste keer dat we elkaar gesproken hadden op het schoolplein en vroeg me af of hij zich nog herinnerde wat ik hem had toegefluisterd. Ik betwijfelde het. Zo te zien was hij een man die goed sliep. Het leek bijna jammer om zijn vredige sluimer te verstoren; maar ooit zouden mijn woorden hem weer in de oren klinken.

En dan zou hij het zich herinneren.

Minstens een kwartier bleef ik uit het zicht achter de laurierstruik, totdat Daunt en zijn gezelschap hun croquethamers oppakten en terugliepen naar een klein schaduwrijk terras, waar de thee voor hen klaarstond. Hij kuierde terug met de lange jongedame, terwijl de andere twee volgden, pratend en lachend.

Het was nu bijna vijf uur en ik ging terug naar het voorplein. Ik begon net mijn spullen in te pakken toen Tredgold op het bordes verscheen.

'O, daar ben je, Edward. Ik hoop dat je een vruchtbare middag hebt gehad. Heel goed. Mijn zaken met lord Tansor zijn afgehandeld, maar je zou nog één ding kunnen doen voordat we vertrekken.'

'Natuurlijk. Wat dan?'

Hij kuchte even.

'Ik heb de baron ervan overtuigd dat het iets bijzonders zou zijn, voor zijn nageslacht, als hij een fotografisch portret van zichzelf liet maken. Ik heb hem gevraagd te bedenken wat het voor zijn nakomelingen zou betekenen om een natuurgetrouwe afbeelding van hem te hebben zoals hij werkelijk is, op dit moment. Ik heb gezegd dat het zou zijn alsof hij voor hun ogen weer tot leven kwam. Ik hoop dat het niet te veel moeite voor je is? De baron verwacht ons op het terras bij de Bibliotheek.'

Het terras bij de Bibliotheek was aan de westzijde van het huis; Daunt en zijn vrienden zaten aan de zuidkant thee te drinken. Ik schatte snel de kansen in dat we elkaar zouden tegenkomen en concludeerde dat die klein waren. Bovendien kon ik geen weerstand bieden aan de gelegenheid om eens goed te kijken naar de man van wie ik geloofde dat hij mijn vader was; en mocht Daunt verschijnen, dan vertrouwde ik erop dat ik door de snor die ik de laatste tijd had laten staan niet herkend zou worden.

'In het geheel niet,' antwoordde ik, zo rustig als ik kon. 'Ik heb nog twee negatieven, en wil de baron graag een dienst bewijzen. Als u nog een ogenblik hebt terwijl ik mijn spullen bij elkaar pak...'

Toen we op het terras kwamen, beende lord Tansor daar heen en weer, waarbij de zilveren dop van zijn wandelstok op de stenen tikte en het zonlicht zijn onberispelijke hoge hoed deed glanzen.

'My lord,' zei de heer Tredgold, op hem af lopend. 'Dit is de heer Glapthorn.'

'Glapthorn. Hoe maakt u het. U hebt al uw instrumenten, camera's, en zo meer? Juist. Een reiskoffer? Alles bij de hand, niet? Heel goed. Slim bedacht. En nu aan het werk.'

Ik begon mijn statief op te zetten terwijl lord Tansor op en neer bleef lopen, in gesprek met de heer Tredgold. Maar ik merkte dat ik mijn ogen niet van hem af kon houden.

Hij was nu in zijn negenenvijftigste jaar, en kleiner dan ik had verwacht, maar met een rechte rug en krachtige schouders. Ik raakte direct gefascineerd door zijn kleine eigenaardigheden: de linkerhand op zijn rug als hij liep, de manier waarop hij zijn hoofd achteroverhield wanneer hij sprak, de bruuske staccato zinnetjes en de blaffende vraagwoorden waarmee zijn uitlatingen doorspekt waren, het ongeduldig trekken van zijn linkeroog wanneer Tredgold een opmerking tegen hem maakte, alsof het ieder ogenblik afgelopen kon zijn met zijn tolerantie.

Bovenal werd mijn aandacht vastgehouden door de volstrekte afwezigheid van humor en van kwetsbaarheid in de dicht bij elkaar staande ogen onder de zware oogleden, en vooral in de kleine, bijna liploze mond. Ik merkte op hoe eigenaardig het was dat lord Tansors tanden zelden te zien waren. Zijn mond leek permanent dichtgeklemd, zelfs wanneer hij sprak, wat vanzelf de indruk wekte dat deze man een intuïtief en onherroepelijk misprijzen en wantrouwen jegens zijn medemensen koesterde. Alles aan hem was strak, ordelijk, beheerst. Er was zoveel autoriteit en wilskracht geconcentreerd in de manier waarop hij je van top tot teen opnam en in de houding van doelbewuste paraatheid die hij gewoonlijk aannam – de schouders strak naar achteren, de voeten iets uit elkaar – dat je al gauw vergat hoe klein van gestalte hij was. Ik heb heel wat imponerende mannen ontmoet, maar weinigen hebben me geïmponeerd door hun totale zelfbeheersing, geboren uit het langdurig uitoefenen van persoonlijk en politiek gezag, zoals bij hem het geval was. Ik heb sterke armen en een sterk lichaam, en bij hem vergeleken ben ik een reus; maar toen hij naderbij kwam om te vragen of alles in gereedheid was, kon ik hem bijna niet in de ogen kijken.

Toch geloofde ik dat hij mijn vader was! Kon het waar zijn? Of had ik mezelf maar wat wijsgemaakt? Stel dat het echt mijn vader was die daar vlak bij me stond in de stralende junizon en alleen maar een vreemde zag die druk bezig was met zijn camera en statief. Zou de dag ooit komen dat ik me zou omdraaien en hem als mijn ware zelf in de ogen kijken?

De zon stond nu meer naar het westen en verlichtte het uiteinde van het terras, waarachter een wat hoger gedeelte was, met een half beglaasde deur in een uitspringende muur. We stapten van het terras af, op een grindpad, en lord Tansor – met zijn stok stevig in zijn rechterhand en zijn linkerarm recht langs zijn zij – ging zo'n halve meter van deze verhoging af staan, met de deur achter zijn linkerschouder. Door de lens van mijn camera werd ieder afzonderlijk detail van zijn verschijning lichter en scherper: zijn laarzen met rechte neuzen, glimmend gepoetst als altijd, de slobkousen erboven, die net als zijn broek en vest grijs waren, zijn zwarte vierknoopsjas en zwarte halsdoek, zijn glanzende hoed. Hij stond rechtop en stil, met opeengeklemde lippen, de witte bakkebaarden waren volmaakt verzorgd en zijn kleine zwarte ogen keken uit over de stralende lusthof en het zonbeschenen parklandschap, met daarachter het vergezicht van boerderijen en grasland, rivieren en meertjes, bossen en stille dorpjes. Heer van alles wat hij overschouwde. De vijfentwintigste baron Tansor.

Mijn handen beefden toen ik met de belichting bezig was, maar ten slotte was die voltooid. Ik wilde aan de voorbereidingen beginnen om het laatste negatief te belichten, maar de baron deelde me mee dat hij me niet langer wilde ophouden. In een ommezien had hij me kortaf bedankt voor mijn tijd en was hij verdwenen.

Tredgold en ik brachten de nacht door in Peterborough en gingen de volgende ochtend terug naar Londen. We verlieten Evenwood zonder Phoebus Daunt nog te zien; maar ik kon het beeld van hem dat zich in mij had vastgezet niet kwijtraken: in de zon staand, lachend, vrolijk en zelfverzekerd, volstrekt onbezorgd.

We waren de vorige avond allebei te moe geweest om de gebeurtenissen van die dag te bespreken, en op de thuisreis, de volgende morgen, leek mijn werkgever al evenmin te willen praten. Onmiddellijk nadat we in de trein waren gestapt was hij gemakkelijk gaan zitten en had de laatste aflevering van *David Copperfield** te voorschijn gehaald, met de weloverwogen houding van iemand die niet gestoord wil worden. Maar toen we het eindstation in Londen naderden, onderbrak hij zijn lectuur en keek me vragend aan.

'Heb je een gunstige indruk gekregen van Evenwood, Edward?'

'Ja, buitengewoon gunstig. Het is, zoals u al zei, een verrukkelijk oord.'

'Verrukkelijk. Ja. Dat is het woord dat ik er altijd voor gebruik. Het brengt je in vervoering, nietwaar, bijna of je het wilt of niet, en voert je in extase naar een andere, betere wereld. Stel je voor dat je daar woonde! Je zou er nooit meer weg willen.'

'Ik neem aan dat u er dikwijls bent geweest,' zei ik, 'voor zaken.'

'Ja, vele malen, hoewel tegenwoordig niet meer zo vaak als vroeger, toen de eerste lady Tansor nog leefde.'

'Hebt u lady Tansor gekend?' Ik hoorde mezelf die vraag nogal gretig stellen.

'O zeker,' zei de heer Tredgold, en hij keek uit het raam terwijl we net de overkapping van het station binnenreden. 'Ik heb haar goed gekend. Kijk, we zijn er. Weer thuis.'

* Dickens' roman verscheen tussen mei 1849 en november 1850 in maandelijkse afleveringen, en in november 1850 in boekvorm. De heer Tredgold zal dus de veertiende aflevering te voorschijn hebben gehaald, die van juni. JJA

IV

Zoeken naar de waarheid

Het duurde een paar weken voordat ik Tredgold weer zag. Hij vertrok de volgende dag uit Londen om een bezoek te brengen aan zijn broer in Canterbury en ik was juist begonnen een geval van fraude te onderzoeken, waardoor ik genoodzaakt was vaak afwezig te zijn van kantoor. Pas een maand nadat we uit Evenwood waren teruggekeerd, kreeg ik een uitnodiging om een zondag bij de oudste vennoot door te brengen.

We hervatten al gauw onze oude bibliologische gewoonten; maar het leek me dat mijn werkgever zich niet zo geheel en al overgaf aan onze gemeenschappelijke passie voor alles wat met boeken te maken had als voorheen. Hij glimlachte stralend, hij poetste zijn monocle, hij veegde zijn dunne haar uit zijn gezicht en zijn gastvrijheid was even hartelijk als altijd. Maar er had zich een verandering in hem voorgedaan, merkbaar en verontrustend.

De op Evenwood belichte negatieven waren ontwikkeld, gefixeerd en afgedrukt, en van alle afbeeldingen, met uitzondering van het portret van lord Tansor, was op mijn eigen kosten een fraai album samengesteld, waarop in reliëf het wapen van de Duports was aangebracht. Het portret, dat ik afzonderlijk in een marokijnen omslag had gedaan, zou een goed werkstuk zijn geweest als het niet bedorven was door het gezicht van een nieuwsgierige bediende die, onopgemerkt door mij, door de ruit van de deur gluurde, vlak achter de plek waar lord Tansor stond. Maar de heer Tredgold complimenteerde me met het werk en zei dat hij zou zorgen dat het album en het portret naar Evenwood gestuurd werden.

'Lord Tansor zal je graag willen belonen,' zei hij, 'als je hem een briefje wilt sturen met je prijzen.'

'Nee, nee,' antwoordde ik, 'daar wil ik niets van weten. Als lord Tansor tevreden is met de resultaten, dan ben ik voldoende beloond.'

'Dat is edelmoedig van je, Edward,' zei de heer Tredgold, terwijl hij het album dichtdeed. 'Je hebt zo hard gewerkt en nu weiger je betaling.'

'Ik verwachtte geen betaling.'

'Nee, dat zal wel niet. Maar het is mijn overtuiging dat goede daden altijd beloond worden, in dit leven of in het hiernamaals. Dat strookt met een andere overtuiging die ik koester, dat wat ons is afgenomen ooit zal worden teruggegeven door een liefdevolle voorzienigheid.'

'Dat zijn troostrijke gedachten.'

'Dat ervaar ik ook zo. Als ik het tegendeel geloofde, dat goedheid niet beloond wordt in een betere wereld en dat verlies – werkelijk verlies – onherroepelijk is, dan zou dat voor mij de dood van alle hoop zijn.'

Ik had de heer Tredgold nog nooit zo ernstig en bedachtzaam horen praten. Enkele ogenblikken zwegen we, terwijl hij naar het portret van lord Tansor zat te kijken.

'Weet je, Edward,' zei hij ten slotte, 'ik heb het idee dat er een soort overeenkomst is tussen die overtuigingen van mij en het fotografische procédé. Je hebt een levend mens geportretteerd en vastgelegd, licht en vorm en alle uiterlijke eigenaardigheden van die persoon vereeuwigd. Misschien zijn de trekken van onze ziel en van onze zedelijke natuur op dezelfde manier in Gods gedachten gegrift, voor Zijn altijddurende beschouwing.'

'Laten alle zondaars zich dan bergen,' zei ik met een lachje.

'Maar niemand van ons is volkomen slecht, Edward.'

'Volkomen goed ook niet.'

'Nee,' zei hij langzaam, zijn ogen nog steeds op het portret van lord Tansor gericht, 'volkomen goed ook niet.' Toen, opgewekter: 'Maar in wat een tijd leven we – dat we bij machte zijn het vluchtige moment te grijpen en het voor iedereen zichtbaar op papier vast te leggen! Het is hoogst bijzonder. Waar moet dit alles toe leiden? En toch zou je wensen dat die prachtige ontdekkingen in een eerdere tijd gedaan waren. Stel je voor dat je het gezicht van Cleopatra aanschouwt, of in de ogen – ja, de ogen – van Shakespeare kijkt! Dingen zien zoals ze lang geleden waren, iets waarvan we nu alleen nog maar kunnen dromen – dat zou toch zeker geweldig zijn? En we zouden niet alleen de doden van voorbije tijden kunnen aanschouwen, maar ook hen die we kort geleden hebben verloren, die we zo zielsgraag weer in hun levende gedaante willen zien, zoals zij die na ons komen nu in staat zullen zijn lord Tansor te zien wanneer hij er niet meer is. Onze vrienden die overleden zijn voordat dit grote wonder was ontdekt, kunnen nu nooit meer blijvend zichtbaar gemaakt worden voor onze ogen, in de volle bloei van hun leven, zoals lord Tansor hier op dit fotografische portret is afgebeeld. Die kunnen alleen in onze onvolmaakte, onbetrouwbare herinnering voortleven. Vind je dat geen treffende gedachte?'

Hij keek me aan en even dacht ik dat zijn ogen vochtig waren van tranen. Maar toen sprong hij op en liep naar zijn boekenkast om er iets uit te halen dat hij me wilde laten zien. We praatten nog een halfuur en toen zei Tredgold dat hij een lichte hoofdpijn had en verzocht me hem te excuseren.

Toen ik afscheid nam, vroeg hij me of ik veel vrienden had in Londen.

'Ik heb één goede vriend,' antwoordde ik, 'en aan meer heb ik geen behoefte. En verder heb ik u natuurlijk, mijnheer Tredgold.'

'Beschouw je mij dan als een vriend?'

'Welzeker.'

'Dan hoop ik, als je vriend, dat je je altijd tot mij zult wenden, mocht je in moeilijkheden raken. Mijn deur staat altijd voor je open, Edward. Altijd. Dat zul je toch niet vergeten, hè?'

Geroerd door zijn oprecht bezorgde toon zei ik dat ik zijn woorden zou onthouden, en bedankte hem voor zijn vriendelijkheid.

'Je hoeft me niet te bedanken, Edward,' zei hij, met een brede glimlach. 'Je bent een uitzonderlijk jongmens. Ik beschouw het als een plicht – een hoogst aangename plicht – je alle hulp te bieden wanneer je daar op enig moment behoefte aan hebt. En bovendien, zoals ik bij onze eerste ontmoeting al zei, wat gewoon is kan ik aan anderen overlaten, wat *buiten*gewoon is houd ik graag voor mezelf.'

Zo zag mijn leven er dus de volgende drie jaar uit. Op maandag en dinsdag had ik het druk met mijn werk als vertrouwelijk assistent van de heer Tredgold – soms op kantoor, maar vaker bezig een spoor te volgen in een onderzoek dat me naar alle hoeken van Londen kon voeren en een enkele keer daarbuiten. Op woensdag onderwees ik de leerlingen die Sir Ephraim Gadd me stuurde, terwijl ik op donderdag en vrijdag mijn taken bij Tredgolds weer opnam. Ik lunchte bij Dolly's en dineerde in het London Restaurant, dag in dag uit.*

Mijn vrije tijd besteedde ik, afgezien van de enkele keer dat ik 's zondags de oudste vennoot thuis bezocht, aan een hernieuwd onderzoek van mijn moeders papieren. Om het werk te vergemakkelijken was ik begonnen me vertrouwd te maken met de stenografie, volgens het systeem van Pitman,** waarvan ik gebruik maakte om aantekeningen te maken bij ieder stukje papier of document. Daarna maakte ik er een index van en ordende ze in een speciaal vervaardigde kast met kleine laatjes, zoiets als een apothekerskast. Maar in die hele massa papieren waardoorheen ik me een weg had gebaand, zoals een ontdekkingsreiziger uit oude tijden over een onbekende oceaan zwalkt, kon ik nog steeds niets vinden waarmee ik mijn oorspronkelijke ontdekking kon aanvullen of verder helpen. De tijd en de dood hadden ook hun werk gedaan: Laura Tansor was er niet meer en kon niet meer ondervraagd worden; en haar vriendin, die ik moeder had genoemd, was haar naar de eeuwige stilte gevolgd. Mijn werk bij Tredgolds had me echter veel geleerd over de kunst van het speuren, en ik boorde nu verschillende nieuwe informatiebronnen aan.

Langzamerhand begon ik, aan de hand van bewaard gebleven kwitanties en andere papieren, het doen en laten van mijn moeder in de zomer van 1819 te traceren; ik bezocht een paar pensions en hotels waar ze gelogeerd had en probeerde daar iedereen te vinden die zich haar zou kunnen herinneren. Dit leverde niets op, totdat ik verwezen werd naar een bejaarde man in Folkestone, die de kapitein was geweest van de pakketboot die mijn moeder en haar vriendin in augustus 1819 naar Boulogne had gebracht. Hij kon zich de twee dames nog goed herinneren – de ene klein van stuk en op het oog nogal nerveus; de andere lang

* Dolly's Chop-House, Queen's Head Passage, Paternoster-row. Het London Restaurant was in Chancery Lane. JJA

** *Stenographic Sound-Hand* van Isaac Pitman verscheen in 1837. JJA

en donker, met een 'koninklijke houding', zoals hij zei, die hem een flinke vergoeding had betaald om met haar vriendin tijdens de overtocht ongestoord in zijn hut te mogen verblijven.

Daarna reisde ik naar de West Country om een onderzoek in te stellen naar de familie van lady Tansor, de Fairmiles van Langton Court, een stijlvol huis uit de tijd van koningin Elizabeth, dat een paar mijl verwijderd was van de plek waar mijn moeder was geboren. Na verloop van tijd ontdekte ik een spraakzame oude dame, juffrouw Sykes genaamd, die me iets kon vertellen over de vroegere Laura Fairmile. Bijzonder interessant was voor mij wat ze te vertellen had over de tante van moederskant van Laura Fairmile. Die dame, mejuffrouw Harriet Gilman, was getrouwd met de *ci-devant* Marquis de Québriac, die sinds de dagen van de Terreur in Engeland verblijf hield, zichtbaar onbemiddeld. Nadat de vrede van Amiens gesloten was,* keerde het paar terug naar het voorouderlijk chateau van de Marquis, dat een paar mijl buiten de stad Rennes gelegen was. Maar kort daarna overleed de edelman, en het chateau kwam in handen van zijn schuldeisers, zodat er voor zijn weduwe niets anders opzat dan naar een kleine woning in de stad te verhuizen, in de Rue du Chapitre, die eigendom was van de familie van haar overleden echtgenoot. Dat was het huis waar lady Tansor en haar vriendin later zouden komen.

Eindelijk was er een goede verklaring voor de verwijzingen naar 'Mme de Q' in mijn moeders dagboeken, en daarom reisde ik in september 1850, gewapend met deze nieuwe informatie, naar Frankrijk, na van de heer Tredgold toestemming te hebben verkregen om een kort verlof op te nemen.

Het huis in de Rue du Chapitre was dichtgespijkerd, maar ik vond in de St Sauveur-kerk een oude priester die me wist te vertellen dat Madame de Québriac zo'n twintig jaar geleden was overleden. Hij herinnerde zich ook de tijd dat Madames nicht, samen met een vriendin, een aantal maanden bij haar had gewoond, en dat er een baby geboren was, hoewel hij zich niet kon herinneren van wie van de dames die was en of

* De vrede van Amiens, 27 maart 1802, tussen Frankrijk en zijn bondgenoten enerzijds en Groot-Brittannië anderzijds. Deze vrede wordt algemeen beschouwd als het einde van de oorlogen van de Franse revolutionairen. JJA

het een jongen of een meisje was geweest. De priester stuurde me door naar een zekere dokter Pascal, die eveneens in de Rue du Chapitre woonde, maar ook hij bleek een oude man te zijn, met weinig bruikbare herinneringen, die bovendien niet veel toevoegden aan wat ik al van de priester wist. Wel vertelde de dokter me over een oude bediende van Madame de Québriac die, dacht hij, nog altijd vlak buiten de stad woonde. Ik kwam met grote verwachtingen op die plaats aan, maar moest vernemen dat de oude man een paar weken daarvoor was overleden.

Hoe interessant ze ook waren, de weinige kleine ontdekkingen die ik in Frankrijk deed maakten me alleen maar duidelijk hoe ver ik van mijn doel af was. Door al mijn inspanningen was mijn voorraad aannemelijke gevolgtrekkingen, hypothesen en veelbelovende mogelijkheden toegenomen; maar ik was niet dichter bij de ontdekking van het benodigde onafhankelijke bewijs, dat onweerlegbaar zou bevestigen dat ik de verloren erfgenaam van lord Tansor was, de zoon naar wie hij verlangde.

En dan was er nog Phoebus Daunt. Mijn pogingen informatie over hem te vergaren met het doel een effectieve manier te bedenken om wraak te nemen, hadden wat meer succes gehad; sinds ik hem op Evenwood had gezien had ik me daar nog naarstiger mee beziggehouden. Er waren jaren voorbijgegaan sinds mijn gedwongen vertrek uit Eton, maar mijn woede over zijn laaghartigheid bleef onverminderd. Het was hem goed gegaan, hij had het ver gebracht in het leven, zoals ik ooit voor mezelf had gehoopt, maar mijn vooruitzichten waren door zijn toedoen in rook opgegaan. Misschien had ik nu een vooraanstaand figuur op de universiteit kunnen zijn, met nog grotere onderscheidingen in zicht. Maar dat was allemaal verdwenen, me ontstolen door zijn verraad.

Sinds ik tijdens mijn eerdere bezoek aan Millhead kennis had gemaakt met dokter T, had ik regelmatig ellenlange epistels van dat schaamteloos indiscrete heerschap mogen ontvangen over de geschiedenis van Achilles Daunt en zijn gezin gedurende hun tijd in Lancashire. De aldus verkregen informatie was slechts van geringe betekenis, al kon ik er wel uit opmaken hoeveel invloed de tweede mevrouw Daunt had uitgeoefend, en misschien nog uitoefende, op haar stiefzoon.

Toen had ik op een dag op Piccadilly een toevallige ontmoeting met een oude schoolkameraad, die me tijdens een prijzig etentje bij Grillon's,* waar ik eigenlijk het geld niet voor had, met genoegen wat kletspraatjes wilde doorbrieven over onze gemeenschappelijke kennis. Volgens mijn zegsman had Daunt kort tevoren een avontuurtje gehad met een Franse balletdanseres en ging het gerucht dat hij mejuffrouw Eloise Dinever, de erfgename uit de bankwereld, ten huwelijk had gevraagd, maar vermoedelijk was afgewezen. Wanneer hij in Londen was, dineerde hij 's avonds in zijn club, de Athenaeum, had hij een loge in Her Majesty's,** en kon men hem tijdens het seizoen de meeste zaterdagen tussen vijf en zeven zien paardrijden op Rotten Row.*** Hij had een prachtig huis aan Mecklenburgh-square en was een bekende figuur in de beau monde en in literaire kringen.

'Maar waar haalt hij al dat geld vandaan?' vroeg ik verbaasd, want ik wist wat het kostte om in Londen zo'n leven te leiden en had het sterke vermoeden dat het schrijven van epische gedichten hem nauwelijks genoeg opleverde om zijn diners van te betalen, laat staan een loge in de Opera.

'Dat schijnt een mysterie te zijn,' zei mijn zegsman en hij ging zachter praten. 'Maar hij heeft meer dan genoeg.'

Nu was een mysterie precies wat ik zocht; het duidde op iets dat voor de blikken van de mensen verborgen was, dat Daunt niet aan de grote klok wilde hangen – een geheim dat, als het bekend raakte, tegen hem gebruikt zou kunnen worden. Misschien zou het van geen belang blijken te zijn, maar de ervaring heeft mij geleerd als het om geld gaat de zaken met enige scepsis te bezien. Maar zelfs met gebruikmaking van alle middelen waarover ik beschikte, want ik had intussen, verspreid over

* Een hotel in Albemarle Street. JJA

** d.w.z. hij was eigenaar van een operaloge in Her Majesty's Theatre op de Haymarket. JJA

*** Een weg voor rijpaarden aan de zuidkant van Hyde Park, in het seizoen zeer druk bereden door ruiters uit de hoogste kringen. JJA

de stad, een heel legertje mensen verzameld dat voor me werkte, lukte het mij niet de bron van Daunts kennelijke rijkdom te lokaliseren.

De tijd verstreek, maar er kwam geen nieuwe informatie over Daunt aan het licht en ik had geen verdere vooruitgang geboekt bij het zoeken naar bewijzen van mijn ware afkomst. De weken kwamen en gingen; maanden vergleden en langzaamaan zonk ik weg in een afmattende somberheid die ik maar niet kwijt kon raken. Dit was een heel donkere tijd, ik was voortdurend prikkelbaar, verteerd door woede en frustratie. Om mijn geest verlichting te geven ging ik naar Bluegate-fields en bracht daar lange uren in vergetelheid door, bijgestaan door de bekwame Chi Ki, mijn vaste opiummeester. En dan zwierf ik nachten achtereen over straat, volgde mijn gebruikelijke route vanaf het West-end over London-bridge, door Thames-street, langs de Tower, en zo verder naar St Katharine's-dock en de huiveringwekkende stegen en sloppen rond de Ratcliffe-highway, om de zelfkant van Londen in al zijn gruwelijkheid te aanschouwen. Op die tochten baande ik me een weg door drommen smerige laskaren en joden, Maleiers en Zweden, en alle mogelijk schuim der Britse natie, en zo raakte ik werkelijk bekend met het karakter van onze machtige metropool en leerde ik vertrouwen op mijn vermogen zonder onaangename gevolgen de meest levensgevaarlijke wijken te bezoeken.

Terwijl ik zo kwijnde in mijn duffe ondermaanse bestaan, alle kanten op gedreven door mijn demonen, was Daunts ster aan het literaire firmament steeds verder gestegen. De wereld was stapelgek geworden, concludeerde ik. Ik kon bijna geen dagblad of tijdschrift opslaan zonder een stuk vol hoogdravende laudaties tegen te komen waarin het genie van P. Rainsford Daunt de hemel in werd geprezen. Het ene boekwerk na het andere vloeide uit zijn kwistige pen, een onstuitbare stroom gewauwel in gepaard rijm en blanke verzen. In 1846 was dat onvergetelijke wanproduct *De grot van Merlijn* verschenen, waarin de dichter het nog bonter maakte dan Southey in zijn allerabominabelste verzen, maar dat verrassenderwijs 'subliem van conceptie' werd bevonden door de *British Critic*, die beweerde dat 'de heer Phoebus Daunt zijn weerga niet kent, een meester van het heldendicht is en de Vergilius van de negentiende eeuw'. Na die uitgave kwamen, in eentonige opeenvolging, het reeds genoemde *Het kind van de Pharao* in 1848,

Montezuma in 1849 en in het volgende jaar *De verovering van Peru*. Na elke nieuwe publicatie stuitte ik op nog hollere retoriek in besprekingen van 's dichters oeuvre wanneer ik terloops *Blackwood's* of *Fraser's* doorbladerde, terwijl in *The Times* mijn oog hoogst onaangenaam getroffen werd door berichten waarin aan zijn begeesterde, idolate publiek gemeld werd dat Phoebus Daunt, 'de beroemde dichter', momenteel in Londen was, waarna een slaapverwekkend gedetailleerde opsomming van zijn bezigheden volgde. Zo vernam ik dat hij op Gore House was geweest om te poseren voor het tekenpotlood van de graaf d'Orsay,* die later ook nog een charmante gipsen buste van het jeugdige genie zou vervaardigen. Vanzelfsprekend had zijn aanwezigheid te midden van andere vooraanstaande personen bij de officiële opening van de wereldtentoonstelling** veel belangstelling gewekt onder een bepaalde ontvankelijke groep uit de maatschappij. Ik herinner me dat ik in het voorjaar van 1851 bij het ontbijt de *Illustrated London News* opensloeg en stuitte op een bespottelijke gravure van de dichter – gekleed in donkere paletot, lichte broek met riempjes onder de wreef, geborduurd vest en hoge zijden – die samen met zijn adellijke beschermheer, lord Tansor, en met de koningin en de prins-gemaal, trots naast de vergulde kooi staat waarin de Koh-i-Noor-diamant ligt.***

Net als de rest van de wereld had ook ik de tentoonstelling bezocht, omdat ik graag de laatste vorderingen in de fotografie wilde zien. Ik was in gezelschap van Rebecca Harrigan, de huishoudster van Tredgold, met wie ik min of meer bevriend was geraakt. Meer dan eens had ik gezien dat ze geïnteresseerd naar me keek. Ze had een aardig figuurtje en was niet onaantrekkelijk; maar zoals ik weldra ontdekte nadat ik een gesprekje met haar had aangeknoopt, bezat ze ook een scherp verstand en een vrijgevochten geest die me wel beviel. Al spoedig raakte ik nogal op haar gesteld.

* Graaf Alfred Guillaume Gabriel d'Orsay (1801-1852), aforist, dandy en kunstenaar, en een vooraanstaand lid van lady Blessington's sociale en artistieke coterie in Gore House. JJA

** In mei 1851. JJA

*** Een van de vele attracties op de wereldtentoonstelling. De kooi was gemaakt door de firma Chubb. JJA

Op een avond zag ik haar in St Paul's Church-yard in het portaal van de kathedraal staan schuilen voor een regenbui. We praatten wat totdat de regen minder werd, en toen vroeg ik of ze misschien ergens met me wilde gaan eten. 'Als uw man dat niet erg vindt,' voegde ik eraan toe, want ik dacht dat zij en Tredgolds huisknecht, Albert, met elkaar getrouwd waren.

'O, da's me man niet,' zei ze, en ze keek me onverstoorbaar aan.

'Uw man niet?'

'Nee hoor.'

'Dan...'

'Weet u wat, mijnheer Glapthorn,' interrumpeerde ze, met een heerlijk sluw lachje, 'we gaan ergens eten en dan vertel ik alles.'

Ze was keurig en onopvallend gekleed in blauwe tafzijde, met een bijpassende sjaal en hoedje, een geheel dat haar, samen met haar smaakvolle, kleine reticule, het voorkomen gaf van een predikantsdochter. Nadat we een eindje gelopen hadden, riep ik in Fleet-street een huurrijtuig aan en nam haar mee naar Limmer's,* waar ik de kelner vroeg om een tafel voor mij en mijn zuster.

In de loop van de avond vertelde Rebecca het een en ander over haar leven. Haar echte naam was Dickson. Nadat ze op haar negende wees was geworden, had ze zich moeten redden in de meedogenloze straten van Bermondsey. Maar ze was vindingrijk, net als ik, en had weldra een beschermer gevonden, een bekend kraker,** voor wie ze, zoals ze zei, 'stal als de raven' in ruil voor eten en een dak boven haar hoofd. Later kwam ze in de prostitutie terecht; maar door de bemoeienis van een van haar klanten slaagde ze erin een betrekking in de huishouding te vinden, als dienstbode bij een directeur van de East India Company. Daar had ze Albert Harrigan ontmoet, die in hetzelfde huis diende. Zij en deze Harrigan kregen al gauw een relatie, hoewel haar amant (die eigenlijk Albert Parker heette) ergens in Yorkshire nog een vrouw en kind had. Alles ging prima, totdat hun werkgever al zijn geld kwijtraakte bij een mislukte speculatie in spoorwegen en zelfmoord pleegde. Zijn juridisch adviseur was niemand minder dan de heer Christo-

* Een behoorlijk, eersteklas hotel in Conduit Street. JJA

** Een inbreker, brandkastkraker. JJA

pher Tredgold, die op dat moment toevallig een huisknecht zocht voor zijn particuliere woning. Harrigan werd dan ook aangenomen, na een paar weken gevolgd door zijn vermeende echtgenote. Maar hun verhouding was al gauw verzuurd en nu bleven ze alleen bij elkaar omdat dat wel zo gemakkelijk was.

Ze vertelde me dit alles – doorspekt met verscheidene anekdotes van twijfelachtig allooi – met alle animo van iemand die in de kroeg verhalen vertelt; maar zodra de kelner met de volgende gang kwam, zette die doortrapte slet haar gezicht onmiddellijk in een volmaakt zedige plooi, lachte lief en bracht het gesprek, zonder ook maar één woord plat uit te spreken, op een onderwerp van onberispelijke saaiheid.

In de volgende weken kwamen Rebecca en ik ertoe onze vriendschap te intensiveren, op wat voor manier hoef ik vast niet te beschrijven. Als Harrigan al vermoedde hoe de zaken stonden tussen ons, dan scheen dat hem niet te deren. Rebecca's goede humeur en gezonde natuurlijke lusten, met daarbij die optimistische gewiekstheid van iemand die zich zo goed mogelijk door een beroerde tijd heen heeft geslagen, begonnen al gauw een heilzame invloed op me uit te oefenen; en omdat ze er niet op uit was me een touw om mijn nek te binden en naar het altaar te slepen, konden we uitstekend met elkaar overweg; we zagen elkaar als we er behoefte aan hadden en gingen elk onze eigen gang wanneer we dat wilden.

Zo zag mijn leven tussen 1849 en 1853 er dus uit. En dat het niet zo gebleven is, komt door twee gebeurtenissen.

De eerste vond plaats in maart van het laatstgenoemde jaar. Vanwege mijn werk voor de heer Tredgold kwam ik in St John's Wood, en ik was net een aardige straat met aan weerskanten bomen ingeslagen, toen de naam op het hek van een grote, witgeschilderde villa, halfverborgen achter een gordijn van struiken, mijn aandacht trok. Blithe Lodge – waar de mooie Isabella Gallini sinds vier jaar woonde – lag voor me. Ik heb al beschreven hoe ik Bella opnieuw tegenkwam en hoe zij, onder de hoede van mevrouw Kitty Daley, mijn minnares werd. Totdat de grote gebeurtenissen van de herfst van datzelfde jaar mij overvielen, bleek ik in staat te zijn Bella trouw te blijven, afgezien van een paar kleine, onbetekenende indiscreties, die ik hier beken omdat de eerlijkheid dat gebiedt. Maar Rebecca raakte ik niet meer aan. Ze toonde weinig emotie toen ze het nieuws hoorde.

'Ach,' zei ze, 'dat geeft niks. Ik heb toch Albert nog, da's beter as niks. En we blijven toch vrienden, jij en ik. Al ben je een heer, Edward Glapthorn, je denkt enkel aan je eigen, net as ik. En daarom zijn we eigenlijk gelijk, hè? Vrienden en gelijken. Kom, geef me een kus en dan houen we d'r over op.'

De tweede gebeurtenis was van heel andere aard en had veel grotere gevolgen.

Het was de ochtend van 12 oktober 1853 – een datum die onuitwisbaar in mijn geheugen gegrift staat. Ik kwam juist uit mijn kamer bij Tredgolds en stond op het punt naar de klerkenkamer beneden te gaan, toen ik Jukes bij het geluid van de voordeurbel zag opspringen van achter zijn bureau. Ik kon niet zien wie de bezoeker was, maar vrijwel onmiddellijk rende Jukes de trap op, naar mij toe.

'Lord Tansor zelf,' fluisterde hij opgewonden in het voorbijgaan.

Ik bleef tegen de muur geleund staan en keek naar beneden.

Hij zat rechtop, met zijn wandelstok in beide handen geklemd voor zich. Voor zijn komst was iedereen op kantoor rustig aan het werk geweest, en werd de stilte alleen verbroken door het gebruikelijke geritsel van papieren en gekras van pennen, en af en toe het geluid van een gedempt gesprek tussen de klerken. Maar in zijn aanwezigheid leek de atmosfeer plotseling geladen, op de een of andere manier waakzaam, en daalde er onmiddellijk een deken van gespannen stilte neer. Alle gesprekken werden gestaakt, de klerken bewogen zich door het vertrek met weloverwogen concentratie, openden hun laden met de grootste omzichtigheid en deden deuren geluidloos achter zich dicht. Ik sloeg dit verschijnsel aandachtig gade en merkte op dat sommige klerken af en toe opkeken van hun werk en bezorgde blikken wierpen in de richting van de figuur die daar ongeduldig met zijn voet zat te tikken terwijl hij wachtte totdat Jukes terugkwam, alsof hij straks op de weegschaal van Justitia de vederlichte waarheid zou gaan afwegen tegen hun zondige harten.

Enkele ogenblikken later rende Jukes weer langs, de trap af naar de plek waar de bezoeker zat. Ik liep mijn kamer weer in toen lord Tansor de klerk volgde naar de deur van het privékantoor van de heer Tredgold. Toen de baron er binnenging, hoorde ik de wat overdreven begroeting van de oudste vennoot.

Jukes sloot de deur van het kantoor en liep in de richting van zijn plaats.

'Lord Tansor,' zei hij weer, toen hij langs mijn deur kwam en mij zag. Hij bleef staan, boog zich vertrouwelijk naar me over en zei: 'Er zijn firma's die veel – heel veel – over zouden hebben voor zo'n cliënt. Maar onze oudste vennoot doet alles om hem hier te houden. O ja, hij blijft bij Tredgolds zolang die er is. Een belangrijk man. Een van de hoogst geplaatsten van het koninkrijk, moet u weten, al heeft bijna niemand van hem gehoord. En hij is bij ons.'

Hij stak die korte monoloog af op een snelle fluistertoon, en keek daarbij telkens naar de deur van Tredgolds kamer. Toen volgde een snel knikje en liep hij op een drafje de trap weer af, met de ene hand op zijn hoofd krabbend en knippend met de vingers van de andere.

Ik liep terug naar mijn bureau en liet mijn deur op een kier staan. Na een hele tijd hoorde ik de deur van de oudste vennoot opengaan en klonk gedempt gepraat toen de twee mannen door de gang naar de trap liepen.

'Ik ben je zeer erkentelijk, Tredgold.'

'Geen dank, lord Tansor,' hoorde ik Tredgold antwoorden. 'We stellen uw instructies in deze zaak zeer op prijs en ze zullen onverwijld worden uitgevoerd.'

Ik sprong op van achter mijn bureau en liep de gang in.

'O, neem me niet kwalijk,' zei ik tegen de oudste vennoot. 'Dat wist ik niet.'

De heer Tredgold keek me stralend aan. Het gezicht van lord Tansor was eerst uitdrukkingsloos, maar toen begon hij wat aandachtiger naar me te kijken.

'U komt me bekend voor,' blafte hij.

'Dit is Edward Glapthorn,' hielp Tredgold hem. 'De fotograaf.'

'Ach, de fotograaf. Heel goed. Voortreffelijk werk, Glapthorn. Voortreffelijk.' Toen wendde hij zich tot de oudste vennoot, knikte ten afscheid en liep direct met korte, vlugge stappen de trap af. Even later was hij verdwenen.

'Ik zie dat het mooi weer is buiten, Edward,' zei de heer Tredgold, met een stralende glimlach. 'Misschien voel je wat voor een wandelingetje in de Temple Gardens?'

V

In de Temple Gardens

Toen we het kantoor achter ons hadden gelaten en in de Temple Gardens waren, begon Tredgold, op zijn gebruikelijke indirecte, vage manier, een 'probleempje' te schetsen dat hem was voorgelegd.

'Vertel me eens, Edward,' begon hij, 'hoeveel je van genealogie weet?'

'Ik ben er enigszins mee bekend,' antwoordde ik.

'Ik heb gemerkt, mijn beste Edward, dat je enigszins bekend bent met de meeste onderwerpen.'

Hij straalde, haalde zijn roodzijden zakdoek te voorschijn en begon zijn monocle te poetsen terwijl we verder liepen.

'*Baronies by Writ*, bijvoorbeeld. Wat kun je me daarover vertellen?'

'Ik geloof dat zulke waardigheden zo genoemd worden omdat ze het oude gebruik beschrijven om, middels een bevelschrift, mannen van aanzien op te roepen om in 's konings parlement plaats te nemen.'*

* *Baronies by Writ* zijn in feite een juridische fictie. Ten gevolge van besluiten genomen in het Hogerhuis en elders, tussen begin zeventiende en begin negentiende eeuw, ontstond er een doctrine – die nu als onverdedigbaar wordt beschouwd – dat, wanneer iemand rechtstreeks was opgeroepen om in een middeleeuws parlement dat op een specifieke lijst voorkomt plaats te nemen, en er bewijs bestond dat hij dat gedaan had, en dat hij niet de oudste zoon van een *peer* was of van een andere persoon die ook was opgeroepen voor zo'n parlement, zo iemand gehouden kon worden als zijnde daardoor vereerd met de titel van baron in de moderne betekenis van een *peerage*. Verder was de opvatting (zoals de heer Tredgold terecht zegt) dat zulke titels geërfd konden worden door de oudste erfgenaam in mannelijke of vrouwelijke lijn van de eerste baron, hoewel in geen enkel middeleeuws bevelschrift de opvolging ter sprake komt, om de eenvoudige reden dat dit toen niet werd opgevat als de creatie van een erfelijke eretitel. Tegen het midden van de negentiende eeuw echter werd de juridische doctrine van erfelijke *Baronies by Writ*. algemeen erkend. JJA

'Dat klopt!' riep Tredgold uit. 'Nu wordt door een aantal wettelijke verklaringen die sinds de tijd van de Stuarts zijn vastgelegd, een dergelijke titel gezien als beërfbaar door de oudste erfgenaam in rechte lijn – dat wil zeggen, via de mannelijke zowel als de vrouwelijke lijn. De titel van de huidige lord Tansor is zo'n *Barony*. Misschien,' ging hij verder, 'zou het interessant voor je zijn, uit geschiedkundig oogpunt, als ik je een korte beschrijving gaf van lord Tansors edele voorgeslacht?'

Ik zei dat ik dat buitengewoon op prijs zou stellen en verzocht hem door te gaan.

'Uitstekend – maar onderbreek me als ik iets vertel wat je al weet. Tijdens de regering van Hendrik III was lord Maldwin Duport een machtig en invloedrijk man. Hij was van Bretonse afkomst – een voorvader van hem was met Willem de Veroveraar meegekomen – en een van de kronieken bevat een memorabele beschrijving van hem als "een man van ijzer en bloed". Hij was gevaarlijk en oorlogszuchtig, mogen we wellicht aannemen, maar in die onzekere, gewelddadige tijden was er veel vraag naar zijn diensten. Hij was grootgrondbezitter, en al baron door zijn leenrecht, en hij bezat stukken land in Buckinghamshire, Bedfordshire, Warwickshire en Northamptonshire, naast nog andere bezittingen in het noorden en de West Country.

In december 1264 werd Maldwin opgeroepen om deel te nemen aan het opstandige parlement dat in naam van de koning bijeengeroepen was door Simon de Montfort – Hendrik zelf zat toen, samen met zijn zoon, prins Edward, achter slot en grendel na de slag bij Lewes. Maldwin werd achtereenvolgens in 1283, 1290 en 1295 naar het parlement geroepen, en zijn opvolgers werden ook in de volgende eeuw en nog later opgeroepen. In de loop van de tijd werd de gang van zaken zo geïnterpreteerd dat hun voortdurende aanwezigheid in het parlement een adellijke waardigheid uitmaakte die ontleend was aan het parlement van 1264, waardoor de titel in kwestie een hoge anciënniteit kreeg binnen de Engelse adel, samen met die van Despencer en De Ros.

Het belangrijkste bezit, of *caput*, van lord Maldwin was het kasteel Tansor in Northamptonshire – een paar mijl ten zuiden van het landgoed Evenwood van de huidige lord Tansor – en zodoende werd hij naar het parlement geroepen als *Malduino Portuensi de Tansor*. De familie heeft natuurlijk vele wisselvalligheden van het lot doorstaan –

vooral onder Cromwell; maar de Duports hebben in het algemeen verstandige huwelijken gesloten en in de tijd van de tweeëntwintigste baron, aan het begin van de vorige eeuw, hadden ze de vooraanstaande en invloedrijke positie bereikt die ze nog steeds bezitten.

Die positie is nu echter in gevaar – dat wil zeggen, zo interpreteert de huidige lord Tansor de situatie. Het ontbreken van een erfgenaam – ik bedoel een erfgenaam in de rechte lijn, mannelijk of vrouwelijk – baart hem grote zorgen, en dit feit en de mogelijke gevolgen ervan kunnen naar zijn idee een neergang van de omstandigheden van de familie inluiden. Hij is bevreesd dat de titel en de bezittingen zouden kunnen overgaan op een tak van de familie waarin, om zijn formulering te gebruiken, de kwaliteiten waarvan opeenvolgende generaties van zijn voorouders zo opmerkelijk blijk hebben gegeven, niet aanwezig zijn. De baron heeft inderdaad bijzonder weinig geluk. Zoals je misschien weet is de enige zoon uit zijn eerste huwelijk als kind al overleden, en is zijn tegenwoordige verbintenis tot nu toe kinderloos gebleven.'

De heer Tredgold had zijn zakdoek te voorschijn gehaald, deze keer niet om zijn monocle te poetsen maar om zijn voorhoofd af te wissen. Ik zag dat hij een beetje rood aangelopen was en vroeg daarom of hij niet liever in de schaduw wilde lopen, want hoewel de zon laag aan de hemel stond, was hij ongewoon krachtig voor de tijd van het jaar.

'Juist niet,' antwoordde hij. 'Ik voel graag het hemelse licht op mijn gezicht. Nu goed, waar was ik gebleven? Ja. Kortom, er is dus klaarblijkelijk op dit moment, hm, geen directe mannelijke erfgenaam, waardoor de mogelijkheid nadrukkelijk in zicht komt dat de titel naar een lid van een van de zijlinies van de familie zal gaan, een eventualiteit waar de baron sterk tegen gekant is.'

'Zijn er dan wettige aanspraken van verwanten?' vroeg ik.

'O ja,' zei de heer Tredgold. 'Zijn neef en secretaris, de heer Paul Carteret,* en, te zijner tijd, de dochter van Carteret. Maar zoals ik al zei, de baron heeft een – nu ja, een diepgewortelde, onwrikbare afkeer van opvolging in de zijlinie. Misschien is die irrationeel, want de titel is in de loop van de geschiedenis al een aantal keren eerder toegevallen aan

* De jongste zoon van Sophia Mary Carteret, *née* Duport (1765-1836), tante van lord Tansor. JJA

verwanten in de zijlinie, maar het is niet anders. Kom, ik word wat moe van het wandelen. Laten we gaan zitten.'

De heer Tredgold pakte mijn arm en trok me naar een bank in de hoek van de Gardens.

'Het zou natuurlijk kunnen dat het nog vroeg genoeg is voor een bevredigende oplossing van lord Tansors probleem volgens de normale gang van zaken, als het ware. Zijn arts acht het mogelijk dat lady Tansor nog een erfgenaam zou kunnen baren. Ik geloof dat zoiets wel eens gebeurd is. Maar de baron is niet bereid zijn vertrouwen in de natuur te stellen, en nadat hij de zaak enige jaren zorgvuldig heeft overwogen, is hij ten slotte tot een besluit gekomen. Echtscheiding heeft hij wijselijk van de hand gewezen, zoals ik hem ook sterk heb aangeraden, omdat er geen andere gronden zijn dan de afwezigheid van een erfgenaam, en het zou het aanzien en de reputatie van de baron geen goed doen als hij zich als een Oosters vorst gedroeg en tot zo'n maatregel overging. Hij begrijpt dat en is daarom een andere weg ingeslagen.'

Hij zweeg weer even, keek door de takken van de boom waaronder we zaten naar de stralend blauwe lucht en hield zijn hand boven zijn ogen tegen de zon.

'Een andere weg?'

'Zeker. Een wat ongebruikelijke. Hij wil een door hemzelf gekozen erfgenaam adopteren.'

Ik kan niet beschrijven wat ik voelde bij het horen van die woorden. Een door hemzelf gekozen erfgenaam? Maar ik was de erfgenaam van lord Tansor! Terwijl ik mijn uiterste best deed om de schijn van kalmte op te houden, had ik een buitengewoon eigenaardige gewaarwording, alsof ik door diepe duisternis in de oneindige ruimte viel.

'Voel je je wel goed, Edward? Je ziet een beetje bleek.'

'Ik voel me uitstekend, dank u,' antwoordde ik. 'Maar ga door.'

Ik voelde me echter verre van uitstekend. Ik dacht dat mijn hart uit mijn lijf zou barsten, zo raakte ik in paniek bij deze volkomen onverwachte wending. Toen begon ik in te zien dat dit nog niet het einde van al mijn hoop betekende: wat zo'n koers in de praktijk ook mocht betekenen, ik zou nog steeds aanspraak kunnen maken op mijn rechtmatige plaats in de opvolging, als ik een doorslaggevend bewijs van mijn identiteit kon vinden. De zaak was niet verloren. Nog niet.

Tredgold ging verder: 'De firma heeft opdracht gekregen de bepalingen van lord Tansors testament te wijzigen, door toevoeging van een codicil. De titel van baron staat daar natuurlijk los van, die moet het dictaat van de wet volgen en naar de volgende erfgenaam in de opvolgingslijn gaan, rechtstreeks of in de zijlinie; en dat betekent natuurlijk dat Paul Carteret, via zijn moeder die een Duport was, een goede kans maakt, bij de huidige stand van zaken, de zesentwintigste baron Tansor te worden. Ik hoop dat mijn woorden niet te onbegrijpelijk zijn?'

'Volstrekt niet.'

'Mooi. Ik wil dat je op de hoogte bent van de situatie, omdat die relevant is voor de huidige voornemens van lord Tansor. Dat begrijp je toch, Edward?'

Het was zo'n eigenaardige vraag dat ik niet goed wist hoe ik moest antwoorden, en toen maar zwijgend knikte.

'Mooi. De titel kan lord Tansor dus niet vergeven. Maar zijn materiële bezittingen – waaronder Evenwood, het voornaamste en edelste van al zijn eigendommen – kan hij wel wegschenken, volgens bepaalde wettelijke procedures, aan wie hij maar wil – evenals, in een bepaalde zin, de naam Duport. Hij heeft daarom een besluit van groot gewicht genomen. Hij heeft de waardigheid van baron, die is verleend op basis van het bevelschrift dat lord Maldwin Duport in 1264 naar het parlement riep, afgescheiden van de materiële belangen die de familie vervolgens voor zich heeft vergaard, en besloten dat de toekomstige drager van de titel weinig meer dan de waardigheid zal erven. De baron wenst het gehele onvervreemdbare bezit dat hij zelf heeft geërfd, evenals de bezittingen die zijn vader met zoveel woorden aan hem heeft vermaakt, na te laten aan zijn benoemde erfgenaam.'

'En heeft lord Tansor al iemand benoemd?'

'Ja.'

Tredgold zweeg even. Zijn porseleinblauwe ogen keken in de mijne.

'Het wordt de heer Phoebus Rainsford Daunt, de dichter. Misschien heb je de besprekingen van zijn nieuwe boek wel gezien.* Het is, meen ik, zeer goed ontvangen.'

Een verschrikkelijke hulpeloosheid maakte zich van mij meester, zoals zij moeten voelen die hun ondergang zien naderen, maar niet bij machte zijn zich ertegen te verzetten. Dat ogenblik zal ik altijd tot de belangrijkste van mijn leven rekenen; want ik raakte er nu volstrekt van overtuigd dat ik voortgedreven was, en nog werd, door een noodlot waaraan ik nooit zou kunnen ontkomen. In zijn herinneringen aan onze kennismaking, op het schoolplein in Eton, had Daunt mij vergeleken met een soort boodschapper van het lot, alsof hij wist, net als ik nu, dat onze levens onlosmakelijk met elkaar verstrengeld waren. Waren de gevolgen van zijn verraad in onze jeugd alleen maar de voorloper geweest van dit grotere verlies, waarvan hij het instrument gemaakt was? Deze verschrikkelijke mogelijkheid was als een mes van ijs in mijn hart. Maar alweer werd ik behoed voor wanhoop door de gedachte dat geen van ons beiden het einde kon kennen waarheen we werden voortgedreven. Wie was door het lot bestemd om de uiteindelijke beloning te ontvangen? De ware of de valse erfgenaam? Zolang er op die vraag geen boven alle twijfel verheven antwoord was gegeven, moest ik blijven hopen en geloven dat ik uiteindelijk het leven zou leiden dat voor me was weggelegd. Toch werd ik nog steeds gebiologeerd door de wrange humor van dit alles en kon een vreugdeloos lachje niet onderdrukken.

'Is er iets dat je amuseert, Edward?' vroeg de heer Tredgold.

'Volstrekt niet,' antwoordde ik, en ik trok snel een zorgelijk gezicht, waarvoor ik helemaal geen moeite hoefde te doen.

'Zoals ik al zei is het lord Tansors bedoeling, door de erfopvolging in de titel te scheiden van die in het bezit, dat de heer Daunt het eigendom van Evenwood en alle overige bezittingen die de baron van zijn vader heeft geërfd, zal overerven, op voorwaarde dat de heer Daunt na de dood van de baron de naam Duport aanneemt en het familiewapen voert.'

'En ligt het in lord Tansors vermogen om dit alles te doen?'

* *Penelope: Een tragedie in verzen* (Bell & Daldy, 1853). JJA

'Zonder twijfel. Over het bezit dat hij van zijn vader heeft geërfd kan hij naar believen beschikken. Het zal wel noodzakelijk zijn dat lord Tansor een akte tekent voor het onvervreemdbare bezit en die bij de Chancery laat inschrijven, alvorens hij dit deel van zijn nalatenschap aan de heer Daunt kan vermaken, maar dat is een betrekkelijk eenvoudige procedure, die zelfs al in voorbereiding is.'*

Het was wat kil geworden toen de middagzon allengs minder krachtig werd.

We waren nu bijna een uur in de Gardens – een uur dat mijn leven voorgoed veranderd had.

'Die Phoebus Daunt kan een rooskleurige toekomst tegemoetzien,' zei ik, zo achteloos mogelijk, hoewel ik inwendig ziedde. 'Het gaat hem zeer voor de wind. Hij is al een befaamd dichter en nu heeft hij het vooruitzicht binnen niet al te lange tijd het vermogen en de bezittingen van lord Tansor, en Evenwood zelf, te erven.'

'Het vooruitzicht, ja,' zei de heer Tredgold, 'maar wellicht is het wenselijk dat te relativeren. *Pro tempore*, en totdat het codicil ten uitvoer is gelegd, blijft de heer Daunt de toekomstige erfgenaam van lord Tansors bezittingen. Maar de baron is gezond en sterk, uit zijn tegenwoordige verbintenis kan nog een kind geboren worden, en natuurlijk zou de geboorte van een zoon en erfgenaam, hoe onwaarschijnlijk ook, alles veranderen en tot een herroeping van de voorgestelde bepalingen leiden. Bovendien, niemand kan immers in de toekomst kijken? Niets is zeker.'

* Dit proces zal een exceptie hebben opgeworpen tegen het onvervreemdbare bezit – het ineffectief hebben gemaakt; dit betreft het oudste gedeelte van de nalatenschap van Tansor, waaronder Evenwood en de andere belangrijkste bezittingen die aan alle erfgenamen van de titel baron Tansor werden overgedragen. Als onvervreemdbaar bezit kon er niet door enig bezitter als absoluut eigenaar op de gebruikelijke wijze over beschikt worden; maar door de erfopvolging in de titel te scheiden van die in het bezit, zou lord Tansor vrij zijn dit bezit na te laten aan de door hem benoemde erfgenaam. JJA

Enkele ogenblikken zaten we in ongemakkelijk zwijgen naar elkaar te kijken. Toen stond hij op en glimlachte.

'Maar je hebt natuurlijk gelijk. Zoals de zaken er op dit moment voorstaan, kun je zeker zeggen dat het de heer Phoebus Daunt zeer voor de wind gaat. Hij heeft al vele blijken van lord Tansors waardering ontvangen, en zal weldra officieel ingewijd worden, als ik het zo mag uitdrukken, als wettig erfgenaam van lord Tansor. Wanneer het zover is, zal de heer Phoebus Daunt, of moet ik zeggen de heer Phoebus Duport, al wordt hij dan niet de zesentwintigste baron Tansor, een zeer machtig man zijn.'

We verlieten de Gardens en begonnen terug te lopen naar Paternoster-row.

'Neem me niet kwalijk, mijnheer Tredgold,' zei ik toen we een tijdje zwijgend hadden voortgelopen. 'Het is mij niet duidelijk welke rol u mij had toebedacht bij de gang van zaken die u hebt geschetst. Dit is een juridische kwestie, maar ik ben geen jurist. Deze zaak lijkt in het geheel niet op het Rijk der Schoonheid.'

Tredgold glimlachte bij die verwijzing naar mijn eerste succes voor de firma.

'Dat is waar,' zei hij en hij pakte mijn arm. 'Welnu, Edward, dat zal ik je vertellen. Er is een, je zou kunnen zeggen, bijkomend element, waarvan lord Tansor nog niet op de hoogte is en dat voorlopig volstrekt onder ons moet blijven. Ik heb een boodschap ontvangen – een vertrouwelijke boodschap – van de secretaris van de baron, de heer Paul Carteret. De omstandigheden waardoor hij bij zijn neef in dienst is gekomen zijn interessant, maar zijn nu voor ons niet van belang. De heer Carteret – die ik al vele jaren ken en waardeer – blijkt zich al enige tijd zorgen te maken over een kleine ontdekking die hij heeft gedaan. Hij heeft mij niet de volledige aard ervan willen toevertrouwen, maar zijn brief wekt de indruk dat er een direct, fundamenteel verband is met de zaken waarover we zojuist spraken. Om kort te gaan, als ik het goed begrepen heb, lijkt de heer Carteret de mogelijkheid te opperen dat er buiten medeweten van de baron een wettige, rechtstreekse erfgenaam bestaat. Dat is het probleempje waarvoor ik jouw hulp nodig heb. En nu heb ik trek in thee. Jij ook?'

De klok op de schoorsteenmantel bij Le Grice sloeg drie uur.

Hij had niets gezegd nadat ik hem het hele verhaal over mijn gesprek met Tredgold in de Temple Gardens gedaan had. Achter hem, in het halfdonker, rees een portret op van zijn vader, brigadier-generaal sir Hastings Le Grice, van het tweeëntwintigste infanterieregiment, die zich eervol had onderscheiden onder Napier in de slag bij Miani.* Eronder zat, met zijn lange benen op de koperen haardrand, de zoon van de generaal onderuitgezakt naar het plafond te staren en peinzend aan het uiteinde van zijn snor te draaien.

'Dat is een ingewikkelde historie, G,' zei hij ten slotte, en hij greep een pook en boog zich voorover om de smeulende sintels van het vuur op te poken. 'Ik wil dus eerst weten of ik het goed begrepen heb. Tansor heeft het in zijn hoofd gehaald om alles aan Daunt na te laten, behalve zijn titel, die hij niet kan vergeven. Jij denkt dat je de erfgenaam van Tansor bent, maar je kunt het niet bewijzen. Nu komt die Carteret op de proppen met een geheimpje dat misschien, maar misschien ook niet, verband houdt met dit geval. Tot zover is het duidelijk. Maar luister nou eens: er is niks op tegen, lijkt me, om Daunt te laten boeten voor wat hij je op school misdaan heeft. Het is wel erg lang geleden om nog te wrokken, maar dat is jouw zaak, en misschien had ik zelf wel net zo gereageerd. Maar, verdorie, G, je kunt het Daunt toch niet kwalijk nemen dat die ouwe Tansor hem een aardige jongen vindt. Het is wel raar dat het toevallig Daunt is, dat geef ik toe, verdomde pech eigenlijk, maar...'

'Pech?' riep ik. 'Het is geen pech, geen toeval, geen coïncidentie! Zie je het dan niet? Het is allemaal voorbeschikt, wat er tussen hem en mij speelt. Het moest Daunt wel zijn! Het had niemand anders kunnen

* De slag bij Miani, een paar mijl ten noorden van Hyderabad in het huidige Pakistan, vond op 17 februari 1843 plaats, tijdens de Sind-oorlog in datzelfde jaar. Een Brits leger van nog geen drieduizend man, onder bevel van sir Charles Napier (1782-1853), versloeg de emirs van Sind, die een leger van ruim twintigduizend man hadden. Sind werd vervolgens door Groot-Brittannië geannexeerd. JJA

zijn. En het wordt nog erger. Veel erger.'

'In dat geval,' zei Le Grice rustig, 'kun je beter doorgaan en me zo vlug je kunt de rest vertellen. Het regiment vertrekt over drie weken en als ik de heldendood ga sterven voor koningin en vaderland, dan moet ik voor die tijd wel weten dat met jou alles in orde is. Vertel me dus met gezwinde spoed alles over Carteret en zijn geheimzinnige ontdekking.'

Hij schonk zijn glas nog eens vol en leunde weer achterover in zijn stoel, terwijl ik, gevolg gevend aan zijn woorden, nog een sigaar opstak en hem begon te vertellen over de brief van Carteret, waarin, al wist ik dat toen nog niet, de kiem van een nog groter verraad geplant was.

DERDE DEEL

Donkere schaduwen
Oktober 1853

Ik ben op mijn hoede voor een snelle vriend
en een trage vijand.

Owen Felltham, *Resolves* (1623), III,
'Een vriend en een vijand, wanneer
ze het gevaarlijkst zijn.'

19

Fide, sed cui vide*

Toen ik na het gesprek met de heer Tredgold in de Temple Gardens weer thuis was, overdacht ik de nieuwe mogelijkheden die nu voor me lagen.

Door het nieuws dat lord Tansor besloten had Daunt tot zijn erfgenaam te maken had het ernaar uitgezien dat mijn positie zo goed als verloren was, maar nu leek Tredgold met de verrassende mogelijkheid te komen van een voor mij gunstige wending, als zijn veronderstelling aangaande de ontdekking van Carteret juist was. Bezat de secretaris van lord Tansor inderdaad het bewijs dat ik nodig had?

Hier volgt de brief die de heer Tredgold had ontvangen, en die hij mij bij ons afscheid had gegeven, met de woorden: 'Lees dit, Edward, en vertel me wat er volgens jou gedaan moet worden.'

Douairièrehuis, Evenwood Park
Evenwood, Northamptonshire
Woensdag, 5 oktober 1853

WAARDE TREDGOLD,

Ik schrijf je *strikt vertrouwelijk & persoonlijk*, in de volstrekte overtuiging dat jouw onkreukbaarheid en je respect voor mijn positie hier er borg voor staan dat geen derde, en zeker mijn werkgever niet, ook maar enig vermoeden van dit schrijven zal kunnen hebben. We heb-

* 'Heb vertrouwen, maar zie toe in wie'. JJA

ben elkaar in de loop van de jaren bij veel gelegenheden beroepshalve geschreven, en ik heb je ook, tot mijn genoegen, als zeer gewaardeerde gast – en vriend – op Evenwood mogen verwelkomen. Daarom hoop en vertrouw ik dat de oprechtheid van mijn achting voor jou meer dan voldoende reden voor je zal zijn om deze onderneming te steunen.

Hetgeen ik je zeer dringend wil laten weten, kan niet op schrift gesteld worden, maar moet je persoonlijk worden meegedeeld, want het raakt de kern van de *huidige kwestie*. Ik besef zeer goed dat mijn positie precair is, omdat mijn eigen belangen in het geding zijn. Maar jij weet dat ik de zuivere waarheid spreek wanneer ik zeg dat ik altijd oprecht verlangd heb mijn werkgever zo goed ik kan te dienen, ongeacht mijn persoonlijke belangen.

Ik maak me al enige tijd zorgen over een zaak die zich tijdens mijn werkzaamheden hier geheel onverwacht aan mij heeft voorgedaan, en die verband houdt met de kwestie die mijn werkgever zeer bezighoudt en die hij nu tracht op te lossen door de regelingen waarvan wij beiden op de hoogte zijn. De mogelijke gevolgen zijn voor de baron van het grootste belang, en komen voort uit de daden van een zeker persoon, nu overleden, voor wie jij en ik indertijd een buitengewone genegenheid voelden. Maar meer kan ik niet opschrijven.

Ik ben de komende weken niet in staat naar Londen te komen en je zou me daarom een grote dienst bewijzen door een mogelijkheid te bedenken om elkaar hier in de omgeving *onder vier ogen* te spreken. Ik wil niet vooruitlopen op eventuele plannen van jou, maar alleen vermelden dat ik gewoonlijk op dinsdagochtend in Stamford ben, & dat ik de gelagkamer van het George Hotel een geschikte plaats vind om rond het middaguur iets te gebruiken.

Ik kan je niet genoeg wijzen op de noodzaak van volstrekte discretie.

Adresseer antwoord aan Postkantoor, Peterborough.

Ik heb de eer te zijn,

Je dienstwillige dienaar,

P. CARTERET

De volgende ochtend bezagen Tredgold en ik wat ons te doen stond. Omdat hij het te riskant vond zelf zo'n clandestiene ontmoeting te hebben, stelde mijn werkgever voor dat ik in zijn plaats met Carteret zou gaan praten. Daar stemde ik graag mee in en zo schreef hij onmiddellijk terug en vroeg de heer Carteret toestemming een tussenpersoon te sturen in wie hij vertrouwen had. Twee dagen later kwam het antwoord. De secretaris was niet bereid met zo'n regeling in te stemmen en zei dat hij alleen met de heer Tredgold persoonlijk wilde spreken. Maar een verdere briefwisseling leidde tot een versoepeling van zijn standpunt en er werd afgesproken dat ik, als plaatsvervanger van de heer Tredgold, naar Stamford zou reizen, waar ik de heer Carteret op de eerstvolgende dinsdag, 25 oktober, zou treffen; ik besloot een dag eerder te gaan en mijn intrek te nemen in het George Hotel om me op de gebeurtenissen voor te bereiden.

De dag voorafgaand aan mijn vertrek was een zondag en de heer Tredgold nodigde me uit die middag bij hem thuis door te brengen.

'Misschien moeten we maar afzien van onze gebruikelijke bibliologische genoegens,' zei hij, toen we na de lunch in zijn zitkamer bij het vuur zaten, 'en over die zaak van de heer Carteret praten – als je het goedvindt.'

'Vanzelfsprekend. Ik sta geheel tot uw beschikking.'

'Zoals altijd, Edward,' zei hij stralend. 'Welnu dan, ongetwijfeld vind je de brief van de heer Carteret – net als ik – nogal onduidelijk over de zaak die hij wil uiteenzetten. Wellicht overdrijft de heer Carteret het belang van wat hij ontdekt heeft, maar omdat ik hem ken als iemand die nooit lichtvaardig oordeelt, vermoed ik dat hij mij niet zo geschreven zou hebben als het niet van het allergrootste gewicht was. Of de heer Carteret zal besluiten jou de zaak persoonlijk mee te delen, weet ik niet. In ieder geval hoop ik dat je zo vriendelijk zult willen zijn mij nauwkeurig op de hoogte te houden. Ik neem aan dat ik de noodzaak van volstrekte discretie niet hoef te benadrukken.'

'Ik begrijp het volkomen.'

'Dat is een van je beste eigenschappen, Edward,' zei de heer Tredgold. 'Je begrijpt intuïtief wat er in een situatie verlangd wordt. Is er nog iets wat ik je kan vertellen?'

'U zei dat de heer Carteret een neef van lord Tansor is.'

'Dat klopt. Hij is de jongste zoon van de overleden tante van de baron. Zijn vader, de heer Paul Carteret senior, raakte in geldelijke problemen, waardoor zijn twee zonen na zijn dood niets anders te doen stond dan hun eigen brood te verdienen. Lawrence Carteret, nu overleden, ging in de diplomatieke dienst; Paul Carteret junior kreeg het aanbod in dienst te komen bij zijn adellijke neef.'

'Een edelmoedig gebaar,' merkte ik op.

'Edelmoedig? Ja, dat zou je kunnen zeggen, hoewel het aanbod misschien meer voortkwam uit plichtsgevoel tegenover mevrouw Sophia Carteret, de tante van lord Tansor.'

'U zei ook, meen ik, in ons gesprek in de Gardens, dat de heer Carteret de titel van de Tansors zal erven.'

'Dat is zo – aangenomen natuurlijk dat de situatie van de baron wat betreft een eigen erfgenaam niet verandert.'

De heer Tredgold haalde zijn rode zakdoek te voorschijn en begon zijn monocle op te poetsen.

'Je moet wel weten,' vervolgde hij, 'dat lord Tansor in zijn beslissing het overgrote deel van zijn bezittingen aan Phoebus Daunt na te laten gesterkt is door een voorgeschiedenis van onenigheid tussen de twee takken van de familie. Een geschil over financiën tussen de vader van lord Tansor en Paul Carteret senior heeft helaas een schaduw geworpen over de verhouding tussen de baron en zijn neef. Ook komt in de Carteret-tak naar zijn mening geesteszwakte voor.'

Hij ging zachter praten en boog zich naar me over.

'De moeder van de heer Carteret senior is krankzinnig gestorven, hoewel er niet de geringste aanwijzing bestaat dat zijn zoon die ziekte geërfd zou hebben. De heer Carteret junior is juist een van de verstandigste mensen die ik ken en ook zijn dochter kan beslist geen geestelijke zwakte worden aangewreven; ze is een hoogst intelligente, capabele jongedame – en bovendien mooi. Lord Tansor is echter hoogst gevoelig op dit punt, wat naar mijn mening voortkomt uit het feit dat de oudere broer van de baron, Vortigern Duport, aan een toeval is overleden. Nog thee?'

We dronken zwijgend en Tredgold leek veel belangstelling te hebben voor een stukje plafond vlak boven mijn hoofd.

'Wil je dat ik nog iets zeg over de heer Phoebus Daunt?' vroeg hij plotseling.

'De heer Daunt?'

'Ja. Voor een beter begrip van de omstandigheden die tot de huidige situatie hebben geleid.'

'Ja, graag.'

Waarop de heer Tredgold me volledig en gedetailleerd verslag begon te doen van de komst van het gezin Daunt naar Evenwood dankzij de tweede mevrouw Daunt, die aan lord Tansor geparenteerd was, en hoe de predikantszoon door de invloed van zijn stiefmoeder bij de baron in de gunst was geraakt. Veel van wat hij me vertelde is in een eerder gedeelte van deze geschiedenis opgenomen.

'Het valt niet te ontkennen,' zei Tredgold, 'dat dat jongmens zeer begaafd is. Zijn literaire genie is algemeen bekend en lord Tansor schept daar tot op zekere hoogte genoegen in. Maar hij heeft ook blijk gegeven van een nogal uitzonderlijk zakelijk talent en dat valt bij lord Tansor veel meer in de smaak. Het lijkt me zeker dat dit niet weinig heeft bijgedragen aan lord Tansors wens hem zijn bezittingen na te laten, liever dan aan de heer Carteret en zijn opvolgers.'

Dit was een geheel nieuwe, onverwachte kant van mijn vijand, waar ik graag meer over wilde horen. Volgens de heer Tredgold had Daunt op zijn eenentwintigste verjaardag van lord Tansor tweehonderd pond gekregen. Nog geen halfjaar later had de jongeman zijn beschermheer te spreken gevraagd en met een ernstig gezicht opgebiecht dat hij het hele bedrag had gebruikt voor een speculatie in spoorwegen die hem aangeraden was door een oude studiegenoot.

Lord Tansor was niet enthousiast. Hij had iets beters verwacht. Een onbezonnen speculatie in spoorwegen! De jongen had het nog beter allemaal kunnen verliezen aan de speeltafel bij Crockford's* – tenslotte waren een paar heilzame offers aan Vrouwe Fortuna te verwachten van de *jeunesse dorée* (niet dat hijzelf zich ooit zo onverantwoordelijk had gedragen). Maar die met een uitgestreken gezicht gedane bekentenis was alleen maar bedoeld als *lever de rideau*,** want toen hij lord Tansors gezicht misprijzend zag betrekken, verklaarde Daunt, ongetwijfeld met een zelfvoldane grijns, dat de speculatie gunstig was uitgeval-

* Het beruchte speelhol in St James's. JJA

** Een voorprogramma. JJA

len en een flinke winst had opgeleverd, die hij nu had verzilverd; zijn oorspronkelijke investering bleek bijna verdubbeld te zijn.

Hoewel het lord Tansor genoegen deed dat te horen, was hij toch geneigd te denken dat de jongen zeldzaam had geboft. Denk u dus zijn verbazing in toen hij bij een volgend gesprek, een paar maanden later, hoorde dat de winst van de eerste speculatie in een tweede was gestoken, met even bevredigende resultaten. Hij begon te denken dat de jongen wellicht een neus had voor die dingen – hij had wel zulke mensen gekend, en na verloop van tijd, na verdere blijken van Daunts financiële instinct, besloot hij de jongeman een deel van zijn eigen geld toe te vertrouwen. Hij zal de afloop ongetwijfeld met een zekere ongerustheid hebben afgewacht.

Maar hij werd niet teleurgesteld. Hij kreeg zijn investering binnen drie maanden terug, samen met een aanzienlijke winst. Zoals Tredgold had geopperd, had Daunt geen betere manier kunnen vinden om bij lord Tansor in de gunst te komen. Het was aardig om alle lovende besprekingen van zijn werk te lezen, maar dit onverwachte talent was van een heel andere orde. Lord Tansor, de zakenman bij uitnemendheid, was er meer van onder de indruk dan van alle heldendichten in blanke verzen. Geleidelijk aan, en met de nodige voorzichtigheid, begon lord Tansor kleine zakelijke aangelegenheden aan Daunt over te laten, totdat zijn protegé in de tijd waarover ik nu schrijf als een spin in het Duport-web zat.

Ik merkte op dat Phoebus Daunt nu wel een tamelijk welgesteld man moest zijn.

'Dat zou je wel zeggen,' antwoordde de heer Tredgold voorzichtig. 'Hij heeft echter, voor zover ik weet, niets van lord Tansor gekregen behalve de tweehonderd pond die ik zojuist noemde; en ik geloof ook niet dat zijn vader heeft bijgedragen aan het onderhoud van zijn zoon. Wat hij met dat oorspronkelijke bedrag heeft verdiend, door speculeren en beleggen, moet hem in staat hebben gesteld zo te leven als hij thans doet.'

Ik dacht bij mezelf dat hij wel een genie moest zijn, om zoveel te bereiken met zo'n bedrag.

'Phoebus Daunt is momenteel niet in Evenwood,' zei Tredgold, terwijl hij een stofje van zijn revers veegde. 'Hij is in de West Country, om een perceel te bezichtigen dat lord Tansor onlangs heeft gekocht. Maar er komen voor jou vast nog wel gelegenheden om kennis met hem te maken. En nu, Edward, geloof ik dat ik alles heb gezegd wat ik wilde zeggen, en wens ik je goede reis. Ik zie je verslag, op papier of persoonlijk, met de grootste belangstelling tegemoet.'

We gaven elkaar een hand en ik wilde weggaan; maar toen ik me omdraaide, voelde ik Tredgolds hand op mijn schouder.

'Pas goed op, Edward,' zei hij zacht.

Ik had verwacht zijn gebruikelijke stralende glimlach te zien. Maar die was er niet.

Die avond ging ik naar Blithe Lodge. Bella was charmanter dan ooit, en ik werd geheel door haar betoverd toen we in Kitty Daley's privézitkamer bij het vuur zaten, over koetjes en kalfjes praatten en lachten om de roddels die in de Academie de ronde deden.

'Wat ben je toch een schat,' zei ik, in een plotselinge opwelling van genegenheid voor haar, zoals ze daar in de gloed van het haardvuur dromerig in de vlammen zat te staren.

'Vind je?' vroeg ze glimlachend. Toen boog ze zich naar voren, nam mijn gezicht tussen haar lange vingers zodat ik haar ringen licht tegen mijn huid voelde drukken, en kuste me teder.

'Een ongelooflijke, absolute, volstrekte schat.'

'Je bent nogal sentimenteel vanavond,' zei ze, terwijl ze mijn haar streelde. 'Dat is heel prettig. Ik hoop dat je geen last hebt van een slecht geweten.'

'Waarom zou ik een slecht geweten hebben?'

'Dat vraag je aan mij?' lachte ze. 'Iedere man die hier komt heeft daar last van, of hij het toegeeft of niet. Waarom jij dan niet?'

'Je bent wel streng, terwijl ik je alleen maar een complimentje wilde maken.'

'Wat hebben mannen het toch altijd moeilijk,' zei ze met een ondeugend kneepje in mijn neus. Toen ging ze aan mijn voeten zitten, legde haar hoofd op mijn schoot en staarde weer in het vuur. Buiten striemde de regen tegen de ramen aan de voorkant van het huis.

'Is het niet heerlijk,' zei ze, opkijkend, 'om naar de regen en de wind te luisteren terwijl wij hier hoog en droog zitten?' Toen legde ze haar hoofd weer op mijn schoot en fluisterde: 'Zal ik altijd je schat blijven, Edward Glapthorn?'

Ik boog me over haar heen en kuste haar geparfumeerde haar.

'Altijd.'

De middag daarna, 24 oktober 1853, exact een jaar voor mijn toevallige ontmoeting met Lucas Trendle, vertrok ik per sneltrein naar het noorden en kwam vlak voor het donker aan in het George Hotel in Stamford.

Toen ik de volgende ochtend wakker werd zag ik dat de dag grauw, nat en kil begonnen was. Het was marktdag en het stadje was vol boeren en arbeiders uit de omgeving, en tegen het middaguur was het hotel volgepakt met een meute luidruchtige, drukke heren met modderige laarzen en rode wangen, die allemaal voorzien wilden worden van wat het etablissement te bieden had.

In de gelagkamer mengde een dikke, doordringende tabakswalm zich met de verlokkelijke geuren van gebraden vlees en zwaar bier. Door het gedrang van forse boerenlijven en heen en weer rennende kelners kon ik eerst onmogelijk zien of er iemand was die op me wachtte. Maar na enkele ogenblikken ontstond er even een lege plek in het gewoel en zag ik een man zitten, op een houten bank voor het raam dat uitkeek op de langwerpige, met keien bestrate binnenplaats van het hotel. Hij was een nieuwsblad aan het lezen, maar af en toe keek hij op en blikte enigszins gespannen om zich heen. Ik begreep onmiddellijk dat dit Paul Carteret moest zijn.

Alles aan hem was rond. Een rond gezicht, begroeid met een kortgeknipte zwart-met-zilveren baard, als een goed onderhouden gazon, grote ronde ogen achter ronde brillenglazen, ronde oren, een volmaakt ronde mopsneus boven een engelachtige ronde mond, dit alles boven op een klein, rond lijf – niet gezet, maar gewoon rond. Je zag dadelijk een aangeboren geneigdheid tot het goede, want zijn rondheid leek te duiden op een overeenkomstige volmaaktheid van karakter: die benijdenswaardige, natuurlijke eenheid van gevoel en temperament waarbij er geen plaats is voor verwaten eigendunk, noch voor onverdraagzaamheid jegens de tekortkomingen van anderen.

'Heb ik de eer met de heer Carteret te spreken?'

Hij keek op van zijn courant en glimlachte.

'De heer Edward Glapthorn, denk ik. Ja. U moet de heer Glapthorn zijn. Het is me een groot genoegen met u kennis te maken, mijnheer.'

Hij stond op, al moest hij door zijn geringe lengte toch nog naar me opkijken, en stak zijn hand uit, waarmee hij de mijne opvallend stevig omklemde. Daarna riep hij een kelner en begonnen we met een aangename kleine inleiding, totdat hij me ten slotte vorsend aankeek en zei:

'Het is hier nogal benauwd, mijnheer Glapthorn. Zullen we een eindje gaan lopen?'

We lieten het lawaai en de rook van de gelagkamer achter ons en liepen over de Town Bridge en vandaar naar de hoog oprijzende toren van St Mary's Church, die vanaf zijn heuveltje uitzag op de rivier de Welland. Carteret zette er flink de pas in en keek van tijd tot tijd achterom alsof hij verwachtte gevolgd te worden. We waren nog niet ver gekomen toen het weer hard begon te regenen. Hij legde zijn hand op mijn schouder en nam me haastig mee naar de top van het heuveltje.

'Hier,' zei hij.

Nadat we vlug een korte maar steile trap op waren gelopen, repten we ons door een overvol, klein kerkhof naar het voorportaal van de kerk om te schuilen voor de snel heviger wordende stortbui.

Hij ging op een van de ruwe stenen banken zitten die aan weerskanten uit de binnenmuren gehouwen waren en beduidde mij tegenover hem te gaan zitten. De vloer van het portaal zat nog vol modder van een begrafenis die kort daarvoor had plaatsgevonden – het verse graf was door de opening van het portaal net te zien – en onze schuilplaats werd verlicht door twee gotische vensters, waar evenwel geen glas in zat, zodat de regen, die door sterke windvlagen naar binnen geblazen werd, algauw tegen de rug van mijn jas kletterde. De heer Carteret leek dat ongemak niet op te merken; hij glimlachte naar me en zat er, met zijn ronde handen op zijn knieën, zo rustig en behaaglijk bij alsof hij voor een vlammend haardvuur zat.

'Mag ik u vragen, mijnheer Glapthorn,' begon hij, wat vooroverleunend over de natte, modderige tegels, 'hoe mijn brief op Paternosterrow ontvangen is?'

'De heer Tredgold was natuurlijk bezorgd over de mogelijke implicaties.'

Hij antwoordde niet direct en voor het eerst zag ik de vermoeide blik in zijn grote ronde ogen, die me gespannen aankeken van achter zijn dikke ronde brillenglazen.

'Als ik het goed begrijp, mijnheer Glapthorn, bent u hier uit naam van de heer Christopher Tredgold, met zijn volledige instemming en vertrouwen? Ik heb het genoegen hem al vele jaren te kennen en zal mij daarom zonder enig bezwaar volledig verlaten op de door de heer Tredgold gekozen vervanger.'

Ik antwoordde dat dit mij verheugde en verzekerde hem dat ik geen andere opdracht had dan te luisteren, aantekeningen te maken en verslag te doen aan mijn werkgever. Hij knikte goedkeurend, maar zei niets en zo bleven we korte tijd zwijgend zitten.

'Uw brief vermeldde een ontdekking,' waagde ik ten slotte.

'Een ontdekking? Ja, inderdaad.'

'Ik sta tot uw dienst, mijnheer, als u mij verdere mededelingen zou willen doen over de aard daarvan.' Ik haalde mijn opschrijfboekje en een potlood te voorschijn en keek hem verwachtingsvol aan.

'Welnu dan,' zei hij, waarop hij achteroverleunde en me iets van zijn levensverhaal begon te vertellen.

'Dat ik in dienst kwam bij mijn neef, lord Tansor, als zijn vertrouwelijke particulier secretaris,' zei hij, 'is nu meer dan dertig jaar geleden. Mijn lieve, diepbetreurde moeder leefde toen nog, maar mijn vader was kort daarvoor overleden. Een goed mens, maar helaas had hij weinig verantwoordelijkheidsgevoel, net als zijn eigen vader. Hij liet ons schulden en een slechte reputatie na, die te wijten waren aan onverstandige, onberaden investeringen in zaken waarvan hij geen verstand had.

Na de dood van mijn vader was lord Tansor zo vriendelijk mijn nu overleden vrouw en mij, samen met mijn moeder, toe te staan bij zijn stiefmoeder te gaan wonen in het Douairièrehuis van Evenwood, dat hij op zijn kosten had laten opknappen. Hij bood me toen ook de positie van secretaris aan.

Voor de manier waarop mijn neef me behandelde toen mijn broer en ik vrijwel berooid achtergebleven waren, zal ik altijd intens dankbaar zijn. Zolang ik bij hem in dienst ben, wil ik hem zo goed mogelijk dienen, zonder enig ander oogmerk dan te doen wat ik kan om mijn salaris waard te zijn.

De heer Tredgold zal u zeker hebben verteld dat lord Tansor geen erfgenaam heeft. Zijn enige zoon, Henry Hereward, is als kleine jongen overleden, niet lang na zijn zevende verjaardag. Dat was een onuitsprekelijke zware slag voor mijn neef, want hij hield buitensporig veel van het kind. Het verlies van zijn zoon was al vreselijk genoeg, maar in hem verloor hij tevens zijn enige erfgenaam en dat maakte zijn smart welhaast ondraaglijk.

De voortzetting van zijn geslacht is altijd het leidende – ik mag wel zeggen het bezielende – beginsel geweest in het leven van mijn neef. Dat is voor hem het enige dat telt. Hij heeft veel geërfd van zijn vader, wiens vader hem ook veel had nagelaten, en lord Tansor had zijn zoon ook veel willen nalaten, in een cirkelgang van geven en ontvangen; die in stand te houden zag hij als een verantwoordelijkheid en plicht van de hoogste orde.

Maar toen die cirkel werd verbroken – toen de gouden keten afknapte, om zo te zeggen – was dat voor hem bijna catastrofaal, en na de dood van Henry Hereward sloot hij zich wekenlang op, wilde niemand zien, at nauwelijks en kwam alleen 's nachts te voorschijn om door de vertrekken en gangen van Evenwood te dolen als een gekwelde ziel.

Langzamerhand herstelde hij. Zijn geliefde zoon was er niet meer, maar hij besefte dat hij de tijd nog aan zijn kant had en dat de mogelijkheid van een erfgenaam nog niet uitgesloten was, want hij was toen pas in zijn negenendertigste jaar.

Dit alles zal u ongetwijfeld bekend zijn, mijnheer Glapthorn, maar u moet het allemaal nog eens van mij horen, om de volgende reden. Ik zie lord Tansor niet zoals de meeste mensen hem zien, die hem koud en afstandelijk vinden, slechts geïnteresseerd in zijn eigen zaken. Ik weet dat hij een hart heeft, een gevoelig hart, een edelmoedig hart zelfs, ook al is dat alleen *in extremis* gebleken. Maar het is er wel.'

Ik liet hem doorpraten, en intussen bleef het regenen.

Na een tijdje zei hij: 'Het knapt niet op, en we worden hier een weinig nat. Laten we maar naar binnen gaan.' We stonden op en liepen naar de enorme zwarte, met klinknagels beslagen deur van de kerk, maar die bleek op slot te zijn.

'Ach,' zuchtte hij, 'dan moeten we hier maar blijven.'

'Een metafoor voor het Lot, misschien,' zei ik.

Hij glimlachte toen hij weer ging zitten, en kroop deze keer in de hoek van het portaal, zo ver mogelijk van het venster vandaan, onder een al tamelijk zwart geworden gedenkplaat voor Thomas Stevenson en zijn vrouw Margaret, die drie maanden na elkaar waren overleden (en ook voor hun dochter Margaret, gestorven in 1827, op zeventienjarige leeftijd).

'Ik heb Tom Stevenson gekend,' zei hij toen hij me naar het gedenkteken zag kijken. 'Zijn dochter is verdronken, het arme kind, daarginds bij de brug.'

Hij zweeg even.

'Ik deelde in het verdriet van lord Tansor, moet u weten, want ons eerste kind was een jaar eerder dan die arme Henry Hereward van ons weggenomen. Ook al verdronken, net als de dochter van Tom Stevenson, maar in de Evenbrook, die door Evenwood Park stroomt. Ze liep langs de rand van de brug in de oprijlaan, zoals kinderen graag doen. Haar kindermeisje was teruggegaan om iets op te pakken dat ze had laten vallen. Het was in een oogwenk gebeurd. Zes jaar. Zes jaar nog maar.' Hij zuchtte en liet zijn ronde hoofd achteroverleunen tegen de koude steen. 'De immer voortstromende beek die haar meevoerde is naar zijn eigen onbekende bestemming gegaan. Maar de kwetsuren van het hart, mijnheer Glapthorn, die blijven.'

Hij zuchtte nog eens diep en ging toen verder.

'De dood van een kind, mijnheer Glapthorn, is een groot verdriet.

Tom Stevenson heeft gelukkig geen weet gehad van zijn dochters lot – hij overleed eerder dan zij, zoals u aan de jaartallen kunt zien. Maar lord Tansor was dat niet vergund, en mij ook niet. Wij hebben allebei de hevigste pijnen van rouw en verlies te verduren gehad. Of we arm zijn of rijk, ieder van ons moet zulke beproevingen alleen doorstaan. Hierin was – is – lord Tansor niet anders dan u of ik of enig ander mens. Hij bekleedt een bevoorrechte plaats in het leven, maar er zijn ook lasten te dragen, zware lasten. Maar ik verwacht niet dat ik u kan overtuigen. Misschien ziet u in mij de onderdanigheid van de oude, trouwe dienaar?'

Ik antwoordde dat het temperament van de *sans culotte** mij vreemd was en dat ik lord Tansor van harte gunde wat hem door een goedgunstig lot was toebedeeld.

'Mooi, daar zijn we het dan over eens,' zei Carteret met een glimlach. 'We leven in een tijd van democratie en vooruitgang, dat weet ik – dat hoor ik voortdurend van mijn dochter.' Hij zuchtte. 'Lord Tansor ziet dat niet – ik bedoel de onontkoombaarheid van al die dingen, dat er aan dit alles eens een einde zal komen, en dat die dag misschien helemaal niet zo ver weg is. Hij gelooft in een eeuwige orde, die zichzelf in stand houdt. U moet niet denken dat dat hybris is, het is een soort tragische onschuld.'

Daarna verontschuldigde hij zich omdat hij mij had lastiggevallen met wat hij zijn gebruikelijke preek noemde, en sprak vervolgens over de huidige lady Tansor, en over de toenemende radeloosheid van de baron, omdat zich in al die jaren van zijn huwelijk met haar geen stamhouder had aangediend.

Na een tijdje viel hij stil en bleef me met zijn handen op zijn knieën aankijken alsof hij een opmerking van mij verwachtte.

'Mijnheer Carteret, vergeef me.'

'Ja, mijnheer Glapthorn?'

'Ik ben hier om te luisteren, niet om u te ondervragen. Maar staat u me toe deze ene vraag te stellen, over de heer Phoebus Daunt? Ik heb hem horen noemen, door de heer Tredgold, als iemand die bijzonder in de gratie is bij lord Tansor. Staat het u vrij, nu of bij onze volgende

* Een lid van de arbeidersklasse tijdens de Franse Revolutie, die lange broeken droeg, en niet de kuitbroeken van de aristocratie. JJA

ontmoeting, te zeggen of de positie van deze heer met betrekking tot lord Tansor op enigerlei wijze verband houdt met de zorgen die u in uw brief uitte?'

'Dat is wel erg omzichtig uitgedrukt, mijnheer Glapthorn. Als u bedoelt: is de heer Phoebus Daunt het voorwerp geworden van lord Tansors ambities om voor een erfgenaam te zorgen, dan kan ik natuurlijk dadelijk een bevestigend antwoord geven. Ik weet trouwens zeker dat de heer Tredgold u dat ook verteld moet hebben. Verwijt ik mijn neef iets vanwege de maatregelen die hij wenst te treffen met betrekking tot de heer Daunt? Nee. Voel ik me daardoor tekortgedaan? Nee. Lord Tansor kan naar eigen believen over zijn bezittingen beschikken. Ook al zou ik de titel erven, het zou een lege waardigheid zijn, niet meer dan een naam; en ik verlang die werkelijk niet – vol of leeg. Maar de zaak die ik de heer Tredgold wilde voorleggen en die ik u nu zal voorleggen, houdt niet direct verband met de heer Daunt, hoewel ze indirect zeker van invloed is – nogal cruciaal – op zijn toekomstige vooruitzichten. Maar als ik meer wil zeggen, denk ik dat ik dat misschien beter kan doen bij onze volgende ontmoeting. Ik zie dat de regen wat minder wordt. Zullen we teruggaan?'

Ik wachtte in de deuropening van de gelagkamer terwijl Carteret bij de portier een versleten leren tas ophaalde en een paar minuten bleef staan praten. Vanuit mijn ooghoek zag ik hem een klein pakje overhandigen en daarna nog een paar woorden tegen de man zeggen. Hij kwam weer naar me toe en samen liepen we de binnenplaats op, waar hij zijn kleine, ronde lijf in een ruime reismantel hulde, een versleten oude hoed opzette en de tas stevig om zijn borst vastgespte.

'Verwacht u voor het donker thuis te zijn?' vroeg ik.

'Als ik nu voortmaak. En mijn reis wordt lichter door het prettige vooruitzicht van de avondmaaltijd en de begroeting van mijn lieve dochter.'

We gaven elkaar een hand en ik bleef buiten wachten terwijl hij een stevig zwart paard besteeg.

'Kom morgen theedrinken,' zei hij. 'Rond vier uur. Douairièrehuis, Evenwood. Vlak bij het hek van het park. Zuidkant.'

Net toen hij door de poort aan de andere kant van de met keien bestrate binnenplaats wilde rijden, draaide hij zich om en riep:

'Neem uw bagage mee en blijf logeren.'

Na het diner trok ik me terug op mijn kamer om een kort verslag voor Tredgold te schrijven over mijn eerste ontmoeting met Carteret, dat ik naar de balie beneden liet brengen, waar het de volgende ochtend met de eerste post verzonden zou worden. Daarna ging ik naar bed, want ik was uitgeput en had geen behoefte aan mijn gebruikelijke opiumhoudende middel; ik viel algauw in een diepe, droomloze slaap.

Na enige tijd was ik me ervan bewust dat ik langzaam uit mijn slaap gewekt werd door een gedurig tikken tegen mijn raam. Toen ik opstond om te gaan kijken, sloeg de klok van de nabije St Martin's Church één uur.

Het was alleen maar een losse klimoprank die in de wind bewoog, maar toen keek ik toevallig naar beneden op de binnenplaats.

Onder de poort tegenover mij zag ik iets dat een enkel rood oog leek. Langzaam begon het donker eromheen zich tot een donkerder vorm te verdichten, waardoor ik de gestalte van een man kon onderscheiden, halfverlicht door de straatlantaarn aan de andere kant van de poort. Hij rookte – ik kon nu zien hoe het gloeiende uiteinde van zijn sigaar groter en kleiner werd wanneer hij de rook inzoog en weer uitblies. Hij bleef een paar minuten roerloos staan, draaide zich toen plotseling om en verdween in het schemerdonker van de poort.

Ik dacht hier toen niet verder over na. Iemand die nog laat in het hotel had gegeten en nu naar huis ging, misschien, of een van de bedienden. Ik slofte terug naar mijn bed en viel voor de tweede keer in een diepe slaap.

De volgende middag reed ik op een paard van het hotel naar Evenwood en kwam even voor drieën in het dorp aan.

In de hoofdstraat van het dorp hield ik stil en keek om me heen. Daar was de kerk van St Michael and All Angels, met zijn hoge torenspits, en een eindje erachter stond de met klimop begroeide pastorie van de eerwaarde heer Achilles Daunt en zijn gezin. Er was een diepe stilte neergedaald, alleen verbroken door het vage geluid van een briesje door de bomen aan weerszijden van het pad naar de kerk. Ik reed door en volgde de muur om het park totdat ik bij het poortgebouw met zijn torentjes kwam – in de sombere Schotse stijl, daar in 1817 in een vlaag van enthousiasme na het lezen van Scotts *Waverley* neergezet door lord Tansor. In het park begon de oprijlaan geleidelijk te stijgen, want het grote huis was van hieruit niet te zien, dat genoegen had 'Capability' Brown vernuftig uitgesteld toen hij het park opnieuw inrichtte, maar links was achter een dicht met bomen beplant terrein wel een gebouw te ontwaren.

Een aftakking van de oprijlaan liep tussen die bomen door naar een begrinte open ruimte. Daarvandaan liep de laan door een goed onderhouden grasveld naar de hoofdingang van het Douairièrehuis – een fraai, drie verdiepingen hoog gebouw van crèmekleurige Barnacksteen, gebouwd in het tweede regeringsjaar van koning Willem III en koningin Mary,* zoals bleek uit de uitgebeitelde cijfers op het halfronde fronton boven de ondiepe zuilengalerij. Het kwam me voor als een prachtig poppenhuis voor een reuzenkind, volmaakt in zijn eenvoudige proporties en voorname, smaakvolle bouwstijl. Een stuk of vijf treden leidden naar de zuilengang. Ik steeg af, liep de treden op en klopte op de hoge, raamloze dubbele deur, maar er werd niet opengedaan. Toen hoorde ik ergens achter in het huis een vrouw huilen.

Ik bond mijn paard vast en ging op het geluid af, een hek door en een trapje af naar een ommuurde tuin, die nu in de schaduw van de late middag lag, en toen naar een open deur aan de achterkant van het huis.

Op een stoel bij de deur zat een nog jong dienstmeisje dat getroost werd door een oudere dame die een muts en een schort droeg.

'Stil maar, stil maar, Mary,' zei de oudere dame, en ze streelde het haar van het meisje en probeerde haar tranen af te vegen met de zoom van haar schort. 'Probeer flink te zijn, lieverd, om het niet erger te maken voor de juffrouw.'

* d.w.z. 1690. JJA

Ze keek op en zag me.

'Neem me niet kwalijk,' zei ik. 'Ik had op de voordeur geklopt.'

'O, mijnheer, er is niemand – Samuel en John zijn in het grote huis bij de baron. Alles staat hier op zijn kop, weet u. O mijnheer, zo iets verschrikkelijks...'

Ze ging nog een tijdje door op die voor mij onbegrijpelijke manier, totdat ik haar in de rede viel.

'Mevrouw, misschien is er sprake van een misverstand. Ik heb een afspraak met de heer Paul Carteret.'

'Nee, nee, mijnheer,' zei ze, terwijl Mary met hernieuwde kracht begon te jammeren. 'Mijnheer Carteret is dood. Vermoord toen hij gisteravond uit Stamford terugkwam, en alles staat hier op zijn kop.'

20

Vae victis!*

Ik ga er prat op dat ik onder moeilijke omstandigheden kalm weet te blijven – dat is bij mijn werk voor Tredgold ook noodzakelijk. Maar bij dit bericht kon ik niet verhelen dat ik ten diepste geschokt was.

'Dood?' riep ik bijkans uitzinnig uit. 'Dood? Wat zegt u daar? Dat kan niet!'

'Het is waar, mijnheer,' zei de dame, 'het is maar al te waar. Wat moet juffrouw Emily nu beginnen?'

De dame, die zich voorstelde als juffrouw Rowthorn, de huishoudster van de familie Carteret, liet Mary alleen met haar verdriet en ging me voor, de keuken door en een kleine trap op, waarna we achter in de hal uitkwamen.

Zoals mijn gewoonte was, nam ik deze nieuwe omgeving snel in me op. Een zwart met witte tegelvloer, twee vensters aan weerskanten van de voordeur, die boven en onder met twee grendels en in het midden met een stevige pen-en-gatverbinding was afgesloten. Lichtgroene muren met fraai stucwerk, niet minder fraai gepleisterde plafonds en een eenvoudige witte schouw. Een trap met een sierlijke smeedijzeren leuning leidde naar de eerste verdieping. Vier deuren, twee aan de voorkant, twee aan de achterkant en nog een deur naar de tuin.

Uit een van de voorkamers kwam een jonge vrouw de hal in.

Ze was ongewoon lang voor haar kunne, bijna even groot als ik, en ze was gekleed in een zwarte japon met een bijpassend mutsje, dat op haar gitzwarte haar bijna niet te onderscheiden was.

Toen ik haar gelaat zag, begreep ik dat ik tot dan toe nimmer had geweten wat schoonheid was. De schoonheid die ik meende te kennen,

* 'Wee de overwonnenen!' (Livius). JJA

zelfs die van Bella, leek nu nog slechts schijn en bedrog, een halfbewuste droom van schoonheid, die haar bestaan aan vindingrijkheid en begeerte te danken had. Hier zag ik thans de schoonheid in haar volle wezen geopenbaard, echt en rechtstreeks, als het licht van de sterren of een zonsopgang boven een besneeuwd landschap.

In het kwijnende namiddaglicht stond ze daar, met haar handen voor zich gevouwen, en keek me rustig aan. Ik had een alledaags, rond persoontje verwacht, net als de heer Carteret zelve, een hartelijke engel van de huiselijke haard. Ze droeg een bril, net als haar vader, maar verder ging de gelijkenis niet, en in plaats van de aandacht van de ongewone lieftalligheid van haar gelaat af te leiden leek de bril die juist te verhogen – een verschijnsel dat ik dikwijls heb waargenomen.

Ze bezat de overdreven fraaiheid van een pop, maar dan verheven, nobel. Haar ogen met de zware oogleden – amandelvormig en koolzwart als heur haar – waren uitzonderlijk groot en overheersten haar gezicht, dat zo bleek was als de maan in november. Haar neus was wellicht iets te lang, haar bovenlip misschien iets te kort, en sommigen zouden het vlekje op haar linkerwang wellicht ontsierend vinden. Maar bezat zij niet de volmaaktheid van alle trekken afzonderlijk, haar schoonheid leek vele malen groter dan de som der delen, zoals ook muziek, wanneer die gespeeld wordt, de som der neergeschreven noten overstijgt.

Vanaf dat ogenblik begeerde ik mejuffrouw Emily Carteret zoals ik nimmer een andere vrouw had begeerd. Haar ziel leek de mijne te wenken, en ik had geen andere keus dan haar te volgen. Toch waren wij neef en nicht, als mijn ware identiteit kon worden aangetoond; we hadden beiden Duport-bloed. Die bedwelmende gedachte maakte mijn begeerte alleen maar des te heviger.

Mijn dagdromerij werd door juffrouw Rowthorn verstoord.

'Juffrouw,' zei ze, duidelijk geagiteerd, 'deze heer had een afspraak met uw arme vader.'

'Dank je, Susan,' antwoordde mejuffrouw Carteret rustig. 'Wil je thee naar de salon brengen? En zeg maar tegen Mary dat ze naar huis mag gaan als ze wil.'

Juffrouw Rowthorn maakte een kleine révérence en haastte zich naar beneden, naar de keuken.

'Mijnheer Glapthorn, nietwaar? Komt u binnen.'

Haar stem was warm en laag, met een strelende maar afstandelijke muziek erin die me deed denken aan een altviool die in een leeg vertrek wordt aangestreken.

Ik volgde haar naar het vertrek waar ze zojuist uit was gekomen. De jaloezieën waren gesloten en de lampen brandden. Ze stond met haar rug naar het raam en beduidde me met een loom handgebaar plaats te nemen op de kleine leunstoel die voor haar stond.

'Juffrouw Carteret,' begon ik, naar haar opkijkend, 'ik weet haast niet wat ik moet zeggen. Dit is verschrikkelijk nieuws. Als ik...'

Ze onderbrak mijn condoleancetoespraakje. 'Dank u, mijnheer Glapthorn, maar ik heb uw steun op het ogenblik niet van node – als u me die inderdaad had willen aanbieden. Mijn oom, lord Tansor, heeft de zaak ter hand genomen.'

'Juffrouw Carteret,' zei ik, 'u kent mijn naam, en ik meen ook te begrijpen dat u wist dat ik vandaag uw vader kwam spreken over een vertrouwelijke aangelegenheid.'

Ik wachtte, maar ze antwoordde niet, dus ging ik voort:

'Ik ben hier op gezag van de heer Christopher Tredgold, van Tredgold, Tredgold & Orr, een naam die u naar ik meen niet onbekend is.'

Roerloos, zwijgend, aandachtig bleef ze staan.

'Ik heb de heer Tredgold toegezegd hem van alle details van mijn verblijf alhier op de hoogte te houden, en die belofte moet ik natuurlijk gestand doen. Mag ik vragen – kunt u mij zeggen – hoe dit verschrikkelijke is gebeurd?'

Ze gaf niet dadelijk antwoord, wendde zich af en keek naar de jaloezie voor het raam. Toen, met haar rug nog naar me toe, begon ze op vlakke, zakelijke toon te vertellen hoe het paard van haar vader – het zwarte paardje waarop ik hem van de binnenplaats van hotel George had zien wegrijden – om een uur of zes zonder ruiter door het Park draafde, over het pad naar Molesey Woods. Er was een zoektocht georganiseerd. Ze hadden hem weldra gevonden, vlak bij de bomen bij het punt waar de zijweg van de Odstock Road het Park in gaat. Hij leefde toen nog, maar was buiten bewustzijn, hij was verschrikkelijk op het hoofd en in het gezicht geslagen en werd op een kar naar het grote huis gebracht, waar zijn lichaam nu lag. Lord Tansor was terstond op de hoogte gebracht en had zijn eigen lijfarts uit Peterborough laten komen, maar voordat de medicus aankwam, was de heer Carteret reeds gestorven.

'Men meent dat hij uit Stamform was gevolgd,' zei ze; ze wendde zich van het venster af en richtte haar blik nu op mij.

Er bleek de afgelopen maanden nog een aantal van dergelijke overvallen te hebben plaatsgevonden, door een bende van vier à vijf schurken die boeren en anderen volgden van wie ze vermoedden dat ze van de markt terugkeerden en geld bij zich hadden. Slechts een week tevoren was een boer uit Bulwick zwaar mishandeld, al waren er tot nu toe nog geen doden gevallen. De overvallen wekten veel verontwaardiging in de streek en in de *Stamford Mercury* werd op hoge toon tot streng optreden opgeroepen.

Ze keek op mij neer en ik zat beteuterd als een ondeugende schooljongen in het kleine stoeltje.

Ze had de meest ondoorgrondelijke blik die ik ooit had gezien en ze knipperde niet eenmaal met haar donkere, peilloos diepe ogen, die niets van haarzelf prijsgaven en welhaast volmaakt mechanisch leken. Ze deden me aan de lenzen van mijn camera's denken: hard, doordringend, alziend, ieder detail, iedere nuance van ieder voorwerp onverstoorbaar opnemend en registrerend zonder ooit iets terug te geven. Ik kreeg een intens ongemakkelijk gevoel van die blik, die verontrustende combinatie van ondoordringbaarheid en wéten verlamde mijn wil. Het scheen me toe dat ze me terstond door en door kende, ondanks al mijn vermommingen. Het leek alsof die ogen alle vernederingen in mijn leven hadden gezien en al mijn doen en laten hadden aanschouwd, bij daglicht of in het verhullende donker; dat ze ook hadden gezien waartoe ik in staat was en wat ik zou doen als de tijd en de gelegenheid daar waren. Ik werd plotseling onverklaarbaar bang voor haar, want ik wist dat ik geen keus had, dat ik haar moest liefhebben en dat ik niets terug zou ontvangen.

Op dat moment werden we onderbroken door juffrouw Rowthorn, die binnenkwam met de thee. Voor het eerst sinds het begin van ons gesprek verwijderde juffrouw Carteret zich van het raam; ze ging tegenover me zitten. Ze schonk de warme drank in en wij dronken in stilte.

'Juffrouw Carteret,' zei ik ten slotte, 'het valt mij zwaar u dit te vragen, maar zoals ik reeds zei moet ik de heer Tredgold een zo volledig mogelijk verslag van deze verschrikkelijke gebeurtenissen geven. Ik moet dan ook zo veel mogelijk inlichtingen inwinnen over de exacte omstandigheden van de dood van uw vader. Het is mogelijk, zelfs waarschijnlijk, dat ik afgezien van zijn overvallers de laatste was die hem in leven heeft gezien, en door die waarschijnlijkheid ben ik bij deze tragedie betrokken. Ik wil u evenwel verzoeken mij als een vriend te beschouwen – van uzelf en van uw vader – want al heb ik hem pas gisteren leren kennen, ik koesterde reeds genegenheid en hoogachting voor hem.'

Ze zette haar kopje neer.

'U bent voor mij een vreemde, mijnheer Glapthorn,' antwoordde ze. 'Het enige wat ik van u weet, is dat u de heer Tredgold vertegenwoordigt, dat mijn vader gisteren is vertrokken om u in Stamford te ontmoeten en dat u hier vandaag uw gesprek met hem had zullen voortzetten. Mijn vader had instructie gegeven een kamer voor u in gereedheid te brengen, en u mag uiteraard zo lang blijven als u nodig acht om uw verslag voor de heer Tredgold te voltooien. Wanneer u daarmee klaar bent, zult u ongetwijfeld zo spoedig mogelijk naar Londen willen terugkeren. Juffrouw Rowthorn zal u naar uw kamer brengen.' Met die woorden stond ze op om te schellen voor de huishoudster.

'Vaarwel, mijnheer Glapthorn. Vraagt u het aan juffrouw Rowthorn als u iets nodig hebt.'

'Juffrouw Carteret, ik kan niet zeggen hoezeer...'

'Het is niet aan u deze gebeurtenissen te betreuren,' onderbrak ze mijn woorden. 'U bent heel vriendelijk, maar ik heb uw medeleven niet van node. Ik ben er niet mee geholpen. Niets kan mij nog helpen.'

Juffrouw Rowthorn verscheen al spoedig in de deuropening (ik wist genoeg van huishoudsters om aan te nemen dat haar snelle komst erop duidde dat ze ons gesprek had afgeluisterd). Ik boog voor juffrouw Carteret en volgde de huishoudster naar de hal .

Enkele minuten later werd ik in een klein, doch aangenaam vertrek op de eerste verdieping gelaten. Toen ik de jaloezie voor een van de beide ramen omhoog trok, zag ik dat het vertrek op het gazon en de bomen bij het hek aan de zuidkant uitzag. Ik ging op het bed liggen, sloot mijn ogen en probeerde na te denken.

Maar mijn gedachten waren geheel vervuld van juffrouw Carteret, en telkens wanneer ik me op de brief van haar vader aan Tredgold trachtte te concentreren, zag ik slechts haar grote zwarte ogen onder hun zware oogleden. Ik probeerde aan Bella te denken, maar dat lukte niet. Ten slotte pakte ik pen en papier, stak een sigaar op en begon voor mijn werkgever een rapport op te stellen over de omstandigheden van de dood van Carteret zoals ik die vernomen had.

Tegen de tijd dat ik daarmee klaar was en het maal had gebruikt dat juffrouw Rowthorn gebracht, was de schemering al gevallen. Ik had zojuist het raam geopend omdat ik de koude avondlucht wilde binnenlaten, toen de stilte werd verbroken door de klanken van een pianoforte.

De tere melodie met haar verrukkelijke harmonieën, haar roerende overgangen van majeur naar mineur en van pianissimo naar forte, bedwelmde mijn gemoed. Zo veel gevoel, zo veel smartelijke schoonheid had ik nog nooit van mijn leven gehoord. Ik herkende het stuk niet dadelijk – ik weet thans dat het van wijlen Monsieur Chopin was – doch de speelster herkende ik terstond. Wie kon het anders zijn dan zij? Het leek me duidelijk dat ze voor haar vader speelde en door middel van haar instrument en de door de componist zo volmaakt gerangschikte klanken en ritmen de zielenpijn kon uiten die zij in het bijzijn van een vreemde niet kon of wilde onthullen.

Ik luisterde betoverd toe en stelde me voor hoe haar slanke vingers over de toetsen gleden, haar ogen gevuld met tranen, haar hoofd gebogen onder het gewicht van haar smart. Maar even plotseling als het was begonnen, hield het weer op en ik hoorde dat het deksel van het instrument werd dichtgeslagen. Ik liep weer naar het raam en keek de tuin in, waar zij snel over het gazon liep. Juist toen ze de Plantage zou bereiken stond ze stil, keek om, naar het huis, en deed toen nog een paar stappen naar de bomen toe. Toen zag ik hem, een donkerder gestalte, uit de schaduw komen en haar in zijn armen nemen.

Ze bleven enkele ogenblikken in hun stille omhelzing staan, en toen maakte zij zich los en begon hem zichtbaar heftig toe te spreken, waarbij ze driftig met haar hoofd schudde en af en toe omkeek, naar het huis. Van de terughoudendheid en koud-gereserveerde houding van die middag was niets meer over; ik aanschouwde een vrouw die aan onweerstaanbare gemoedsbewegingen ten prooi was. Ze wilde weglopen, maar de man greep haar bij de arm en trok haar weer naar zich toe. Ze spraken nog een poosje verder, met de hoofden dicht bij elkaar, totdat zij weer wegliep en hem verwijten leek te maken, met af en toe een gebaar naar de duisternis achter hem. Ten slotte draaide ze zich om en rende terug naar het huis; de man bleef nog een ogenblik met uitgestrekte armen staan. Ik keek totdat zij in de zuilengang was verdwenen en ik de voordeur dicht hoorde vallen. Toen ik weer naar de Plantage keek, was de man weg.

Ze had dus een geliefde. Dat kon natuurlijk Daunt niet zijn, want Tredgold had me voor mijn vertrek meegedeeld dat hij voor lord Tansor naar de West Country was afgereist; bovendien had hij er terloops aan toegevoegd dat Daunts vroegere amoureuze intenties ten opzichte van mejuffrouw Carteret door deze jongedame resoluut waren afgewezen, uit eerbied voor de hartgrondige afkeer en afkeuring die haar vader voor de zoon van zijn buurman gevoelde, en dat ze nu alleen nog beleefd tegen elkaar waren. Maar zij was mooi en ongebonden, en ze moest wel veel aanbidders onder de plaatselijke vrijgezellen hebben. Ongetwijfeld was ik getuige geweest van een afspraakje met een plaatselijk heerschap. Maar hoe meer ik over de mimevoorstelling nadacht die ik had gezien, hoe vreemder die mij voorkwam. Men zou toch verwachten dat een man die een meisje het hof komt maken, aan de voordeur komt en zich laat aandienen, in plaats van zich in het donker te verschuilen; bovendien leek me dit geen kibbelpartijtje tussen gelieven, maar iets van veel groter belang. De schone mejuffrouw Carteret leek verborgen kanten te hebben.

Er klonk een klopje op mijn deur en de huishoudster haalde het blad weg.

'Juffrouw Rowthorn,' vroeg ik toen ze weg wilde gaan, 'die overvallen van de laatste tijd – hoeveel waren dat er?'

'Wel, mijnheer, eens kijken. Burton, de pachter van een boerderij van lord Cotterstock bij Bulwick – dat was de laatste, de stakker. En dan de knecht van jonker Emsley, en naar ik meen nog een heer uit Fotheringhay, maar dat weet ik niet meer precies. Onze arme mijnheer zal de derde of de vierde zijn geweest.'

'En ze hadden allemaal geld bij zich?'

'Ik meen van wel – behalve mijnheer.'

'Hoe bedoelt u?'

'Ik bedoel, mijnheer, dat de anderen allemaal in Stamford zaken hadden gedaan, want ze zijn op een marktdag overvallen. Van Burton hebben ze bijna vijftig pond gestolen. Maar mijnheer bewaart zijn geld op de bank in Peterborough, al weet ik niet hoe veel hij gewoonlijk bij zich had.'

'Waarom ging hij dan gisteren naar Stamford?'

'Om u te spreken, mijnheer, en om naar de bank te gaan.'

'Naar de bank? Om geld op te nemen wellicht?'

'O nee, mijnheer,' antwoordde ze. 'Ik dacht dat hij papieren terug ging halen die hij daar in een kluis laat bewaren. Voordat hij van huis ging, vroeg hij me nog waar hij iets kon vinden dat groot genoeg was om ze in te doen, en ik vond ergens een oude leren tas van Earl – dat was de jachtopziener van de baron – die al twee jaar aan de deur van de provisiekamer hing...'

Die herinnerde ik me nog duidelijk; ik had Carteret de tas op de binnenplaats van de herberg stevig zien omgespen.

'En waar is die tas nu?' vroeg ik.

Ze zweeg een ogenblik.

'Daar zegt u wat,' sprak ze toen, 'ik herinner me niet dat ik hem heb gezien toen ze... neem me niet kwalijk, mijnheer, ik kan er niets aan doen...'

Ze zette het blad neer en tastte naar haar zakdoek, en ik verontschuldigde me voor mijn tactloosheid. Toen ze zichzelf weer meester was nadat ik enkele troostende woorden tot haar had gesproken, pakte ze het blad weer op en wenste me een goede nacht.

Ik wist nu zeker dat Carteret niet door die bende was gevolgd en overvallen omdat hij geld bij zich zou hebben. Dit was geen lukrake beroving. Carteret was met een duidelijk, vastomlijnd doel overvallen, en als ik een gokker was geweest, had ik mijn geld erop gezet dat dit alles te maken had met de inhoud van de vermiste tas. Maar ik vroeg me wel af wat erin had gezeten als het geen geld was, en wat er zo waardevol kon zijn dat iemand niet terugdeinsde voor een koelbloedige, gewelddadige moord om het in handen te krijgen.

Dit rustige huis in zijn voorname afzondering binnen de muren van Evenwood Park was plotseling een oord van samenzwering en gewelddadige dood geworden. Langzaam maar zeker begon ik overtuigd te raken van een verband tussen de dood van Carteret en de brief die hij aan Tredgold had geschreven. Ik moest toegeven dat ik daar geen bewijs voor had. Toch had Tredgold me op het hart gedrukt dat ik voorzichtig moest zijn. Ik begon me af te vragen of die woorden iets meer hadden betekend dan een gewoon vaarwel.

Nog een uur of langer bleef ik zo zitten, bekeek de zaak van alle kanten en trachtte mijn vage angsten en ongegronde verdenkingen het hoofd te bieden, totdat ik het niet meer uithield en mijn kaars uitblies. Toen ging ik met open ogen in het donker naar het roepen van een uil in de Plantage liggen luisteren en keek naar de schaduwen van de bomen die over het witgekalkte plafond speelden. Hoe lang ik zo gelegen heb weet ik niet, maar ten slotte viel ik in een onrustige slaap, vol dromen waarin mij het gelaat van mejuffrouw Emily Carteret voortdurend voor ogen zweefde.

21

Requiescat*

Ik stond vroeg op en liep door het stille huis, waarvan de voordeur op slot en vergrendeld bleek, zodat ik via de achtertrap en de keuken moest. Daar trof ik het dienstmeisje, Mary Baker, dat aan het stenen aanrecht aan het werk was. Toen ze mijn voetstappen hoorde, draaide ze zich om en maakte een kniksje.

'O, mijnheer, is er iets? Had u gebeld?'

'Nee, nee, Mary,' antwoordde ik, 'ik wilde wat gaan wandelen, maar de voordeur is op slot.'

Ze keek naar de klok boven het fornuis. Die stond op een paar minuten voor halfzes.

'Mijnheer kwam altijd op slag van zessen zelf met de sleutels naar beneden,' zei ze. 'Elke morgen, zonder mankeren.'

'Nu zal juffrouw Carteret de sleutels wel hebben,' zei ik.

'Dat weet ik niet, mijnheer. Ik was gisteravond zo uit mijn doen dat juffrouw Rowthorn zei dat ik naar huis mocht gaan, en dat heb ik gedaan, al ben ik vanmorgen wel vroeg gekomen.'

'En woon je in het dorp, Mary?'

'Al mijn hele leven, mijnheer.'

'Dit zal wel een hele schok voor je zijn geweest. Zo zinloos en onverwacht.'

'Ach, mijnheer, die arme mijnheer... zo'n goed mens, zo goed voor ons.' Haar stem brak en ik zag dat de waterlanders niet ver meer waren.

'Je moet sterk zijn, Mary,' zei ik, 'voor de juffrouw.'

'Ja, mijnheer, ik zal mijn best doen. Dank u wel.'

* 'Dat hij ruste' (in vrede). JJA

Ik wilde al doorlopen, maar toen viel me een gedachte in.

'Vertel eens, Mary, als het je niet te veel van streek brengt – wie heeft mijnheer Carteret gevonden?'

'John Brine, mijnheer.'

'En wie is John Brine?'

Ze legde uit dat hij de knecht van de heer Carteret was, zijn factotum.

'En hoeveel bedienden zijn er nog meer, behalve John Brine?'

'Juffrouw Rowthorn natuurlijk, en ik. Ik werk vooral voor juffrouw Barnes, de keukenmeid, en ik doe het schoonmaakwerk, maar daar komt de dochter van Tidy me drie keer in de week mee helpen. En dan John Brine, en zijn zuster Lizzie – de kamenier van juffrouw Emily – en Sam Edwards, de tuinman.'

Ze draaide het aanrecht de rug toe en veegde haar handen af aan haar schort. John Brine bleek juist voor een boodschap naar het grote huis te zijn gegaan toen het paard van Carteret zonder ruiter in het Park werd aangetroffen. Brine was Carteret dadelijk gaan zoeken, met twee stalknechts van lord Tansor, Robert Tindall en William Hunt; de stalknechts hadden de weg tot aan het hek aan de zuidkant van het Park gevolgd en Brine het smallere pad door de bossen naar de westelijke poort, bij de Odstock Road.

'Dus mijnheer Carteret is door John Brine alleen gevonden?' vroeg ik.

'Ik geloof het wel, mijnheer. Hij is meteen naar de anderen gereden, en toen zijn ze samen teruggegaan.'

Mary wees me de weg naar een erf achter de tuin, dat werd afgesloten door een stuk of drie stallen en een zadelkamer. Daar trof ik een forse jonge kerel van een jaar of dertig met licht, zandkleurig haar en een baard. Bij mijn binnenkomst keek hij op van zijn werk, doch zonder iets te zeggen.

'John Brine?'

'Dat ben ik,' antwoordde hij op achterdochtige toon; hij kwam overeind en rechtte zijn rug.

'Dan zou ik je gaarne een paar vragen willen stellen over de overval op de heer Carteret. Ik ben...'

'Ik weet wie u bent, mijnheer Glapthorn,' zei hij. 'We verwachtten u. Maar ik begrijp niet waarom u meent dat het te pas komt dat u me vragen stelt. Ik heb alles wat ik weet aan lord Tansor verteld, en met uw welnemen, mijnheer, ik denk niet dat de baron het goed zou vinden dat ik dat tegen een vreemde herhaalde. Ik hoop dat u dat begrijpt, mijnheer. En als u me nu niet kwalijk neemt...'

Waarop hij doorging met zijn werk. Maar ik liet me niet zo gemakkelijk afschepen door iemand van zijn slag.

'Wacht eens even, Brine. Je moet weten dat ik hier nog een paar dagen blijf, met volle instemming van mejuffrouw Carteret. Het is ambtshalve mijn taak, om redenen waarmee ik jou niet lastig hoef te vallen, me een zo volledig mogelijk beeld van de omstandigheden van deze verschrikkelijke gebeurtenis te vormen. Je zou me een groot genoegen doen, Brine, als je me in je eigen woorden vertelde hoe je mijnheer Carteret hebt aangetroffen. Ik zou niet graag op praatjes of geruchten afgaan, want die zouden de waarheid die ik uit jouw mond verneem, kunnen verdraaien of tegenspreken.'

Hij keek me even aan en poogde ongetwijfeld te peilen in hoeverre ik meende wat ik zei. Toen leek hij zijn standpunt wat te herzien, beduidde me met een knikje op de oude houten stoel bij de deur plaats te nemen en begon zijn relaas.

Hij bevestigde in grote trekken wat ik reeds van Mary had gehoord. Hij was bij het grote huis toen een van de tuinjongens naar de stallen toe kwam rennen om te zeggen dat de zwarte merrie van de heer Carteret door het Park draafde, maar dat haar berijder nergens te bekennen was. Het begon al donker te worden, dus Brine en de beide stalknechts waren terstond opgestegen en weggereden, de stalknechts naar de Zuidpoort, Brine in westelijke richting, naar de bossen.

Tussen de bomen had Brine hem gevonden, voorover liggend, een eindje van het pad, niet ver van het westelijke hek.

'Had je de indruk dat hij op de plaats lag waar hij was overvallen?' vroeg ik.

'Nee,' zei Brine, 'dat geloof ik niet. Het pad maakt daar een scherpe bocht, vlak voor het hek. Ik denk dat ze hem aan de andere kant van die bocht hebben opgewacht, tussen de bomen. Hij moet ze pas hebben gezien toen het al te laat was. Toen hij viel hebben ze het paard waarschijnlijk weggejaagd en hem het bos in gesleept – er liep nog een spoor door het gras. Hij ademde nog toen ik hem vond, maar ik kon hem niet meer bijbrengen.'

'En zijn tas?'

'Tas?'

'De tas die hij had omgegespt?'

'Er was geen tas.'

Toen vroeg ik waar ze Carteret heen hadden gebracht.

'William Hunt is naar het grote huis gereden en toen zijn ze met een kar gekomen. Daar hebben we hem op gelegd.'

'Jullie brachten hem naar het grote huis, niet hierheen?'

'Ja, dat wilde de baron zo. Hij zei dat hij zo veel mogelijk met rust moest worden gelaten totdat dokter Vyse uit Peterborough er was. Robert Tindall is hem meteen gaan halen.

'Hoe laat was dat?

'Tegen achten.'

'Maar mijnheer Carteret was al dood toen de dokter kwam?'

'Hij stierf rond halftien. Juffrouw Carteret was bij hem, en lord en lady Tansor.'

Ik stak hem mijn hand toe, die hij na een korte aarzeling aannam. Ik was vastbesloten de man aan mijn kant te krijgen, al leek hij me wat nurks en traag van begrip.

'Dank je, Brine. Ik ben je heel erkentelijk. O, en Brine,' voegde ik er nog aan toe, 'waar is mijnheer Carteret nu?'

'In de kapel bij het grote huis. Dat vond lord Tansor het beste.'

Ik knikte. 'Zeker. Ja. Dank je, Brine. En zou je kunnen zorgen dat dit vóór de middagposttrein in Peterborough is?' Ik gaf hem het tweede verslag voor Tredgold, waarin alles stond wat ik over de omstandigheden van de noodlottige overval op Carteret had vernomen.

'Je zult moeten betalen,' zei ik, en ik overhandigde hem wat kleingeld. 'Dit zal wel genoeg zijn.'

Hij antwoordde niet, maar knikte alleen en pakte het geld aan.

Ik keerde terug naar de tuin en liep toen over het gazon naar het poortgebouw. Op de rijweg zag ik iets donkers op de grond liggen en bukte om het beter te bekijken. Het was een half opgerookte sigaar, genoeg om mij – inmiddels een kenner – in staat te stellen een van de grote havannamerken te herkennen: Ramón Allones maar liefst. De gelief-de van juffrouw Carteret was een man met smaak. Ik gooide het stompje weer op de grond en vervolgde mijn weg.

Vlak voor het hoogste punt van de lange helling vanwaar het grote huis te zien was, stond ik stil en draaide me om. Daar beneden, achter mij, bevond zich het poortgebouw met de torentjes, en rechts de Plantage met daarachter een stukje van het Douairièrehuis. Verder naar rechts de muur, met aan de andere kant het dak van de Pastorie en de toren van St Michael's and All Angels. Het onweerstaanbaar aanzwellen van het zuivere ochtendlicht verspreidde zich in de verte boven de rivier, de uitgestrekte bossen die de hoge grond bij Molesey en Easton in het westen lagen nog stil in het halfdonker.

Ik draaide me om en zette mijn beklimming van de lange helling voort. Daar maakt de weg een flauwe bocht met een korte rij eiken aan weerskanten, om dan even vlak door te lopen alvorens af te dalen naar de boogbrug over de Evenbrook, die in oostelijke richting door het Park slingert.

Daar beneden lag het huis, en de toverachtige pracht was in het hei-ige oktoberlicht nog duizelingwekkender dan ik mij van mijn eerste bezoek in het midden van de zomer herinnerde. Ik daalde de helling af, ging de brug over en stond toen op de binnenplaats. Voor me lag de hoofdingang van het huis, met aan weerskanten twee sierlijke dorische zuilen met daarboven een timpaan met het wapen van Tansor en een inscriptie 'Geen Kroon zoo schoon die Tijd niet slijt. Anno 1560'. Iets verder, naar links en naar rechts, grenzend aan de voorhof, verhieven zich twee van de vele torentjes met koepeldak waarom Evenwood ver-maard is tegen de steeds lichter wordende hemel, een eindje achter het meest zuidelijke torentje was een smalle poort, waarachter ik een ge-plaveide binnenplaats ontwaarde.

Ik had niet bedacht wat ik zou zeggen als ik iemand tegenkwam. Ik had geen plan, geen alibi en geen excuus voorbereid. Gedachteloos liep ik het poortje door, de binnenplaats op, zonder bij de mogelijke gevol-gen stil te staan. Ik was geheel bedwelmd door de strenge schoonheid van het gebouw, die alle weloverwogen, rationele gedachten leek te verdrijven.

Ik was nu in een van de oudste gedeelten van het huis. Drie kanten van de binnenplaats bestonden uit open kloostergangen die sinds de middeleeuwen niet veranderd waren; de vierde, de buitenste, die toegang gaf tot de kapel, was sinds een verbouwing in de vorige eeuw afgesloten met vier rechthoekige gebrandschilderde ramen, twee aan elke kant van een ojiefboogdeur boven aan een bordes met halfronde treden. Hierboven bevond zich een magnifieke klok met een in felle kleuren beschilderde houten wijzerplaat in een rijkbewerkte gotische kast met vergulde panelen, die nu de eerste stralen van de vroege ochtendzon vingen.

Terwijl ik het bordes beklom, sloeg dit instrument het halve uur. Ik keek op mijn vestzakhorloge: halfzeven. Het huis was ongetwijfeld inmiddels al wakker, maar nog steeds bedacht ik niet dat ik kon worden betrapt terwijl ik ongenood rondsloop. Ik duwde de deur open en ging naar binnen.

In de kapel met de donkere houten lambrisering en de witte marmeren vloer was het koel en stil. Mijn goedkeurend oog viel op het mooie pijporgeltje met drie manualen, waarvan ik door mijn naspeuringen wist dat het in de vorige eeuw door Snetzler* was gebouwd. Aan weerskanten van het middenpad stonden drie, vier rijen rijkbewerkte stoelen tegenover een eenvoudig altaar met een hek ervoor en een schilderij van het offer van Abraham erboven. Op schragen voor het altaar stond de open kist van Paul Carteret, verlicht door vier hoge kaarsen in massief gouden kandelaars.

Zijn bovenlichaam was met een witte doek bedekt. Die sloeg ik voorzichtig terug om naar de man te kijken die ik voor het laatst had gezien toen hij de binnenplaats van hotel George te Stamford af draafde, op weg naar een smakelijk avondmaal en het gezelschap van zijn dochter.

Hij lag er niet mooi bij. Zijn kaak was opgebonden, maar verder waren de sporen van het hem aangedane geweld duidelijk aan zijn arme ronde gezicht te zien. Het linkeroog was onbeschadigd en gesloten,

* John Snetzler (1710-1785), de in Duitsland geboren orgelbouwer van koning George III. JJA

maar het rechter was er niet meer; die hele kant van het gezicht was alleen nog een gruwelijke brij van versplinterd bot en pulp. Ik had in talloze gevaarlijke Londense nachten wel vaker dergelijke verwondingen gezien, en ik wist met ijskoude zekerheid dat de dader het vaste voornemen had hem om het leven te brengen, omdat hij onvoorstelbaar veel op het spel zette als zijn slachtoffer de aanval overleefde. Ik was er nu van overtuigd dat Carteret ten dode opgeschreven was op het moment dat hij uit Stamford wegreed: hij droeg zijn eigen vonnis in de nu verdwenen tas met zich mee.

Als kind was ik altijd plichtsgetrouw ter kerke gegaan, maar daar had ik niet datgene aan overgehouden wat men gemeenlijk godsvrucht noemt, of het moest mijn diepgewortelde overtuiging zijn dat ons leven wordt beheerst door een universeel mechanisme dat groter is dan wijzelf. Wellicht was dat wat anderen God noemen. Misschien ook niet. Het was in ieder geval niet terug te brengen tot formulieren en rituelen en er was slechts stoïcijnse aanvaarding en berusting voor nodig, aangezien middeling of interventie mij zinloos voorkwamen. Toch betrapte ik me erop dat ik het hoofd boog toen ik de doek weer over Carterets gelaat had gelegd – niet in gebed, want ik kende geen luisterende godheid tot wie ik kon bidden, maar uit gewone menselijke piëteit.

Terwijl ik in die ogenschijnlijk vrome houding stond, hoorde ik de deur van de kapel opengaan.

Er stond een grote, in het gewaad van een geestelijke gehulde gestalte met een witte baard in de deuropening. Hij had zijn hoed afgenomen, waarbij hij twee vleugels van wit haar onthulde, die aan weerskanten van een breed pad van roze huid naar achteren geborsteld waren. Dit kon niemand anders zijn dan de eerwaarde heer Achilles Brabazon Daunt, de predikant van Evenwood.

'Neemt u mij niet kwalijk,' hoorde ik hem met diepe, droeve stem zeggen. 'Ik had hier om deze tijd niemand verwacht.'

Hij ging evenwel niet weg, doch sloot de deur achter zich en liep door het middenpad naar mij toe.

'Ik geloof dat ik nog niet het genoegen heb u te kennen.'

Er was nu geen ontkomen meer aan, dus ik noemde mijn naam en vertelde de eeuvoudige waarheid: dat ik de heer Carteret was komen opzoeken om zaken met hem te bespreken, dat hij me had uitgenodigd een paar dagen te blijven logeren en dat ik eerst de dag tevoren bij mijn aankomst in het Douairièrehuis het verschrikkelijke nieuws had vernomen.

We spraken de gebruikelijke woorden van piëteit en weidden nog wat uit over de zonden van de mensheid en de waarschijnlijkheid dat de daders aangehouden zouden worden.

'Dit mag niet onbestraft blijven,' zei hij, en hij schudde langzaam het hoofd, 'in geen geval. Deze schurken zullen zeker worden gevonden. Daar twijfel ik niet aan. Zulk een misdrijf kan niet verborgen blijven. God ziet alles – en de buurtgenoten ook, heb ik bemerkt. Lord Tansor zet een annonce in de *Mercury* waarin hij een flinke beloning in het vooruitzicht stelt voor inlichtingen die tot aanhouding en vervolging leiden. Dat zal wel wat tongen losmaken, denk ik. Zulke gruweldaden zijn in Londen heel gewoon, meen ik, maar hier niet, nee, hier niet.'

'Iedere hand heeft het vermogen ons te vernietigen,' zei ik.

Op zijn brede gezicht brak een glimlach door.

'Sir Thomas Browne!' riep hij verrukt uit. '"En wij moeten een ieder die wij ontmoeten dankbaar zijn indien hij ons niet doodt." Bij de brave Sir Thomas vindt men altijd wel iets – een soort *sortes Homericae.** Ik doe dat dikwijls. Waar men het boek ook openslaat, iedere bladzijde stroomt over van wijsheid.'

We bleven enkele ogenblikken zwijgend bij de kist staan. Toen richtte hij zich weer tot mij.

'Wilt u met mij bidden, mijnheer Glapthorn?' vroeg hij.

Mirabile dictu! Zie hoe ik naast de kist van Paul Carteret geknield lig, met Achilles Daunt, de vader van mijn vijand, aan mijn rechterhand, biddend om zielenrust voor het arme slachtoffer en een snelle bestraffing van zijn moordenaars – op dat laatste zei ik maar al te graag 'Amen'.

* Een vorm van orakelspraak waarbij de eerste passage uit Homerus, of later Virgilius, waar het oog op viel, werd beschouwd als een aanwijzing inzake de toekomst. Ook de Bijbel werd hier wel voor gebruikt. JJA

We stonden op en begaven ons weer naar de binnenplaats.

'Zullen we samen teruglopen?' vroeg hij, en we begaven ons op pad.

'U bent mij niet geheel onbekend, mijnheer Daunt,' zei ik terwijl we het bordes van de kapel afdaalden. 'Ik heb al eens gelegenheid gehad uw schitterende catalogus* te raadplegen, en het doet me alleen daarom al veel genoegen kennis met u te maken.'

'Heeft dit onderwerp dan uw belangstelling?' vroeg hij, plotseling gretig.

Zo won ik zijn genegenheid, net zoals ik het bij Tredgold had gedaan. Het bibliofiele temperament, begrijpt u; zij die dit hebben, vormen een soort vrijmetselarij en zijn immer bereid degenen die hun hartstocht voor boeken delen als bloedbroeders te bejegenen. Ik had niet veel tijd nodig om mijn vertrouwdheid met het bestuderen van boeken in het algemeen en de aard van de Collectie-Duport in het bijzonder aan te tonen. Toen we de helling naar de Zuidpoort hadden bereikt, waren we in een levendig discours verwikkeld over de vraag of de Macrobius uit 1472 (Venetië, N. Jenson), of de folio-editie uit 1772 van Cripo's *Conjuración de Catalina* (Madrid, J. Ibarra) met de zeldzame gesigneerde band van Richard Wier nu het meest volmaakte typografische kunstwerk van de collectie was.

Hij vertelde ook uitgebreid over Carteret, die hij al kende zo lang hij predikant te Evenwood was. Toen lord Tansor hem de diensten van zijn secretaris had aangeboden bij zijn voorbereidingen voor de grote catalogus, had hun contact zich tot vriendschap verdiept. Carteret had hem vooral geholpen met de manuscripten, die een belangrijk deel van de collectie vormden, al waren het er in vergelijking met de gedrukte boeken niet veel.

'Hij was geen geleerde,' zei Daunt, 'maar hij wist heel veel over de manuscripten die de grootvader van de baron had verworven en hij had al een aantal zeer accurate beschrijvingen en samenvattingen gemaakt, waarmee hij mij veel werk heeft bespaard.'

* *Bibliotheca Duportiana. A Descriptive Catalogue of the Library Established by William Perceval Duport, 23rd Baron Tansor, by the Reverend A.B. Daunt, M.A. (Cantab). With an Annotated Handlist of Manuscripts in the Duport Collection by P.A.B. Carteret* (in eigen beheer verschenen, 4 delen, 1841). JJA

We waren nu bij de plek waar het pad naar het Douairièrehuis zich van de grote oprijlaan afsplitste.

'Mijnheer Glapthorn, als u geen plichten wachten, voelt u er dan voor hedenmiddag op de Pastorie de thee te gebruiken? Mijn eigen collectie is bescheiden, maar ik bezit wel een paar werken die u wellicht interesseren. Ik zou u graag voor het ontbijt uitnodigen, maar ik moet naar mijn buurman Stark te Blatherwycke, en dan naar Peterborough. Maar ik ben wel op tijd terug voor de thee. Zullen we zeggen – drie uur?'

22

Locus delicti*

Na afscheid van Daunt te hebben genomen werd ik door juffrouw Rowthorn in het Douairièrehuis binnengelaten. Terwijl ik naar de trap slenterde, zag ik in de hal dat een van de deuren op een kier stond.

Ik kan geen weerstand bieden aan de verleiding van een half openstaande deur, net zomin als ik me ervan kan weerhouden naar binnen te kijken als ik op een donkere avond langs een verlicht venster loop waarvan de gordijnen niet gesloten zijn. De gewenste beslotenheid van een opzettelijk gesloten deur kan ik respecteren, maar een half geopende deur niet. En deze was des te verleidelijker omdat ik wist dat hij toegang moest geven tot het vertrek waar mejuffrouw Carteret de voorgaande avond op de pianoforte had gespeeld.

Ik liep verder, maar wachtte op de eerste verdieping op de overloop totdat ik zeker wist dat de huishoudster naar de lagere regionen van het huis was teruggekeerd, waarop ik snel weer naar beneden liep en de kamer binnenging.

Het was er benauwd, drukkend en stil. Het instrument dat ik had gehoord – een fraaie Broadwood-vleugel met zes octaven – stond voor het raam tegenover de deur. Er stond muziek op, klaar om gespeeld te worden: een Étude van Chopin. Ik bladerde erin, maar het was niet het stuk dat ik de avond daarvoor had gehoord. Ik keek om me heen. De lichtgekleurde jaloezieën waren dicht en het ochtendlicht dat erdoorheen viel, zette het vertrek in een dof zilveren schijnsel. Ik onderscheidde drie, vier met donker fluweel overtrokken ottomanes en bijpassende stoelen met gekleurde, in petit-point geborduurde kussens

* De plaats van het misdrijf. JJA

erop; aan de wanden met het dieprode behangsel hing een overdaad aan portretten, prenten en silhouetten. Een aantal ronde tafeltjes met chenille kleedjes, beladen met doosjes van lakwerk en papier-mâché, aardewerken ornamenten en bronzen beeldjes, stond her en der tussen de stoelen en ottomanes verspreid, en boven de schouw, rechts van de deur, hing een zeventiende-eeuwse afbeelding van een lommerrijk Evenwood.

De aangename, maar niet opvallende kamer gaf me een lichtelijk bekocht gevoel, totdat ik onder de pianoforte een paar half verscheurde vellen bladmuziek zag liggen die met geweld uit een boek leken te zijn gescheurd. Ik liep naar het instrument en bukte om ze op te rapen.

'Speelt u, mijnheer Glapthorn?'

In de deuropening stond juffrouw Emily Carteret te kijken hoe ik de gescheurde bladzijden opraapte om ze op de pianokruk te leggen.

'Niet zo goed als u, vrees ik,' antwoordde ik waarheidsgetrouw, al klonk het vals, een stumperige poging tot een galante opmerking. Toch misten mijn woorden hun uitwerking niet, want ze keek me met een merkwaardig geconcentreerde gelaatsuitdrukking aan, alsof ze wachtte op mijn bekentenis dat ik iets onbehoorlijks in de zin had gehad.

'U hebt me gisteravond horen spelen, neem ik aan. Ik hoop dat ik u niet heb gestoord.'

'Niet in het minst. Ik vond het buitengewoon ontroerend. Een prachtige begeleiding bij het uitzicht op een tuin in de avondschemering.'

Ik wilde haar te verstaan geven dat ik haar niet alleen had horen spelen, maar ook naar het rendez-vous met haar geliefde in de Plantage had zien gaan, doch ze merkte alleen op vlakke, uitdrukkingsloze toon op dat ik niet de indruk maakte een contemplatieve natuur te bezitten.

Ik had onmiddellijk spijt van de cynische toon die ik had aangeslagen, want ik zag nu haar afgetobde gelaat, met donkere kringen onder de ogen die op lange uren van slapeloosheid wezen. Ze gedroeg zich minder kil dan bij onze eerste ontmoeting, al bleef ik me ervan bewust dat ze mij nog steeds voortdurend kritisch oordelend opnam, als een aanklager die een vijandige getuige verhoort. Maar haar verdriet was nu duidelijk te zien. Ze was dus toch menselijk, en de zinloze moord op haar vader moest haar wel zeer hebben geschokt. Het lag niet in haar aard haar verdriet te uiten – dat zag ik duidelijk, maar ingehouden smart breekt door zijn fluist'ren 't overladen hart.*

Ze pakte de gescheurde bladmuziek die ik op de pianokruk had gelegd.

'Een stuk waarvan mijn vader veel hield,' zei ze, al gaf ze geen verklaring voor de gescheurde staat van het papier. 'Bewondert u Chopin, mijnheer Glapthorn?'

'In het algemeen prefereer ik oudere muziek – Bach senior bijvoorbeeld, maar ik heb het concert van Monsieur Chopin bij lord Falmouth bijgewoond...'

'In juli achtenveertig,' viel ze me bij. 'Maar daar was ik ook!'

Daarop vertelde ik dat ik die zomer in Londen, kort nadat ik in Camberwell was komen wonen, toevallig een annonce voor het concert had gezien. De toevalligheid dat we die avond beiden in die zaal hadden gezeten om de grote meester te horen spelen, had een duidelijke verandering in haar teweeggebracht. Haar gelaatsuitdrukking verzachtte zich enigszins, en terwijl we beiden onze herinneringen aan de avond ophaalden, verlichtte een flauwe glimlach nu en dan haar strengheid.

'Juffrouw Carteret,' zei ik zacht terwijl ik opstond, 'ik hoop dat u het niet aanmatigend vindt als ik u nogmaals smeek me als een vriend te beschouwen, want dat wil ik werkelijk zijn. U hebt me gezegd dat u mijn medeleven niet wenst en niet van node hebt, maar ik moet het u toch aanbieden, of u het wilt of niet. Wilt u me dat toestaan?'

Ze antwoordde niet, maar ze wees me ook niet af, zoals eerst, dus ik vatte moed en ging verder.

'Ik heb mijn rapport aan de heer Tredgold verzonden en zal hedenavond weer naar Stamford gaan om morgen per trein naar Londen terug te keren. Maar ik hoop dat u me zult toestaan de begrafenis bij te wonen. Ik zal natuurlijk geen aanspraak maken op uw gastvrijheid...'

'Natuurlijk mag u komen, mijnheer Glapthorn,' onderbrak ze, 'en u logeert vanavond hier, ik duld geen tegenspraak. U wilt me, hoop ik, wel vergeven dat ik u aanvankelijk zo koel heb bejegend. Het ligt in mijn aard slechts weinigen in vertrouwen te nemen, vrees ik. Ik bezit helaas niets van de extraverte natuur van mijn vader.'

Ik dankte haar voor haar generositeit, en we spraken nog wat over de

* Macbeth, IV, III, 210. JJA

dingen die de komende dagen zouden gebeuren. Het vooronderzoek zou de volgende maandag in Easton plaatsvinden, de dichtstbijzijnde stad, onder leiding van mr. Rickman Godlee, de rechter van instructie van het district, en de uitvaart, in St Michael's and All Angels, was morgen over een week.

'En, mijnheer Glapthorn,' zei ze, 'ik moet hedenmiddag een paar politiebeambten uit Peterborough ontvangen. Ik heb de autoriteiten al laten weten dat u ook tot hun beschikking staat. Ik neem aan dat u daar geen bezwaar tegen hebt?'

Ik antwoordde dat ik als vertegenwoordiger van Tredgold, Tredgold & Orr, en wellicht ook als de laatste die haar vader in leven had gezien, uiteraard al het mogelijke zou doen om degenen bij te staan die de moordenaars van de heer Carteret moesten identificeren.

Daarop sprak ze haar erkentelijkheid uit en deelde mee dat de agenten om twee uur zouden komen, als mij dat gelegen kwam. Omdat ik daarna nog een uur had voordat ik op de Pastorie werd verwacht, zei ik dat ik op de afgesproken tijd aanwezig zou zijn en maakte aanstalten om te gaan.

'Ik hoop, juffrouw Carteret,' zei ik bij de deur, 'dat u vrienden in de omgeving hebt en de komende dagen niet te veel alleen zult zijn?'

'Vrienden? Natuurlijk. Maar ik ben gaarne alleen. Ik ben min of meer alleen opgegroeid – na de dood van mijn zusje. Eenzaamheid heeft voor mij niets afschrikwekkends, geloof me.'

'En u hebt ook goede buren, meen ik?'

'U doelt op de heer en mevrouw Daunt?'

Ik bracht in het kort verslag uit van mijn ontmoeting met de predikant, van wie ik een zeer gunstige indruk had gekregen.

'Mijnheer Daunt is een goede buur,' zei ze, 'ik had me geen betere kunnen wensen.'

'En de heer Phoebus Daunt zal in ieder gezelschap wel een welkome gast zijn,' ging ik voort, zo onschuldig als ik kon, want mijn gevoelens voor juffrouw Carteret mochten me er niet van weerhouden zo veel mogelijk over mijn vijand te weten te komen.

'Kent u Phoebus Daunt?'

Haar mond verstrakte zichtbaar en ik zag dat ze onder het spreken met haar hand over haar voorhoofd streek, al bleef ze me strak aankijken.

'Zijn literaire reputatie is hem vooruitgesneld,' antwoordde ik. 'Wie heeft *Ithaca* niet gelezen en bewonderd?'

'Drijft u de spot met mijn geachte buurman, mijnheer Glapthorn?'

Ik zocht vergeefs in haar gezicht naar een bevestiging dat haar oordeel over de letterkundige prestaties van P. Rainsford Daunt met het mijne overeenkwam.

'In het geheel niet. Het is prachtig als men dichter is, en het moet benijdenswaardig zijn zo veel poëzie tegelijk te kunnen schrijven.'

'Nu bent u onaardig.'

Ze keek me recht in de ogen en lachte toen – een heldere, spontane lach, die mij onmiddellijk eenzelfde reactie ontlokte. Even werd haar gezicht nog mooier en wiegde ze zelfs ontwapenend kinderlijk heen en weer. Toen beheerste ze zich weer, wendde haar blik af en moest opeens een paar bloemblaadjes oprapen die onder een boeket op een van de tafeltjes waren gevallen.

'U moet weten, mijnheer Glapthorn – u wist het misschien al – dat de heer Daunt en ik samen zijn opgegroeid, en dat het heel wreed van u is de literaire prestaties van mijn oude jeugdvriend belachelijk te maken.'

'Maar ik maak ze niet belachelijk, juffrouw Carteret,' antwoordde ik, 'ik kijk ze niet eens in.'

Ze leek zichzelf inmiddels weer in de hand te hebben, keek op van het tafeltje en stak me haar hand toe.

'Wel, mijnheer Glapthorn,' zei ze, 'misschien worden we dan toch vrienden. Ik begrijp niet hoe het u is gelukt om me op een ogenblik als dit aan het lachen te maken, maar ik ben er blij om, al moet ik u waarschuwen dat u de heer Daunt niet moet onderschatten. Hij is in veel opzichten zeer bijzonder – en hij lijkt niet weinig op u.'

'Op mij? Hoezo?'

'Om te beginnen is hij vastbesloten zijn stempel op de wereld te drukken – voor zover ik dat na een zo korte kennismaking al kan beoordelen, geldt dat ook voor u. En verder lijkt hij me een gevaarlijke vijand – net als u.'

'Welaan,' antwoordde ik, 'dan zal ik er voortaan verstandiger aan doen mijn mening over zijn literaire voortbrengselen voor mezelf te houden. Een zo gevaarlijk man moet ik maar liever niet tegen me krijgen.'

Mijns ondanks sprak ik deze woorden met een zeker air uit, hetgeen ik onmiddellijk berouwde toen ik de glimlach van het gezicht van juffrouw Carteret zag verdwijnen.

'Wel,' zei ze, 'ik heb u gewaarschuwd. Ik ken hem goed, beter dan wie ook, denk ik, en ik zeg u nogmaals dat het niet verstandig is hem te dwarsbomen. Maar misschien kent u hemzelf al beter dan zijn werk?'

Natuurlijk zei ik dat ik nog niet het genoegen had gehad hem persoonlijk te ontmoeten, doch dat ik daarin zo spoedig mogelijk verandering hoopte te brengen.

Ze liep naar het raam om de store op te trekken. 'Een prachtige morgen,' zei ze. 'Zullen we even de tuin in gaan?'

We liepen een rondje, en toen nog een paar, aanvankelijk zwijgend, maar toen, op mijn vragen, begon zij over haar jeugd op Evenwood te vertellen: dat ze eens in het grote huis verdwaald was en dacht dat ze nooit meer gevonden zou worden, en daarna, op mijn aandringen, vertelde ze over de verschrikkelijke dag waarop haar zuster was gestorven, een gebeurtenis die ze zich nog steeds tot in de hartbrekende details herinnerde, al was ze pas vier jaar oud toen het natte lijkje naar het Douairièrehuis werd gebracht. Toen zweeg ze weer, ongetwijfeld omdat die pijnlijke herinnering haar verdriet om de brute moord op haar vader nog verergerde. Om haar af te leiden vroeg ik naar haar verblijf buitenslands, naar Parijs en hoe het haar daar was bevallen, en omdat ze zei dat ze zo van de Franse taal hield, stelde ik voor het gesprek in het Frans voort te zetten, hetgeen we deden totdat ik, door haar volmaakte beheersing van de taal in verwarring gebracht, over een woord struikelde, en zij om mijn verlegenheid moest lachen.

'Ik zie dat u niet gewend bent uitgelachen te worden, mijnheer Glapthorn,' zei ze. 'Ik denk dat u slechts zelden wordt afgetroefd en dat u het niet licht opneemt als dat toch gebeurt. Heb ik gelijk?'

Ik gaf toe dat ze het grosso modo bij het rechte eind had, maar dat ik op het gebied van de Franse conversatie in haar nederig mijn meerdere moest erkennen en – wat de waarheid was – het een voorrecht vond door haar te worden uitgelachen. Ten slotte, na een aantal rondjes door de tuin, gingen we een poosje zwijgend op een stenen bankje zitten.

De herfstzon scheen warm op ons gezicht, en toen ik opkeek om iets tegen haar te zeggen, zag ik dat haar ogen gesloten waren. Wat was ze onvergelijkelijk mooi! Ze had haar bril in huis laten liggen en haar blanke huid, die door het diepe zwart van heur haar des te beter uitkwam, baadde in het heldere oktoberlicht, waardoor haar gezicht een wondelijke, bovenaardse glans kreeg. Ze zat roerloos stil, het gelaat opgeheven, de lippen iets uiteen. Ze bood een betoverende aanblik en ik wilde dat ik dit vluchtige moment met mijn lens voorgoed kon vastleggen. Toen opende ze haar ogen en keek me recht aan.

'De zaken die u met mijn vader te bespreken had,' zei ze, 'mag u onthullen waar die over gingen?'

'Ik vrees dat dat vertrouwelijk moet blijven.'

'Vertrouwt u mij dan niet?' vroeg ze.

Er verscheen een harde blik in haar ogen die bij de klank van haar stem paste. Ik zon koortsachtig op een passend antwoord, maar kon haar vraag slechts ontwijken.

'Juffrouw Carteret, het gaat niet om het vertrouwen tussen u en mij, maar om dat tussen mijn werkgever en mijzelf.'

Ze dacht even na en stond toen op, waarbij ze het zonlicht wegnam.

'Goed dan,' verklaarde ze, 'dan valt er niets meer te zeggen. Ik had gehoopt dat we vrienden konden worden, maar zonder vertrouwen…'

'Ik verzeker u, juffrouw Carteret,' begon ik, maar zij legde me met opgeheven hand het zwijgen op.

'Verzeker me niets, mijnheer Glapthorn,' zei ze met angstaanjagende nadruk, 'ik geef niet om dergelijke verzekeringen. Die worden maar al te lichtvaardig gegeven, naar ik heb gemerkt.'

Ze draaide zich om en liep terug naar het huis, zodat mij geen andere keus werd gelaten dan haar te volgen. Juist toen ik haar inhaalde, verscheen er een lange magere heer met een somber gelaat en een pantalon die aan een veel kleinere man leek toe te behoren, op het pad van het poortgebouw door de Plantage. Toen hij juffrouw Carteret in het oog kreeg, boog hij onderdanig. Haar houding veranderde op slag.

'Dat is Gutteridge,' fluisterde ze met haar blik op de bezoeker gericht. 'De begrafenisondernemer. Ik vrees dat we ons gesprek een andere keer moeten voortzetten. Goedemorgen, mijnheer Glapthorn.'

En met die woorden liet ze mij alleen.

Het volgende uur bracht ik zoek met een verkenningstocht door het Park, mijmerend over mijn gesprek met juffrouw Carteret.

Ik betreurde het natuurlijk dat ik haar juist nu zo had ontstemd, maar haar vader had Tredgold strikte vertrouwelijkheid laten beloven, en als diens zaakwaarnemer was ik daar eveneens aan gehouden. Toch moest ik toegeven dat de plicht onder druk van de begeerte stond en dat ik niet wist of ik wel de kracht zou kunnen opbrengen wederom te weigeren. Als een slaapwandelaar leek ik strompelend af te koersen op – ik weet niet waarop, en deze plotse dwaze gril verdreef al mijn ooit zo oprechte bedoelingen met Bella uit mijn gedachten, zo verblind was ik door de schoonheid van juffrouw Carteret, en zo doof werd ik voor de zachte doch dringende stem van mijn geweten.

Ik had een zijpad van de grote oprijlaan genomen, dat naar het Vierwindentempeltje leidde, het Griekse prieeltje dat de overgrootvader van lord Tansor in 1726 had laten neerzetten. Van daar liep ik door de bossen die de westelijke grens van het Park vormden, en daarna de helling af, door rijen roerloze eiken en essen, tussen neerdwarrelende bladeren, om uiteindelijk voor de westelijke gevel van het grote huis uit te komen.

De aanblik van de muren en torens bracht me mijn taak in herinnering. Als ik mijn doel bereikte, zou dit prachtige gebouw mij eens als wettig erfgenaam ten deel vallen. Ik kon niet toestaan dat iets wat misschien een bevlieging van voorbijgaande aard zou blijken, mij van mijn vaste voornemens zou afbrengen. Juffrouw Carteret was mooi, maar wat dan nog? Bella was ook mooi, en goed, en schrander, en de meest liefdevolle gezellin die een man zich kon wensen. Van mejuffrouw Emily Carteret wist ik vrijwel niets, alleen dat ze trots en beheerst was en dat haar hart wellicht reeds aan een ander toebehoorde. Van Bella wist ik dat ze oprecht was, en warm, en mij geheel toegedaan. Wat had ik met de koude mejuffrouw Carteret te maken? Ik kwam tot de conclusie dat ik aan een tijdelijke zinsbegoocheling ten prooi was geweest, ongetwijfeld teweeggebracht door de gruwelijke dood van Carteret. Nadat ik een poosje over de situatie had staan nadenken, raakte ik ervan overtuigd dat ik mezelf deze dwaze bevlieging uit het hoofd had gepraat, zoals een verliefde zot soms meent. Zo richtte ik mijn schreden weer naar het Douairièrehuis, overtuigd dat de betovering door de stevige wandeling in de frisse oktoberlucht verbroken zou blijken wanneer ik juffrouw Carteret weerzag.

Inspecteur George Gully wachtte met een agent in de salon. Ik nam in een fauteuil plaats en haalde een sigaar te voorschijn.

De ondervraging was weliswaar langdurig, doch niet erg subtiel, en de inspecteur leek tevreden met mijn waarheidsgetrouwe verslag – dat echter niet volledig was –van mijn ontmoeting met Carteret in Stamford.

'Wij zijn u zeer verplicht, mijnheer Glapthorn,' zei hij ten slotte, en hij sloeg zijn aantekenboekje dicht. 'Aangezien u in deze streek een vreemde bent, denk ik niet dat we u nog hoeven lastig te vallen. Maar mochten we u weer willen spreken…'

'Natuurlijk.' Ik gaf hem een kaartje met het adres van Tredgold, Tredgold & Orr.

'Juist, dat wilden we weten, mijnheer. Dank u wel. Zoals ik al zei, het is maar voor de zekerheid. We zullen u ongetwijfeld niet meer hoeven ontrieven. We zullen die schurken snel genoeg in de kraag vatten, let op mijn woorden.'

'U denkt dus dat ze uit deze streek zijn?'

'Zonder enige twijfel,' antwoordde de inspecteur. 'En het is helaas ook niet de eerste keer, al waren er tot nu toe nog geen doden bij gevallen. Maar we hebben al een paar verdachten… Meer kan ik niet loslaten.'

Zijn blik leek te zeggen: 'U ziet wel uit wat voor hout wij hier op het platteland gesneden zijn.'

'Goed, inspecteur,' zei ik, en ik stond op. 'Ik zal mijn werkgever melden dat ik de indruk heb dat het onderzoek in zeer goede handen is. En als ik u nog ergens mee behulpzaam kan zijn, aarzelt u dan niet mij dit te laten weten. En als u me nu wilt excuseren…"

Deze boerenkinkel zou er nooit achter komen wie Paul Carteret om het leven had gebracht. Zijn dood stond in verband met een veel groter mysterie, dat de krachten van inspecteur George Gully en zijn ondergeschikten ver te boven ging.

23

Mater familias*

Een halfuur later, even voor drieën, maakte ik zoals afgesproken mijn opwachting ter Pastorie, alwaar de heer Daunt me in zijn studeerkamer liet. Daar brachten we een aangenaam uur door met het bekijken van zijn uitgebreide collectie bijbelse en theologische boeken. Ik ben weinig deskundig op dat gebied en ik liet het dus aan de predikant over mij een aantal zeer zeldzame of belangrijke banden te tonen en daar wat over uit te weiden, waarbij ik af en toe een enkele opmerking wist te plaatsen. Toen viel mijn oog op een fraaie editie van de *Pilgrim's Progress* van Bunyan (Ponder, 1678).

'Ah, Bunyan!' riep ik uit, en ik greep naar het boek. 'Die heb ik als kind veel gelezen.'

'Werkelijk?' zei Daunt goedkeurend, 'dan had u al vroeg een goede smaak, mijnheer Glapthorn. Ik heb mijn zoon nooit zo ver gekregen dat hij het mooi ging vinden, al heb ik hem er vaak uit voorgelezen toen hij klein was. Ik vrees dat hij niet van allegorieën hield.' Hij zuchtte. 'Toch was hij een kind met een levendige fantasie – en die heeft hij nog steeds, neem ik aan, maar nu beroepshalve, om het maar eens zo te zeggen.'

'Ik meen me te herinneren dat de heer Carteret zei dat uw zoon in het noorden geboren is?'

Daunt leek genegen te praten, en ik liet hem maar al te graag aan het woord.

'Inderdaad. Ik had na mijn huwelijk – mijn eerste huwelijk, bedoel ik – een standplaats in Lancashire gekregen. Helaas is mijn lieve vrouw – mijn eerste vrouw – ons kort na de geboorte van Phoebus ontvallen.'

Hij zuchtte weer en wendde zich af, en ik zag zijn blik naar een klein

* 'De moeder van een gezin.' JJA

olieverfportret gaan, dat in een alkoof tussen de boekenkasten hing. Het stelde een ranke, tengere gestalte voor in een lichtmauve japon en met een keurig mutsje, met mistige blauwe ogen en een wolk luchtige krullen aan weerskanten van haar hals. Hij had zijn eerste vrouw overduidelijk nog steeds zeer lief. Hij schraapte zijn keel, streek over zijn baard en wilde juist weer iets zeggen toen de deur openging en een grote vrouw in ruisende zwarte zijde de kamer in zeilde.

'Ach! Neem me niet kwalijk, Achilles. Ik wist niet dat we visite hadden.'

'Lieve,' zei Daunt met de gelaatsuitdrukking van iemand die op heterdaad betrapt is, 'mag ik je de heer Edward Glapthorn voorstellen?'

Ze keek me hooghartig aan en stak me haar hand toe. Ik geloof dat ze verwachtte dat ik die zou kussen, als bij een koningin, maar ik raakte haar uitgestrekte vingertoppen alleen even aan en maakte een stijve buiging.

'Het is me een eer, mevrouw Daunt,' zei ik, en ik deed een paar stappen achteruit.

Ik moet zeggen dat ze een vervloekt knappe vrouw was. Ik begreep wel hoe haar fraaie uiterlijk, samen met haar energieke, kordate karakter het weliswaar niet gemakkelijk, maar wellicht iets minder moeilijk voor Daunt moet hebben gemaakt, in zijn smart om het verlies van zijn eerste vrouw, en levend begraven in Millhead, voor haar charmes te zwichten. Ze had wat leven en hoop in dat desolate oord gebracht, en daar zal hij wel blij om zijn geweest. Maar hij had haar nooit liefgehad, zoveel was wel duidelijk.

'Mijnheer Glapthorn,' waagde Daunt nog op te merken, 'logeert in het Douairièrehuis.'

'Ach zo,' luidde het ijzige antwoord. 'Bent u bevriend met de familie Carteret, mijnheer Glapthorn?'

'Ik ben uit Londen overgekomen om de heer Carteret over zaken te spreken,' antwoordde ik, vastbesloten zo weinig mogelijk over de aard van mijn bezoek los te laten. Ze had naast haar echtgenoot plaatsgenomen en legde haar hand beschermend over de zijne toen het gesprek over de schokkende gebeurtenissen van de afgelopen dagen ging, en over de ontzetting waaraan het vredige Evenwood ten prooi was gevallen door hetgeen hun geliefde buurtgenoot was overkomen.

'De heer Paul Carteret was mijn achterneef,' deelde mevrouw Daunt mede, 'dus uiteraard heeft dit verschrikkelijke misdrijf mij ten zeerste getroffen...'

'Maar toch wellicht niet zozeer als zijn dochter,' interrumpeerde ik.

Ze bestrafte mijn onbeschaamdheid met een vernietigende blik.

'Men mag uiteraard aannemen dat mejuffrouw Emily Carteret diep gebukt gaat onder het verlies van haar vader, die haar op zo verschrikkelijke wijze is ontrukt. Kent u juffrouw Carteret?'

'We hebben pas onlangs kennisgemaakt.'

Ze glimlachte en knikte, alsof ze te kennen wilde geven dat ze de kwestie volkomen begreep.

'En u bent werkzaam in een beroep, mijnheer Glapthorn?'

'Ik beoefen een vrij beroep.'

'Een vrij beroep? Hoe interessant. En u bent in zaken?'

'Pardon?'

'U zei zojuist dat u de heer Carteret over zaken moest spreken.'

'Bij wijze van spreken.'

'Bij wijze van spreken. Juist.'

Daunt, die niet erg op zijn gemak leek, kwam tussenbeide.

'Mijnheer Glapthorn was zo vriendelijk mij te complimenteren met mijn bibliografische arbeid, lieve. Het is voor ons arme geleerden altijd prettig als iemand met kennis van zaken ons zijn waardering laat blijken.'

Hij keek me aan, waarschijnlijk in de hoop dat ik een ter zake doende opmerking zou maken, maar voordat ik iets kon zeggen, nam mevrouw Daunt weer het woord.

'De catalogus van mijn echtgenoot wordt algemeen geprezen, door de meest gezaghebbende deskundigen,' zei ze, ongetwijfeld om te kennen te geven dat mijn lof voor het werk van de heer Daunt daarnaast geheel verbleekte. 'En hebt u zelf iets op bibliografisch gebied gepubliceerd, mijnheer Glapthorn?'

Daarop moest ik natuurlijk ontkennend antwoorden.

'De zoon van mijn man publiceert ook,' ging ze verder. 'Hij is, zoals u wellicht weet, een vrij bekend dichter. Hij heeft altijd al blijk gegeven van een opmerkelijke literaire aanleg, nietwaar, Achilles?'

De aangesprokene glimlachte hulpeloos.

'Zijn genie is natuurlijk dadelijk onderkend door lord Tansor, die als een tweede vader voor Phoebus is geweest. Achilles, mijnheer Glapthorn is ongetwijfeld geïnteresseerd in Phoebus' nieuwste boek. Het is zeer gunstig ontvangen,' zei ze, en ze volgde haar echtgenoot met haar blik terwijl hij naar zijn schrijftafel liep om de nieuwste pennenvrucht van P. Rainsford Daunt, *Penelope: Een tragedie in verzen* te pakken.

Ik bladerde het werkje plichtmatig door, las hier en daar een paar regels en knikte dan wijs en instemmend, alsof ik werkelijk van de schoonheid onder de indruk was. Het was natuurlijk weer de gebruikelijke verwarde, bombastische rijmelarij.

'Opmerkelijk,' zei ik, 'hoogst opmerkelijk. Uw zoon heeft al ettelijke bundels op zijn naam staan, meen ik?'

'Inderdaad,' antwoordde mevrouw Daunt. 'En ze zijn allemaal uitstekend ontvangen. Achilles, pak voor mijnheer Glapthorn eens de *New Monthly*...'

'Doet u geen moeite,' zei ik haastig. 'Ik geloof dat ik het artikel in kwestie al heb gelezen. Maar dat is heel bijzonder, een dichter in de familie! Zijn roem is hem natuurlijk vooruitgesneld, en ik moet bekennen dat ik had gehoopt uw zoon hier in Northamptonshire te ontmoeten.'

'Hij is er helaas niet. Phoebus geniet het bijzondere vertrouwen van mijn adellijke achterneef,' zei mevrouw Daunt. 'De gezondheid van de baron laat de laatste tijd wat te wensen over en hij heeft Phoebus verzocht in zijn plaats naar een zakelijke afspraak te gaan.'

'De overval op de heer Carteret zal wel een verschrikkelijke schok voor uw zoon zijn als hij terugkomt,' zei ik.

'Hij zal diep terneergeslagen zijn,' antwoordde mevrouw Daunt plechtig en nadrukkelijk. 'Hij heeft een zeer gevoelige en meelevende natuur, en natuurlijk kent hij de heer Carteret en zijn dochter al van kind af aan.'

Na een korte stilte wendde ik me tot haar echtgenoot.

'Ik neem aan, mijnheer Daunt, dat de voorspoedige maatschappelijke loopbaan van uw zoon het hem nu wel onmogelijk zal maken uw voetstappen te drukken?'

Dat was boosaardig van me, ik geef het toe, maar de opmerking was voor zijn vrouw bedoeld, niet voor hem, en inderdaad: nog voordat hij iets kon zeggen, gaf mevrouw Daunt al antwoord.

'Het lot is ons hier buitengewoon goed gezind. Wij zijn niet rijk, maar we genieten de bescherming van een zeer liefdevol en welwillend heer.'

'U doelt op het Opperwezen?'

'Ik doel, mijnheer Glapthorn, op de welwillende zorgen van lord Tansor. Als Phoebus geen andere vooruitzichten had gehad, zou de Kerk zonder enige twijfel een uitstekende keuze zijn voor een man met zijn talenten. Maar zijn vooruitzichten zijn voortreffelijk, werkelijk zeer fraai, zowel in de letteren als...' Ze aarzelde een ogenblik. Ik keek haar verwachtingsvol en met opgetrokken wenkbrauwen aan. Maar voordat ze verder kon gaan, werd er op de deur geklopt, en er kwam een dienstmeisje binnen met een blad met thee.

Mevrouw Daunt greep deze welkome afleiding gretig aan om een ander onderwerp ter sprake te brengen, en terwijl ze thee inschonk en ronddeelde, stelde ze me een aantal vragen over mijzelf: woonde ik al mijn hele leven in Londen? Had ik in Cambridge gestudeerd, net als haar stiefzoon? Was dit mijn eerste bezoek aan Evenwood? Hoe lang kende ik de heer Carteret al? Was ik lid van de Roxburghe Club, net als haar echtgenoot, en had ik de heer Dibdin* nog gekend, die zij dikwijls in Evenwood hadden mogen ontvangen? Ik gaf beleefd, doch zo kort mogelijk antwoord op al haar vragen. Mijn ontwijkende antwoorden waren haar natuurlijk niet ontgaan, en ze bleef vragen stellen. Zo zetten we onze rondedans voort, terwijl de heer Daunt er zwijgend bij zat. Toen vroeg ze of ik al in het grote huis was geweest. Ik antwoordde dat ik die morgen even in de kapel was geweest om afscheid van de heer Carteret te nemen, maar dat ik hoopte in de zeer nabije toekomst nader met het huis van lord Tansor kennis te maken.

'Maar voordat u vertrekt, moet u ten minste de Bibliotheek zien!' riep Daunt plotseling.

'Ik vrees dat ik morgen al naar Londen terug moet.'

'We zouden nu kunnen gaan, als dat gelegen komt.'

Ik wilde niets liever, dus ik ging gretig op het voorstel in. We dronken snel onze thee op en mevrouw Daunt stond op om afscheid te nemen.

* De Roxburghe Club werd in 1812 opgericht, op het hoogtepunt van de bibliofiele rage, door de bibliofiel en bibliograaf Thomas Frognall Dibdin (1776-1847). JJA

'Tot ziens, mijnheer Glapthorn. Ik hoop dat we binnenkort nog eens het genoegen zullen hebben. Wellicht is de fortuin ons bij een volgend bezoek gunstiger gezind en kan ik u aan mijn stiefzoon voorstellen.'

Ik antwoordde dat ik hoopte niet te lang van dat genoegen verstoken te hoeven blijven.

Ze verhief zich nu in haar volle lengte en ik keek haar in de grijze ogen. Hoe oud was ze nu? Drieënvijftig, vierenvijftig? * Ik wist het niet meer. Maar hoe oud ze ook was, ze bezat nog steeds een fascinerend air van verfijnde coquetterie. Ik begon in te zien hoe ze de zaken van haar stiefzoon bij lord Tansor moest hebben behartigd: ze had ongetwijfeld haar ontegenzeglijke schoonheid en charme, gevoegd bij haar indrukwekkende persoonlijkheid, te zijnen gunste ingezet. En toen ze me met die fraaie ogen aankeek – het duurde slechts een ogenblik – wist ik zeker dat ze had geraden dat ik, al wist ze nog niet hoe, een bedreiging voor de gunstige positie van haarzelf en haar dierbare Phoebus vormde. Kortom, ze mocht me niet en vertrouwde me evenmin, en dat was geheel wederzijds.

Nu de heer Daunt en ik weer alleen waren, hervatten we ons eerdere gesprek over de neoplatonische wijsbegeerte en met name de Plotinus- en Proclusvertalingen van de platonist Taylor.** Hij hield een uiteenzetting over Taylors parafrase van *De antro nympharum**** van Porphyrius, wat weer tot andere, niet minder boeiende discussies over de theologische opvattingen in de oudheid leidde, een onderwerp waarin wij beiden zowel geïnteresseerd als deskundig waren.

'Mijnheer Glapthorn,' zei Daunt uiteindelijk, 'zou ik u een gunst mogen vragen?'

'Uiteraard,' luidde mijn antwoord. 'Spreek vrijuit.'

* Mevrouw Daunt was in april 1797 geboren, dus ze was 56 toen de verteller haar in oktober 1853 voor het eerst ontmoette. JJA

** Thomas Taylor, 'de Engelse heiden' (1758-1835), die zijn leven wijdde aan het vertalen en verklaren van de filosofie van Plato, Aristoteles, de neoplatonisten en de pythagoreanen. Hij heeft William Blake en de romantische dichters (vooral Shelley) sterk beïnvloed, en later ook W.B. Yeats. JJA

*** 'Over de grot van de nimfen', een allegorische interpretatie van de Grot van de Nimfen op het eiland Ithaca, zoals door Homerus beschreven in de Odyssee, XIII. JJA

'Het gaat hierom. Hoewel ik de heer Taylor in het algemeen bewonder, is zijn filologische en linguïstische kennis niet altijd evenredig met zijn enthousiasme voor die belangrijke zaken. Zijn vertaling van Iamblichus is daarvan een goed voorbeeld. Ik ben daarom zo vrij geweest een nieuwe vertaling van de *De mysteriis** te maken, waarvan het eerste deel binnenkort in het *Classical Journal*** zal verschijnen. De drukproeven worden op het ogenblik gecorrigeerd door mijn vriend professor Lucian Slake in Barnack. Kent u zijn werk over Euhemerus?*** Zijn kennis van Iamblichus is gedegen, maar niet zo grondig als de uwe, geloof ik. De gunst die ik u dan ook zou willen vragen, is: zoudt u mij het onuitsprekelijke genoegen willen doen een laatste blik op de proeven te werpen voordat zij definitief ter perse gaan?'

Dit leek mij een goede gelegenheid om de banden met de heer Daunt aan te halen, hetgeen me uiteindelijk ook ten opzichte van zijn zoon goed de stade zou kunnen komen. Ik antwoordde dan ook dat het me een eer en een genoegen zou zijn zijn werk na te zien, en zo werd afgesproken dat de heer Daunt terstond aan professor Slake zou schrijven met het verzoek mij vóór mijn vertrek naar Londen in hotel George de proeven toe te zenden.

'Welaan,' sprak hij monter, 'en nu op pad.'

De collectie die William Duport, de drieëntwintigste baron Tansor, kort na de Franse Revolutie had aangelegd, kon de vergelijking met de bibliotheken van de tweede graaf Spencer van Althorp en de derde her-

* Taylors vertaling van *Iamblichus over de Mysteriën van de Egyptische Chaldeeën en Assyriërs*, over kwesties als theürgie en wichelarij, is in 1821 verschenen. Iamblichus (ca. 245-ca. 325), geboren in Syrië, was een neoplatoons filosoof. JJA

** Ondanks uitgebreid onderzoek heb ik geen aanwijzingen kunnen vinden dat de vertaling en het commentaar van dr. Daunt ooit in het *Classical Journal* zijn verschenen, al zijn er kennelijk wel drukproeven van gemaakt. JJA

*** Geboren in Messene, mogelijk actief in 280 v. Chr. Schrijver van een invloedrijk fictief reisverslag, *Hiera anagraphè*, voornamelijk bekend van fragmenten in het werk van Diodorus Siculus; eveneens geciteerd door de Christelijke apologeet Lactantius. JJA

tog van Roxburghe met glans doorstaan. De drieëntwintigste baron had ongeveer drieduizend door zijn voorzaten in de loop der eeuwen lukraak verzamelde banden geërfd. Kort nadat hij de titel erfde, voegde hij de gehele bibliotheek van een Hongaars edelman aan de verzameling toe, die uit ongeveer vijfduizend banden bestond en vooral opviel door de aanwezigheid van vele honderden exemplaren van de eerste gedrukte edities van de Griekse en Romeinse klassieken en ook vele prachtige voorbeelden van luxe-edities uit de zeventiende en achttiende eeuw, waaronder werk van Baskerville en Foulis. Vervolgens begon hij de collectie methodisch en soms op onconventionele wijze uit te breiden, waarbij hij veel reisde om vroege edities van klassieke schrijvers te bemachtigen die graaf Laczkó over het hoofd had gezien, en waarbij hij onderweg ook een groot aantal vroege bijbels wist te verwerven, alsmede incunabelen* en vroege Engelse literatuur, die zijn bijzondere belangstelling hadden. Bij zijn dood, in 1799, omvatte de collectie meer dan veertigduizend boeken.

Oorspronkelijk was de bibliotheek van Evenwood gehuisvest in een donker, vrij vochtig zaaltje in de noordelijke vleugel, die uit de tijd van koningin Elizabeth dateerde, doch daar was door de acquisities van de baron al spoedig niet genoeg ruimte meer. In 1792 was lord Tansor, zoals ik reeds eerder schreef, zo verstandig de grote balzaal met het vermaarde plafond van Verrio in de westelijke vleugel te verbouwen tot een ruimte waarin hij zijn snel groeiende collectie kon onderbrengen. Dat werk nam twaalf maanden in beslag en kostte een vermogen; in de zomer van 1793 werden de boeken naar hun nieuwe onderkomen gebracht, waar zij spoedig gezelschap kregen van vele duizenden nieuwe aanwinsten.

In de middag van 27 oktober 1853 zag ik deze prachtige zaal voor de eerste keer, in gezelschap van Achilles Daunt. We waren er van de Pastorie door het Park heen gelopen, met de ondergaande zon in onze ogen, pratend over Carteret.

Als zijn vrouw er niet bij was, leek Daunt een ander mens – spraak-

* Van het Latijnse 'datgene wat zich in de wieg bevindt' – boeken die eind vijftiende eeuw zijn gedrukt, toen de boekdrukkunst nog in de kinderschoenen stond. JJA

zaam, energiek, enthousiast, kortom, aangenaam gezelschap. In haar aanwezigheid scheen hij een minder uitgesproken persoonlijkheid, die zijn eigen sterke karakter ongaarne tegenover het hare plaatste. Nu, in de open lucht, terwijl we samen de heuvel afdaalden in de richting van de rivier, leek hij herboren. We bespraken verschillende kwesties aangaande de *Bibliotheca Duportiana*, en ik complimenteerde hem wederom met zijn geweldige prestatie, die ik beschouwde als een werk waardoor zijn naam zou voortleven tussen die van de andere grote kenners van het gedrukte boek.

'Het was natuurlijk een reusachtig werk,' zei hij, 'want de boeken waren nog nooit behoorlijk gecatalogiseerd en de collectie was nauwelijks geordend. Weliswaar was er de lijst van zeventiende-eeuwse boeken die Burstall in – wanneer was het? rond achttientien had opgesteld. Burstall* was, zoals u misschien wel weet door zijn werkje over Plantin, heel deskundig en zorgvuldig, en ik kon veel van zijn beschrijvingen vrijwel *verbatim* overnemen. Ja, hij heeft me veel werk bespaard, al bracht zijn lijst ook een klein mysterie aan het licht.'

'Een mysterie?'

'Ik doel op de verdwijning van de *editio princeps* van een klein maar nobel werkje, de *Resolves* van Felltham.** Het stond duidelijk op de lijst van Burstall, maar het was nergens te vinden. Ik heb werkelijk overal gezocht. Er waren natuurlijk wel latere edities aanwezig, maar de eerste druk was er niet. Het was uitgesloten dat Burstall het bij vergissing in zijn lijst had opgenomen en ik wist ook zeker dat het niet was verkocht. Ik heb uren gezocht en de administratie van uit de collectie verwijderde boeken doorgenomen, die altijd zeer zorgvuldig was bijgehouden. Het merkwaardige was dat Carteret, toen ik hem erover aansprak, zich duidelijk herinnerde het boek in kwestie te hebben ge-

* John Burstall (1774-1840) was een tijdgenoot en kennis van de vermaarde bibliograaf Thomas Frognall Dibdin en Fellow van het Corpus Christi College te Cambidge. In 1818 publiceerde hij *Plantin of Antwerp*, een baanbrekende studie over Christophe Plantin (1514-1589), de uit Frankrijk afkomstige boekbinder en drukker. JJA

** Owen Felltham of Feltham (1602?-1668), essayist en dichter. De eerste editie van zijn beroemde collectie maximes en essays over de moraal verscheen rond 1623. Het boek bleek zeer populair en had in 1709 reeds twaalf drukken beleefd. JJA

zien – hij wist zelfs dat de eerste vrouw van lord Tansor het een tijd voor haar dood nog had gelezen. Het leek ook niet aannemelijk dat het gestolen was; het is natuurlijk een prachtig boekje, maar niet bijzonder kostbaar. Carteret heeft de vertrekken van de eerste barones nauwgezet doorzocht, want het was mogelijk dat ze het niet had teruggezet, maar hij heeft het niet gevonden. Het is nog steeds niet terug.'

'Over Carteret gesproken,' zei ik toen we de grote smeedijzeren hekken van het voorplein naderden, 'lord Tansor zal nu wel naar een andere secretaris moeten omzien.'

'Ja, dat zal beslist nodig zijn. De baron doet veel zaken, van heel verschillende aard, en Carteret was zeer gewetensvol en ijverig. Het zal niet eenvoudig zijn hem te vervangen – hij was veel meer dan een assistent. Het zou niet overdreven zijn te zeggen dat hij het werk van meerdere mensen verzette, want hij hield zich niet alleen bezig met de zakelijke correspondentie en alles wat het landgoed aangaat, wat op zich al een omvangrijke taak is, maar hij voerde ook het beheer over het Archief, en trad op als bibliothecaris en hoofdboekhouder. Er is natuurlijk wel een rentmeester voor de boerderijen en de bossen, kapitein Tallis, maar Carteret was in alle opzichten de opperrentmeester van Evenwood – al behandelde de baron hem niet altijd met de dankbaarheid die men een goede en trouwe dienaar verschuldigd is.

'En hij was naast dat alles ook geleerde, zei u?'

'Inderdaad,' antwoordde Daunt. 'Ik geloof dat hij zijn ware roeping is misgelopen, hoe kundig hij op al die andere gebieden ook was. Carterets inventaris van de collectie manuscripten verraadt een groot onderscheidingsvermogen, intellect en kennis van zaken. Met enkele zeer kleine wijzigingen heb ik zijn werk in zijn geheel als bijlage in mijn catalogus kunnen opnemen. Het zal helaas zijn enige monument blijven, al is het nobel in zijn soort. Had hij zijn grote werk maar kunnen voltooien. Dat zou nog eens een monument zijn geweest.'

'Zijn grote werk?' vroeg ik.

'Zijn geschiedenis van de familie Duport, vanaf de dagen van de eerste baron. Een gigantische taak, waar hij al bijna vijfentwintig jaar aan werkte. Door zijn werkzaamheden had hij natuurlijk toegang tot de familiepapieren in het Archief – een grote verzameling, waarvan sommige onderdelen wel vijfhonderd jaar oud zijn – en daarop baseerde hij zijn historische werk. Ik vrees dat er nu niemand meer is die het talent en de werkkracht heeft om te voltooien wat hij begonnen was, en dat is een groot verlies, want het is een rijke en fascinerende geschiedenis. Ziezo, we zijn er.'

24

Littera scripta manet*

We stonden voor de grote westelijke vleugel met de zorgvuldig bijgehouden siertuinen en de Molesey Woods in de verte. Een betegeld terras met balustrades en grote urnen – hetzelfde waar ik ook het fotografische portret van lord Tansor had gemaakt – strekte zich langs de hele vleugel uit.

Toen we de Bibliotheek betraden, transformeerde de late middagzon die door de rij hoge boogramen naar binnen viel de grote zaal in een baaierd van wit en goud. Het plafond van Verrio was een draaikolk van kleuren en overal om ons heen, van de vloer tot aan het plafond en langs drie van de vier wanden, was een schitterend uitzicht op rijen witgeschilderde boekenkasten met paden ertussen. Al het fraais dat hier voor mij lag, benam mij de adem: boeken in alle denkbare soorten en maten, rij na rij – folio, kwarto, octavo, duodecimo, octodecimo – waarin alle facetten van druk- en bindkunst waren vertegenwoordigd.

Daunt haalde een paar witte katoenen handschoenen uit zijn zak, trok ze met zorg aan, liep een gangpad in en haalde een dik boek in folioformaat van een hoge plank.

'Wat vindt u hiervan?' vroeg hij terwijl hij het voorzichtig op een rijkbewerkte goudgeschilderde houten tafel legde.

Het was een schitterend exemplaar van de *Legenda Aurea* van Jacobus de Voragine, in 1483 door Caxton in Westminster vertaald en gedrukt, een ongelooflijk zeldzaam, belangrijk boek. Daunt haalde een tweede paar katoenen handschoenen uit een la en bood ze mij aan. Mijn handen trilden een beetje toen ik de reusachtige foliant opensloeg en vol ontzag naar de nobele letter keek.

* 'Het geschreven woord blijft'. JJA

'*De Gulden Legende*,' sprak hij op gedempte toon. 'In de late middeleeuwen onder de christenen het meest gelezen boek na de bijbel.'

Eerbiedig sloeg ik de enorme bladzijden om en liet mijn blik even rusten op een adembenemende houtsnede van de triomferende heiligen, totdat mijn oog op een passage in de 'Lyf of Adam' viel:

God had planted in the begynnynge Paradyse a place of desyre and delytes...

Een oord van lust en verlangen. Een betere definitie van Evenwood was niet mogelijk. En dit paradijs zou eens van mij zijn, als alles was volbracht. Hier zou ik ademhalen, door de vertrekken en gangen lopen en in de tuinen en op de binnenplaatsen dwalen. Maar nog grootser dan al die verrukkingen zou het zijn deze schitterende bibliotheek voor mijn eigen gebruik en genoegen te bezitten. Wat kon mijn bibliofiele hart nog meer begeren? Hier vond ik wonderen zonder weerga, ongekende schatten. In mijn bekentenissen heb ik u mijn zwartste kant getoond. Laat mij hier dan de balans weer in evenwicht brengen door datgene te laten zien wat ik het beste in mij acht: mijn toewijding aan het leven van de geest, de waarlijk goddelijke vermogens van intellect en verbeelding die ons allen, als wij die vermogens maar tot zo groot mogelijke hoogten ontwikkelen, tot goden kunnen maken.

'Dit,' zei Daunt, en hij legde zijn hand op het grote boek dat mijn ziel zo in verrukking bracht, 'was het eerste werk dat ik beschreef. Ik herinner het me nog als de dag van gisteren. Augustus 1830. De negenentwintigste – een stormachtige, regenachtige dag, weet ik nog, en zo donker, ondanks de tijd van het jaar, dat men niet verder dan het terras kon zien. We hadden de hele dag de lampen aan. Het boek stond niet op de juiste plaats – u zult hebben gezien dat de kasten in dit deel van de bibliotheek op alfabet en op auteur gesorteerd zijn – en ik wilde het eerst op de goede plaats zetten en er later mee kennismaken, maar toen besloot ik ineens het meteen af te handelen. Daardoor heeft het altijd een bijzonder plaatsje in mijn hart gehouden.'

Hij glimlachte bij zichzelf, streek over zijn lange baard en wierp een liefdevolle blik op de opengeslagen foliant. De beminnelijke oude man stond me op dat ogenblik zeer na, en ik betrapte me op de gedachte dat ik zielsgraag zo'n vader had gehad.

Hij zette het boek terug waar het hoorde en pakte een ander werk, *Nova Legenda Angliae* van Capgrave, in 1516 gedrukt door Wynkyn de Worde. Terwijl ik me daarin verdiepte, liep hij naar een ander pad en kwam terug met de eerste druk van de grote mystieke verhandeling van Walter Hylton, de *Scala Perfectionis*, de Ladder der Volmaaktheid, ook door De Worde gedrukt, in 1494, het eerste boek dat op zijn naam stond. Ik was nog maar net begonnen het te bewonderen toen hij alweer met een nieuwe schat aankwam: Pynsons herdruk van de *Ars Moriendi*. Toen liep hij weer weg, ditmaal om terug te keren met de *Vitas Patrum* van de heilige Hiëronymus, in de vertaling van Caxton, op de laatste dag van diens leven voltooid en door De Worde in 1496 schitterend op folioformaat gedrukt.

En zo ging het voort, totdat de duisternis begon in te vallen en een bediende ons licht kwam brengen. Eindelijk, terwijl de predikant een bijzonder fraai exemplaar van de Sallustius van Barclay terugzette, begon ik door het vertrek te lopen.

Bij een nis tussen twee boogramen die uitzagen op het terras stond ik stil bij een kleine glazen vitrine met een merkwaardig stukje vellum erin, vuil en bruin, een viertal duimen breed en tweeëneenhalve duim hoog; het lag op een lap blauw fluweel. Het was kennelijk vele jaren opgevouwen geweest, maar het was nu gladgestreken en werd aan de hoeken plat gehouden door ronde koperen gewichtjes met het wapen van het geslacht Duport erin gegraveerd.

Het was dichtbeschreven, in sierlijke, minuscule, met talloze haaltjes en krulletjes verfraaide lettertjes, met samentrekkingen en afkortingen. Op de vitrine lag een vergrootglas, met behulp waarvan ik langzaam de openingswoorden ontcijferde: 'HENRICUS *Dei gratia Rex Angliae Dominus Hyberniae et Dux Aquitanae dilecto et fideli suo Malduino Portuensi de Tansor militi salutem.*'*

Terwijl ik de woorden voor me uit prevelde, drong tot me door dat

* HENDRIK bij de gratie Gods koning van Engeland heer van Ierland hertog van Aquitaine aan zijn beminde leenman Maldwin Duport van Tansor, ridder, Gegroet.' Deze brief, die van groot historisch belang is, bevindt zich nu in het Northampton Record Office. De volledige Latijnse tekst staat afgedrukt in *Northampton History*, vol XIV (juli 1974), met een vertaling en commentaar van prof. J.F. Burton. JJA

dit het oorspronkelijke bevel was dat Simon de Montfort uit naam van koning Hendrik de Derde had uitgevaardigd om sir Maldwin Duport in 1264 op te roepen naar het parlement te komen – een document van een grote zeldzaamheid, waarschijnlijk enig in zijn soort. Het leek welhaast een wonder dat het nog bestond.

Ik stond aan de grond genageld, niet alleen omdat het document zo zeldzaam was, maar ook om wat het betekende. Nu ik wist dat ik van sir Maldwin Duport afstamde, vroeg ik me af welke karaktereigenschappen ik van deze man van staal en nobel bloed had geërfd. Moed, naar ik hoopte, en een sterke, bestendige wil; een geest die zich niet gemakkelijk liet intimideren, een bovengemiddelde vastberadenheid en de kracht om voort te strijden tot alle tegenstand overwonnen was. Want ook ik was opgeroepen, net als mijn voorvader – niet door de wil van een aards vorst, maar door het Lot, om mijn geboorterecht op te eisen. En wie kan zich verzetten tegen de eisen van de Meestersmid?

Ik legde het vergrootglas neer en zette mijn inspectie van de Bibliotheek voort. Aan de andere kant zag ik een half geopende deur, en zoals mijn lezers reeds weten, kan ik daaraan geen weerstand bieden. Ik stak mijn hoofd om de hoek.

De kamer erachter was klein en leek op het eerste gezicht geen ramen te hebben, al zag ik bij nader onderzoek hoog in de muur een rij eigenaardige driehoekige venstertjes die juist genoeg licht binnenlieten om het mogelijk te maken de inhoud en het doel van het vertrekje te onderscheiden. Ik pakte een van de kaarsen die de bediende had gebracht en ging naar binnen.

Uit de vorm van het vertrek maakte ik op dat ik me op de onderste verdieping van de gedrongen achthoekige neogotische toren moest bevinden die ik aan de zuidkant van het terras had gezien. Tegen een van de muren stond een bureau dat bedolven lag onder de papieren, en voorts stond de kamer vol open en gesloten kasten, de eerste beladen met van etiketten voorziene bundels documenten die me aan die op mijn moeders schrijftafel in Sandchurch deden denken. In de verste hoek zat een kleine boogdeur, waarachter ik een trap naar een hoger gelegen verdieping vermoedde.

Maar het eerste wat mijn aandacht trok was een portret dat boven het bureau hing. Ik hield de kaars omhoog om het beter te kunnen zien.

Het was een vrouw, ten voeten uit, in een sluike japon in Spaanse stijl. Haar donkere haar, bekroond door een zwart kanten mutsje dat op een mantilla leek, was naar achteren gekamd en viel in twee lange rijen krulletjes over haar ontblote schouders. Ze droeg een zwart fluwelen bandje om haar fraaie hals. Ze keek in de verte, alsof daar iets haar aandacht trok; de slanke vingers van haar linkerhand rustten op een grote zilveren broche die aan het lijfje van de japon was bevestigd, terwijl de rechterhand, waarin ze een waaier hield, loom langs haar lichaam hing. De schilder had haar geleund tegen een stuk oud stenen metselwerk afgebeeld, waarachter een stralende maan uit een dreigende donkere wolkenmassa gluurde.

Het was een adembenemende compositie. Maar haar gelaat! Ze had schitterende grote ogen met diepzwarte pupillen en potlooddunne zwarte wenkbrauwen; ook treffend waren haar lange, doch smalle neusje en haar fijngevormde mond. Het effect van haar schoonheid in combinatie met het sterke karakter dat uit haar toch zo ontspannen houding sprak, zo vaardig door de schilder vastgelegd, was betoverend.

Ik hield de kaars dichterbij en zag de signatuur: R.S.B. *fecit.* 1819. Toen wist ik zeker dat dit de eerste vrouw van lord Tansor was – mijn beeldschone, eigenzinnige moeder. Ik trachtte het verband te zien tussen deze onvergelijkelijke schoonheid en de herinneringen die ik aan de droeve, kleurloze juffrouw Lamb had, doch dat bleek onmogelijk. De schilder had haar in de kracht van haar leven geportretteerd, op het hoogtepunt van haar schoonheid en fierheid – voordat ze de noodlottige beslissing nam die haar leven, en het mijne, voorgoed zou veranderen.

Er klonk een geluidje achter me. In de deuropening stond de heer Daunt met een boek in zijn gehandschoende handen.

'Ah, daar bent u,' zei hij. 'Ik dacht dat u dit wel zoudt willen zien.'

Hij overhandigde me een eerste druk van de *Pseudoloxia Epidemica* van sir Thomas Browne uit 1646.

Ik glimlachte, dankte hem en bekeek het boek, waar ook ik dikwijls in las, maar mijn gedachten waren elders.

'U hebt het heiligdom van Carteret dus ontdekt. Vreemd om hem niet op zijn plaats te zien zitten.' Hij maakte een gebaar naar het bureau. 'Maar ik zie dat u ook de dame hebt gevonden. Ik heb haar natuurlijk niet gekend – toen wij in Evenwood kwamen wonen, was zij reeds overleden, maar de mensen spreken nog wel over haar. Ze moet in ieder opzicht een buitengewone vrouw zijn geweest. Zoals u zult hebben gezien is het portret nimmer voltooid; daarom hangt het ook hier. Goede genade, is het al zo laat?'

De klok in de bibliotheek sloeg zes.

'Ik moet naar huis, vrees ik. Mijn vrouw verwacht me. Ik hoop dat deze middag u niet al te slecht is bevallen, mijnheer Glapthorn?'

Aan het begin van het pad dat door een poortje in de parkmuur langs het Douairièrehuis naar de pastorie leidde, namen wij afscheid.

De predikant talmde nog even en zijn blikken dwaalden naar het verlichte Douairièrehuis.

'Dat arme meisje,' zei hij.

'Juffrouw Carteret?'

'Ze is nu helemaal alleen op de wereld, en dat is nu juist het lot dat haar vader meer dan al het andere vreesde. Maar ze heeft een sterke geest, en ze is goed opgevoed.'

'Misschien trouwt ze wel,' zei ik.

'Trouwen? Ja, wie weet, maar ik vraag me af wie haar wil hebben. Mijn zoon heeft ooit hoop gekoesterd, en mijn vrouw – ik bedoel: mijn vrouw en ik, natuurlijk – zouden er geen bezwaar tegen hebben gehad. Maar ze wilde hem niet hebben, en haar vader was niet erg op hem gesteld. De heer Carteret was niet rijk, zoals u weet, en nu is zijn dochter afhankelijk van de welwillendheid van lord Tansor. Bovendien heeft ze zeer uitgesproken meningen over zaken waarmee een jongedame zich niet zou moeten bezighouden. Dat zal wel door haar verblijf buitenslands komen. Ikzelf heb ons land nooit verlaten en hoop dat ook nimmer te hoeven doen. Mijn zoon heeft echter de wens te kennen gegeven naar Amerika te gaan, stelt u zich eens voor. Goed, we zullen zien. En nu, mijnheer Glapthorn, moet ik u een goede avond wensen, en ik hoop dat we elkander spoedig weerzien.'

Hij maakte aanstalten om door te lopen, maar mijn blik dwaalde af naar de torens van de Zuidpoort en plotseling viel me iets in waarvan ik me de hele dag al half bewust was geweest.

'Mijnheer Daunt, als ik u nog mag vragen – waarom denkt u dat de heer Carteret door de bossen naar huis reed? De kortste weg van Easton naar het Douairièrehuis loopt toch door het dorp?'

'Ja, nu u het zegt, dat zou inderdaad de kortste weg zijn geweest,' antwoordde hij. 'De enige reden waarom hij van Oldstock Road via het westelijke hek het Park in gereden kan zijn, is dat hij nog naar het grote huis moest, want dat ligt dichter bij die ingang dan het zijne.'

'En weet u toevallig of hij daar reden toe had?'

'Nee, helaas. Misschien moest hij lord Tansor nog spreken voordat hij naar huis ging. Nogmaals, mijnheer Glapthorn, een goede avond.'

Met die woorden drukte hij me de hand, en ik keek hem na terwijl hij naar het poortje in de muur liep. Toen hij het Park verliet, draaide hij zich nog even om en wuifde. Toen was hij weg.

Ik nam het pad dat naar de stallen leidde. Daar trof ik Mary Baker, het keukenhulpje, met een lantaarn in de hand.

'Goedenavond, Mary,' zei ik. 'Ik hoop dat je het wat beter maakt sinds de laatste keer.'

'Ja, zeker, mijnheer, dank u, heel vriendelijk van u. Het spijt me dat u me zo moest zien. Het was een hele slag voor me, dat was het. Mijnheer was altijd zo goed voor me, voor ons allemaal. Zo'n lieve man, dat weet u ook wel. En toen moest ik ook weer aan mijn arme zuster denken.'

'Je zuster?'

'Mijn enige zuster, mijnheer – Agnes Baker. Zij was wat ouder dan ik, ze was een tweede moeder voor me, want mijn echte moeder is gestorven toen we nog klein waren. Ze werkte in de keuken van het grote huis, onder juffrouw Bamford, totdat die bruut haar meenam.'

Ze aarzelde en leek aan een hevige ontroering ten prooi.

'Neemt u me niet kwalijk, mijnheer. Dit wilt u allemaal niet horen. Goedenavond, mijnheer.'

Ze wilde al doorlopen, maar ik riep haar terug. In een donker hoekje van mijn gedachten roerde zich iets.

'Mary, wacht nog een ogenblik. Ga zitten, vertel over je zuster.'

Na wat vriendelijke overreding wilde ze haar boodschap wel even uitstellen, en we gingen in de schemering op een ruwe houten bank zitten die om de dikke, knoestige stam van een oude appelboom heen was getimmerd.

'Je zei iets over een bruut, Mary. Wat bedoelde je daarmee?'

'Ik bedoel die ellendeling die mijn zuster heeft meegenomen en vermoord.'

'Vermoord? Werkelijk?'

'Jazeker! In koelen bloede vermoord. Eerst was hij met haar getrouwd en toen heeft hij haar vermoord. Ik wist al meteen toen ik hem zag dat hij niet deugde, maar daar wilde Agnes niets van horen. Dat was de enige keer dat we woorden hadden. Maar ik had gelijk. Hij deugde niet, al had hij haar helemaal ingepalmd.'

'Ga verder, Mary.'

'Hij noemde zich een heer, mijnheer – en zo kleedde hij zich ook, dat is waar. Hij sprak zelfs een beetje als een heer. Maar hij was geen heer. Helemaal niet. Toen hij voor het eerst op Evenwood kwam, was hij niet veel meer dan een bediende.'

'Hoe heeft je zuster hem leren kennen?'

'Hij was met mijnheer Daunt uit Londen gekomen.'

'Met mijnheer Daunt?' vroeg ik ongelovig. 'De predikant?'

'Nee, nee, mijnheer, met mijnheer Phoebus Daunt, zijn zoon. Hij was met mijnheer Phoebus en een andere heer meegekomen, voor het verjaardagsdiner van de baron. Ik stond bij de poort toen ze langs reden. Maar hij was niet uitgenodigd voor dat diner, alleen mijnheer Phoebus en die andere heer. Hij leek een soort bediende, want hij mende de koets waarin ze kwamen aanrijden, maar hij was zo mooi gekleed, en hij verbeeldde zich heel wat, en hij leek nogal vertrouwelijk met die twee heren. Maar zo heeft hij Agnes dus ontmoet, die avond, op het erf bij het ijshuisje. Hij was doortrapt. Hij palmde haar in met zijn mooie praatjes en zij slikte alles voor zoete koek, de arme, domme meid, ze vond hem een hele mijnheer en ze voelde zich gevleid dat hij aandacht aan haar schonk. Maar hij was niets meer dan zij – zelfs heel wat minder. Wij waren ordentelijke, goed opgevoede mensen. Maar hij was niets, en de hemel mag weten hoe hij aan zijn geld kwam. Ik begrijp niet waarom mijnheer Phoebus met hem omging. Een week later kwam hij weer, maar niet met mijnheer Phoebus, en ook niet om hem te spreken. En toen – wat denkt u? De volgende dag kwam Agnes naar me toe en zei: "Je mag me feliciteren, Mary, want ik ga trouwen, hier, kijk," en ze stak haar hand uit om me de ring te laten zien die hij haar had gegeven. Na een week! We konden praten wat we wilden. Ze luisterde niet en schudde haar hoofd. En zo is ze weggegaan, de arme meid. En daarna heb ik haar nooit meer gezien, mijnheer, en zo was het. Mijn arme zuster, de beste, liefste vriendin die ik op de wereld had.'

'Wat is er toen gebeurd, Mary?' vroeg ik, steeds sterker overtuigd dat ik dit verhaal kende.

'Nou, mijnheer, een maand later kreeg ik een brief van haar dat hij zijn woord gestand had gedaan en met haar was getrouwd, en dat ze in Londen een grote staat voerde. Ik was dus weer een beetje gerust, al wist ik nog steeds niet hoe dit moest aflopen, met zo'n man. Ik wachtte en wachtte, maar er kwam nooit meer een brief. Er gingen zes maanden voorbij, mijnheer, zes hele maanden, en ik werd gek van bezorgdheid – vraagt u maar aan juffrouw Rowthorn. Dus John Brine zei om me gerust te stellen dat hij wel naar Londen zou gaan om haar op te zoeken en me te laten weten hoe het ging. O, mijnheer, ik trilde toen ik zijn brief kreeg – en daar had ik ook alle reden toe! Ik kon hem gewoon niet openmaken, dus ik heb hem aan juffrouw Rowthorn gegeven en zij heeft hem voorgelezen.

'Het had niet erger kunnen zijn: mijn arme zuster was door die bruut vermoord – doodgeslagen, zeiden ze, zo erg dat haar lieve gezichtje nauwelijks meer te herkennen was. Maar hij was opgepakt, en hij moest terechtstaan, dus het was nog een troost dat hij voor zijn misdaden zou worden gehangen, al was dat eigenlijk nog te goed voor hem. Maar zelfs die troost werd me ontnomen, want die schurk van een advocaat heeft de jury zo ver gekregen dat ze een ander schuldig bevonden. Ze zeiden dat die ander haar minnaar was! Mijn Agnes! Zoiets zou zij nooit doen, nooit. En zo werd haar man dus vrijgelaten, zodat hij verder kon moorden, en die ander is opgehangen – al weet de hemel dat hij net zo onschuldig was als mijn arme zuster.'

Ze zweeg en de tranen stonden in haar mooie bruine ogen. Ik legde mijn hand troostend op de hare voordat ik mijn laatste vraag stelde.

'Hoe heette de man van je zuster, Mary?'

'Pluckrose, mijnheer. Josiah Pluckrose.'

25

In limine*

Pluckrose.

Ik herinnerde me nog het cynisch-minachtende lachje dat hij de jury had toegeworpen toen hij werd vrijgesproken van moord op zijn vrouw, Agnes, de zuster van Mary Baker. Domkoppen, leek hij te willen zeggen. Jullie weten best dat ik het heb gedaan, maar we zijn jullie te slim af geweest. En dat hij de strop was ontlopen, had hij aan mij – mij! – te danken.

Het was een bruut van een kerel, groot en zwaar, maar wel lichtvoetig, met nog bredere schouders dan Le Grice, en enorme kolenschoppen – waarvan aan de rechterhand de wijsvinger ontbrak, per ongeluk afgehakt toen hij nog slager was. Nu ben ik voor geen enkele kerel bang, maar Josiah Pluckrose had iets dat ik liever meed: in zijn kleine oogjes blonk een wrede, ongebreidelde zucht naar zinloos, gruwelijk geweld, die nog eens beangstigend werd benadrukt door zijn opgepoetste voorkomen en gedrag. Als je hem op straat zag lopen, zou je hem voor een keurig man houden – bijna. Hij had weliswaar de bloedresten van Smithfield lang geleden van zijn vingers geboend, maar er huisde nog steeds een slager in hem.

Alles aan Josiah Pluckrose schreeuwde dat hij degene was die zijn arme vrouw na een triviale huiselijke ruzie meedogenloos om het leven had gebracht; en toch had hij, door mijn toedoen, vals spel gespeeld met de klokken van St. Sepulchre,** en zou hij opnieuw een moord plegen. Na zijn vrijspraak was hij teruggekeerd naar zijn huis in

* 'Op de drempel'. JJA

** De klokken van de kerk die werden geluid als iemand werd opgehangen. JJA

Weymouth-street, zonder zich iets aan te trekken van de buren en de publieke opinie, alsof er niets was gebeurd. Tredgold had uiteraard niet gevraagd hoe ik dit voor elkaar had gekregen. Ik had de ontzagwekkende Monsieur Robert-Houdin* in Parijs zien optreden, en met eigen ogen gezien hoe een vakman door optisch bedrog goedgelovige lieden in de luren kan leggen. Ik had geen spiegels tot mijn beschikking, of de kracht van elektriciteit, om de schijn te wekken dat een onschuldig man een misdrijf had gepleegd, en daarmee Calcraft** of een andere scherprechter*** het genoegen te ontzeggen om Pluckrose aan zijn ellendige nek op te knopen. Maar ik had andere beproefde middelen tot mijn beschikking, even doeltreffend om mijn publiek een rad voor ogen te draaien: documenten, schijnbaar eigenhandig ondertekend, waarmee werd aangetoond dat de arme bedrogene belastende omgang had gehad met Agnes Pluckrose, geboren Baker, alsmede verscheidene getuigen, van wie sommigen bereid waren onder ede te verklaren dat de man een opvliegend karakter had, en dat hij op de noodlottige middag bij haar thuis was geweest, en anderen die bevestigden dat Pluckrose ten tijde van de moord in een dranklokaal in Shadwell had gezeten. Nadat de getuigen – die met zorg waren uitgekozen, tot in de details waren voorbereid en uitzonderlijk goed betaald kregen – hun werk hadden gedaan, werden ze weer opgeslokt door de muil van Londen.

Zo kwam het dat op grond van gevolgtrekkingen van een nieuw onderzoek de heer William Cracknell, apothekersassistent, woonachtig in Bedford-row te Bloomsbury, op een koude decemberochtend uit zijn cel in Newgate werd gehaald om zijn afspraak met de heer Calcraft gestand te doen, terwijl Josiah Pluckrose diezelfde ochtend zwaaiend met zijn wandelstok met de zware zilveren knop waarmee hij de schedel van zijn arme vrouw had ingeslagen, en met dezelfde schoenen aan

* Jean-Eugène Robert-Houdin (1805-71), voormalig horlogemaker uit Blois, die een van de grootste illusionisten uit de negentiende eeuw werd. JJA

** William Calcraft (1800-79), een van de actiefste beulen die Engeland heeft gekend. Tussen 1829 en 1874 heeft hij ruim vierhonderd terdoodveroordeelden opgehangen. JJA

*** Andere term voor beul. JJA

zijn voeten waarmee hij haar in haar doodsstrijd de ribbenkast had ingetrapt, op zijn dooie akkertje richting Hampstead-heath kuierde om een luchtje te scheppen. Ik had geen enkele behoefte om mezelf op de borst te kloppen voor het ons gunstig gezinde vonnis van de rechtbank, en Tredgold en ik hadden niet in het minst een voldaan gevoel dat we onze cliënt hadden vrijgekregen. Het hoofdstuk Pluckrose wilden we het liefst vergeten.

Nadat Mary was vertrokken en ik rondliep op het stalerf, moest ik onwillekeurig aan de getuigenis van Henry Whitmore denken, arts en apotheker aan Coldbath-square te Clerkenwell, over het brute geweld waarmee Agnes Pluckrose om het leven was gebracht. Overmand door woede liep ik half verdoofd het erf af en beende driftig de duisternis tegemoet.

Mary's relaas over hoe haar zuster door dit monster was verleid had me meer aangegrepen dan ik had gedacht. Maar Pluckrose was niet de enige die me dwarszat: ook Phoebus Daunt – opnieuw! Als een duveltje uit een doosje sprong hij steeds weer te voorschijn om me te sarren, hij was als een dissonante *basso continuo* in mijn leven. Ik was volkomen van slag door Mary's onthulling dat de twee elkaar gekend hadden. Welk gemeenschappelijk belang, vroeg ik me in opperste verbazing af, verbond in 's hemelsnaam deze moordenaar met de zoon van de predikant van Evenwood?

Nadat ik ruim een uur in deze zwartgallige stemming door het park had rondgedoold, was ik terechtgekomen bij een steil pad dat naar het Vierwindentempeltje voerde. Daar ik nog geen lust gevoelde om reeds terug te keren naar het Douairièrehuis, liep ik over het paadje de kunstmatige heuvel op waarop het tempeltje was gebouwd en kwam via een paar treden op een bordes uit. Hier draaide ik me even om en keek uit over het park naar de twinkelende lichtjes van het grote landhuis.

Op het moment dat ik de treden weer af wilde lopen, zag ik dat de deur van de noordelijke portiek van het tempeltje openstond. In een opwelling besloot ik een kijkje binnen te nemen.

Het gebouwtje – dat gedeeltelijk een replica van was van Palladio's

Villa Rotonda in Vicenza, net als het bekendere voorbeeld bij Castle Howard – had de vorm van een kubus met koepel, met op elke kompasstreek een beglaasd portiek.* Zelfs in de invallende duisternis zag ik dat het interieur was versierd met schitterend stuccowerk, maar het rook er naar vocht en verval, en toen ik naar binnenging voelde ik dat ik op brokken pleisterwerk trapte die van het plafond waren gevallen. Midden in het vertrek stond een ronde tafel met marmeren blad, en twee gietijzeren stoelen; een derde stoel lag een eindje verder op zijn rug. Op de tafel stond een kaarsstompje in een tinnen blaker.

Ik legde mijn hoed en stok op tafel, haalde een zwavelstokje** uit mijn vestzakje en stak eerst de kaars aan en daarna een sigaar om mijn sombere, onrustige stemming te verjagen. In het flakkerende licht zag ik hoe fraai het interieur was, maar het was duidelijk dat het tempeltje al enkele jaren in bouwvallige staat verkeerde. Een aantal ruitjes van de glazen deur van de noordportiek waren ingegooid – de vuile glasscherven lagen nog op de grond – en overal in de muffe ruimte wapperden zwarte spinnenwebben vol stofvlokken spookachtig heen en weer, als afgedankte lijkwaden.

Zonder blaker liep ik naar de omgevallen stoel en zette hem weer overeind. Terwijl ik daarmee bezig was, zag ik op de grond een klein donker voorwerp liggen, ternauwernood zichtbaar tussen de schaduwen die het kaarsstompje wierp. Nieuwsgierig hurkte ik neer.

Het was een merel, het arme beest moest door de openstaande deur naar binnen zijn gekomen en tegen de grote verweerde, gebarsten spiegel in de vergulde lijst aan de muur te pletter zijn gevlogen. De vleugels waren gestrekt, alsof ze tijdens het vliegen waren versteend. Uit het ene starende, nietsziende oog liep een zigzaggend straaltje onsmakelijk zwart vocht over de stoffige vloer; het andere oog was gesloten in eeuwige rust.

Op een of andere manier vond ik het niet gepast dat de vogel in deze naargeestige ruimte zo te kijk lag in plaats van omhuld te worden door warme aarde. Voorzichtig pakte ik hem bij een vleugelpunt op, met het

* Het tempeltje is in 1919 definitief gesloopt, maar tegen die tijd was het al vervallen tot een ruïne. JJA

** Een lucifer. JJA

voornemen hem plechtig op een geschikte laatste rustplaats buiten het tempeltje neer te leggen. Maar toen ik hem van de vuile vloer opraapte, viel mijn oog op iets merkwaardigs.

Verborgen onder de gestrekte vleugels van de vogel lag een stukje vergaan bruin leder, van ongeveer acht vierkante centimeter, en in een van de hoeken zat een gaatje. Ik hield mijn vondst bij het licht van de bijna gedoofde kaars, en zag toen wat het was: een merkje, zo te zien, waarop in versleten goudopdruk de naam J. Earl stond.

Ik herkende de naam, maar waarvan of hoe wist ik niet meer. Vreemd genoeg, leek het van levensbelang om de naam thuis te brengen, en daarom bleef ik enkele minuten in gepeins staan verzonken en brak me het hoofd over het mogelijke verband.

Na een poosje meende ik de stem van juffrouw Rowthorn te horen, de huishoudster van mijnheer Carteret. Iets wat ze had gezegd: een trivialiteit waar ik met een half oor naar had geluisterd en die ik meteen weer was vergeten. Maar niets wordt zomaar vergeten, en langzaam aan ging de grafkelder van mijn geheugen open en kwamen de doden te voorschijn.

'Ik heb hem een oude leren tas van mijnheer Earl gegeven – de vroegere jachtopziener van de baron – want dat ding hing al twee jaar aan de deur van de bijkeuken...'

Dit ruwe stukje leer dat ik in mijn hand had, moest aan de tas van Carteret bevestigd zijn geweest. Dat leed geen twijfel. Uit deze constatering volgde al spoedig een andere: de tas moest hier, in het Vierwindentempeltje, geweest zijn, dat kon niet anders. Maar dat wierp de vraag op of Carteret hier ook zelf was geweest? Dat was hoogst onwaarschijnlijk. Aan de hand van de getuigenissen van de passanten die hem hadden gevonden, kon met zekerheid worden gesteld dat hij was overvallen vlak nadat hij via het westelijke hek het park had betreden. Nee, Carteret was niet in het tempeltje geweest, maar de tas wél.

Ik keek om me heen en probeerde me voor te stellen hoe het gebeurd kon zijn. Er was een stoel omgevallen en op een of andere manier was dit stukje leer van de tas losgeraakt. En toen – de volgende dag wellicht – was een vogel de tempel binnengevlogen en had van angst en schrik een groezelige weerspiegeling van de buitenwereld voor de weidsheid van het zwerk aangezien en was tegen de spiegel te pletter gevlogen en op de grond gevallen, vlak bij de plek waar het stukje leer lag. De vogel en het voorwerp hadden daar nog weken, misschien maanden, zelfs jaren kunnen blijven liggen, als ik niet in een opwelling en uit verontwaardiging over Mary's relaas over de moordzuchtige schurk Pluckrose het pad naar het Vierwindentempeltje was opgegaan.

Het was natuurlijk geen opwelling geweest. Op dat moment geloofde ik dat de Meestersmid me weer in zijn greep had en me opzettelijk hierheen had gelokt opdat ik het voorwerp zou vinden. Maar wat had het te beduiden? Ik ging aan de tafel zitten, liet mijn smeulende sigaar op de grond vallen en begroef mijn hoofd in mijn handen.

Eén ding stond voor mij vast: Carteret was gedood om wat hij bij zich had. Verder was ik er zeker van dat hij bij onze eerstvolgende ontmoeting de inhoud van de tas aan mij had willen onthullen, en dat hij was overvallen door één iemand die wist hoe waardevol en belangrijk de inhoud van de tas was.

Ik vroeg me af waarom de tas na de roofmoord in het tempeltje was gebracht. Was de moordenaar van Carteret wellicht een *homme de main*,* die in opdracht werkte? Misschien was hem gezegd de tas met inhoud naar het tempeltje te brengen, alwaar deze door zijn opdrachtgever zou worden doorzocht. Op een of andere manier was daarbij het leren merkje losgeraakt.

Een zeer aannemelijke verklaring, zeer waarschijnlijk ook, maar verder kwam ik niet. Wat er in Carterets tas had gezeten, en wie precies de moordenaar en zijn opdrachtgever waren, bleven door gebrek aan aanwijzingen vooralsnog een raadsel voor me. Er zat niets anders op dan voorlopig in het duister te blijven tasten tot er klaarheid in de zaak kwam.

Ik stopte het leren merkje in mijn jaszak en liep terug naar de plek waar de dode vogel lag, met het voornemen hem mee naar buiten te nemen en dan terug te gaan naar het Douairièrehuis. Maar op dat moment doofde de vlam van de druipende kaars en werd ik me, in het plotselinge aardedonker, een andere aanwezigheid gewaar. In de deuropening, tegen de heldere sterrenhemel, tekende zich een donkere gestalte af.

* Een huurmoordenaar. JJA

Ze zei niets maar liep langzaam naar me toe, met een lantaarntje in haar linkerhand, totdat ze vlak voor me stond, zo dichtbij dat ik haar warme adem kon ruiken en voelen.

'Goedenavond, meneer Glapthorn. Wat doet u hier in vredesnaam op dit uur?'

Haar stem had een heerlijke, uitnodigende warmte waardoor mijn hart begon te bonzen van verlangen, een warmte echter die werd weersproken door haar koele blik. Die verontrustende borende kracht probeerde ik te ondermijnen door haar recht in de donkere ogen te kijken, ook al wist ik dat ik onherroepelijk verloren was. Het was gebeurd met me. Een zwaar ijzeren luik was neergevallen en scheidde me van mijn vroegere leven. Vanaf nu, wist ik, had zij de macht over mijn hart en kon ze ermee doen zoals haar goeddacht.

'Ik zou u hetzelfde kunnen vragen, juffrouw Carteret,' antwoordde ik.

'O, maar ik kom geregeld naar het Vierwindentempeltje. Het was een van de lievelingsplekjes van mijn vader. Soms nam hij zijn schrijfgerei mee om hier te werken. En hier heb ik hem voor het laatst in leven gezien. U ziet, ik heb reden te over. Maar wat is de uwe, vraag ik me af?'

Onbeweeglijk stond ze me daar in haar rouwkleding onderzoekend aan te kijken, totdat er een lachje doorbrak – een triest, kinderlijk, flauw lachje –, waarmee ze opnieuw, hoe vluchtig ook, blijk gaf van een roerende kwetsbaarheid.

'Gelooft u me als ik zeg dat ik eigenlijk helemaal geen reden had hierheen te komen; dat ik geen ander doel had dan een luchtje te scheppen, en dat ik hier geheel toevallig terecht ben gekomen?'

'Waarom zou ik u niet geloven? Heus, meneer Glapthorn, uw geweten lijkt er nogal op gebrand te zijn de onschuld van uw motieven in twijfel te trekken. Ik was slechts benieuwd wat u hierheen had gebracht. En ik wilde beslist niet suggereren dat u niet alle recht hebt om in het donker in deze mistroostige ruimte rond te sluipen, als u dat wilt. U bent me geen verantwoording schuldig, aan niemand trouwens.'

Dit werd allemaal uitgesproken op vriendelijke, zachte, vertrouwelijke toon, geheel in tegenstelling tot haar plagende woorden. Ik ging er niet op in en terwijl zij zich omdraaide en naar de deur liep, pakte ik mijn hoed en stok en ging haar achterna.

Ze stond op het trapje dat een verdieping lager bij een smal bordes uitkwam. Daaronder was een steile helling die op de grote oprijlaan uitkwam. Op de kruising van het tempelpaadje en de laan zag ik twee lichtjes in het donker fonkelen.

'U bent volgens mij niet alleen,' zei ik.

'Nee, John Brine heeft me in de landauer hierheen gebracht.'

De lust tot praten leek haar opeens vergaan en ze liep de paar treetjes af naar het bordes. Ze hield de lantaarn vlak bij haar gezicht en met een gekwelde blik keek ze me aan en zei: 'Mijn vader geloofde dat al ons handelen in dit leven in het hiernamaals wordt beoordeeld. Gelooft u dat ook, mijnheer Glapthorn? Zeg het me alstublieft.'

Ik antwoordde dat de heer Carteret en ik op dit punt er helaas een andere mening op nahielden en dat ik een iets fatalistischer geloof aanhing.

Hierop kreeg haar gezicht een merkwaardig peinzende uitdrukking.

'Gelooft u dan ook niet in de parabel van de schapen en de bokken? Dat de goeden naar de hemel gaan en de slechten in het eeuwigdurende vuur moeten branden?'

'Met dat idee ben ik wel opgevoed,' antwoordde ik, 'maar aangezien ik al van jongs af aan niet tot het volmaakte neig, heb ik het nooit een bemoedigende filosofie gevonden. We vervallen allemaal zo gemakkelijk tot zonde, vindt u niet? Ik geloof liever dat ik in genade zal worden ontvangen. Dat stemt meer overeen met mijn eigen zelfachting, en het verlost mij uiteraard van de vermoeiende dwang om altijd maar goed te zijn.'

Dit zei ik met een glimlach, want het was – deels – bedoeld als poging tot luchtige scherts. Zij echter was er, vreemd genoeg, zeer geagiteerd door geworden en liep gejaagd heen en weer over het bordes. Ze was kennelijk iets in zichzelf aan het mompelen, terwijl haar lantaarntje langs haar zij zwaaide, maar na een poosje liep ze de treden van het bordes af en bleef boven aan het trapje staan dat naar het pad leidde en tuurde in het donker.

Deze plotse verandering in haar gedrag was opmerkelijk en angstaanjagend, en ik kon er geen directe aanleiding voor bedenken. Maar toen daagde het me dat het verdriet dat ze al die tijd had onderdrukt plots pijnlijk opvlamde, vooral nu ze op de plek was die zulke sterke herinneringen aan haar onlangs overleden vader opriep. Juist wilde ik haar, in de meest omzichtige bewoordingen, duidelijk maken dat het geen schande was om verdriet te hebben om haar arme papa, of ze blikte naar me omhoog en deelde me zenuwachtig mee dat ze terug moest naar het Douairièrehuis, waarop ze het pad afholde in de richting van de landauer, waar John Brine zat te wachten.

Ik besloot haar niet achterna te rennen, als een hijgende Touchstone achter zijn Audrey,* maar zo kalm mogelijk, zij het met ferme lange passen, de wiegende lantaarn langs het pad te volgen. Toen ik haar eindelijk had ingehaald, zat ze al achter in het rijtuig en trok net een reisdeken over haar schoot.

Tot mijn stomme verbazing stak ze haar hand uit en wierp me een allercharmantst lachje toe.

'Als u klaar bent met het scheppen van een luchtje, meneer Glapthorn, wilt u mij vast wel vergezellen naar het Douairièrehuis. Ik neem aan dat u voor vanavond genoeg beweging hebt gehad. John, breng ons naar huis, als je wilt.'

Tijdens de rit haalde ze herinneringen aan haar vader op: dat hij, op de dag na haar veertiende verjaardag, met haar naar de kroning van de huidige koningin** was geweest, en dat op voorspraak van lord Tansor een van de sleepdraagsters, lady Adelaide Paget, haar aan de nieuwe vorstin had voorgesteld, die zelf nauwelijks meer dan een meisje was. Na deze herinnering vertelde ze dat haar vader zo vreselijk dol was op ansjovis (een voorliefde die zij níet deelde), dat hij een groot liefhebber van Delfts aardewerk was (waarvan ik een aantal fraaie exemplaren op verschillende plekken in het Douairièrehuis had zien staan) en dat hij zo'n hechte band met zijn moeder had. Hoe en waarom deze zaken in haar geheugen met elkaar verbonden waren, weet ik niet; maar ze bleef maar verwoed herinneringen ophalen, de ene na de andere gejaagde

* Audrey was het boerenmeisje dat door Touchstone het hof werd gemaakt in Shakespeare's *As You Like It.* JJA

** Op 28 juni 1838. JJA

herinnering over de voorkeuren en karaktertrekjes van haar vader passeerde in razend tempo de revue.

Ik keek naar buiten en zag in de verte het immense huis met de vele torens, dat dreigend afstak tegen de lichte achtergrond van de schemerige avondlucht, met her en der een twinkelend lichtje. Mijn aandacht werd getrokken door een vluchtig doorkijkje naar de ramen van de kapel. Daarachter lichtte een zachte robijnrode en azuurblauwe gloed op van de brandende kaarsen, die rond de baar van Carteret stonden. Op dat moment begonnen de klokken van Evenwood negen te slaan, en pas toen viel het me op dat mijn reisgenote was stilgevallen. Op het moment dat ze weer het woord nam, kon ik uit haar houding en toon opmaken dat ze in stilte het lot van haar arme vader had overpeinsd, en de beproevingen die haar de komende dagen te wachten stonden.

'Mag ik u vragen, mijnheer Glapthorn, of uw ouders nog leven?'

'Mijn moeder is dood,' antwoordde ik. 'Mijn vader heb ik nooit gekend.'

Gedachteloos waren deze woorden me van de tong gerold, maar direct daarop bedacht ik hoe uitzonderlijk mijn situatie was. Uit wiens naam sprak ik? Van die van de wees Edward Glyver, met een gestorven moeder en een vader die vlak voor zijn geboorte was overleden? Of uit naam van Edward Glapthorn, die ik in het leven had geroepen toen ik eenmaal achter mijn ware afkomst was gekomen, en die maar liefst twee vaders en twee moeders had? Of van de toekomstige Edward Duport, wiens moeder was overleden maar wiens vader nog springlevend was en nog geen halve kilometer verderop in dat prachtige huis woonde?

'Dat doet me verdriet, echt,' zei ze. 'Ieder kind heeft de leidende hand van een vader nodig.'

'Niet iedere vader,' merkte ik op, de verfoeilijke kapitein Glyver indachtig, 'is geschikt voor die taak. Maar uit mijn vluchtige ontmoeting met uw vader heb ik mogen opmaken dat hij wat dat betreft zeer bijzonder was en daar mag u zich gelukkig om prijzen.'

'Misschien verdient niet ieder kind de ouders die het heeft.'

Ze wendde zich af, en ik zag dat ze een hand naar haar gezicht bracht.

'Neemt u mij niet kwalijk, juffrouw Carteret, mag ik vragen wat er scheelt?'

'Er is niets, echt niet.' Maar ze bleef met een lege blik naar buiten in het donker staren, met een hand tegen haar wang. Ik zag dat ze ergens mee worstelde en het leek me een goed idee om nog een poging te wagen haar over te halen om haar hart te luchten.

'Verschoon mij, juffrouw Carteret, maar als iemand die het beste met u voorheeft, wil ik graag zeggen dat verdriet niet ontkend moet worden. Het is –'

Maar ik kon mijn onbeholpen betoog niet eens afmaken want ze draaide zich abrupt om en keek me gekrenkt aan.

'Hoe durft u mij de les over verdriet te lezen, mijnheer. Ik neem van niemand iets aan op dat gebied, en zeker niet van iemand die nauwelijks meer dan een vreemde is voor mij en de mijnen!'

Ik deed nog een poging me te verontschuldigen voor mijn onbeschaamdheid, maar ze sneed me de pas af met een tweede ijzingwekkende blik, gevolgd door nog meer gefoeter, wat mij ertoe bracht om ietwat onthutst onderuit te gaan zitten en me gedurende de rest van de rit gedeisd te houden.

In deze ongemakkelijke toestand draaiden we de Plantage op en arriveerden enige tijd later bij het Douairièrehuis. Toen de landauer tot stilstand kwam, viel het me op dat haar gezicht weer de gebruikelijke uitdrukking van onverschillige afwezigheid had aangenomen. Zonder een woord, niet eens een blik in mijn richting, haalde ze bedachtzaam de reisdeken van haar schoot en stapte, geholpen door John Brine, het rijtuig uit.

'Dank je, John,' zei ze. 'Je kunt gaan, ik heb je niet meer nodig.' Daarna draaide ze zich om en keek me met ongemeen droevige ogen aan.

'Ik denk dat mijn vader gelijk had,' zei ze bijna fluisterend. Ze leek dwars door me heen te kijken, alsof ze tegen een onzichtbaar iemand in de verte sprak. 'We worden beoordeeld op onze daden. En daarom is er geen hoop meer voor mij.'

Ik keek haar na terwijl ze het kleine eindje naar het huis toe liep. Onder de portieklamp bleef ze even staan en ik hoopte dat ze zich zou omdraaien en teruglopen; maar toen zag ik dat juffrouw Rowthorn de voordeur opendeed en iets tegen haar zei dat ik niet kon verstaan, waarop ze direct haar rokken opnam en haastig naar binnen ging.

26

Gradatim vincimus*

Op het stalerf sprak ik John Brine aan, die bezig was de paarden van de landauer los te maken

'Brine, ik heb iets gevonden.'

Hij zei niets maar keek me alleen aan met die norse, dreigende blik.

Ik haalde het vierkante stukje leer uit mijn zak dat ik in het tempeltje had opgeraapt. Hij nam het van me aan en bekeek het nauwgezet in het licht van de deuropening van de tuigkamer.

'James Earl,' zei hij. 'Was hier een paar jaar terug jachtopziener. Mag ik vragen, mijnheer, waar u dit hebt gevonden?'

'In het Vierwindentempeltje,' antwoordde ik terwijl ik hem nauwlettend in de gaten hield. 'Niet bepaald een drukbezochte plek.'

'Niet sinds de dood van de kleine.'

'De kleine?'

'Jonker Henry, de enige zoon van de baron. Hij ging er op zijn pony heen. Het was een eigenwijze jongen, en de baron verwende hem schromelijk. Het was zijn verjaardag, ziet u, en de pony was een geschenk van zijn vader.'

'Wil je me vertellen wat er is gebeurd?'

Hij dacht even na en knikte toen naar de openstaande deur van de tuigkamer.

'Misschien wilt u daar even wachten, mijnheer,' zei hij terwijl hij de paarden naar hun stal bracht. Even later was hij weer terug. Hij had nog steeds die argwanende houding over zich, maar hij leek bereid door te gaan met zijn verhaal.

* 'We winnen stukje bij beetje'. JJA

'Het had streng gevroren. We waren het hele park door gereden...'

'Neem me niet kwalijk,' onderbrak ik hem 'bedoel je dat jij met de jongen was meegegaan?'

'Ik was zelf ook nog een jongeman, en mijn oude vader, de kamerdienaar van de baron, was ziek die dag, daarom zou ik in zijn plaats met de baron en de jongen meegaan om een oogje in het zeil te houden. Maar toen we het bos door waren, ging de jongen er in zijn eentje vandoor. Koppig, ziet u, net als zijn moeder.

Wij gingen hem natuurlijk achterna, maar mijn paard kreeg een steentje in zijn hoef en het lukte me niet hem in te halen. Hij had het pad in de richting van het tempeltje genomen – u weet hoe het is: steil, hobbelig, gevaarlijk, zelfs voor een ervaren ruiter. En het had streng gevroren, zoals ik al zei. De baron steeg af en riep dat de jongen terug moest komen. Maar dat had hij niet moeten doen, want toen de jongen de pony wilde laten keren, gleed het beest uit en wierp de jongen af. Ik had niet gedacht dat ik die man ooit zou zien huilen, en dat was ook de enige keer. Maar wat moest-ie huilen, 't was een afschuwelijk gezicht, een geluid dat ik van m'n levensdagen niet meer wil horen. Het was hartverscheurend, zoals dat jochie wasbleek en roerloos aan zijn voeten lag.

Toen is hij begraven, de enige zoon van lord Tansor, en sinds die dag heeft de baron geen voet meer in het tempeltje gezet, en verder komen er maar weinig mensen.'

'Toch is er iemand geweest,' zei ik, 'nog niet zo lang geleden. Iemand die heel wat meer weet van de overval op mijnheer Carteret dan wij.'

Ik wist niet in hoeverre Brine te vertrouwen was, maar toen bedacht ik dat hij speciaal voor Mary Baker naar Londen was afgereisd om iets te weten te komen over haar zuster, de onfortuinlijke Agnes Pluckrose. Dat was een daad die blijk gaf van een onbaatzuchtige, moedige inborst, en na het overlijden van de oude Carteret was het de vraag hoe hij nu aan de kost moest komen; ik had me voorgenomen om meer te weten te komen over het dagelijks leven op Evenwood en over de bewoners, en het verkrijgen van die informatie was me het risico waard om Brine in vertrouwen te nemen.

'Brine, ik ga ervan uit dat je een fatsoenlijke kerel bent en een trouwe dienaar van je vroegere heer en meester. Maar die is er niet meer en ik verstout mij op te merken dat de toekomst van mejuffrouw Carteret ongewis is. Ik heb jouw meester slechts kort gekend, maar ik heb gehoord dat hij een hoogstaand mens was die dit lot niet verdiende. Bovendien heeft zijn dood de uitkomst van onze samenwerking op losse schroeven gezet, en daar moet iets aan gedaan worden. Meer kan ik er voorlopig niet over zeggen. Maar wil je me vertrouwen en naar beste vermogen helpen om degenen die deze gruwelijke daad op hun geweten hebben op te sporen, en mede ervoor te zorgen dat de kwestie die me hierheen heeft gebracht voorgoed de wereld uit wordt geholpen?'

Brine zweeg, maar ik zag dat de vraag iets van belangstelling in zijn ogen deed oplichten.

'Onze overeenkomst is uiteraard strikt vertrouwelijk,' ging ik verder, 'dat spreekt voor zich. En jij loopt zelf geen enkel risico. Ik wil alleen maar op de hoogte gehouden worden van het reilen en zeilen hier, het komen en gaan van iedereen, wat er onder de bedienden over wijlen de heer Carteret wordt gezegd, en dergelijke. In ruil voor je loyaliteit en discretie zal ik je goed betalen, en je kunt er van op aan dat je geen spijt zult krijgen dat je me in deze kwestie bijstaat. Hier is mijn hand, John Brine. Geef je mij de jouwe?'

Hij aarzelde even, zoals ik had verwacht, en keek me een paar tellen recht in de ogen, zonder iets te zeggen. Wat hij daarin zag, weet ik niet, maar het was kennelijk overtuigend genoeg. Hij pakte mijn hand stevig beet, zoals bij een potige kerel als hij hoorde, en pompte hem op en neer.

Opeens leek hij te bevangen worden door twijfel, en even dacht ik dat hij op zijn besluit wilde terugkomen.

'Wat is er, Brine?'

'Tja, mijnheer, ik zat zo te prakkiseren...'

'Ja?'

'Mijn zuster, Lizzie, mijnheer, is de kamenier van juffrouw Carteret. Het is een pientere meid, die zuster van me, en ze heeft veel sneller door dan ik hoe de zaken in elkaar steken, als u me volgt. En daarom dacht ik zo, mijnheer, als ik zo vrij mag zijn, om haar ook bij de overeenkomst te betrekken zodat uw belangen nog beter gediend worden. Zij is geknipt voor zulk soort werk. Elke dag heeft ze vertrouwelijke omgang met haar meesteres, en kan vrijelijk de kamer van de juffrouw in- en uitgaan. Zij weet precies wat er omgaat, mijnheer, nou en of. En ze zal zwijgen als het graf, dat verzeker ik u. Als u haar zelf eerst wil ontmoeten, mijnheer, ze woont hier even verderop.'

Ik moest even nadenken over zijn voorstel. Door mijn werkzaamheden bij Tredgolds had ik grote ervaring opgedaan in het werven van krachten, zoals Brine, om mijn doelen te verwezenlijken. Maar het was me gebleken dat een bepaald type vrouwen beter en geraffineerder was in dit werk dan mannen.

'Ik wil je zuster graag spreken,' zei ik. 'Kom.'

We liepen een klein eindje het dorp in, naar een huisje op de hoek van het laantje dat naar de kerk ging.

'Ik ga eerst alleen naar binnen,' zei Brine bij de deur, 'met uw permissie.'

Ik knikte en hij ging de lage voordeur door, terwijl ik op straat heen en weer drentelde. Eindelijk ging de voordeur weer open en wenkte hij me naar binnen.

Bij de loeiende haard stond zijn zuster met een boek in haar hand, dat ze op de tafel legde toen ik binnenkwam. Ik zag dat het een verzenbundel van mevrouw Hemans* was, en toen ik de karig gemeubileerde huiskamer beter rondkeek, zag ik ook een aantal romans van mejuffrouw Austen, een recent boek van de heer Kingsley, en twee bundels van mejuffrouw Martineau** liggen, plus nog een aantal moderne romans, wat erop wees dat juffrouw Brines literaire smaak ver uitstak boven die van de meesten van haar afkomst en beroep.

* De dichteres Felicia Dorothea Hemans (1793-1835), schrijfster van *Tales and Historic Scenes in Verse* (1819), *The Forest Sanctuary, and Other Poems* (1825), *Records of Women, with Other Poems* (1828), *Songs of the Affections, with Other Poems* (1830) en nog vele andere werken. Verder heeft ze vertalingen gepubliceerd van de zestiende-eeuwse Portugese dichter Luís Vaz de Camões. JJA

** Harriet Martineau (1802-1876), hervormingsgezind denkster en schrijfster. Haar oeuvre bevat onder andere *Letters on Mesmerism* (1845), *Eastern Life, Present and Past* (1848), *Household Education* en haar baanbrekende *History of the Thirty Years' Peace* (beide uit 1849), en haar roman *Deerbrook* (1839). JJA

Ik schatte haar achter in de twintig, met hetzelfde rossige haar en de bleke sproetige huid als haar broer, maar zij was kleiner en tengerder, met heen en weer schietende groene ogen, en ze had, zoals haar broer terecht had opgemerkt, de onmiskenbare uitstraling van iemand die weet hoe de zaken in elkaar steken. Ja, het was een pientere meid, dat was duidelijk. Het leek me dat ze een aanwinst kon zijn.

'Heeft uw broer u uitgelegd wat de voorgestelde overeenkomst behelst, juffrouw Brine?'

'Zeker, mijnheer.'

'En hoe denkt u erover?'

'Ik ben u graag van dienst, mijnheer.'

'En hebben jullie geen van beiden gewetensbezwaren jegens de opdracht?'

Ze keken elkaar. En daarna nam de zuster het woord.

'Ik spreek ook namens mijn broer, mijnheer, als ik zeg dat deze overeenkomst ondenkbaar was geweest als onze dierbare mijnheer nog in leven was. Maar nu hij dood is, God hebbe zijn ziel, maken wij ons ook enigszins ongerust over onze toekomst hier. Wie zegt me dat mijn meesteres het niet in haar hoofd haalt om af te reizen naar Frankrijk, waar ze volgens haar zeggen altijd zo gelukkig is geweest. En in dat geval zal ze mij heus niet meenemen. Dat heeft ze me al min of meer te verstaan gegeven. Misschien blijft ze daar wel, en wat moeten wij dan?'

'Het kan toch ook dat ze trouwt en hier blijft wonen,' suggereerde ik.

'Het zou kunnen,' zei ze. 'Maar we zijn toch liever voorbereid, mijnheer, op de eerste mogelijkheid. En het zou ons geruststellen om een appeltje voor de dorst te hebben. En u zult tevreden over ons zijn.'

'Daar twijfel ik niet aan.'

Het was me duidelijk dat Lizzie de nuttigste van het stel zou zijn; bovendien kon zij haar broer in het gareel houden.

'Dus je voelt niet dezelfde loyaliteit jegens je meesteres als jegens haar vader?'

Ze haalde haar schouders op.

'Dat zijn uw woorden, mijnheer,' antwoordde Lizzie. 'Maar het is wel zo dat we door de onverwachte gebeurtenissen wat meer om onszelf moeten denken.'

'Zeg eens, Lizzie, wat vind je van je meesteres? Is ze aardig tegen je?'

Deze vraag deed haar broer schuins naar haar kijken, alsof hij benieuwd was naar haar antwoord, dat even op zich liet wachten.

'Mij hoort u niet klagen,' zei ze ten slotte. 'Dat zou niet gepast zijn. Mijn meesteres heeft me vaak genoeg gezegd dat ik sloom en onhandig ben, dat zal best, en dat ik niet de verfijnde manieren heb van het Franse meisje dat in Parijs voor haar zorgde, dat ze me voortdurend ten voorbeeld stelt. En dat ik dom ben, zal ook wel kloppen, want zo'n beschaafde dame als mejuffrouw Carteret zal natuurlijk geen hoge dunk hebben van een volks meisje als ik.'

Ze blikte nadrukkelijk naar de dichtbundel die op de tafel lag.

Ik bedankte haar voor haar openhartigheid en nam na nog een enkel woordje afscheid.

Voor de deur van het huisje werd de overeenkomst met een handdruk beklonken. En zo kwam het dat John Brine, voormalig bediende van Paul Carteret, samen met zijn zuster Lizzie, de kamenier van juffrouw Carteret, mijn ogen en oren werden in en om het Douairièrehuis op Evenwood.

Op de terugweg moest ik nog één dringende kwestie met John Brine, mijn nieuwe handlanger, bespreken.

'Brine, zou je me iets meer willen vertellen over Josiah Pluckrose?'

Mijn vraag had een onverwachte uitwerking.

'Pluckrose!' brulde hij met een rood aanlopend gezicht. 'Wat hebt u met die vuile moordenaar te maken? Zeg het me, verdomme, of anders sla ik u hier ter plekke in elkaar, overeenkomst of niet!'

Onder normale omstandigheden had ik zo'n onbeschaamdheid van een volkstype als John Brine beslist niet getolereerd; en zelfs nu stond ik bijna op het punt hem een lesje te leren dat hij niet snel zou vergeten, want qua postuur en gewicht kon ik hem gemakkelijk aan, en ik wist, misschien beter dan hij, hoe je zo'n situatie moest aanpakken. Maar ik hield me in, ook omdat ik me niet kon voorstellen dat we er een andere mening over Josiah Pluckrose op nahielden.

'Ik heb maar één doel voor ogen wat betreft dat heerschap,' zei ik, 'en wel hem zo snel mogelijk, met mijn welgemeende complimenten, naar de diepste hellepoel sturen.' Hierop kreeg Brines gezicht een wat toegeeflijkere uitdrukking, en hij begon zich, hakkelend en opgelaten, voor zijn uitbarsting te verontschuldigen, maar ik onderbrak hem en vertelde hem over mijn gesprek met Mary Baker, de huishoudster, al hield ik wijselijk mijn mond over mijn eerdere ontmoeting met vriend Pluckrose.

Daarop vertrouwde hij me toe, kalm doch geëmotioneerd, wat me haast ontwapende, dat hij vroeger 'grote genegenheid', zoals hij het noemde, voor Agnes Baker had gekoesterd, en het was aan mij wat ik daaronder moest verstaan.

'Nou, Brine,' zei ik toen we onder de boog van het poortgebouw doorliepen, 'volgens mij hebben we hetzelfde standpunt inzake Josiah Pluckrose. Maar wat ik met name zou willen weten,' ging ik verder, terwijl ik behoefte voelde aan een nieuwe sigaar, alleen had ik er geen bij me, 'is hoe zo'n sujet in contact kan komen met iemand als Phoebus Daunt. Ik ben vast niet de enige die hun relatie onverenigbaar vindt. Kun jij me bijvoorbeeld vertellen hoe mijnheer Carteret over deze kwestie dacht?'

'Zoals elk fatsoenlijk mens erover zou denken,' antwoordde Brine ietwat ontwijkend, 'Dat weet ik, omdat ik hem dat toevallig tegen juffrouw Emily heb horen zeggen.'

'Wat heb je hem tegen haar horen zeggen, Brine? Voor de draad ermee, alsjeblieft, we mogen nu geen geheimen meer voor elkaar hebben.'

'Het spijt me, mijnheer, maar ik vind het toch niet gepast om zaken die onder vier ogen zijn besproken door te vertellen.'

Ik vervloekte de kerel om zijn gewetensbezwaren. Een mooie spion zou dat worden! Nogal scherp wees ik hem op de voorwaarden van onze overeenkomst en even later begon hij hortend na te vertellen wat hij van het gesprek had opgevangen tussen Carteret en zijn dochter.

'De baron had voor zijn verjaardag een diner gegeven en na afloop werd mij gevraagd om mijnheer en juffrouw Emily in de landauer van het grote huis terug te brengen. Het is een oud wagentje, dat nog van mijnheer Carterets moeder is geweest, maar hij doet het nog best en–'

'Brine. Niet afdwalen, alsjeblieft.'

'Natuurlijk niet, mijnheer. Nou, goed, mijnheer, zoals ik al zei reed ik de landauer voor om mijnheer en de jongejuffrouw thuis te brengen. Maar ik zag meteen dat er iets aan de hand was. Haar gezicht stond op onweer toen ik haar het rijtuig in hielp, en het gezicht van mijnheer Carteret stond ook niet al te vrolijk.'

'Ga door.'

'Er stond een straffe wind die avond – dat herinner ik me nog goed – en op de terugweg speelde ons die parten, niet weinig ook, vooral toen we bij de rivier kwamen, werden we geteisterd en gegeseld door de wind. Maar ondanks de harde wind in mijn gezicht kon ik af en toe toch iets opvangen van het gesprek tussen de mijnheer en de juffrouw.'

'En bij die gelegenheid sprak mijnheer Carteret over Pluckrose?'

'Hij noemde niet zijn naam, maar ik wist dat mijnheer het over hem had. Die avond was hij in een rijtuig samen met Phoebus Daunt en een andere heer aangekomen – dezelfde vervloekte avond dat hij voor het eerst Agnes had begluurd. In de dienstbodenvertrekken was tumult uitgebroken – Pluckrose had daar zijn maaltijd gekregen terwijl de andere twee heren boven bij de deftige lui mochten dineren, en hij had de butler van de baron, Cranshaw, bedreigd. John Hooper, die erbij was geweest, had me over de ruzie verteld. Goed, toen we thuiskwamen, hielp ik haar uit de wagen, juffrouw Emily, bedoel ik, en godallemachtig, ze stormde werkelijk naar binnen, haar vader achter d'r aan en maar roepen dat ze moest blijven staan. Ik reed de landauer naar het erf, zette de paarden op stal, net als vanavond, en ging toen naar de keuken, want het was een ongewone avond, zeker, en Susan Rowthorn hield altijd iets voor me achter, een lichte versnapering, en die kon ik wel gebruiken op zo'n avond. "Tjongejonge," zei ze toen ik de deur binnenkwam, "wat een stampei. Mijnheer en de juffrouw gaan als wilden tekeer." Dat waren haar letterlijke woorden: als wilden. Nu heeft de juffrouw een opvliegend karakter, dat weet iedereen. Maar Susan zei dat ze nog nooit zoiets had meegemaakt, deuren die werden dichtgesmeten en wat al niet.'

'En wat denk jij dat de oorzaak was van al deze ophef?'

'O, ik hoef niets te denken, mijnheer. Ik kreeg het hele verhaal van a tot z te horen van Susan. Zij had alles gehoord en alles ook precies onthouden, zoals gewoonlijk. Ik weet het niet, mijnheer, maar misschien had u beter haar in dienst kunnen nemen dan mij.'

Hij lachte bête, en voor de zoveelste keer schold ik inwendig op hem en zijn halfhartige poging tot humor.

'Kom, Brine, schiet eens op,' zei ik ongeduldig. 'Wat heeft dat mens je verteld?'

Ik zal u de uitweidingen van John Brine verder besparen en u mijn eigen versie van de gebeurtenissen op die noodlottige avond geven, toen Josiah Pluckrose in gezelschap van Phoebus Daunt naar Evenwood kwam en mijnheer Carteret en zijn dochter voor het eerst van hun leven ruzie met elkaar kregen. Mijn verslag is de directe weergave van de herinneringen van Carterets huishoudster, Susan Rowthorn, en die van John en Lizzie Brine.

Nadat ze door de onstuimige wind ongeveer naar huis waren geblazen, rende juffrouw Carteret naar binnen, met haar vader roepend achter haar aan. Ze ging rechtstreeks naar haar kamer en smeet de deur dicht. Ze had nog maar net om haar kamenier, Lizzie Brine, gescheld of er werd kort op de deur geklopt en haar vader kwam binnen. Hij had zijn overjas nog aan en was in alle staten.

'Dit geeft geen pas, Emily. Echt niet. Je moet me alles vertellen, anders komt het nooit meer goed tussen ons. Zo is het, en niet anders.'

'Hoe kan ik u alles vertellen als er niets te vertellen valt?'

Ze stond voor het raam, met haar reiscape over haar arm, heur haar verwaaid door de wind, die onverminderd om het huis loeide. Ze was nog ontzet en boos om het incident, en ze voelde zich vernederd door haar vader. Ze was dan ook nog niet in een verzoenende stemming.

'Niets te vertellen! Hoe durf je! Goed, dan heb ik jóu iets te vertellen. Ik verbied je elke omgang met die man, versta je? We moeten natuurlijk beleefd omgaan met onze buren, maar daar houdt het ook op. Ik hoop dat ik zo duidelijk ben.'

'Nee, dat bent u niet, vader.' Ze kon haar woede niet langer beteugelen. 'Mag ik vragen over wie u het hebt?'

'Over Phoebus Daunt, natuurlijk, wie anders?'

'Maar dat is bespottelijk! Ik ken Phoebus Daunt al sinds mijn zesde, en zijn vader is een van uw meest gewaardeerde, dierbaarste vrienden.

Ik weet dat u Phoebus niet zo hoogacht als anderen, maar ik sta versteld dat u zich opeens zo tegen hem keert.'

'Ik heb jullie toch samen aan het diner gezien. Hij boog zich naar je toe, op niet mis te verstane...' Hij zweeg even. 'Op niet mis te verstane intieme wijze. Ach! Jij wenst niets te zeggen. Waarom zou je ook? Dat is jouw manier, begrijp ik, om mij het een te laten denken terwijl jij het ander doet.'

'Hij bóóg zich naar me tóé? Is dat uw aantijging?'

'Dus jij wilt ontkennen dat je hem stiekem hebt aangemoedigd jou het... het hof te maken?'

Hij stopte zijn handen in zijn zakken en wiegde heen en weer op zijn hakken, alsof hij wilde zeggen: Zo! Ontken maar als je kunt!

Maar ze ontkende wél, met een soort kille woede in haar stem, al hield ze haar hoofd afgewend terwijl ze aan het woord was.

'Ik begrijp niet waaraan ik deze behandeling verdien,' ging ze verder en ze gooide nijdig haar cape op het bed. 'Ik heb me toch, hoop ik, altijd gevoegd naar uw wensen. Ik ben meerderjarig, en u weet dat ik morgen aan de dag het huis uit kan om te trouwen met wie ik maar wil.'

'Maar niet met hém, niet met hém!' zei Carteret bijna kreunend, terwijl hij met zijn hand door zijn haar streek.

'Waarom niet met hem, als ik dat toevallig wens?'

'Ik smeek je nogmaals om hem te beoordelen op de lui met wie hij omgaat.'

Ze bleef even staan wachten om te zien of haar vader dieper op deze opmerking in zou gaan. Maar op dat moment werd er weer op de deur geklopt. Het was Lizzie Brine, die de juffrouw en haar vader zwijgend tegenover elkaar zag staan.

'Is er iets, juffrouw?'

Ze keek eerst naar haar mevrouw en toen naar mijnheer Carteret. Ze had natuurlijk de dichtslaande deur en boze stemmen gehoord. Ze had zelfs even in de gang staan dralen alvorens naar binnen te gaan. En ze was niet de enige, want de huishoudster, Susan Rowthorn, toegewijd als altijd, had al een dringende reden gevonden om zo snel als haar korte beentjes haar konden dragen naar boven te snellen en poolshoogte te gaan nemen in de kamer naast die van juffrouw Carteret, die werd gescheiden door een tussendeur met een kijkgaatje waar juffrouw

Rowthorn zich genoodzaakt voelde haar oog tegen te plaatsen – ongetwijfeld uit strikt huishoudelijke overwegingen.

'Nee, er is niets, Lizzie,' zei juffrouw Carteret. 'Ik heb je vanavond niet meer nodig. Je mag naar huis. Maar wees morgen op tijd weer aanwezig.'

Daarop verliet Lizzie met een kniksje de kamer en trok zacht de deur achter zich dicht. Maar ze ging niet direct naar huis. Op haar tenen sloop ze naar de aangrenzende kamer waar juffrouw Rowthorn op haar knieën voor de tussendeur zat en zich omdraaide en haar vinger op haar lippen legde toen Lizzie binnenkwam.

Nu waren vader en dochter weer alleen (dat dachten ze althans) en stonden ze enkele tellen zwijgend en opgelaten tegenover elkaar. Juffrouw Carteret nam als eerste het woord.

'Papa, als een mij liefhebbende vader wil ik u vragen om eerlijk tegen me te zijn. Met welke lui gaat Phoebus Daunt dan om die u zo afschuwelijk vindt? U doelt toch niet op mijnheer Pettingale?'

'Nee, niet Pettingale. Ik ken de goede man niet, maar ik heb geen reden kwaad van hem te denken.'

'Wie bedoelt u dan?'

'Ik bedoel die andere... persoon. Zo'n weerzinwekkend, achterbaks sujet ben ik van mijn leven niet tegengekomen. En dat noemt zichzelf compagnon van Phoebus Daunt! Nu vraag ik je! Deze onbehouwen snoever, deze... deze moloch in mensengedaante, komt hier, op Evenwood, in het gezelschap van mijnheer Daunt. Wat heb je daarop te zeggen?'

'Wat kán ik zeggen?' vroeg ze. Ze was inmiddels tot rust gekomen en stond omlijst door het raam met de gordijnen in die karakteristieke houding van haar, handen kruiselings voor haar borst, hoofd een tikje schuin naar achteren, en een gezicht dat niets verried. 'Ik weet niet op welke persoon u doelt. Als hij inderdaad de compagnon is van Phoebus Daunt, welnu, dan is dat toch zeker Daunts zaak en niet die van ons? Misschien heeft hij een heel goede reden om zich in te laten, wellicht tijdelijk, met de persoon die u beschrijft. U moet begrijpen dat het niet aan ons is om hierover te oordelen. En wat jongeheer Daunt zelf betreft, kan ik u op het graf van mijn lieve moeder, en ten overstaan van God, verzekeren dat ik geen enkele reden, geen énkele, heb om mezelf te verwijten mijn plichten als dochter te hebben verzaakt?

Hoewel ze in algemene termen sprak, bleek haar houding en de pertinente toon waarmee ze haar betoog hield een kalmerende invloed op haar vader te hebben, want die zette niet meer voortdurend zijn bril op en af, en stopte eindelijk zijn zakdoek weg.

'Heb ik me dan echt zo vergist, lieve?' De vraag werd zacht, haast smekend gesteld.

'Vergist, vader?'

'Vergist in de veronderstelling dat je heimelijk belangstelling voor Phoebus Daunt koestert.'

'Lieve vader...' Ze stak haar hand uit om de zijne te pakken. 'Mijn gevoelens voor hem zijn onveranderd. Hij is onze buurman en hij was mijn vriend toen ik klein was. Meer niet. En als u me dwingt openhartig te zijn, dan kan ik u vertellen dat ik de jonge Daunt niet graag mag, al zal ik altijd beleefd tegen hem zijn, omwille van zijn vader. Als u beleefdheid voor genegenheid aanziet, dan spijt me dat, maar daar kan ik ook niets aan doen.'

Ze glimlachte, en welke vader kan nu zo'n glimlach weerstaan? Daarom gaf mijnheer Carteret zijn dochter een kus en zei dat hij een oude dwaas was om te denken dat ze ooit tegen zijn wensen zou ingaan.

Toen leek hem iets anders te binnen te schieten.

'Maar, lieve,' vroeg hij bezorgd, 'je zult toch wel gaan trouwen, en binnen afzienbare tijd?'

'Misschien wel,' zei ze vriendelijk. 'Maar nu nog niet, papa, nog niet.'

'En niet met hem, lieve.'

'Nee, papa. Niet met hem.'

Hij knikte, gaf haar nog een kus en wenste haar welterusten. Toen hij de hoek van het gangetje naar zijn slaapkamer was omgeslagen, sloop juffrouw Rowthorn, met Lizzie Brine op haar hielen, zachtjes terug naar de keuken.

Dit, nu, is het waarheidsgetrouwe, accurate verslag, althans zo waarheidsgetrouw en accuraat als ik heb kunnen achterhalen, van wat er zich die avond tussen Paul Carteret en zijn dochter heeft afgespeeld.

Maar was alles wel uitgesproken? Of koesterden ze nog geheimen voor elkaar die ze niet konden uitspreken?

27

Sub rosa*

Nadat ik was teruggelopen van het stalerf ging ik via de keukeningang het Douairièrehuis in. Daar trof ik Susan Rowthorn die druk in gesprek was met de kokkin, juffrouw Barnes. Voor mijn werk probeer ik altijd de bedienden voor me te winnen, en hier deed zich een uitgelezen kans voor.

'Gebruikt u uw avondeten in uw kamer, mijnheer?' vroeg de huishoudster.

'Ik wil heel graag avondeten,' antwoordde ik, 'maar dat zal ik hier bij jullie gebruiken, als dat mag.'

Toen ik merkte dat mijn charme het gewenste effect had, liet ik de twee vrouwen verder het eten klaarmaken en ging zelf naar mijn kamer om mijn sigaren, die ik altijd bij me had, aan te vullen.

Onder aan de trap bleef ik staan.

Vlak achter de voordeur stond een zwart leren imperiaaltas,** alsmede drie of vier kleinere tassen. Ging iemand weg? Kwam iemand logeren? Ik las de initialen op de klep van de koffer: 'M-MB'. Een logé, stelde ik vast. Nog een vraag voor juffrouw Rowthorn.

Nadat ik mijn voorraadje sigaren uit mijn tas had aangevuld, liep ik terug naar de keuken, en onderweg viel het me op dat de salondeur, die dicht was geweest toen ik de koffer had bekeken, nu openstond. Natuurlijk gluurde ik even naar binnen, maar er was niemand, al ving mijn neus, die gevoelig is voor dergelijke zaken, een zweem op van een intrigerende lavendelgeur die nog in de lucht hing.

* Letterlijk 'onder de roos', dat wil zeggen, 'in het geheim, stiekem'. JJA

** Een kleine of grote koffer die op het dak van een rijtuig of diligence gelegd werd. JJA

Juffrouw Barnes had een stevige maaltijd bereid en na mijn uitstapje naar het tempeltje en de terugrit in de landauer met juffrouw Carteret viel ik daar gretig op aan. Ik ging bij de open haard zitten en liet juffrouw Rowthorn ruim een uur lang de vrije teugel. Wat ze me vertelde, terwijl ik mijn tanden in een koteletje met twee gebakken niertjes zette, weggespoeld met een royaal glas gin-punch en afgesloten met een stuk overheerlijke appeltaart, heb ik in het navolgende verslag opgetekend. Eén vraag echter blijft onbeantwoord.

'Ik neem aan dat juffrouw Carteret druk is met haar gasten?'

'O, het is er maar eentje, mijnheer,' bekende juffrouw Rowthorn. 'Mejuffrouw Buisson.'

'Aha. Familie misschien?'

'Nee, mijnheer, een vriendin. Uit haar tijd in Parijs. John Brine heeft haar bagage net naar haar kamer gebracht. Wat een schrik voor dat arme schaap om het huishouden zo in rep en roer aan te treffen.'

Ik vroeg of juffrouw Buisson de heer Carteret goed had gekend, waarop juffrouw Rowthorn antwoordde dat de jongedame verscheidene keren in Engeland op bezoek was geweest en dat de oude mijnheer bijzonder gesteld op haar was.

'Ik neem aan dat juffrouw Carteret nog wel meer vriendinnen hier in de omgeving heeft,' opperde ik.

'Vriendinnen?' was de reactie. 'Ach, ja, zo zou je ze kunnen noemen. Juffrouw Langham en de dochter van sir Granville Lorimer; maar het is niet zoals met juffrouw Buisson, gek genoeg.'

'Hoe bedoelt u?'

'Onafscheidelijk, mijnheer. Dat is nog de beste omschrijving. Het zijn net zusjes als ze bij elkaar zijn, ook al zijn ze in uiterlijk en karakter heel erg verschillend.' Ze schudde haar hoofd. 'Nee. De juffrouw heeft geen enkele andere vriendin zoals juffrouw Buisson.'

Net toen ik wilde vertrekken, kwam John Brine de trap in de hal af. Hij kleurde lichtjes toen hij mij zag, maar ik leidde de aandacht van de vrouw snel af door mijn derde (of was het mijn vierde?) glas gin-punch om te gooien. Ik verontschuldigde me voor mijn onhandigheid en ging er als een haas vandoor.

Op mijn kamer stak ik een sigaar op, schopte mijn laarzen uit en ging op bed liggen.

Ik voelde me misselijk en draaierig. Een overmaat aan gin-punch en te veel sigaren, hoogstwaarschijnlijk. Ik was doodop, mijn hoofd tolde van alle commotie en ik kon de slaap niet vatten. Morgen zou ik naar Londen teruggaan en ik wist nog net zo weinig over wat Carteret had ontdekt als toen ik naar Northamptonshire was gekomen, maar wat ik wel zeker wist was dat het de oorzaak van zijn dood was. En als het iets te maken had met de erfopvolging van de baronie, dan zou het kunnen betekenen dat ook ik betrokken was bij de samenzwering die tot de moord op Carteret had geleid.

Ik dwong mezelf aan andere dingen te denken: aan Bella en wat zij zou doen. Vanavond was er, wist ik, een diner op Blithe Lodge ter ere van een van de meest vooraanstaande leden van de Academie: Graaf van B–. Er zou gedekt worden met het mooiste tafelzilver en mevrouw D zou schitteren in granaten en parels en droeg vast de opvallende pauwenveren hoofdtooi die ze bij zulke gelegenheden altijd op had, alsof ze daarmee haar machtspositie in de raad van bestuur van de Academie wilde benadrukken. Ik stelde me voor dat Bella haar blauwzijden japon aanhad, haar liefste halsketting van Castellani* om haar ranke halsje, en een krans van witte kunstroosjes in haar weelderige zwarte haar. Het gezelschap zou vragen of ze wilde zingen en pianospelen, en natuurlijk zou ze alle aanwezige mannen betoveren. Sommigen zouden zelfs even denken dat ze verliefd op haar waren.

Ik deed mijn ogen dicht, maar de verlangde slaap bleef uit. Zo lag ik misschien een uur, tussen waken en soezen in, totdat ik opschrok van het slaan van de klok in het poortgebouw. Meteen werd ik uit mijn halfslaap gerukt en was ik klaarwakker. Ik piekerde erover wat ik toch moest beginnen, toen mijn oren een vreemd geluid opvingen. Aanvankelijk dacht ik dat het de wind was, maar toen ik weer uit het raam

* De Italiaanse juwelier en sieradenmaker Fortunato Pio Castellani (1793-1865), die gespecialiseerd was in het ontwerpen van sieraden die getrouwe kopieën waren van het werk van de Etruskische goudsmeden. JJA

keek, zag ik dat de takken van de bomen op de Plantage nauwelijks bewogen. Opnieuw daalde de stilte neer, maar even later hoorde ik het weer: een nadrukkelijk janken, zoals honden weleens in hun slaap doen.

Ik stond op en trok mijn laarzen aan. Met een blaker in mijn hand, deed ik de deur open.

De gang naast mijn kamer was donker, het huis doodstil. Rechts van mij bevond zich de grote trap die naar de vestibule beneden leidde; recht voor me uit was de gang die ongeveer over de hele lengte van het huis liep. Links van mij ontwaarde ik twee deuren, die vermoedelijk toegang gaven tot kamers die, net als de mijne, uitzicht op de voortuin hadden; een andere kamer ertegenover – de studeerkamer van Carteret, zo hoorde ik later – keek uit op de tuin aan de achterkant. Terwijl ik voorzichtig door de gang sloop zag ik dat de gang aan het einde een bocht naar rechts maakte, naar het achtergedeelte van het huis.

Een poosje bleef ik ingespannen staan luisteren, maar er was geen enkel geluid te horen, en daarom begon ik iets sneller terug te lopen. Om te voorkomen dat de flakkerende vlam uitging, kromde ik mijn hand om de kaars waardoor er direct grote slagschaduwen ontstonden die geruisloos over de muren en deuren gleden die ik aan weerskanten passeerde. Toen ik bij de tweede deur kwam aan de voorkant van het huis, hoorde ik het weer, een soort zacht, onbewust gekreun. Ik zette de blaker op de vloer en hurkte neer waarbij mijn laarzen een beetje kraakten. Over het sleutelgat zat een koperen plaatje dat niet verschoven kon worden; daarom legde ik mijn oor maar tegen de deur.

Stilte. Ik wachtte en durfde nauwelijks adem te halen. Wat was dat? Een ruisend geluid, als van een zijden kledingstuk dat op de grond glijdt; even later ving ik flarden op van wat klonk als een gefluisterd gesprek. Uit alle macht probeerde ik er iets van te verstaan, drukte mijn oor nog harder tegen de deur en kneep mijn ogen toe om me te concentreren; maar ik kon niet horen wat er werd gezegd totdat–

'*Mais il est mort. Mort*!'*

Niet langer gefluister maar een wanhopige kreet – die van háár! Daarna, zacht maar dringend, kwam het antwoord van een andere stem:

* 'Maar hij is dood. Dood!' JJA

'Sois calme, mon ange! Personne ne sait.' *

Opnieuw werd het gesprek van beide kanten tot fluisterniveau gedempt, en slechts sporadisch, als de ene of de andere spreekster haar stem een beetje verhief, kon ik meer dan een enkel woordje verstaan.

'Il ne devrait pas s'être produit...' **

'Qu'a-t-il dit?...'

'Qu'est-ce que je pourrais faire?... Je ne pourrais pas lui dire la vérité...'

'Mais que fera-t-il?...'

'Il dit qu'il le trouvera...'

'Mon Dieu, qu'est-ce que c'est que ça?'

Ik veranderde iets van houding om de kramp in mijn been te verlichten, maar daarbij stootte ik de blaker om waardoor de vlam doofde. Meteen daarop hoorde ik voetstappen in de kamer die zich naar de deur repten. Er was geen tijd meer om naar mijn eigen kamer terug te lopen, daarom pakte ik haastig de blaker op en rende zo snel ik kon door de gang terug tot ik bij het einde kwam waar de gang een scherpe bocht naar het achterhuis maakte, vlak voordat de deur openging.

Ik zag hen niet, maar ik stelde me voor dat er twee benauwde gezichten naar buiten gluurden die angstig links en rechts de gang af keken. Het duurde een hele tijd voordat ik de deur hoorde dichtslaan en even later keek ik om het hoekje om te zien of de kust inderdaad veilig was.

Terug op mijn kamer zette ik me dadelijk achter mijn bureau om alles op te schrijven wat ik nog had onthouden van het gesprek tussen juffrouw Carteret en haar vriendin. Als een onderzoeker die de fragmenten van een eeuwenoude tekst bij elkaar zoekt, probeerde ik de lacunes op te vullen die klaarheid in de zaak konden brengen, maar het was vergeefs; mijn onvolledige, uit hun verband gerukte transcripties – zoals hierboven opgetekend – weigerden hun geheim prijs te geven. Ervan overtuigd dat ik opeens raadsels en samenzweringen zag die er

* 'Wees kalm, mijn engel! Niemand weet het.'

** 'Het had niet mogen gebeuren...'

'Wat zei hij?...'

'Wat kon ik doen?... Ik kon hem niet de waarheid zeggen...'

'Maar wat gaat hij doen?...'

'Hij zegt dat hij hem zal vinden...'

'... Mijn god, wat was dat?' JJA

niet waren, liep ik naar het raam om nog eens naar de maanverlichte tuin te kijken.

Juffrouw Carteret! Juffrouw Carteret! Ik was compleet, stompzinnig in de ban van mijn mooie nichtje, hoezeer ik mezelf verfoeide om de absurditeit ervan. Het was in twee dagen gebeurd, twéé dagen slechts! Het was niet meer dan een dwaze verliefdheid, hield ik me keer op keer voor. Vergeet haar. Jij hebt Bella, die alles is wat je je maar kunt wensen. Waarom je kostbare tijd verspillen aan dit koele schepseltje, tijd die je beter kunt besteden aan het volbrengen van je grote project?

Maar wie luistert naar de stem der rede als de liefde, zacht overtuigend, in zijn andere oor fluistert?

Zoals ik had gevraagd, klopte juffrouw Rowthorn de volgende ochtend al vroeg op de deur met een ontbijt op een dienblad.

Toen ik een halfuur later naar de vestibule beneden was gegaan, keek ik even in de eetkamer, en daarna in de twee ontvangstvertrekken voorin, maar ik zag geen teken van juffrouw Carteret noch van haar vriendin, mademoiselle Buisson. Een Franse pendule op de schouw sloeg halfacht toen ik de voordeur opendeed en de koude, grijze ochtend tegemoet trad.

Ik nam juist een ferme trek van mijn eerste sigaar van de dag, in de hoop dat de sterke tabak het vereiste verkwikkende effect op mijn traagwerkende denkvermogen had, toen Brine met mijn paard vanaf het stalerf kwam aanlopen. Hij wenste me een behouden reis en ik vroeg of hij juffrouw Carteret die ochtend nog had gezien.

'Nee, mijnheer,' zei hij. 'Vanochtend nog niet. Ze heeft gevraagd of mijn zuster wat later wilde komen vandaag, en gezegd dat ze niet gestoord wilde worden.'

'Geef juffrouw Carteret mijn complimenten, als je wilt.'

'Dat zal ik doen, mijnheer.'

'Heb je het adres dat ik je heb gegeven goed opgeborgen?'

'Ja, mijnheer.'

Ik zette mijn voet in de stijgbeugel en reed weg onder de donkere weergalmende boog van het Schotse poortgebouw, maar even later trok ik de teugels strak. Ik liet het paard keren en galoppeerde het Park weer in.

Moeizaam bestegen we de lange helling, via de eikenlaan, tot we bij de top kwamen, waar ik mijn paard inhield en omlaag over de nevelige rivier naar landgoed Evenwood keek.

Het was een dag met een loodgrijs dreigend wolkendek, en een koude oostenwind die door de kale bomen zuchtte; maar zelfs op zo'n dag werd mijn hart bekoord door de pracht van het huis – dit oord van lust en verlangen. Wanneer zou de dag komen dat ik hier als heer en meester naar binnen ging, en eindelijk mijn voeten veilig binnen de poorten kon zetten?

Toen ik langs de pastorie liep, zag ik het echtpaar Daunt gearmd het pad van de kerk aflopen. De predikant zag me en stak groetend zijn hand op, welk gebaar ik beantwoordde. Zijn vrouw echter maakte meteen haar arm los uit de zijne en liep alleen verder het pad af.

Even later had ik Evenwood en mejuffrouw Emily Carteret achter me gelaten.

Na een koude, gure rit kwam ik even voor negenen in de hoofdstraat van Stamford aan. Ik gaf mijn knol af bij de stalknecht van de George-Inn, en vroeg de portier of hij mijn bagage naar het spoorwegstation wilde laten brengen zodat ik de eerstvolgende trein naar Peterborough kon nemen. De rit had mijn hoofd helder gemaakt, me opgebeurd en mijn eetlust aangewakkerd; omdat ik nog een uur te gaan had, bestelde ik goedgeluimd koteletjes, eieren met spek en een pot sterke koffie, en ging in een van de gelagkamers in een afgeschermd hoekje bij het vuur zitten om de ochtendcouranten door te nemen tot het tijd was om op mijn gemak naar het station te lopen.

Ik arriveerde tien minuten voordat mijn trein zou binnenkomen en terwijl ik de wachtkamer der eerste klasse binnenliep, schoot me opeens iets te binnen dat de oude heer Daunt op onze wandeling van de bibliotheek aan me had verteld. Hij had gezegd dat zijn zoon al vroeg wist dat hij een loopbaan in de magistratuur ambieerde, in navolging van zijn beste vriend op Cambridge. Ik had verder geen aandacht aan de woorden van de predikant besteed, maar nu, in de wachtkamer op het stationnetje van Stamford, kwamen ze met een vreemde dwingende kracht bij me terug.

Nu geloof ik heilig in instinctieve kracht, dat wil zeggen, het vermogen om feiten of waarheden vast te stellen zonder de hulp van logica of innerlijk overleg. Het mijne is bijzonder scherp en heeft me al vaak goede diensten bewezen. Bovendien heb ik geleerd om op mijn instinct af te gaan als het zich zo voordoet. Je weet nooit waartoe het leidt. En dit was weer zo'n geval. Ik kan niet zeggen waarom, maar ik werd meteen overvallen door het idee dat ik de naam van deze studievriend van Daunt moest zien te achterhalen. Daarom besloot ik in een opwelling mijn plannen te wijzigen en, na mijn Bradshaw* te hebben geraadpleegd, een omweg naar Cambridge te maken.

Inmiddels was de trein naar Yarmouth gearriveerd, die ik tot aan Ely zou nemen. Juist wilde ik mijn valies oppakken toen een van de bedienden uit de gelagkamer van het George hijgend op me af kwam, en een dikke enveloppe, bijna een klein pakketje, in mijn hand duwde.

'Wat is dit?'

'Neem me niet kwalijk, m'neer, de portier zegt dat dit voor u bestemd is.'

Aha, dacht ik. De drukproeven van Daunts vertaling van Iamblichus. Die had professor Slake me, volgens afspraak, toegestuurd. Ik was ze compleet vergeten. Omdat ik onverwijld op de trein moest stappen, had ik geen tijd om deze verhitte domoor een uitbrander te geven dat het hotelpersoneel was vergeten me het pakje eerder te geven. Ik duwde hem alleen maar ruw opzij, propte de drukproeven in de zak van mijn overjas en zat nog maar net op mijn plek of de stationschef blies op zijn fluitje.

Tot mijn grote schrik waren alle plaatsen bezet in de coupé die ik had uitgekozen, zodat ik twee uur en een kwartier lang ingeklemd zat tussen een gezette, ongemeen strijdlustige dame, die een mand met een jonge spaniël angstvallig op haar knieën liet balanceren, en een drukke

* Een van de maandelijkse Railway Guides, spoorboekjes, die werden uitgegeven door George Bradshaw (1801-1853), het eerste deeltje dat in december 1841 verscheen had al het gele omslag dat later zo bekend zou worden. JJA

beweeglijke jongen van een jaar of dertien (die zeer geïnteresseerd was in het hondje), terwijl ik mijn valies tussen mijn voeten moest houden omdat de bagagerekken al helemaal vol waren.

Ik was blij dat ik in Ely kon uitstappen en wist op het nippertje de aansluiting naar Cambridge te halen. Toen ik eindelijk op de plaats van bestemming was aangekomen, nam ik een huurrijtuigje naar de stad en werd voor de poort van St. Catherine's College afgezet.

28

Spectemur agendo*

In het jaar onzes heren 1846 was ik met de welwillende hulp van mijn vroegere reisgenoot, Bryce Furnivall, van het British Museum, een correspondentie begonnen met dr. Simeon Shakeshaft, docent aan St. Catharine's College, autoriteit op het gebied van de alchemistische literatuur, waarvoor ik tijdens mijn studie in Heidelberg grote belangstelling had opgevat. We waren elkaar blijven schrijven, en Shakeshaft had me geholpen met het opzetten van mijn bescheiden bibliotheek met alchemistische en hermetische werken. De man was, net als de predikant van Evenwood, lid van de Roxburghe Club, en ik herinnerde me dat de oude Daunt had gezegd dat deze gemeenschappelijke kennis omgang had gehad met zijn zoon tijdens diens studie aan King's College.** Shakeshaft had kort geleden een brief gestuurd naar mijn postadres betreffende Barretts *The Magus*,*** een curieus compendium over de occulte leer, dat ik graag ik aan mijn collectie wilde toevoegen; daar we elkaar nog niet persoonlijk hadden ontmoet, leek het me een uitgelezen kans om twee vliegen in een klap te slaan.

* 'Beoordeel ons naar onze daden'. JJA

** King's College ligt direct naast St. Catharine's College. JJA

*** *The Magus* (1801) door Francis Barrett, geboren tussen 1770 en 1780, is een vroeg werk over magie en de occulte leer. In het voorwoord staat dat het 'werk bestemd is voor al degenen die een onverzadigbare weetlust hebben naar zaken van occulte aard, en deze lezers dienen te beseffen dat wij grote inspanningen hebben betracht en ons tijd noch geld hebben bespaard om alle zaken van curieuze en zeldzame aard, op het gebied van Natuurmagie, de Kabbala, Bovenaardse Zaken en Rituelen, Alchimie en Magnetisme, bijeen te brengen'. JJA

De kamers van Shakeshaft bevonden zich in het achterste gedeelte van de charmante driezijdige bakstenen binnenplaats die zo kenmerkend is voor St. Catharine's. Eerst ging ik een smalle trap naar de eerste verdieping op, waar ik allerhartelijkst door Shakeshaft werd begroet en een studeerkamer vol boeken binnen werd genood. We praatten een tijdje over allerhande onderwerpen die ons beiden interesseerden, en daarna haalde de gastheer een aantal schitterende exemplaren uit zijn eigen verzameling hermetische boeken te voorschijn om aan mij te laten zien. Dat was bijzonder aangenaam, en een verademing om na de enerverende gebeurtenissen van de afgelopen dagen mijn geest weer eens aan zulke fascinerende zaken te laven.

Ik vond het dan ook moeilijk om me hiervan los te rukken en me weer op mijn eigenlijke doel te richten: Phoebus Daunt.

'Had Daunt eigenlijk een grote kennissenkring op zijn college?' vroeg ik langs mijn neus weg.

Shakeshaft neep zijn lippen in opperste concentratie.

'Hmm, niet bijzonder groot zou ik zeggen. Hij was niet geliefd onder de sportlui en, voor zover ik me herinner, waren zijn meeste vrienden, als je ze zo kon noemen, afkomstig uit andere studentenhuizen.'

'Herinnert u zich misschien nog een vriend of kennis in het bijzonder?' was mijn volgende vraag. Dit keer hoefde hij niet lang na te denken.

'Ja, zeker. Een student aan Trinity. Ze waren erg dik met elkaar, altijd samen op pad. Ze kwamen met z'n tweeën ook bij mij over de vloer – de vader van de jonge Daunt en ik zijn oude vrienden, zoals u weet. Ogenblikje.' Hij dacht even na. 'Ja, nu weet ik het weer. Er waren moeilijkheden.'

'Moeilijkheden?'

'Niet met Daunt. Maar met een andere jongeman. Pettingale.'

Die naam herinnerde ik me uit de verhalen van John en Lizzie Brine naar aanleiding van het diner dat lord Tansor had gegeven, na afloop waarvan Carteret zijn dochter voor de voeten had geworpen dat ze zich heimelijk door Phoebus Daunt het hof liet maken. Bij die gelegenheid was hij de gast van Daunt en beiden waren ze door Josiah Pluckrose per rijtuig naar Evenwood gebracht

'Kunt u me misschien ook zeggen van welke aard die moeilijkheden waren?'

'Ach,' antwoordde Shakeshaft, 'dat kunt u beter aan Maunder vragen.'

En dat deed ik.

Jacob Maunder, lector theologie, van Trinity College, bewoonde een magnifiek appartement op de begane grond aan Great Court, met prachtig uitzicht op Nevile's Fountain. Deze lange, gebogen man met een lome opkrullende glimlach en een sardonische blik, had in de tijd dat Phoebus Daunt aan King's College studeerde een tijdlang de positie van oudste provoost der universiteit bekleed. Een provoost heeft als taak om de orde te handhaven, en derhalve worden zij uit hoofde van hun functie nogal eens geconfronteerd met de kwalijke, onprettige aandriften van de studenten *in statu pupillari.** 'Wie 's nachts over straat zwerft,' zoals het hoofd van het King's College eens snedig tegen een van de eerstejaars opmerkte, 'doet dat niet om naar het sterrenbeeld Maagd te kijken.' De functie vereiste bovendien een grote onversaagdheid, zoals de onfortuinlijke Wale ontdekte toen hij door een groep eerstejaars van het senaatshuis naar de poort van zijn College werd opgejaagd, een gebeurtenis die de annalen heeft gehaald.**

Ik kon me niet voorstellen dat Jacob Maunder voor dreiging of geweld op de loop zou gaan. Het leek me dat hij zijn reputatie, die me in het kort door Shakeshaft was geschetst, ten volle waarmaakte: een strenge, onbuigzame handhaver van de regels en voorschriften der universiteit, en een meedogenloos bestraffer van jeugdige dwaasheden. Terwijl ik hem de aanbevelingsbrief van Shakeshaft overhandigde, vroeg ik of hij zich misschien ene Pettingale herinnerde.

'Dit is nogal ongebruikelijk, mijnheer–'

'Glyver.' Ik had er geen moeite mee om de naam te gebruiken waaronder Shakeshaft me kende.

'Juist, ja. Ik lees dat doctor Shakeshaft hoog over u opgeeft. Hebt u hier zelf gestudeerd?'

* Onder hoede of tucht, oftewel, eerstejaars studenten. JJA

** Alexander Wale van St. John's College, daarna oudste provoost. Het incident vond plaats in april 1829. JJA

Ik vertelde dat ik in Duitsland had gestudeerd, wat hem van het briefje van Shakeshaft deed opkijken.

'Heidelberg? Het is niet waar, maar dan kent u vast en zeker professor Pfannenschmidt?'

Natuurlijk kende ik Johannes Pfannenschmidt, met wie ik vele heerlijke uurtjes had zitten bomen over de religieuze mysteriën van de oude Grieken en Romeinen. Toen ik beaamde de Herr Professor goed te kennen, liet Maunder zijn strijdlustige houding merkbaar varen, en blijkbaar was het ook voldoende om zijn reserves aangaande de gepastheid van mijn ondervraging te doen verdwijnen.

'Pettingale. Ja, die jongeman herinner ik me nog wel. En zijn vriend.'

'Phoebus Daunt?'

'Precies. De zoon van mijn goede vriend.'

'Shakeshaft vertelde dat Pettingale in moeilijkheden was geraakt. Ik ben bezig een kwestie van zeer vertrouwelijke aard uit te zoeken en het zou me bijzonder helpen als u me iets meer zou kunnen vertellen over het hoe en waarom.'

'Dat hebt u mooi geformuleerd, mijnheer Glyver,' zei hij. 'Ik zal verder niet naar de redenen vragen waarom u deze informatie nodig hebt. Maar aangezien de bewuste kwestie, in grote lijnen, ook in de openbaarheid is gekomen, ben ik bereid u verslag te doen van de affaire.

Ik kwam voor het eerst met Lewis Pettingale in aanraking, toen ik hem aanhield in een huis van lichte zeden, iets wat wel vaker voorkomt onder de eerstejaarsstudenten, helaas. De jeugd neemt het niet altijd even nauw met de goede zeden.' Hij glimlachte. 'Hij werd hiervoor bestraft, uiteraard, en kreeg de waarschuwing dat hij bij de eerstvolgende keer van de universiteit geschorst zou worden. Maar de affaire waar Shakeshaft op doelt, was veel ernstiger van aard, ook al werd Pettingale gezuiverd van elke schuld of blaam.

Persoonlijk kreeg ik met deze zaak te maken toen ik in mijn functie als oudste provoost naar Londen werd ontboden door een politie-inspecteur die Pettingale wilde ondervragen over zijn betrokkenheid bij een grote zwendel. Het bleek dat de jongeman naar een advocatenkantoor was gestapt, Pentecost & Vizard, als ik me goed herinner, in verband met een openstaande schuld. Hij had een promesse ter waarde van honderd pond bij zich, getekend door een zekere Leonard Verdant.

De advocaten schreven onverwijld een brief aan deze Verdant waarin ze eisten dat de bewuste som terstond in contanten werd uitbetaald, anders werden er gerechtelijke stappen tegen hem genomen. Binnen vierentwintig uur stond er een koerier voor de deur van het kantoor met de openstaande schuld in contanten, alsmede een verzoek van Verdant om een getekende kwitantie.

Pettingale kreeg bericht dat de schuld voldaan was en hij ging naar het advocatenkantoor om zijn geld te halen. Op zijn verzoek werd dat uitbetaald in de vorm van een cheque, uitgeschreven door de bankiers van de advocaten, toevallig ook de mijne, namelijk Dimsdale & Co., te Cornhill. Welnu, de cheque werd overhandigd en daarmee was de zaak tot ieders tevredenheid afgehandeld.

Echter, een week later ongeveer ontdekte een medewerker van het kantoor dat er drie cheques, met een totale waarde van achthonderd pond, van de kantoorrekening waren afgeboekt, zonder dat deze transacties in de boekhouding waren terug te vinden. Er werd direct alarm geslagen en de politie werd erbij gehaald. Enkele dagen later werd een zekere Hensby op heterdaad gearresteerd toen hij bij de bank nog een valse cheque wilde verzilveren, ditmaal voor een bedrag van zevenhonderd pond.

Voor het welslagen van de zwendel, want dat was het onmiskenbaar, waren twee zaken benodigd: een exemplaar van de gevolmachtigde handtekening, en een aantal blanco cheques. De politie vermoedde dat de benodigde handtekening was verkregen via de kwitantie die aan mijnheer Verdant was gestuurd, of wellicht van de cheque met het verschuldigde bedrag die aan Pettingale was gegeven. Er werd benadrukt dat Pettingale speciaal om een cheque had gevraagd, in plaats van om contanten, en de advocaten hadden de politie ingelicht dat er sinds de uitgifte van de laatste geen cheques meer waren uitgegaan. Dat kon geen toeval zijn, en daarom werden zowel Verdant als Pettingale als verdachten aangemerkt. Wat Pettingale betreft, hij kon uiteraard niet ontkennen dat hij geëist had dat Verdant de oorspronkelijke schuld aan hem betaalde, maar hij ontkende in alle toonaarden dat hij fraude had gepleegd, en er was inderdaad geen enkel bewijs dat hij erbij betrokken was. Toen de inspecteur vroeg waarom hem geld verschuldigd was, antwoordde hij dat hij Verdant, die hij een aantal keer op de paardenrennen in Newmarket was tegengekomen, een bedrag had geleend om een schuld te voldoen.'

'En was er reden om deze verklaring in twijfel te trekken?' vroeg ik.

Maunder keek me enigszins sceptisch glimlachend aan.

'Voor zover de politie en ik konden nagaan niet, nee. Pettingale werd door de agenten meegenomen naar Londen, waar hij als getuige in de rechtszaak optrad; maar hij kon niet worden aangewezen als schuldige door deze Hensby, die beweerde dat hij informeel als loopjongen was ingehuurd door een heerschap – niet Pettingale – dat hij had ontmoet in een koffiehuis in Change-alley. Een van de boodschappen die hij moest doen was het inwisselen van de vervalste cheques bij Dimsdale & Co. en de opbrengst vervolgens op de afgesproken tijd in het koffiehuis afgeven.'

'Was Hensby wel in staat om deze heer aan te wijzen?'

'Jammer genoeg niet. Hij kon maar een vrij vaag signalement geven waardoor het voor de politie bijna onmogelijk was de identiteit van deze persoon te achterhalen. Toen de politie zich bij zijn adres in de Minories vervoegde, bleek Verdant met de noorderzon vertrokken, zonder bericht achter te laten, natuurlijk. Die arme bedrogen Hensby, want dat was hij denk ik, werd aangeklaagd, schuldig bevonden en kreeg levenslang. Een aanfluiting van de rechtsgang, uiteraard. De stakker kon nauwelijks zijn eigen naam schrijven, laat staan dat hij in staat was om de uiterst getrouwe, want dat waren ze, vervalsingen van de oorspronkelijke handtekening te maken.'

Hij zweeg even en keek naar mij alsof hij verwachtte dat ik nog meer vragen voor hem had.

'Aan de hand van uw zeer uitgebreide verslag, mijnheer Maunder, kan ik wel met zekerheid opmaken dat de dader de mysterieuze mijnheer Verdant was, eventueel in samenwerking met anderen. Het lijkt erop dat Pettingale part noch deel had aan de affaire.'

'Dat kunt u wel zeggen,' antwoordde hij glimlachend. 'Ik heb Pettingale ook persoonlijk ondervraagd, uit naam van het universiteitsbestuur, uiteraard, en het enige dat ik, samen met de politie, kon vaststellen was dat hij geen aandeel had in de samenzwering, of liever gezegd, dat er geen overtuigend bewijs was dat hij een aandeel had.'

Hij glimlachte weer en ik begreep de hint.

'Mag ik vragen of u persoonlijk wél twijfels had over deze zaak?'

'Tja, ach, mijnheer Glyver, het lijkt me ongepast, zeer ongepast, om mijn persoonlijke gevoelens mee te laten wegen. Ik heb al gezegd dat de zaak in de openbaarheid is gekomen. Maar afgezien daarvan, ach, u begrijpt het wel. Dat wil natuurlijk beslist niet zeggen dat ik van nature een achterdochtig mens ben. Bovendien heeft de affaire geen grote smet op Pettingale's naam geworpen. Ik meen dat hij na zijn afstuderen als advocaat is toegelaten bij Gray's-Inn.'

'En Pettingale's vriend, Phoebus Daunt?'

'Er is geen enkele reden aan te nemen dat hij bij dit misdrijf betrokken is geweest. Hij hoefde in ieder geval geen verklaring af te leggen op het politiebureau, noch ten overstaan van het universiteitsbestuur. Het enige verband dat ik heb kunnen vaststellen tijdens het verhoor van Pettingale was dat hij met zijn vriend een aantal keren naar de paardenrennen in Newmarket is geweest.'

Ik dacht even na.

'Is het nog bekend geworden waar die blanco cheques vandaan kwamen? Is er soms eerder een inbraak geweest?'

'Dat klopt,' zei Maunder. 'Er was inderdaad ingebroken, een paar dagen voordat Pettingale het advocatenkantoor in de arm nam voor juridisch advies over de uitstaande schuld. Hoogstwaarschijnlijk zijn de cheques bij die gelegenheid ontvreemd. Opnieuw viel de verdenking op de mysterieuze mijnheer Verdant. Maar aangezien dit heerschap van de aardbodem leek te zijn verdwenen, is het daarbij gebleven. Als u me nu wilt excuseren, mijnheer Glyver, ik heb een afspraak met de rector.'

Ik bedankte hem voor de tijd die hij voor mij had vrijgemaakt, we schudden elkaar de hand en hij liet me uit.

Toen ik Trinity College uit was gelopen, nam ik een omnibus van de grote markt naar het station, waar reeds enkele minuten later de eerstvolgende trein naar Londen arriveerde. Terwijl we naar het zuiden rammelden, voelde ik me merkwaardig opgetogen, alsof er een deur, zij het een minuscule, op een kiertje was opengegaan en een straaltje uiterst waardevol licht in de duisternis werd geworpen waar ik nu al zo lang doorheen dwaalde.

Wat mij betreft, leed het geen twijfel dat Lewis Pettingale betrokken was geweest bij de slimme zwendelzaak die Maunder me had beschreven, maar het stond vast dat hij niet in zijn eentje had geopereerd. Deze Leonard Verdant zat ook in het complot, dat wist ik zeker, een gevolgtrekking die ik had afgeleid uit zijn zeer onwaarschijnlijke naam. Wie erachter schuilging wist ik niet, maar ik had zo mijn vermoedens, alleen ontbraken de bewijzen. En dan hadden we nog Phoebus Daunt. Ach, Phoebus, de stralende, onschuldig en onkreukbaar! Daar stond hij, zoals gewoonlijk, fluitend op de achtergrond, zich zogenaamd van geen kwaad bewust. Was hij even schuldig als zijn vriend Pettingale en de ongrijpbare Verdant? En zo ja, welke misdrijven had hij nog meer op zijn kerfstok? Eindelijk kreeg ik het gevoel dat ik terrein op mijn vijand begon te winnen; dat ik iets in handen had dat misschien, hopelijk, tot zijn val leidde.

Dat nam niet weg dat dit alles voor de dringende zaken geen soelaas bood. Ik keerde terug naar Londen zonder iets meer te weten over de reden waarom Carteret de brief aan Tredgold had geschreven; en de verwachtingen die ik had gekoesterd dat de secretaris wellicht gegevens in zijn bezit had die mijn zaak konden staven, waren door zijn dood de bodem ingeslagen. Het enige wat ik aan de weet was gekomen, was dat deze rampzalige gebeurtenis veroorzaakt was, direct of indirect, door wat Carteret over de erfopvolging wist. En wat mijn persoonlijke situatie betreft: welk een veranderingen in zo korte tijd! Ik was uit Londen vertrokken met het idee dat ik mijn hart aan Bella toebehoorde, en ik keerde terug als de machteloze slaaf van een andere vrouw, in wier gezelschap ik dag en nacht wilde verkeren, en wier liefde betekende dat ik de kans op zeker geluk afwees.

Vraag me niet waarom ik me had verliefd op Emily Carteret. Hoe valt zo'n blikseminslag van hartstocht te verklaren? Ik vond haar mooi, zeker, de mooiste vrouw die ik ooit had ontmoet. Maar ik wist weinig van haar karakter en persoonlijkheid, ze leek een scherpzinnige, ontwikkelde jongedame, en uit directe ervaring wist ik dat ze bovengemiddeld muzikaal was. Deze eigenschappen – en er waren er vast nog veel meer – dwongen vanzelfsprekend bewondering en respect af, maar dat was niet de reden dat ik van haar hield. Ik hield van haar... omdat ik van haar hield; omdat ik hulpeloos ten prooi viel aan deze onweerstaanbare ziekte van het hart. Ik hield van haar omdat een of andere hogere macht me geen andere keus bood. Ik hield van haar omdat het mijn lot was.

VIERDE DEEL

Het zegel wordt verbroken
Oktober-november 1853

Niets hult de mens in zo'n nevel van dwalingen
als zijn weetgierigheid om zaken buiten
hemzelf te doorgronden.

Owen Felltham, *Resolves* (1623),
XXVII, 'Over leergierigheid'

29

Suspicio*

Die avond dineerde ik bij Quinn's: oesters, kreeft, met een paar gedroogde sprotjes erbij, gevolgd door een fles van die onvergelijkelijke Clos Vougeot uit het Hôtel de Paris. Het was nog vroeg en de Haymarket had nog niet zijn nachtelijke gezicht opgezet. Door de ruit observeerde ik de dagelijkse grootstedelijke drukte, het vertrouwde panorama van onopvallende mensen die onopvallende dingen deden, het uitzicht dat elk willekeurig raam in Londen je om acht uur vrijdagavond biedt. Maar enkele uren later, als het publiek uit de schouwburg is gestroomd, bij Dubourg's of Café de l'Europe heeft gesoupeerd en weer lachend is vertrokken naar de warmte en gerieflijkheid van huis en haard, neemt deze brede, luisterrijke allee met winkels, restaurants en rookkamers een geheel ander uiterlijk aan en verandert in een bruisende poel des verderfs. Waar bent u naar op zoek, mijnheer? Hier vindt u het, of hier in de omgeving, met weinig moeite, de hele nacht door, nadat de klokken van St. Martin's Church twaalf uur hebben geslagen. Sterke drank in overvloed; tabak en gezang; jongens en meisjes, of beide – de keus is aan u. Ach! Hoe dikwijls heb ik me in deze constant aangevulde stroom ondergedompeld!

Evenwood? Waart gij slechts een droom? Terwijl ik weer eens lui lag uitgestrekt op de geschubde rug van de Grote Leviathan en de diepe, trage ademhaling van het monster onder me voelde, zijn dreunende bonzende hartslag die gelijk opging met de mijne, leek alles wat ik onlangs had gezien, gehoord en aangeraakt even werkelijk in de verbeelding en even onwerkelijk in het echt als het paleis van Schah-

* 'Vermoeden'. JJA

riar.* Had ik werkelijk dezelfde lucht ingeademd als Emily Carteret, toen ik zo dichtbij haar stond dat ik haar zwoegende boezem zag, zo dichtbij dat ik alleen maar mijn hand hoefde uit te steken om die bleke huid te strelen?

Ik had haar lief. Dat was zonneklaar. Op geruisloze vleugels, genadeloos als de dood, had het me overmand: onontkoombaar en onloochenbaar. Deze nieuwe toestand maakte me niet blij, hoe kan de overwonnen slaaf vreugde voelen? Ik hield van haar, zonder hoop dat mijn gevoelens ooit beantwoord zouden worden. Ik hield van haar, en het was me zwaar te moede dat ik het hart van de allerliefste Bella ervoor moest breken. De Liefde is een wrede meesteres. Wat maalt zij om degenen die verdriet hebben als hun geliefde hen in de steek laat voor een ander? De Liefde lacht alleen als ze wint, als haar koninkrijk wordt uitgebreid.

De tweede fles Clos Vougeot had ik misschien niet moeten nemen, en even na tienen liep ik ietwat wankelend naar buiten, licht van hoofd en zwaar van hart. Het was inmiddels gaan regenen en ik liep, besprongen door sombere gedachten en met grote behoefte aan gezelschap, in de richting van Leadenhall-street, waar ik hoopte Le Grice aan te treffen, die op vrijdag gewoonlijk in The Ship and Turtle dineerde. Hij was er geweest, zoals ik had verwacht, maar toen ik aankwam bleek hij net vertrokken, en niemand wist waarheen. Vloekend liep ik weer naar buiten. Gewoonlijk als ik in zo'n rusteloze sombere bui was, ging ik naar het noorden, naar Blithe Lodge; maar ik was te laf om Bella nu al onder ogen te komen. Het zou even duren voordat ik mezelf weer in de hand had en in staat was te huichelen.

Door slijk en modder wandelde ik naar Trafalgar-square, verder naar het oosten richting The Strand – doelloos, zoals ik eerst dacht; maar even later passeerde ik St Stephen, in Walbrook, en zette er meer doelgericht de pas in.

* De sultan aan wie Scheherazade haar verhalen vertelt in de *Vertellingen van duizend-en-één-nacht.* JJA

Welkom, welkom! Ik was veel te lang niet geweest, zei de opiummeester.

En zo kwam het dat ik gebukt achter hem aan door de keuken, donker en vochtig, naar een kamertje verderop liep waar een divan tegen een vettige, druipnatte muur stond, en daarop nestelde ik me en legde mijn hoofd op een vuile peluw terwijl de meester, onder het mompelen van troostende woorden, me snel het instrument der dromen aanreikte.

In Bluegate-fields had ik een droom. En in mijn droom lag ik op een koude berg, met alleen de sterren boven me; ik kon me niet verroeren, want ik lag vastgeklonken met zware schalmen om mijn benen en enkels, om mijn borst en armen, en in een stevige lus om mijn hals. Ik schreeuwde om bevrijding – van de bittere koude en van het zware, verstikkende gewicht van de schalmen – maar niemand kwam me te hulp, geen stem reageerde op mijn geroep, totdat ik op het laatst in zwijm leek te vallen.

Slaap binnen de slaap. Een droom binnen een droom. Ik word wakker, waarvan? Mijn hart veert op, want ik sta in de zon, warm en verkwikkend, op een ommuurde binnenplaats, waar water ruist en vogels zingen. 'Is ze hier?' vraag ik. 'Ze is hier,' is het antwoord. En ik draai me om en zie haar bij de fontein staan, en ze lacht zo lief dat ik bang ben dat mijn hart zal barsten. Ze heeft geen rouwkleding meer aan, maar draagt een bevallige mantel van oogverblindend wit brokaat, en haar donkere haar hangt los. Ze strekt haar hand uit en zegt: 'Gaat u mee?'

Ze gaat me voor door een poortje en we komen in een lege, met kaarsen verlichte balzaal; ergens vanuit de diepe verte komen flarden zonderlinge muziek op ons af. Ze wendt zich tot me. 'Kent u de heer Verdant?' en opeens blaast de wind alle kaarsen uit en ik hoor water om mijn voeten klotsen.

'Neem me niet kwalijk,' hoor ik haar ergens in het duister zeggen. 'Maar uw naam is me ontschoten.' Ze lacht. 'Een leugenaar moet een goed geheugen hebben.' En dan is ze weg en blijf ik alleen achter op een somber, eenzaam strand. Ik kijk uit over een deinende zwarte oceaan, en de horizon is overgoten met een bleek geel licht. In de verte dobbert iets op de golven. Ik tuur ingespannen en dan zie ik, met plotse schrik, wat het is.

Een merel, dood en verstijfd, die met uitgestrekte vleugels naar de eeuwigheid toe drijft.

De pendule op de schouw sloeg halfzes. Het was zondagochtend en ik had voor de tweede keer een nacht vruchteloos vergetelheid gezocht bij mijn demonen, en was misselijk en moe teruggekeerd en met mijn jas en laarzen nog aan in mijn leunstoel in slaap gevallen.

Toen ik wakker werd, was het koud in de kamer en er hing een merkwaardig desolate sfeer, hoewel alle vertrouwde spullen er stonden: mijn moeders werktafel, bezaaid met papieren, zoals altijd; daarnaast het ladekastje dat uitpuilde van de aantekeningen die ik had opgeschreven naar aanleiding van de documenten en dagboeken uit haar nalatenschap; in de alkoof achter het gordijn lagen de camera's en fotografische toebehoren; het verschoten oosterse kleed; de rijen boeken, waarvan elke band als een goede oude bekende was; het krukje waarop de reisuitgave van Donne's preken lag; het portret van mijn moeder, dat vroeger boven de schouw in de mooie salon in Sandchurch hing; en op de schouw, naast de pendule, het rozenhouten kistje waarin ooit de tweehonderd sovereigns van 'juffrouw Lamb' hadden gezeten.

Ik zat naar de koude haard te turen, fysiek was ik uitgeteld en geestelijk in de war.

Wat was er met me aan de hand? Ik voelde blijdschap noch voldoening, alleen maar rusteloosheid en agitatie. Stuurloos dreef ik op een zee van raadselen, net als de merel uit mijn droom – machteloos, verstijfd. Welke duistere wezens bewoonden de onbekende diepten onder me? Welke aardverschuiving stond me nog te wachten? Of was dit mijn lot: voor eeuwig heen en weer geslingerd worden, nu eens de ene kant op, dan weer de andere, door de wind en de loop der gebeurtenissen, zonder onderbreking? Het doel dat ik steeds zo duidelijk voor me had gezien – simpel en subliem – namelijk het bewijs zien te leveren dat ik de enige wettige zoon van lord Tansor was, leek uiteengeslagen en verdwenen, als een prachtig vorstelijk galjoen vol schatten dat op de rotsen te pletter is geslagen.

Op het krukje naast me lag een velletje papier en een potloodstompje. Ik pakte ze beide en begon gehaast een memorandum aan mezelf te krabbelen, waarin ik de moeilijkheden schetste waar ik me voor gesteld zag en die om een onmiddellijke oplossing vroegen.

Ik herlas wat ik had geschreven, drie, vier, vijf keer, en elke keer werd ik wanhopiger. Deze op zichzelf staande en toch, zo leek het, met elkaar verweven, gelijksoortige raadselen zwermden, kwetterden en brulden om mijn hoofd als Satans legioenen en weigerden hardnekkig zich tot een eensluidende logische conclusie samen te voegen. Op zeker moment hield ik het niet meer uit.

Ik stond op om mijn overjas uit te doen en daarbij viel er iets uit de zak op het haardkleedje. Ik keek naar de grond en zag dat het het pakje was met de proeven van Daunts vertaling van Iamblichus, die de bediende me uit het George nog was komen brengen vlak voordat ik op de trein naar Stamford stapte. Omdat mijn hoofd helemaal niet naar een dergelijke bezigheid stond, gooide ik het pak op mijn schrijftafel, met het voornemen het open te maken als ik weer helder kon nadenken.

Ik deed een hazenslaapje van ongeveer een uur. Toen ik wakker werd, drong de gedachte aan een koteletje en een kop hete koffie zich aan mij op. Na enige overweging bevond ik het in alle opzichten een uitstekend idee. Het was nog vroeg, maar ik wist wel een zaakje.

Ik stond op en wilde wankelend mijn overjas pakken die nog op de grond lag. Ho, wat was dat nu?

Het volgend moment leken de vloerplanken onder me weg te vallen en tolde ik door de lucht, draaiend om mijn as, steeds dieper tuimelend in een reusachtige gapende, bulderende leegte.

Ik kwam weer bij toen vrouw Grainger mijn gezicht met een vochtig doekje bette.

'Grote grutten, mijnheer,' zei ze. 'Ik dacht dat u dood was. Kunt u opstaan, mijnheer? Zo, nog een klein stukje. Ik hebbu stevig vast, mijnheer, wees maar niet bang. Dorrie is-t-er ook. Pas op, schat. Pak jij mijnheer Glapthorn bij de arm. Voorzichtig aan. Zo. Alles in orde weer.'

Ik had haar nog nooit zoveel woorden achter elkaar tegen me horen zeggen. Toen ik in mijn leunstoel zat, met het vochtige doekje om mijn voorhoofd gebonden, zag ik tot mijn verbazing haar dochter naast haar staan. Mijn verbazing werd nog groter toen ze me vertelden dat het al maandagochtend was, en dat ik het klokje rond had geslapen.

Nadat ik enigszins bijgekomen was, bedankte ik hen beiden en vroeg aan het meisje hoe het met haar ging.

'Het gaat goed, dank u, mijnheer.'

'Zoals u ziet, mijnheer Glapthorn,' zei haar moeder met een flauw lachje, 'gaat het heel goed met haar. Nog steeds een oppassend meiske, mijnheer.'

Dorrie zelf zei niets, maar zag er inderdaad blakend uit, met een opgewekte uitdrukking op haar gezicht, gekleed in een keurig ensemble waarin haar figuur prachtig uitkwam en ze maakte in het algeheel een levenslustige, tevreden indruk.

Ik zei dat ik dat fijn vond om te horen, en dat ik nu eens met eigen ogen kon zien dat het Dorrie goed ging, en voelde me niet weinig voldaan dat ik met zo'n simpele daad als het in dienst nemen van haar moeder zodat die Dorrie af en toe wat geld kon toestoppen, zoveel moois had bewerkstelligd.

'Goed?' riep vrouw Grainger uit met een slinkse blik naar haar dochter. 'Dat kunt u wel zeggen, mijnheer. Kom, Dorrie, voor de draad ermee.'

Ik keek het meisje niet-begrijpend aan. Ze bloosde licht voordat ze van wal stak.

'We komen u vertellen, mijnheer, dat ik ga trouwen, en we willen u bedanken voor al uw goede zorgen.'

Ze maakte een bevallig kniksje, met zo'n lieve, bedeesde blik in haar ogen, dat mijn hart bijkans smolt.

'En wie is je aanstaande, Dorrie?' vroeg ik.

'Met uw welnemen, mijnheer, zijn naam is Martlemass. Geoffrey Martlemass.'

'Een prachtige naam. Juffrouw Geoffrey Martlemass. Dat klinkt alvast goed. En wat voor man is deze Martlemass?'

'Een fatsoenlijk en vriendelijk man, mijnheer,' antwoordde ze en ze kon een glimlach niet onderdrukken.

'Nog beter. En wat doet deze fatsoenlijke, vriendelijke Geoffrey Martlemass in het leven?'

'Hij is kantoorklerk, mijnheer, bij meester Gillory Piggott, van Gray's-Inn.'

'Een man van het recht! Mijnheer Martlemass heeft je veel te bieden, begrijp ik. Nu, van harte gefeliciteerd, Dorrie, dat je het geluk hebt gehad deze fatsoenlijke, vriendelijke mijnheer Martlemass te ontmoeten. Maar zeg hem maar dat ik geen nonsens duld, en als hij jouw liefde niet voldoende beantwoordt, dat hij het dan met mij aan de stok krijgt.'

Op deze schertsende toon ging ik nog een poosje door, waarna Dorrie in de keuken verdween om ontbijt klaar te maken en vrouw Grainger met zwabber en emmer aan de slag ging, en ik me terugtrok in mijn slaapkamer om mijn gezicht te wassen en andere kleren aan te trekken.

Nadat ik had ontbeten en me had geschoren, voelde ik me verkwikt en klaar voor de dag. Dorrie had aanstonds een afspraakje met haar vrijer in Gray's-Inn, en die mededeling betekende voor mij de directe doorslag van wat ik de eerstkomende paar uur ging doen.

'Als je er geen bezwaar tegen hebt, Dorrie,' zei ik hoffelijk, 'dan zal ik je vergezellen.'

Ik bood haar mijn arm aan, een gebaar dat vrouw Grainger met grote verwondering bezag, en we gingen op weg.

Het was een heldere, zonnige ochtend, hoewel er vanaf de Theems een stevige bries kwam. Tijdens onze wandeling vertelde Dorrie nog iets meer over Geoffrey Martlemass en bij mij ontstond het beeld van een betrouwbare kerel, die zeer serieus van aard was, een indruk die werd bevestigd toen we een kleine man met een opvallend angstige uitdrukking op zijn gelaat, met als blikvanger schitterende borstelige bakkebaarden, voor de ingang van Field-court zagen staan.

'Dorothy, lieveling,' riep hij op smartelijke toon uit toen hij ons ontwaarde. 'Je bent veel te laat. Wat is er gebeurd?'

Dorrie, die haar arm loshaakte uit de mijne en de zijne pakte, lachte en berispte hem luchtig dat ze maar twee minuutjes te laat was voor hun afspraak en dat hij zich niet zo snel zorgen om haar moest maken.

'Zorgen? Natuurlijk maak ik me zorgen,' zei hij, zichtbaar uit zijn doen dat anderen misschien vonden dat hij misschien iets te angstvallig over zijn kostbare schat waakte. We werden aan elkaar voorgesteld en Martlemass, die een paar jaar ouder was dan Dorrie, nam zijn hoed af (waardoor een bijna geheel kale schedel te voorschijn kwam, op twee toefjes haar boven elk oor na) en maakte een lichte buiging. Daarna pakte hij mijn hand en pompte die zo heftig dat Dorrie op een gegeven moment moest zeggen dat het zo wel genoeg was.

'U hebt, mijnheer,' zei hij plechtstatig, terwijl hij zijn hoed weer opzette en zijn schouders rechtte, 'het voorkomen van een doodgewoon man, maar ik weet dat u een heilige bent. U brengt me in verwarring, mijnheer. Ik dacht dat wonderen iets van vroeger waren; maar u bent hier, een heilige in levenden lijve, die zo maar door de straten van Londen loopt.'

In deze trant bleef Martlemass mij nog meer lof toezwaaien, omdat ik, in zijn woorden: 'Dorothy en haar geachte moeder van een wisse dood of erger had gered'. Ik vroeg maar niet wat hem nog erger leek dan de dood; niettemin was zijn grote dankbaarheid jegens het weinige dat ik had gedaan om Dorrie een uitweg uit haar vroegere leven te bieden, oprecht en hartverwarmend. Ik hoorde dat hij lid was van een klein filantropisch genootschap dat zich sterk maakte voor de redding en verbetering van gevallen vrouwen en bovendien koster van St Bride's,* waar hij ook Dorrie had leren kennen. Normaal gesproken heb ik geen geduld voor flemende wereldverbeteraars, maar deze Martlemass had zo'n eenvoudige oprechtheid over zich dat ik niet anders kon dan bewondering voor hem hebben.

Ik liet het mannetje nog een tijdje doorratelen in zijn onstuitbare spraakwaterval, maar onderbrak hem uiteindelijk en nam afscheid.

'O, mijnheer Martlemass,' zei ik en ik draaide me om alsof me nog iets te binnen schoot, 'ik geloof dat een oude studievriend van me inmiddels praktijk heeft in Gray's-Inn. We zijn elkaar uit het oog verloren, en ik zou hem graag weer willen zien. Ik vraag me af of u hem misschien kent, zijn naam is Lewis Pettingale.'

'Pettingale? Nee, maar! Natuurlijk, ken ik die, mijnheer. Hij heeft de kamer boven die van mijn werkgever, meester Gillory Piggott, QC. Mijnheer Piggott is vandaag op de rechtbank,' voegde hij er nog aan toe

* In Fleet-street. Ontwerp van Wren en in 1703 voltooid. JJA

op licht gedempte toon, 'daarom mocht ik ook een uurtje eerder weg voor de vroege visdagschotel met mijn aanstaande bij de Three Tuns.* Mijnheer Piggott is een zeer attente werkgever.'

Hij duidde me uit dat ik bij een zwartgeverfde deur in een rij van bakstenen huizen aan de overkant van het hofje moest zijn. Ik bedankte hem en zei dat ik de volgende dag bij Pettingale zou langsgaan, omdat ik nog andere dringende besognes elders in de stad had.

We namen afscheid en ik liep in de richting van Gray's-Inn-lane, die er zelfs op zo'n zonnige dag smerig en troosteloos uitzag. Ik hield stil bij een boekenstalletje en begon doelloos de uitgestalde beschimmelde banden om te draaien (altijd in de hoop, zoals een bibliofiel betaamt, dat er een zeldzame schat tussen zat). Na vijf of tien minuten keerde ik terug naar Field-court.

Het hofje was verlaten, de tortelduifjes waren gevlogen; ik ging de zwarte deur door en liep de trap op.

* The Three Tuns Tavern in Billingsgate. De beroemde fish 'ordinaries' – dagschotels tegen een vaste prijs – werden om een uur en vier uur 's middags geserveerd; voor een prijs van 1 shilling en 6 pence, inclusief een stuk vlees en kaas. JJA

30

Noscitur e sociis*

In mijn werk als particulier assistent van de heer Tredgold had ik geleerd op mijn neus af te gaan. Die heeft me zelden bedrogen. Er zat een onmiskenbaar luchtje aan de heer Lewis Pettingale, al wist ik niets van hem behalve dat hij een goede kennis van Daunt scheen te zijn. Maar dat was voor mij genoeg om een paar uur tijd voor hem uit te trekken, met de bedoeling kennis met hem te maken en dan maar eens te zien waar dat toe zou leiden. Ik had een openingszet in gedachten. Het leek me dat een gesprekje over valse cheques wel eens verhelderend zou kunnen zijn.

Op de eerste verdieping sta ik tegenover een geschilderd naambordje: 'L.J. Pettingale'. Ik leg mijn oor tegen de deur. Binnen kucht iemand. Er wordt een deur gesloten. Ik klop zachtjes – zomaar naar binnen lopen is niet gepast – maar er wordt niet opengedaan. Dan ga ik naar binnen.

Het is een groot, goed ingericht vertrek, met eikenhouten betimmeringen, een stenen schouw en een zeventiende-eeuws stucplafond. Links van me zie ik bij het binnenkomen twee hoge ramen die uitkijken op de binnenplaats beneden. In de schouw brandt een lustig vuur, waarnaast twee gemakkelijke stoelen staan, aan elke kant een. Boven de haard hangt een schilderij van een vospaard in een parklandschap, met een terriër aan zijn voeten. In de hoek van het vertrek, rechts van mij, bevindt zich nog een – gesloten – deur, waardoorheen ik iemand hoor proberen met een dunne tenorstem de aria *Il mio tesoro*** te zingen, begeleid door het geluid van spattend water.

* 'Hij wordt gekend aan zijn gezelschap'. JJA

** Uit *Don Giovanni* van Mozart, gezongen door Don Ottavio, de verloofde van Donna Anna. Overtuigd dat Don Giovanni Anna's vader heeft vermoord, zweert Don Ottavio haar te zullen wreken en terug te zullen komen 'als de boodschapper van straf en dood.' JJA

Ik besluit de zanger met rust te laten bij zijn toilet, ga in een van de stoelen zitten, met mijn voeten op de haardrand, en steek een sigaar op. Die heb ik bijna opgerookt wanneer de deur in de hoek opengaat en er een lange, magere man verschijnt, in een rijkbewerkte brokaten sjamberloek, huispantoffels en een van een kwast voorziene muts van rood fluweel, waar een paar dunne pieken strokleurig haar tot bijna op zijn schouders onderuit hangen. Hij is ongeveer van mijn leeftijd, maar zo te zien vroegoud. Zijn huid is vaal en papierachtig en vanwaar ik zit, kan ik niet goed zien of hij wenkbrauwen heeft.

'Goedemorgen,' zeg ik met een brede glimlach, terwijl ik mijn sigarenpeuk in het vuur gooi.

Hij blijft even staan, ongeloof op zijn benige gezicht.

'Wie bent u in godsnaam?'

Zijn stem is dun, net als alles aan hem, een schrille, klagende bibberstem.

'Grafton, Edward Grafton. Aangenaam kennis te maken. Een sigaar? Nee? Ach, een slechte gewoonte, eigenlijk.'

Hij is even van zijn à propos door mijn onverstoorbaarheid en vraagt dan uit de hoogte of hij mij moet kennen.

'Tja, nou, goede vraag,' antwoord ik. 'Bent u filosofisch aangelegd? Want we zouden wel een uurtje of wat kunnen discussiëren over het begrip kennen. Dat is een veelomvattend onderwerp. We zouden kunnen beginnen met Thomas van Aquino, die zei dat voor iedere kenner kennis zich schikt naar zijn aard, of, zoals Augustinus zei...'

Maar de heer Pettingale schijnt niet te voelen voor een discussie over deze belangwekkende kwestie. Hij stampt boos met een pantoffelvoet, dreigt hulp te roepen als ik niet onmiddellijk wegga en wordt flink rood – bijna een imitatie van de kleur van zijn muts – van al die inspanning. Ik zeg dat hij wat moet bedaren, dat ik slechts kom voor een deskundig oordeel en dat ik geklopt heb maar dat er niemand opendeed. Wat kalmer nu vraagt hij of ik zelf in het vak zit – als rechtskundig adviseur misschien? Helaas, nee, zeg ik, mijn belangstelling is van persoonlijke aard, al wil ik hem wel over een juridische kwestie raadplegen. Met een brede glimlach nodig ik hem uit te gaan zitten, wat hij enigszins onwillig doet; hij zit er nogal belachelijk bij in zijn fatterige uitdossing. Terwijl hij gaat zitten, sta ik zelf op uit mijn stoel en ga met mijn rug naar een van de hoge ramen staan, waardoorheen nu een bleek zonnetje naar binnen schijnt.

'Welnu dan, mijnheer Pettingale,' zeg ik. 'Ik wil u een geval voorleggen. Een paar jaar geleden hebben twee schurken die zich voordeden als heren een advocatenfirma opgelicht voor een aanzienlijke som geld – laten we zeggen vijftienhonderd pond. Ze doen het heel slim – je zou bijna bewondering krijgen voor hun slimheid – en aan het eind van het verhaal hebben de twee boeven een onbezoedelde reputatie, maar zijn ze wel een stuk rijker dan aan het begin. Er is nog een derde schurk, maar daar komen we dadelijk op. Bovendien weten ze de zaken zo te regelen dat er, als alles voorbij is, een onschuldig man naar de andere kant van de wereld wordt gestuurd om, door hun toedoen, levenslang te zwoegen in de wildernis van Van Diemen's Land.* Welnu, de vraag waarover ik uw deskundig oordeel zou willen horen is de volgende: hoe kan ik, die de identiteit van twee van de drie beschreven personen meen te kennen, het best een beschuldiging tegen hen inbrengen, zodat ze uiteindelijk hun gerechte straf niet ontlopen?'

De uitwerking van mijn woorden is zeer bevredigend. Zijn mond valt open, hij wordt nog roder en begint te transpireren.

'U zegt niets, mijnheer Pettingale? Een jurist die niets te zeggen heeft. Een hoogst ongebruikelijke aanblik. Maar nu u zo met de mond vol tanden staat, zie ik dat u begrijpt dat ik een spelletje met u heb gespeeld. En dan nu zonder omwegen, akkoord? Wat gebeurd is valt niet meer terug te draaien. Uw geheim is bij mij veilig – althans voorlopig. Uw zaken gaan mij niet aan, mijnheer Pettingale. Mijn eigenlijke belangstelling geldt uw vriend, de befaamde schrijver. U weet over wie ik het heb?'

Hij knikt stom.

'Ik zou graag wat meer willen weten over uw connectie met deze heer. Met mijn redenen zal ik u niet lastigvallen.'

'Chantage, neem ik aan,' zegt Pettingale somber, terwijl hij zijn muts afneemt en er zijn transpirerende voorhoofd mee afveegt. 'Al is het me een raadsel hoe u dat allemaal te weten bent gekomen.'

'Chantage? Ja natuurlijk, dat is het, mijnheer Pettingale. Direct raak!

* d.w.z. Tasmanië. JJA

U bent niet op uw achterhoofd gevallen, zie ik. Dan is nu het woord aan u. Maak voort, wees niet bang, houd niets achter. Ik zou vooral graag willen dat u niets achterhoudt. Ik stel voor dat we open kaart spelen. En u kunt bovendien nog een paar woorden wijden aan de derde schurk. Ook nu weet u ongetwijfeld over wie ik het heb?'

Weer knikt hij, maar hij doet zijn mond niet open. Ik wacht, maar hij zegt nog steeds niets. Hij bijt op zijn lip en zijn knokkels worden wit doordat hij zijn handen zo stijf om de stoelleuningen klemt. Ik begin een beetje ongeduldig te worden en dat zeg ik hem.

'Ik kan het niet,' zegt hij ten slotte, met een soort aarzelend gejammer. 'Ze – ze zullen – '

Terwijl hij praat zie ik hem een plotselinge snelle blik op de deur werpen en bliksemsnel staat hij overeind. Maar dat had ik al verwacht. Ik duw hem terug in zijn stoel en blijf over hem heen gebogen staan. Ik vraag hem nog eens om zijn verhaal te doen, maar nog steeds wil hij niets loslaten. Voor de derde en laatste keer zeg ik dat hij zijn mond open moet doen, haal een van mijn zakpistolen te voorschijn en leg het overdreven bedachtzaam op tafel. Hij verbleekt, maar schudt zijn hoofd. Ik probeer nog een andere manier om hem aan te moedigen, en *voilà*!

De gedachte aan vingers die een voor een gebroken worden, schijnt een krachtige stimulans te zijn om te gehoorzamen en hij capituleert vrijwel onmiddellijk. Hier volgt dan ook, al moest er in de loop van het verhaal nog wat meer overreding aan te pas komen, wat de heer Lewis Pettingale, van Gray's Inn, me die oktobermiddag heeft verteld.

Hij was op de universiteit aan Phoebus Daunt voorgesteld door een gemeenschappelijke vriend, een Kingsman* genaamd Bennett. Ze konden het direct uitstekend met elkaar vinden en hun vriendschap werd al snel bezegeld door de ontdekking dat ze een gemeenschappelijke passie voor de paardenrennen hadden, al hadden ze er nog nauwelijks aan toegegeven. Zo vaak de gelegenheid zich voordeed, haastten ze

* d.w.z. een lid van King's College. JJA

zich naar Newmarket, waar ze een stelletje nogal gevaarlijke figuren uit Londen leerden kennen. Het waren gisse jongens, je hoefde ze niks te vertellen en ze ontvingen Daunt en Pettingale met open armen. Er werd gewed door het tweetal en dat resulteerde direct in verliezen. Dat gaf niets: hun nieuwe vrienden waren maar al te graag bereid hun wat voor te schieten, en daarna nog wat meer. Uiteindelijk namen onze helden, met het aandoenlijke optimisme van de jeugd, een nogal riskant besluit: ze zouden alles wat ze hadden – of liever gezegd, alles wat ze geleend hadden – inzetten bij één race. Als hun keus won, zou alles goed komen.

Maar hij won niet, en het kwam niet goed. Hun weldoeners echter losten de zaak diplomatiek op. Als de heren wilden meewerken aan een akkefietje dat dit stel behulpzame onderwereldfiguren in gedachten had, dan zouden ze de schuld graag als vereffend beschouwen. En misschien zou er ook nog een kleinigheid voor hen overschieten. Zo niet... Het aanbod werd snel geaccepteerd en een lid van de bende, een imposante figuur met een opvallend paar *Newgate knockers*,* kreeg tot taak de nieuwelingen terzijde te staan bij het uitvoeren van een goed voorbereid zwendelarijtje.

De twee studenten namen de klus ter hand met een zeker talent voor wat er van hen gevraagd werd, vooral in het geval van de predikantszoon. Ik hoef niet te herhalen wat ik van de heer Maunder had gehoord, over de manier waarop de zwendel werd gepleegd; ik wil er alleen nog aan toevoegen dat Pettingale onthulde dat de schimmige figuur door wie de naïeve Hensby erbij gehaald werd, Daunt was geweest, en dat Daunt ook, nadat hij de bende zijn talent voor het namaken van handtekeningen had gedemonstreerd, eigenhandig de vervalsingen had uitgevoerd.

'En wie was Verdant?' vroeg ik. 'Die was er toch ook bij betrokken?'

'Ja zeker,' zei Pettingale. 'een steunpilaar van het clubje waar we in Newmarket in verzeild raakten. Hij had de opdracht ons door de hele zaak heen te loodsen. Zonder hem was het niet gelukt. Inbreken was zijn vak. Een betere dan Verdant vind je nergens. Hij verschafte zich

* Overvloedig gepommadeerde bakkebaarden, omkrullend tot aan of over de oren. JJA

toegang tot het advocatenkantoor en zo kwamen we aan de blanco cheques.'

'Verdant, hmm,' zei ik. 'Geen veel voorkomende naam.'

'Een alias,' reageerde Pettingale. 'Niet zijn eigen naam, er waren niet veel mensen die wisten hoe hij echt heette.'

'Maar u wel, geloof ik?'

'O ja. Zijn moeder kende hem als Pluckrose. Josiah Pluckrose.'

Ik zei niets toen ik de naam Pluckrose hoorde, maar de bevestiging van mijn vermoedens over de identiteit van de heer Verdant stemde me triomfantelijk. De oorsprong van zijn alias was eenvoudigweg de volgende. In het jaar '38 had hij in Doncaster twintig gestolen guineas ingezet op een volstrekte outsider met de naam Princess Verdant, die zijn vertrouwen in haar beloonde met een winnende plaats die voor hem buitengewoon gunstig uitpakte, hoewel haar goede prestatie misschien deels te danken was aan het – nauwelijks noemenswaardige – feit dat ze als vierjarige ingeschreven was voor een race voor driejarigen.* Maar dat doet hier niet ter zake. Daarna bleef hij voor vrienden en bekenden van het misdadigersgilde in de hoofdstad 'mijnheer Verdant'.

Nadat ze de oplichterij bij de advocaten er goed hadden afgebracht, kreeg Pluckrose ruzie met zijn vroegere collega's over de verdeling van de buit en liep kwaad weg, met het heilige voornemen zich op hen allemaal te wreken. En hij kreeg zijn wraak. Geen van zijn consorten – vijf in getal – was aan het eind van dat jaar nog in leven: een werd bij Wapping met afgesneden keel in de Theems gevonden, een tweede werd doodgeknuppeld toen hij op een avond uit de Albion Tavern kwam,** de drie overigen verdwenen eenvoudig van het aardoppervlak en werden nooit meer gezien. Pettingale kon niet met zekerheid zeggen dat Pluckrose ze allemaal zelf naar de andere wereld had geholpen; maar

* Een gebruikelijke methode om te knoeien bij races, net als favorieten afhouden van de overwinning en stimulerende middelen. Zoals baron Alderson opmerkte in zijn samenvatting van een zaak die na de Derby van 1844 voorgelegd werd aan de fiscale rechtbank: 'als heren er zich toe verlagen samen met boeven deel te nemen aan de rennen moeten ze er rekening mee houden dat ze bedrogen worden'. JJA

** Op Aldersgate Street 153. JJA

dat hij bij wijze van spreken hun doodvonnis had getekend, leek wel zeker.

'De laatste die de pijp uitging was Isaac Gabb, het jongste lid van de bende – zijn oudere broer had de kroeg in Rotherhithe waar de bende bij elkaar kwam. Best een fatsoenlijke jongen, die Gabb, ondanks zijn streken. Voor die broer was het een slag, hij is er nog niet overheen, hoor ik. Als hij had gekund zou hij Pluckrose wel te pakken genomen hebben, dat lijdt geen twijfel, maar hij kende hem alleen maar als Verdant, moet u weten, en als zodanig was hij, net als die jongen Isaac, spoorloos verdwenen, er is nooit meer iets van hem vernomen. Verdant was dood. Lang leve Pluckrose.'

Toen kwam Pettingales relaas op het onderwerp waarin ik het meeste belang stelde. Nadat hij wat geld had overgehouden aan die eerste oplichterij, kreeg Phoebus Daunt de smaak van de misdaad te pakken en begon te denken dat hij een hele piet was in de betere misdadigerskringen. Omdat hij geen duidelijk idee had wat hij na zijn afstuderen zou gaan doen, al had hij het tegen lord Tansor wel over de mogelijkheid van een Fellowship, en omdat hij van mening was dat zo'n genie als hij een zeker minimaal kapitaal nodig had om zich een positie in de maatschappij te verwerven, waar hij op dat moment niet de hand op kon leggen, kwam hij op het praktische, maar verre van originele idee om wat hij nodig had van andere mensen af te nemen. Om hem in die onderneming bij te staan riep hij de hulp in van zijn vriend en collega-oplichter Pettingale, vanwege zijn juridische knobbel, en hun voormalige wapenbroeder Josiah Pluckrose, alias Verdant, vanwege zijn spierkracht en zijn aantoonbare vaardigheid met het breekijzer en de andere attributen van het krakersvak.*

* Kraker: bargoens voor inbreker. JJA

** Een angstaanjagende figuur in een lange mantel die vanaf 1837 Londen terroriseerde. Zijn gebruikelijke modus operandi was niets vermoedende voorbijgangers, dikwijls vrouwen, te bespringen en met klauwachtige handen aan hun kleren te rukken. Er werd wel gezegd dat hij vuur uitademde, ogen had die brandden als vurige kolen en in staat was over hoge muren en schuttingen heen te springen. Of Jack werkelijk bestond dan wel een product was van de verbeelding is nog aan twijfel onderhevig, maar over de aanvallen werd uitvoerig bericht in de pers. JJA

Ik moet bekennen dat ik niet verbaasder had kunnen zijn als Pettingale me had verteld dat Phoebus Daunt geen ander was dan Spring Heeled Jack zelf.** Maar hij had nog meer te vertellen.

Het buitengewone zakentalent dat lord Tansor bij zijn gunsteling ontdekt meende te hebben, was eigenlijk niets dan een ordinaire handigheid in het bedenken van methoden om goedgelovige mensen hun geld afhandig te maken. Ik had dat misschien tamelijk onschuldig kunnen vinden, want een mens moet ergens van leven en er zijn duizenden brave sukkels op de wereld die zich gemakkelijk laten plukken, maar nu hij mijn vader bedroog, die in het geheel niet goedgelovig was, maar alleen iemand vertrouwde die hij buitengewoon had begunstigd en van wie hij met recht trouw en respect mocht verwachten – nu lagen de zaken heel anders. En het diende allemaal om nog meer bij de baron in het gevlij te komen, met het doel – dat hij dan ook bereikte – zich steeds verder in te dringen in zijn zaken.

De 'speculaties' die hij zo eerlijk aan lord Tansor had opgebiecht waren slechts zoethoudertjes; de 'winsten' die hij zijn beschermheer terugbetaalde waren alleen maar de opbrengst van allerlei zwendelpraktijken. Sommige waren aan de dichterlijke fantasie ontsproten: denkbeeldige goudmijnen in Peru, een plan voor een tunnel door de Zwitserse Alpen, voorstellen voor spoorweglijnen die nooit gebouwd werden. Andere waren bescheidener, of niet meer dan misbruik van het vertrouwen van onoplettende mensen.

Alle mogelijke valse documenten, met onnavolgbare handigheid en flair door Daunt geproduceerd, waren de voornaamste wapens. Door hun inventiviteit overtuigende referenties en aanbevelingen, toegeschreven aan mensen van onbesproken naam en reputatie, fictieve overzichten van de activa van vooraanstaande bankiershuizen en accountants, nagemaakte eigendomstitels, knap vervaardigde plattegronden van niet bestaande stukken land, grootse plannen voor gebouwen die nooit gebouwd zouden worden. Daunt begon, geholpen door de jonge jurist Pettingale, een zeker meesterschap te krijgen in alles wat onecht was, terwijl Pluckrose de taak had de angsthazen onder hun potentiële slachtoffers aan te moedigen en de mogelijke klikkers onder de benadeelden te ontmoedigen. Ze kozen hun slachtoffers met oneindig veel zorg, gebruikten slimme vermommingen en valse namen, huurden panden, maakten gebruik van stromannen zoals de onfortuinlijke Hensby, en gedroegen zich altijd ernstig en bezadigd, en als het allemaal gebeurd was, verdwenen ze zonder een spoor achter te laten.

Nu doorzag ik Phoebus Rainsford Daunt geheel, en wat was het heerlijk om eindelijk de waarheid te kennen! Die arrogante, zelfvoldane prulschrijver was ook een door de wol geverfde zwendelaar: een doortrapte bedrieger, geen haar beter dan de overvallers op de Highway.* Pettingale bleef heel aardig doorslaan. Zijn kleur was nu weer de gebruikelijke fletsheid, en er stonden geen zweetdruppels meer op zijn voorhoofd. Ik had zelfs de indruk dat hij warm begon te lopen voor zijn taak, en ik vermoedde dat het tussen de jurist en zijn literaire vriend niet meer zo boterde als vroeger.

'We zien elkaar niet meer zo vaak,' zei hij ten slotte, peinzend in het vuur kijkend. 'Het was allemaal wel best, weet u, toen we wat jonger waren. Moeilijk uit te leggen – het is erg opwindend, dit soort werk. En je houdt er wat aan over. Maar het begon me wat tegen de borst te stuiten – die kerels die we tilden, daar waren heel fatsoenlijke lui bij, vrouw, kinderen, enzovoort, en wij lieten ze berooid achter. Hoe dan ook, ik zei tegen Daunt dat we niet eeuwig door konden gaan. Vroeg of laat zouden we een fout maken. Ik had weinig zin om dezelfde bootreis te maken als Hensby** – of nog erger. Het breekpunt kwam toen die onbeschrijfelijke fielt Pluckrose zijn vrouw om zeep hielp. Ik heb nooit gesnapt waarom Daunt hem erbij heeft gehaald – en dat heb ik ook gezegd. Tot alles in staat, die Pluckrose. Dat wisten we natuurlijk. Er volgde nogal een uitbarsting. Er werden dingen gezegd, en zo. Een of andere sukkel verlakken is één ding. Je vrouw doodslaan is nog wel even iets anders. Heel ongelukkig allemaal. Het ergste was dat Pluckrose door een of andere truc de dans ontsprong en een andere vent de hele rekening betaalde en moest hangen voor wat hij had gedaan. Een knap

* Met 'de Highway' bedoelt de schrijver de Ratcliffe Highway, die van East Smithfield naar Shadwell High Street liep. Hij werd door Watts Phillips in *The Wild Tribes of London* (1855) beschreven als 'het hoofdkwartier van ongebreidelde verdorvenheid, dronkenschap en geweld – van alles wat smerig, wetteloos en laag is.' JJA

** d.w.z. transportatie. JJA

stukje werk was het, nooit zoiets gezien. Sir Ephraim Gadd, geïnstrueerd door Tredgolds. Hoe dan ook, ik vond echt dat we maar eens met Pluckrose moesten breken en oppassende mensen worden. Ik dacht dat Daunt dat ook wel zou willen – hij stond nogal in de belangstelling, werd bewierookt in literaire kringen, enzovoort. Hij zei dat ik maar moest zien wat ik deed, maar dat híj nog maar net begonnen was en dat hij een nieuwe koers wilde inslaan en dan voor de rest van zijn leven binnen zou zijn.'

'Een nieuwe koers?'

'Iets met zijn oom, zoals hij hem noemde, lord Tansor. Een klinkende naam. Wel eens van hem gehoord? Heeft zijn eigen zoon verloren, geloof ik, en wilde Daunt er wel voor in de plaats. Heel eigenaardig, maar zo is het. Nogal een opvliegend type, maar zo rijk als Croesus, en Daunt zat daar goed, want hij maakte een aardige kans om die ouwe mettertijd op te volgen. Maar dat duurde hem te lang. Hij wilde voor die tijd vast hier en daar wat meepikken. Eerst contant geld, heel listig, want oom Tansor vertrouwde hem. Toen eens een voorzichtige vervalste handtekening – een tweede natuur voor Daunt. Geniaal doet hij dat. Verbijsterend om te zien. Geef hem een momentje en hij fabriceert de handtekening van de koningin zelf voor je, en zo goed dat de prins-gemaal er nog in zou tuinen. Die ouwe is bepaald niet dom, maar Daunt wist hoe hij hem aan moest pakken. Heeft het net heel voorzichtig toegehaald. Hij had helemaal geen argwaan. Wel een gevaarlijk spelletje – dat heb ik ook tegen hem gezegd, maar hij liet zich er niet van afbrengen. De secretaris van de ouwe rook lont, een slimme ouwe kerel, Carteret heet hij. Toen die secretaris argwaan tegen hem kreeg, begon Daunt aan zijn nieuwe koers. We waren met een heel aardig plannetje bezig, ons eerste in een paar maanden, maar Daunt was niet meer geïnteresseerd. Heel riskant allemaal. We hadden weer woorden, vrees ik. Boze woorden. Niet prettig. Hij zei dat hij iets beters had.'

'En wat was dat?'

'Gewoon dit: die ouwe heeft een enorm landhuis – ik ben er zelf geweest. Dat landhuis is tot de nok volgestouwd met draagbare buit.'

'Buit?'

'Prenten, porselein, glaswerk, boeken – Daunt wist het een en ander van boeken. Allemaal heel listig en onopvallend, natuurlijk, en alles ligt nu veilig opgeslagen – voor het geval de ouwe niet over de brug kwam, zei hij, of met het oog op onvoorziene gebeurtenissen. Het is schatten waard.'

'En waar is het opgeslagen?'

'Tja, kon ik u dat maar vertellen. Hij heeft me laten vallen. De samenwerking verbroken. Ik heb hem al minstens een jaar niet gezien.'

Nu had ik hem te pakken, hij kon me niet meer ontgaan! Na al die jaren beschikte ik over de middelen om hem ten val te brengen. Zijn loge in de opera, zijn huis aan Mecklenburgh-square, zijn paarden en zijn diners – alles betaald uit de opbrengst van de misdaad! Ik was bijna uitzinnig van vreugde bij het vooruitzicht van mijn triomf. Ja, ik kon hem nu op ieder gewenst moment te gronde richten en wanneer er dan een schandaal volgde, zou lord Tansor dan zijn erfgenaam te hulp schieten? Dat leek me niet.

'U bent natuurlijk wel bereid een verklaring tegen hem af te leggen,' zei ik tegen Pettingale.

'Een verklaring? Wat bedoelt u?'

'In het openbaar vertellen wat u zojuist tegen mij hebt gezegd.'

'Wacht nou even.' Pettingale wilde opstaan uit zijn stoel, maar ik duwde hem terug.

'Is er iets, mijnheer Pettingale?'

'Luister eens,' zei hij. 'Dat kan ik niet doen, hoor. Mijn eigen betrokkenheid, en zo. En ik zou mijn leven niet meer zeker zijn.'

'Rustig aan maar,' zei ik sussend. 'Misschien heb ik u alleen nodig om onofficieel te getuigen tegenover lord Tansor. Zonder repercussies. Alleen maar een rustig gesprek met de baron. Dat zou toch wel kunnen, niet?'

Hij dacht even na. Om het denkwerk te bevorderen pakte ik mijn pistool van de tafel.

Uiteindelijk zei hij, bleker en fletser dan ooit, dat dat waarschijnlijk wel kon, als het zo geregeld werd dat zijn identiteit voor lord Tansor verborgen bleef.

'We zullen wat bewijsstukken nodig hebben,' zei ik. 'Niet voor meer dan één uitleg vatbaar, en zwart op wit. Kunt u zoiets te pakken krijgen?'

Hij knikte en boog zijn hoofd.

'Bravo, Pettingale,' zei ik met een lachje, en klopte hem op de schouders. 'Maar denk eraan: als u tegen uw vroegere compagnons iets loslaat over ons gesprek, of als u het te zijner tijd in uw hoofd haalt niet mee te werken, dan zult u daar zeker zwaar voor boeten. Ik hoop dat we elkaar goed begrijpen?'

Hij antwoordde niet, dus herhaalde ik mijn vraag. Hij sloeg zijn ogen naar me op, met een dodelijk vermoeide, gelaten blik.

'Ja, mijnheer Grafton,' zei hij, en hij sloot zijn ogen en slaakte een diepe zucht. 'Ik begrijp u uitstekend.'

31

Flamma fumo est proxima*

Ik verliet Field-court in een uitstekende stemming. Eindelijk beschikte ik over de middelen om Daunts reputatie teniet te doen, zoals hij ooit met de mijne had gedaan. Het was opwindend de macht te voelen die ik over mijn vijand had en te weten dat hij op ditzelfde moment rondliep zonder enig vermoeden van het zwaard van Damocles dat hem boven het hoofd hing. Restte de vraag wanneer ik gebruik zou maken van Pettingales getuigenis en van de bewijzen van Daunts criminele activiteiten die hij beweerde te kunnen produceren. Als ik het deed voordat ik kon aantonen dat ik lord Tansors zoon was, zou mijn wraak niet volledig zijn. Hoe oneindig veel pijnlijker zou het voor Daunt zijn als ik op het ogenblik van zijn ondergang zou verschijnen als de ware erfgenaam!

Mijn gedachten gingen nu terug naar de moord op Carteret, en naar de kwestie van zijn 'ontdekking'. In ons gesprek in Stamford had hij tegen me gezegd dat de zaak die hij Tredgold had willen voorleggen beslissend zou kunnen zijn voor Daunts vooruitzichten. Ik was er nu van overtuigd dat Carteret in het bezit was geweest van informatie inzake de Tansor-opvolging die mij had kunnen helpen mijn identiteit vast te stellen en wellicht zelfs het onweerlegbare bewijs had gevormd waarnaar ik op zoek was. Het lag daarom in de lijn dat wat voor mij van zo grote waarde was ook voor een ander waarde had gehad.

Verdenkingen en veronderstellingen woelden door mijn hoofd, maar ik kon niet tot een heldere conclusie komen. Weer thuisgekomen schreef ik een uitvoerig verslag voor de heer Tredgold, waarin ik pro-

* 'De vlam is dicht bij de rook' – d.w.z.: waar rook is, is vuur' (Plinius). JJA

beerde alle verschillende zaken die verband hielden met de gebeurtenissen van de laatste tijd in verschillende rubrieken onder te brengen. Daarna repte ik mij naar Paternoster-row en klopte op de deur van de oudste vennoot.

Er kwam geen antwoord. Ik klopte nog eens. Toen kwam Rebecca de binnentrap af die naar Tredgolds privévertrekken leidde.

'Hij ist'r niet,' zei ze. 'Hij is gister naar Canterbury gegaan, naar z'n broer.'

'Wanneer komt hij terug?' vroeg ik.

'Donderdag,' zei ze.

Drie dagen. Zolang kon ik gewoon niet wachten.

Toen ik aan mijn bureau ging zitten trof ik een envelop aan met een zwartgerande kaart erin, waarop in dikke zwarte letters het volgende bericht gedrukt stond:

Familie en vrienden van wijlen de heer Paul Carteret,
M.A., F.R.S.A., verzoeken

de heer Edward Glapthorn

hen op vrijdag aanstaande, 4 november 1853, met zijn aanwezigheid te vereren teneinde tezamen met hen de laatste eer te bewijzen aan de overledene.
De genodigden wordt verzocht om 11 uur samen te komen in het Douairièrehuis, Evenwood, Northamptonshire, om zich vandaar in de klaarstaande koetsen naar de kerk van St Michael and All Angels in Evenwood te begeven. Spoedig bescheid aan de begrafenisondernemer, de heer P. Gutteridge, Baxter's Yard, Easton, Northamptonshire, wordt op prijs gesteld.

Ik ging aan mijn bureau zitten en schreef een formeel briefje aan de heer Gutteridge waarin ik de uitnodiging aannam, en een persoonlijk briefje aan mejuffrouw Carteret, waarna ik een klerk riep om ze naar het postkantoor te brengen.

Toen dat gedaan was, besloot ik direct naar Canterbury te gaan om mijn werkgever te spreken. Ik schreef daarom haastig een briefje aan Bella, met wie ik die avond een afspraak had, en raadpleegde mijn Bradshaw.

In Canterbury aangekomen stond ik ten slotte voor een nogal strenge, drie verdiepingen hoge woning dicht bij de Westgate. Marden House stond een eindje van de weg af, ervan gescheiden door een smalle verharde ruimte en een lage bakstenen muur met traliewerk erbovenop.

Er werd opengedaan en ik werd in een kamer op de begane grond gelaten. Even later kwam dokter Jonathan Tredgold binnen.

Hij was kleiner en wat gezetter dan zijn broer en had hetzelfde vlossige haar, maar donkerder en wat dunner gezaaid. Hij had mijn kaartje in zijn hand.

'Mijnheer Edward Glapthorn, neem ik aan?'

Ik boog licht.

'Neemt u mij niet kwalijk dat ik u stoor, mijnheer Tredgold,' begon ik, 'maar ik hoopte misschien uw broer te kunnen spreken.'

Hij trok zijn schouders naar achteren en keek me aan alsof ik iets grievends had gezegd.

'Mijn broer is ziek,' zei hij. 'Ernstig ziek.'

Hij zag de schok die zijn woorden veroorzaakten en gebaarde me te gaan zitten.

'Dat is treurig nieuws, mijnheer Tredgold,' begon ik. 'Zeer treurig. Is hij...'

'Een beroerte. Volkomen onverwacht.'

Dokter Tredgold kon, zoals de toestand toen was, niet met stelligheid zeggen dat de verlamming van zijn broer snel weer over zou gaan of, ook al werd die minder, dat zijn krachten niet sterk en blijvend verminderd zouden zijn.

'Ik geloof dat mijn broer wel eens over u heeft gesproken,' zei hij na een korte stilte. Toen sloeg hij zich plotseling op de knie en riep uit: 'Ik heb het! U was secretaris of zoiets van de zoon van de romanschrijfster.'

Ik deed mijn best niet te laten blijken hoe verbaasd ik was zo geheel onverwacht over mijn pleegmoeder te horen spreken, maar kennelijk tevergeefs.

'U zult wel verwonderd zijn over mijn goede geheugen. Maar ik hoef iets maar eenmaal gehoord te hebben, weet u, of ik kan het me altijd weer voor de geest halen. Mijn broer noemt het een fenomeen. Het was iets waar we ons vaak mee amuseerden – een spelletje dat we speelden als hij hier was. Christopher probeerde me altijd op fouten te betrappen, maar dat lukte hem nooit, hoor. Hij heeft me eens verteld, een paar jaar geleden geloof ik, dat er zo'n connectie was tussen u en mevrouw Glyver, die meen ik een cliënte van de firma was en wier verhalende werken hij en ik – en ook onze zuster – altijd hogelijk bewonderden, en natuurlijk ben ik dat nooit vergeten. Het is een gave; en naast het onschuldige vermaak dat het mijn broer en mij verschaft wanneer we bijeen zijn, heeft het ook enig praktisch nut gehad in mijn medische loopbaan.'

Zijn woorden werden uitgesproken met een reeks diepe zuchten. Het was duidelijk dat er tussen de twee broers een sterke band bestond, en ik vermoedde ook dat de arts door zijn vakkennis minder hoopvol was over de vooruitzichten van zijn broer dan hij geweest zou zijn als hij die niet had bezeten.

'Mijnheer Tredgold,' zei ik voorzichtig, 'ik ben uw broer gaan beschouwen als meer dan een werkgever. In de jaren dat ik bij hem in dienst ben is hij, ik zou bijna zeggen, een soort vader voor me geworden, en zijn hartelijkheid jegens mij staat in geen enkele verhouding tot mijn verdiensten. We hebben ook vele gemeenschappelijke interesses – zeer specialistische. Kortom, hij is iemand die ik hoogacht, en dit vreselijke nieuws doet me veel verdriet. Zou ik mij mogen verstouten te vragen...'

'U wilt hem graag zien?' onderbrak dokter Tredgold me, voordat ik mijn verzoek had kunnen uitspreken. 'En dan kunnen we misschien samen een eenvoudige maaltijd gebruiken.'

Ik volgde de heer Tredgold naar boven, naar een slaapkamer aan de achterkant van het huis. Er zat een verpleegster aan het bed, terwijl in een stoel bij het raam een dame in het zwart zat te lezen. Zij keek op toen we binnenkwamen.

'Mijnheer Glapthorn, mag ik u mijn zuster voorstellen, mejuffrouw Rowena Tredgold. De heer Glapthorn komt van het kantoor, lieve, uit eigen beweging, om te vragen hoe het Christopher gaat.'

Ik schatte dat ze ongeveer vijftig jaar oud was en met haar vroegtijdig zilvergrijze haar en haar blauwe ogen vertoonde ze een opmerkelijke gelijkenis met haar broer, die in ellendige toestand op het bed lag, doodstil, met dichte ogen, zijn mond onnatuurlijk naar één kant vertrokken.

Na de kennismaking boog ze zich weer over haar boek, al zag ik uit mijn ooghoek dat ze aandachtig naar me keek terwijl ik met dokter Tredgold bij het bed stond.

Het deed me veel pijn mijn werkgever zo naar lichaam en geest te zien lijden. Dokter Tredgold fluisterde me toe dat zijn broer aan de linkerkant verlamd was, dat zijn gezichtsvermogen ernstig was aangetast en dat het op dit moment vrijwel onmogelijk voor hem was om te spreken. Ik vroeg nog eens of er kans op herstel was.

'Hij kan beter worden. Dat heb ik weleens meegemaakt. De zwelling in de hersenen is nog in de acute fase. We moeten goed opletten of het niet slechter gaat. Als hij spoedig begint bij te komen, dan is er hoop dat hij zich op den duur weer zal kunnen bewegen en misschien ook enigszins zal kunnen spreken.'

'Was er een onmiddellijke aanleiding?' informeerde ik. 'Een extreme prikkeling van het gevoel of een andere plotseling gebeurtenis, waardoor de attaque wellicht bespoedigd is?'

'Niets waarneembaars,' antwoordde hij. 'Hij kwam hier gisteravond in een uitstekende stemming aan. Toen hij vanmorgen niet op zijn gebruikelijke tijd beneden kwam, zei mijn zuster dat ik maar eens boven moest gaan kijken of alles in orde was. Hij was juist getroffen door de beroerte toen ik hem vond.'

Ik gebruikte de avondmaaltijd met dokter Tredgold en zijn zuster in een koud, hoog vertrek dat schaars gemeubileerd was, afgezien van een monsterlijk pseudorenaissancebuffet dat bijna een hele wand in beslag nam. Mejuffrouw Tredgold sprak weinig tijdens de maaltijd, die even sober was als de meubilering, maar ik voelde meer dan eens haar blik op me rusten. Het was een blik van gespannen concentratie, alsof ze tevergeefs probeerde iets uit haar geheugen op te diepen.

Plotseling werd er luid op de voordeur geklopt en even later kwam er een dienstbode met de boodschap dat de dokter dringend bij een zieke buurman geroepen werd. Ik nam de gelegenheid te baat om afscheid te nemen van de dokter en zijn zuster. Hoewel ze erop aandrongen dat ik de nacht bij hen zou doorbrengen, gaf ik de voorkeur aan een kamer in het Royal Fountain Hotel. Ik wilde alleen zijn met mijn gedachten, want ik was nu mijn bondgenoot kwijt, de enige die me kon helpen mijn weg te vinden door het labyrint van vermoedens en gissingen rond de dood van Carteret.

Zonder veel moeite kwam ik onderdak. Omdat ik hoofdpijn had, nam ik een paar druppels laudanum* en sloot mijn ogen. Maar ik sliep onrustig en had een vreemde, beangstigende droom.

In die droom sta ik in een verduisterde ruimte van enorme afmetingen. Eerst ben ik alleen, maar dan, alsof er langzaam licht uit een onzichtbare bron wordt binnengelaten, onderscheid ik de gestalte van de heer Tredgold. Hij zit in een stoel met een boek in zijn handen en slaat langzaam de bladzijden om, af en toe stilstaand bij een interessante passage. Hij kijkt op en ziet me. Zijn mond is naar één kant vertrokken en het lijkt of hij met zijn lippen woorden en zinnen vormt, maar er komt geen geluid. Hij wenkt me en wijst naar het boek. Ik kijk ernaar om te zien wat hij me wil tonen. Het is het portret van een dame in het zwart. Ik kijk aandachtiger. Het is het schilderij van lady Tansor dat ik in de werkkamer van Carteret op Evenwood had zien hangen. Dan stroomt er nog meer licht naar binnen en onderscheid ik achter de heer Tredgold een gestalte die op een zwart beklede verhoging achter een

* Een mengsel van opium en alcohol. Wettelijke beperkingen op het gebruik van opium werden pas in 1868 van kracht en in de onderhavige periode werd laudanum op grote schaal voorgeschreven en op grote schaal misbruikt. Laudanum, dat aanvankelijk een middel voor de armen was, werd een veel gebruikt pijnstillend middel voor de middenklasse: beroemde schrijvers die het gebruikten waren onder anderen Coleridge, De Quincey en Elizabeth Barrett Browning. De romanschrijver Wilkie Collins raakte er vrijwel verslaafd aan en bekende dat een groot deel van *The Moonstone* (1868) onder invloed ervan geschreven was. 'Wie is de man die laudanum heeft uitgevonden?' vraagt Lydia Gwilt in Collins' *Armadale* (1866). 'Ik dank hem uit het diepst van mijn hart.' JJA

hoge lessenaar in een enorm grootboek zit te schrijven. Ook deze figuur is in het zwart gekleed en lijkt een lange grijze pruik te dragen, zoals die van een rechter, maar dan zie ik dat het in werkelijkheid mejuffrouw Rowena Tredgold is, met haar haar loshangend over haar schouders. Ze houdt op met schrijven en spreekt me aan.

'Gedaagde. Zeg het hof uw naam.'

Ik open mijn mond om te spreken, maar ik kan het niet. Ik ben even stom als Tredgold. Ze vraagt me nog eens naar mijn naam, maar ik kan nog steeds niet spreken. Ergens luidt een klok.

'Welnu dan,' zegt ze, 'aangezien u het hof niet wilt zeggen wie u bent, is de uitspraak van het hof dat u van hier naar een plaats van terechtstelling gebracht zult worden om daar aan de nek gehangen te worden tot u dood bent. Hebt u nog iets te zeggen?'

Ik vul mijn longen met lucht en probeer luidkeels een protest uit te schreeuwen. Maar er is alleen maar stilte.

Toen ik de volgende dag weer in Temple-street was, bleef ik binnen, geplaagd door een besluiteloze, verstrooide gemoedstoestand waarin niets kon worden vastgesteld of onthouden; en daarom besloot ik tegen het eind van de middag naar de Temple Stairs te gaan om een halfuur te roeien.

Later die avond ontving Bella me in Blithe Lodge met haar gebruikelijke warmte en met vele betuigingen van vriendschap.

Het was de eerste keer dat we elkaar zagen sinds ik had kennisgemaakt met mejuffrouw Carteret, en nooit was ik me er meer van bewust 'een ding van zonde en schuld'* te zijn. Ik zat wat verder weg en keek naar Bella die in Kitty Daley's salon bij het vuur zat met een paar van de jongste nimfen van de Academie. Hoeren natuurlijk, stuk voor stuk, maar je kon je geen lieflijker, aardiger en levenslustiger stel meisjes voorstellen; en Bella was de lieflijkste en aardigste van allemaal. Ze zag er zo fris en levendig uit, terwijl ze vlot en amusant aan het groepje

* Milton, *Comus*, in een passage waarin de Kuisheid beschreven wordt: 'A thousand liveried angels lackey her,/ Driving far off each thing of sin and guilt.' JJA

meisjes om haar heen vertelde over lord R, die tijdens een recent samenzijn met een van de afwezige nimfen had verlangd dat ze zich uitdoste als de koningin, compleet met een diadeem van imitatiediamanten en een lichtblauwe sjerp over haar borst, terwijl hij met een Duits accent warme aanmoedigingen in haar oor fluisterde toen ze erop losgingen.

De kamer was vol gelach, er werd champagne binnengebracht, sigaretten werden opgestoken, mejuffrouw Nancy Blake trippelde naar de pianoforte om *con brio* een pittig walsje te improviseren, terwijl de dames Lilian Purkiss (een amazone met vuurrode lokken) en Tibby Taylor (tenger, grijsogig en verrukkelijk lichtvoetig) almaar tussen de meubels door in het rond galoppeerden, en giechelden wanneer ze weer eens tegen stoelen en tafels botsten. Bella, die op de maat van de wals in haar handen zat te klappen, keek af en toe met een glimlach naar mij. Want al was ze, zoals meestal, het middelpunt van de vrolijkheid, ik wist dat ze mij nooit vergat: in gezelschap zocht ze mij altijd op, of liet ze me door een liefhebbende blik of door in het voorbijgaan even in mijn arm te knijpen weten dat haar gedachten alleen bij mij waren. Zelfs wanneer ik die avond wegging, zou ze met liefde aan me blijven denken, en overpeinzen wat we samen hadden gedaan en wat we zouden doen wanneer ik weer naar Blithe Lodge kwam.

Maar wat kon ik daar nog tegenoverstellen? Alleen maar nalatigheid, veronachtzaming en verraad. Ik was een stomme idioot, dat wist ik, en ik verdiende de tedere gevoelens van zo'n heerlijk wezentje niet. Maar het was mijn lot, leek het wel, om dit juweel moedwillig van me af te stoten. Op dat ogenblik, daar in Kitty Daley's salon, was ze intens en heerlijk aanwezig voor mijn zinnen. Ik wist dat ik maar weinig aan haar zou denken wanneer ik het gezicht van Emily Carteret weer zou zien, die ik liefhad zoals ik Bella nooit lief zou kunnen hebben. Maar ik moest er niet aan denken Bella op te geven – nog niet. Het was duidelijk dat mijn genegenheid voor haar nog niet geheel uitgedoofd of tenietgedaan was door wat ik voor mejuffrouw Carteret voelde. Deze genegenheid bleef vurig en waarachtig, al werd ze overschaduwd door een grotere, vreemdere kracht. Toen ik naar haar keek drong het tot me door dat ook mijn hart zou breken als ik me nu van haar afwendde, terwijl er niets mee gewonnen zou zijn.

Nadat de rest van het gezelschap vertrokken was, kwam ze naast me zitten, legde een beringde hand op de mijne en keek me glimlachend aan.

'Je was stil vanavond, Eddie. Is er iets gebeurd?'

Nee, zei ik, en ik liet mijn nagel zacht over haar wang glijden en legde toen haar hand op mijn lippen. Er is niets gebeurd.

32

Non omnis moriar*

Het is donderdag, 3 november 1853. Ik ben weer aangekomen op het station van Peterborough en ben per diligence naar de Duport Arms in Easton gegaan. Dat stadje ligt zo'n vier mijl ten zuidwesten van het landgoed dat toebehoort aan de familie waaraan dit etablissement zijn naam ontleent en staat, voor zover ik weet, nergens in het bijzonder om bekend behalve om zijn ouderdom (al sinds de tijd van de Vikingen is hier een nederzetting), zijn aardige, met keien bestrate marktplein en de schilderachtigheid van zijn met leien gedekte huizen van verweerde zandsteen, die voor een groot deel vanaf de licht glooiende heuvelrand waarop het stadje is gebouwd, uitkijken over het dal, met daarachter Evenwood en de beboste randen van het grote park.

Nadat ik mij in mijn kamer had geïnstalleerd – een lang vertrek met lage zolderbalken, dat uitkeek over het plein – opende ik mijn tas en haalde er een klein zwart opschrijfboekje uit, dat ik nog uit mijn studententijd in Duitsland had. Ik scheurde er wat aantekeningen uit die ik had gemaakt over Bulwers *Anthropometamorphosis*** en schreef op de nieuwe eerste bladzij de woorden: DAGBOEK VAN EDWARD DUPORT, NOVEMBER MDCCCLIII. Ik dacht een poosje na over dat opschrift en stelde vast dat het er heel goed uitzag. Maar die eerste keer dat mijn vingers de letters van mijn ware naam vormden, veroorzaakte een huivering die stimulerend was maar ook een vreemd onbehaaglijk

* 'Ik zal niet geheel sterven': Horatius, *Oden*, III.XXX.6. JJA

** *Anthropometamorphosis: Man Transform'd; or: The Artificiall Changeling* (1650), een geschiedenis van lichaamsversieringen en –verminkingen, door de arts John Bulwer (actief 1648-1654) JJA

gevoel gaf – alsof ik om een voor mij onbegrijpelijke reden niet het recht had om iets te bezitten waarvan ik wist dat het me rechtmatig toekwam.

Voordat ik naar Northamptonshire vertrok had ik besloten dat ik zou beginnen mijn leven van dag tot dag in het kort vast te leggen, deels in navolging van de gewoonte van mijn pleegmoeder, maar met het bijkomende doel mezelf, en misschien ook het nageslacht, een nauwkeurig overzicht te verschaffen van de gebeurtenissen, nu ik begon aan wat naar mijn overtuiging een beslissende fase van mijn grote onderneming zou zijn. Het moest uit zijn met besluiteloosheid en aarzeling. Niet alleen had ik vergeten wie ik was en waartoe ik in staat was: ik had ook mijn noodlot vergeten. Maar nu leek het of ik de hamer van de Meestersmid weer hoorde, als naderende donder, gerommel dat steeds dichterbij kwam – de slagen kwamen harder en sneller neer om de onbreekbare schakels te vormen, vonken schoten omhoog naar de koude hemel, de dikke keten spande zich om mij heen terwijl ik steeds dichterbij gesleept werd, nu sneller dan ooit, om het lot te ondergaan dat hij voor mij bestemd had. Want het is de namiddag van mijn leven, en de nacht komt naderbij.

Zo begon ik in mijn nieuwe dagboek te schrijven, en uit die bron heb ik voornamelijk geput voor het restant van mijn bekentenis.

Tien uur. Het marktplein was verlaten. Het laatste uur had het wat gemotregend maar nu kletterde de regen weer harder tegen mijn raam, waaronder een krakend bord met het oude wapen van mijn familie – met de geschilderde wapenspreuk 'FORTITUDINE VINCIMUS' – heen en weer zwaaide in de wind.

Ik gebruikte het avondeten in de eetzaal, met als enig gezelschap een nurkse kelner met sluik neerhangend haar.

Ik: 'Rustig vanavond.'

Kelner: 'Alleen u en de heer Green, ook uit Londen, net als u.'

Ik: 'Vaste gast?'

Kelner: 'Pardon?'

Ik: 'De heer Green: een vaste gast hier, misschien?'

Kelner: 'Komt af en toe. Nog een glas, mijnheer?'

Toen ik weer op mijn kamer was ging ik op bed liggen en pakte een octavo-uitgave van Donnes *Devotions*, die ik meegebracht had omdat het weergaloze 'Deaths Duell' erin stond – Donnes laatste preek. Het was een boek dat ik al vele jaren dikwijls bij me had en dat ik had aangeschaft tijdens mijn lange verblijf in het buitenland.* Ik bekeek de reproductie van het opvallende frontispice in de uitgave van 1634, waarop een afbeelding te zien was van de auteur in een nis, gewikkeld in zijn lijkkleed, en mijmerde toen een ogenblik over mijn jeugdige handtekening op het schutblad: 'Edward Charles Glyver'. Edward Glyver was verdwenen; Edward Duport moest nog komen. Maar in het hier en nu viel Edward Glapthorn in slaap boven de prachtige, gedragen volzinnen van John Donne en schrok wakker toen hij de kerkklok middernacht hoorde slaan.

Ik liep naar het raam. Het plein werd verlicht door één gaslantaarn aan de overkant. Het regende nog steeds hard. Ik zag een late wandelaar in een lange mantel, met een slappe vilthoed op. Door mijn adem besloeg de ruit: toen ik het glas met mijn mouw had schoongeveegd, was de wandelaar weg.

Ik legde mijn hoofd weer op het kussen en sliep minstens een uur, maar plotseling was ik klaarwakker. Ik was ergens door gewekt. Ik stak mijn kaars aan – twintig minuten over één volgens mijn repetitiehorloge.** Er was geen enkel geluid, behalve de regen tegen het raam en het kraken van het uithangbord. Was dat wel het uithangbord dat aan zijn scharnieren zwaaide? Of voetstappen op de gekrompen planken voor mijn deur?

Ik ging rechtop zitten. Daar, nog eens – en nog eens! Niet het uithangbord dat zwaaide in de wind, maar een ander geluid. Ik greep naar mijn pistool terwijl de deurkruk langzaam en geluidloos werd omgedraaid.

* Dit was waarschijnlijk de octavo-uitgave van de *Devotions* door William Pickering uit 1840, waarin (naast de reproductie van het frontispice dat Glyver noemt en de beroemde preek 'Deaths Duell', gehouden in aanwezigheid van koning Karel I, in februari 1631) ook Izaak Waltons *Life of Donne* was opgenomen. JJA

** Een zakhorloge dat men ieder ogenblik het laatst verstreken uur kan laten slaan. JJA

Maar de deur was op slot en de kruk werd even langzaam en geluidloos teruggedraaid. De vloerplanken kraakten weer en toen was het stil.

Met mijn pistool in de hand deed ik voorzichtig de deur open en keek de gang in, maar er was niemand te zien. Er waren kamers aan beide kanten van de mijne. De nummers 1 en 3. Er was een trap naar de gelagkamer beneden, en ook een naar de volgende verdieping, waar nog twee kamers waren. Ik kon er niet achter komen of mijn onwelkome bezoeker nog in het gebouw was, misschien in een van die kamers, maar ik geloofde niet dat hij terug zou komen. Ik liep op mijn tenen naar de eerste van de belendende kamers: de deur was niet op slot, de kamer onbezet. Maar de andere deur, boven aan de trap, bleek afgesloten te zijn.

Ik lag nog een uur wakker, met het pistool in de aanslag. Maar zoals ik al verwachtte werd ik niet meer gestoord. Ik concludeerde ten slotte dat ik spoken zag, dat het gewoon een andere gast was – misschien wel de heer Green – die zich in de kamer had vergist.

En zo gaf ik me over aan de slaap.

Toen ik wakker werd scheen er een bleek zonnetje, maar door het raam zag ik dat het marktplein nog nat was van de regen van die nacht en dat de oostelijke hemel een dreigende aanblik bood. Ik ging naar beneden en vroeg de kelner van de vorige avond of de andere gast, de heer Green, al beneden was gekomen. De kelner, nog steeds nurks, wist het niet; dus gebruikte ik mijn ontbijt alleen.

Na het ontbijt ging ik terug naar mijn kamer om me voor te bereiden. Ik moest de grootste voorzichtigheid in acht nemen om niet herkend te worden door Phoebus Daunt, die, naar ik aannam, zeker aanwezig zou zijn bij de begrafenis. Ik bekeek mezelf aandachtig in de spiegel. We hadden elkaar zeventien jaar niet gezien, niet meer sinds we elkaar voor het laatst tegenkwamen op het schoolplein in de herfst van 1836. Zou hij de trekken van zijn oude klasgenoot kunnen terugvinden in het gezicht dat nu in de spiegel keek? Ik dacht van niet. Mijn haar was langer en dikker, en met behulp van verf zwarter dan vroeger; al met al vertrouwde ik erop dat de veranderingen die het gevolg waren van de voortschrijdende tijd, samen met de weelderige snor en bakkebaarden die ik me sindsdien had aangemeten, en een bril met groene glazen, ontdekking in de weg zouden staan. Ik deed mijn overjas aan, liet mij door de nurkse kelner, die de enige bediende in het hele etablissement scheen te zijn, voorzien van een regenscherm en ging op weg.

Een aangename wandeling langs een steile, lommerrijke weg, de bermen aan weerszijden bedolven onder glinsterende klimop, bracht me het stadje uit en naar Odstock Mill. Onder aan de heuvel nam ik de weg die naar het oosten afboog naar het dorp Evenwood. Het was kwart voor elf.

In het dorp liepen al mensen over het weggetje naar de kerk – dorpelingen, zag ik toen ik wat dichterbij kwam, onder wie ik Lizzie Brine herkende, die naast een andere vrouw liep. Ze zag me niet, want ik zorgde er toen al voor zo weinig mogelijk op te vallen bij de gebeurtenissen, en ik had besloten me niet met de andere genodigden bij het Douairièrehuis te vervoegen, maar wat achteraf te blijven en van een afstand alles gade te slaan.

Ik wachtte daarom totdat die groep door het poortje het kerkhof op was gelopen en posteerde me vervolgens een eindje weg, achter de stam van een grote esdoorn. Vandaar had ik een goed uitzicht op de kerk en op het grindpad dat naar het Douairièrehuis afboog. Ik was ook onttrokken aan de blikken van anderen die over het weggetje liepen dat terugvoerde naar het dorp. Links van mij was de St Michael and All Angels, een imposant gebouw, grotendeels uit de dertiende eeuw, met erbovenuit rijzend de beroemde torenspits – hoog en puntig als een naald, steunend op een slanke toren, en met hogels op de randen. Terwijl ik omhoog tuurde naar het gouden kruis dat op de top stond, begon het te regenen. Al gauw werd het een ware stortvloed, die het nodig maakte mijn geleende regenscherm te openen.

Toen de klok elf sloeg, hoorde ik voetstappen in het grind en keek vanuit mijn schuilplaats naar het voorste gedeelte van de begrafenisstoet die voor de koetsen uit het smalle pad vanaf het Douairièrehuis af kwam – een grote groep slippendragers, verenmannen,* pages, ge-

* Ingehuurde mannen die bossen zwarte veren dragen. JJA

volgd door doodbidders met een baard en een staf, allen in plechtige gewaden en allen met een nog droefgeestiger blik dan hun taak vereiste, vanwege de zware regen die nu hun gehuurde uitdossing doorweekte.

Enkele ogenblikken later verscheen de opzij van glas voorziene lijkkoets, met zijn baldakijn van zwarte struisveren en versieringen van gouden doodskoppen en cherubijnen, waarin onder een donkerpaars kleed de kist stond. Daar dicht achter volgde de hoofdvloot van zes of zeven begrafeniskoetsen. Daarna zag ik de heer Daunt, samen met zijn hulppredikant, de heer Tidy, uit het portaal van de kerk naar buiten komen. Toen de eerste koets langs mijn uitkijkpunt reed, zag ik dat een van de gordijntjes open was, waardoor ik lord Tansor goed kon zien. Hij zat daar met een streng gezicht, zijn lippen opeengeklemd. Toen was hij weg, maar ik had nog net een glimp kunnen opvangen van een lange, gebaarde figuur die aan zijn rechterhand zat. Ik kon me niet vergissen in het profiel van mijn vijand.

De overige koetsen, allemaal met hun gordijntjes dicht, spetterden langs. Voor het kerkhofpoortje was een open ruimte, waar de koetsen stilhielden om de inzittenden te laten uitstappen. Bedienden kwamen aansnellen met regenschermen om de rouwenden naar de beschutting van het kerkportaal te begeleiden; nadat deze laatsten het gebouw waren binnengegaan, namen de dragers de kist uit de lijkwagen en droegen hem in de regen over het pad tussen de bomen naar de kerk. Lord Tansor, met rechte rug, strak voor zich uit starend, het toonbeeld van trotse autoriteit, wimpelde het aanbod van een regenscherm af en beende welbewust weg door de stortregen, maar Daunt, een paar passen achter de baron, beduidde dezelfde bediende hooghartig hém de dienst te bewijzen die zijn adellijke beschermheer had afgeslagen.

Mejuffrouw Carteret had in de tweede koets gezeten, met mevrouw Daunt en nog twee dames, van wie een me onbekend was; maar de andere moest naar mijn idee haar Franse gast, Mademoiselle Buisson, zijn. Ze had een slank figuurtje en was van gemiddelde lengte, maar behalve een impressie van onder haar hoed weggestopt lichtblond haar, waren haar gelaatstrekken verborgen door haar rouwsluier. Toen mejuffrouw Carteret uit de koets stapte, nam ze haar vriendin bij de arm en trok haar dicht tegen zich aan; zo omstrengeld liepen ze naar de kerk, terwijl John Brine volgde en een grote paraplu boven hen hield.

Ook mejuffrouw Carteret was gesluierd, maar de voornaamheid en elegantie van haar lange gestalte lieten zich niet verhullen. Ze had haar rug naar mij toegewend, maar in gedachten kon ik me haar gezicht voorstellen zoals ik het de eerste keer had gezien, in het licht van een late oktobermiddag. Terwijl ik haar arm in arm met haar vriendin naar de kerk zag lopen, dacht ik eraan terug hoe ik in één ogenblik in die gebiedende ogen alles had gezien waarnaar ik ooit had verlangd, en alles wat ik ooit had gevreesd. Ze leed zichtbaar – dat zag ik aan haar gebogen hoofd en de manier waarop ze steun zocht bij Mademoiselle Buisson, en ik leed om haar en had haar willen troosten over het verlies van de vader van wie ze veel had gehouden.

Toen het hele gezelschap de kerk was binnengegaan en het orgel een plechtig voorspel had ingezet, verliet ik mijn plekje onder de druipende takken van de esdoorn. In het portaal bleef ik staan. Het koor zong Purcells goddelijke toonzetting van de woorden 'Midden in het leven staan wij in de dood',* met zijn smartelijke dissonanten. De bitterzoete klanken die door de gewelven van de kerk weerkaatsten, waren buitengewoon hartverscheurend en ik voelde tranen van boosheid opkomen toen ik aan de man dacht wiens schuldloze, nuttige leven zo gewelddadig was afgesneden. Daarna volgde de sonore stem van de heer Daunt die de woorden uit het evangelie van Johannes psalmodieerde: 'Ik ben de opstanding en het leven, zegt de Heer: die in mij gelooft zal leven, al ware hij ook gestorven; en een iegelijk, die leeft, en in mij gelooft, zal niet sterven in der eeuwigheid.'**

Ik bleef in het portaal staan toen de gemeente tezamen de woorden van psalm 90, 'Domine, refugium', aanhief, waarin de psalmdichter klaagt over de zwakheid en de kortheid van ons leven op aarde, en over het lijden dat onlosmakelijk verbonden is met onze zondige natuur; en toen de rouwenden aan de verzen kwamen waarin Mozes spreekt van God die onze ongerechtigheden voor Zich stelt, en onze heimelijke

* Uit de *Music for the Funeral of Queen Mary*, uitgevoerd in maart 1695. De muziek klonk weer bij Purcells eigen begrafenis in november 1695. JJA

** Johannes 11:25-26. Uit het Formulier voor het begraven der doden in het *Book of Common Prayer*. JJA

zonden in het licht Zijns aanschijns, pakte ik mijn regenscherm, wendde me af en liep terug naar het kerkhof.

Na enige tijd klonk het geluid van de kerkdeur die openging. De teraardebestelling van Carterets lichaam zou weldra aanvangen. Ik trok me terug en verschool me in de portiek van de westdeur, onder aan de klokkentoren, vanwaar ik goed kon zien hoe de rouwenden en de verschillende bedienden, samen met een aantal dorpelingen en het personeel uit het Douairièrehuis, door de regen achter de dragers aan liepen naar de plaats waar een berg aarde de laatste rustplaats van Paul Stephen Carteret aangaf. Lord Tansor liep als eerste achter de kist, zich schijnbaar niet bewust van de niet aflatende regen; een paar stappen achter hem hield Phoebus Daunt, nu met een paraplu in de hand, plechtstatig gelijke pas met hem, als een paraderende militair. Een voor een gingen de leden van het gezelschap rond het graf staan.

Het was een zeer droevig schouwspel: de dames in hun bombazijn en krip, die in groepjes onder regenschermen stonden, de heren die zich voor het merendeel onbeschut in de regen of onder de taxusbomen die op het kerkhof groeiden hadden geposteerd, de zwarte banden om hun hoge hoeden die fladderden in de wind, de rijen doodbidders en andere huurlingen die door de heer Gutteridge geleverd waren – sommige licht aangeschoten – en die lijdzaam hun staven en doorweekte verenbossen omhoog hielden, en de eenvoudige houten kist die naar de vreselijke gapende groeve in de natte aarde gedragen werd, voorafgegaan door de indrukwekkende gestalte van de heer Daunt. Alles droeg bij aan een wrang besef van de nietigheid van het sterfelijk bestaan. Alles was zwart, zwart, zwart, net als de rookzwarte dreigende lucht erboven.

Ik merkte dat ik mijn ogen niet van de kist kon afhouden en in gedachten weer zag wat genadeloze bruutheid had gedaan met het ronde, eens zo hartelijke gezicht van Paul Carteret. En nu zou hij worden prijsgegeven aan een modderig gat in de grond. Ik was nog nooit zo wanhopig en ontroostbaar geweest als nu ik zag wat er van hem geworden was en wat er van ons allen moest worden. Ik merkte dat ik onwillekeurig in gedachten de overleden secretaris vergeleek met de in zichzelf besloten en teruggetrokken man van Donne, die bij leven 'dacht dat hij altijd zichzelf zou kunnen zijn en die nooit naar buiten optrad', maar die in de dood de vernedering moet verdragen dat zijn stof 'openbaar gemaakt' wordt – zulk een treffend en verschrikkelijk beeld – en 'vermengd met het stof van iedere straatweg en iedere mesthoop, en opgeslobberd in iedere poel en vijver'. Het was, zoals in de preek beweerd wordt, 'de meest roemloze en verachtelijke vernedering, de meest dodelijke en volstrekte vernietiging van de mens die we kunnen aanschouwen'.* Ik heb die aanschouwd. En het was ook zo.

Mejuffrouw Carteret was de kerk uit gekomen met Mademoiselle Buisson weer aan haar zijde en beide dames stonden nu naast de heer Daunt terwijl hij het laatste gedeelte van het formulier voor het begraven der doden uitsprak.

'De mens, van ene vrouw geboren, is kort van dagen, en zat van onrust. Hij komt voort als ene bloem, en wordt afgesneden; ook vlucht hij als ene schaduw, en bestaat niet. Midden in het leven staan wij in de dood...'

En zo werd Paul Carteret, terwijl de regen begon af te nemen, ten slotte begraven: onder het droeve luiden van een enkele kerkklok. *Requiescat in pace*, was alles wat ik kon denken. In kleine groepjes gingen de rouwenden – lord Tansor voorop, met Daunt dicht naast zich – uiteen naar hun koetsen, de doodbidders en de verenmannen klosten weg en de heer Daunt ging terug naar zijn kerk. Alleen juffrouw Carteret talmde nog bij het graf, terwijl Mademoiselle Buisson, gevolgd door John Brine, terug begon te lopen naar haar rijtuig. Ze keek om toen ze bij het kerkhofpoortje was, om te zien of haar vriendin eraan kwam, maar juffrouw Carteret bleef nog enkele minuten waar ze was, neerkijkend op de kist. Ze scheen geen uiterlijke tekenen van verdriet te tonen – geen tranen, tenminste; maar toen ze de zwartzijden linten van haar hoed opzijschoof, die door een plotseling briesje in haar gezicht gewaaid waren, zag ik duidelijk dat haar handen trilden. Toen knikte ze naar de doodgraver en zijn helper om hun te beduiden dat ze hun werk konden doen en begon langzaam terug te lopen naar de kerk.

Ik bleef alleen staan en keek haar lange gestalte na totdat ze op het open terrein buiten het poortje was aangekomen, waar haar vriendin op haar wachtte. Toen ze bij de deur van het rijtuig kwam, haalde

* Uit de laatste preek van Donne, de eerder genoemde 'Deaths Duell' (zie p. 401). JJA

Mademoiselle Buisson een witte zakdoek te voorschijn, veegde zacht het gezicht van haar vriendin af en kuste haar op de wang.

Ik wachtte tot het rijtuig van mejuffrouw Carteret door de plassen op het weggetje naar het Douairièrehuis was weggereden, en verliet toen het kerkhof om terug te wandelen naar Easton. Ik verlangde er zo naar haar weer te zien, haar stem te horen en nog eenmaal in die heel bijzondere ogen te kijken, maar ik verwachtte dat Daunt deel zou uitmaken van het gezelschap dat bijeen was in het Douairièrehuis en was er niet zeker van dat ik mijn voorgewende identiteit in zijn aanwezigheid zou kunnen handhaven. Toen ik echter de rand van het stadje bereikte, werd het verlangen me aan haar schoonheid te laven me te machtig. Ik draaide me om en keerde op mijn schreden terug naar Evenwood.

Bij het weggetje naar de pastorie aangekomen bedacht ik dat ik een briefje voor de heer Daunt zou kunnen achterlaten, uit beleefdheid, om mij ervoor te verontschuldigen dat ik zijn proeven niet had gelezen. Toen ik aan de deur klopte, deelde het meisje me mee dat de heer en mevrouw Daunt, en ook de heer Phoebus Daunt, nog in het Douairièrehuis waren, en daarom verzocht ik om pen en papier en werd alleen gelaten in de studeerkamer van de heer Daunt. Toen ik klaar was en weg wilde gaan, zag ik drie of vier dikke, in leer gebonden aantekenboeken op het bureau liggen, elk voorzien van een etiket met de woorden DAGELIJKS JOURNAAL erop. Het was verkeerd van me, dat geef ik toe, maar ik kon het niet laten een van de boeken open te slaan en erin te lezen. In een ommezien had ik mijn aantekenboekje gepakt en begon koortsachtig te krabbelen in steno, want op die bladzijden stonden notities uit Daunts jaren in Millhead. Ik verwachtte dat het meisje ieder ogenblik terug zou komen, maar ze kwam niet; en dus ging ik met mijn bezigheid door zolang ik met goed fatsoen kon en glipte toen ongezien weg. Ik had niets belangrijks ontdekt, ik had alleen de voldoening wat meer te weten over de opvoeding en het karakter van mijn vijand; maar dat rechtvaardigde voor mij wat ik gedaan had.

Tien minuten later stond ik in de Plantage en keek over het grasveld heen naar het Douairièrehuis.

Door het raam van de salon was de gestalte van lord Tansor, die met de heer Daunt stond te praten, gemakkelijk te onderscheiden; achter hem zag ik mevrouw Daunt, met haar stiefzoon naast zich. Om beter te kunnen zien wat er plaatsvond, sloop ik tussen de druipende bomen door en ging tussen wat struiken staan, dicht bij een van de ramen. Het trekgordijn was half gesloten, maar door te hurken kon ik naar binnen kijken.

Mejuffrouw Carteret stond bij het vuur, alleen. Om haar heen hadden haar gasten – een stuk of twaalf – rustig converserende groepjes gevormd. Een jonge dame maakte zich van een daarvan los en ging bij haar staan. Ze had blond haar, van een uitzonderlijk licht blond, en daardoor, en ook door de vanzelfsprekend vertrouwde manier waarop ze de hand van mejuffrouw Carteret in de hare nam, begreep ik dat het Mademoiselle Buisson moest zijn.

Ze zeiden niets maar bleven even hand in hand staan, totdat ze Phoebus Daunt naderbij zagen komen, waarop ze elkaar loslieten en naast elkaar gingen staan om hem te begroeten. Hij maakte een buiginkje, dat mejuffrouw Carteret beantwoordde door licht het hoofd te buigen en een paar woorden te spreken. Haar gezicht bleef uitdrukkingsloos en als reactie op wat hij zei neigde ze alleen weer even het hoofd. Hij boog nog eens voor mejuffrouw Carteret en daarna voor Mademoiselle Buisson en nam afscheid. Enkele ogenblikken later zag ik hem door de voordeur naar buiten komen en over het pad naar de pastorie lopen.

Tijdens deze hele korte scène bonkte mijn hart terwijl ik me inspande om te zien hoe Daunt door mejuffrouw Carteret ontvangen zou worden; maar toen al gauw duidelijk werd dat er niet de minste vonk van intimiteit tussen hen was, begon ik geruster adem te halen – vooral toen ik, nadat Daunt zich had omgedraaid, zag dat Mademoiselle Buisson zich naar mejuffrouw Carteret toe boog en iets in haar oor fluisterde. Dat had onwillekeurig een glimlachje te voorschijn getoverd, dat ze onmiddellijk probeerde te verbergen door haar hand over haar mond te leggen. Uit de nogal ondeugende blik op het gezicht van Mademoiselle Buisson leidde ik af dat de opmerking niet vleiend was geweest voor Daunt en het deed me veel genoegen te zien hoe mejuffrouw Carteret op de opmerking van haar vriendin reageerde, zelfs op een ogenblik als dit.

Nu mijn vijand weg was, dacht ik erover alsnog een bezoek te brengen aan mejuffrouw Carteret, waartoe ik was uitgenodigd. Toen bedacht ik dat ik nat was en er nogal onverzorgd uitzag en dat mijn tas in de Duport Arms was achtergebleven; maar ik werd wel verwacht, en ze zou het vreemd vinden als ik niet kwam. Ik bleef een paar minuten aarzelen en dubben totdat ik uiteindelijk over mijn bezwaren heen stapte. Ik stond op het punt mijn schuilplaats te verlaten toen de voordeur openging. Lord en lady Tansor verschenen, gevolgd door mejuffrouw Carteret en haar vriendin, en de heer en mevrouw Daunt. Het gezelschap daalde de treden af en stapte in twee gereedstaande koetsen, die wegreden door de Plantage, het park in.

Moe en terneergeslagen, en zonder enige reden daar te blijven, liep ik nogmaals door de regen terug naar Easton.

In de gelagkamer van de Duport Arms was mijn vriend de nurkse kelner bezig vers zaagsel op de vloer te strooien.

'Is de heer Green vertrokken?' vroeg ik.

'Twee uur geleden,' zei hij, zonder op te kijken van zijn werk.

'Zijn er vannacht meer gasten?'

'Geen.'

De diligence naar Peterborough zou weldra aankomen en zodoende zag ik af van nog een eenzame avondmaaltijd en stuurde de man naar boven om mijn bagage te halen terwijl ik mij verkwikte met een gin met water en een sigaar. Tien minuten later was ik in de diligence gestapt en ik wilde juist gaan zitten, dankbaar dat ik de enige reiziger was, toen het gezicht van John Brine, rood van inspanning, voor het raampje verscheen.

'Mijnheer Glapthorn, wat ben ik blij dat ik u nog tref. Lizzie zei dat ik het tegen u moest zeggen.' Hij stopte even om adem te halen en ik hoorde de koetsier aan hem vragen of hij van plan was in te stappen.

'Eén ogenblik, koetsier,' schreeuwde ik. Toen, tegen Brine: 'Wat moest je tegen me zeggen?'

'Juffrouw Carteret en haar vriendin vertrekken volgende week naar Londen. Lizzie zei dat u dat zou willen weten.'

'En waar verblijft mejuffrouw Carteret dan?'

'Bij haar tante, mevrouw Manners, in Wilton-crescent. Lizzie gaat met haar mee.'

'Goed gedaan, Brine. Zeg tegen Lizzie dat ze bericht moet sturen wanneer mejuffrouw Carteret uitgaat en waarheen, naar het adres dat ik je gegeven heb.' Ik boog mijn hoofd naar hem toe en praatte zachter. 'Ik heb reden om te vermoeden dat mejuffrouw Carteret enig gevaar loopt, ten gevolge van de aanslag op haar vader, en ik wil haar goed in het oog houden om haar te beschermen.'

Hij knikte, alsof hij duidelijk wilde maken dat hij het volkomen begreep, en ik gaf hem een shilling voor een verversing voordat hij terugging naar Evenwood. Toen de diligence wegreed trok ik het gerafelde zijden gordijntje dicht tegen de regen en sloot mijn ogen.

33

Periculum in mora*

'Herinner je je de laatste keer dat we naar de Cremorne Gardens zijn geweest?'** vroeg ik aan Le Grice.

He was nu na drieën en het vuur was bijna uit. Ik had hem verteld over de gebeurtenissen die volgden op de gewelddadige dood van Paul Carteret.

Le Grice keek op en dacht even na.

'Cremorne?' zei hij toen. 'Natuurlijk. We gingen met het stoomveer. Wanneer zal dat geweest zijn?'

'Vorig jaar november,' zei ik. 'Een paar dagen nadat ik terugkwam van de begrafenis van Carteret. We hebben er *bowls* gespeeld.'

'Klopt, en daarna hebben we naar de vlootrevue gekeken. Ja, en ik herinner me een klein handgemeen toen we weggingen. Maar hoe kom je daar zo bij?'

'Wel, dat zal ik je vertellen,' zei ik, 'terwijl jij nog een blok hout op het vuur gooit en me nog een glas inschenkt.'

De avond van woensdag 9 november 1853 stond me nog altijd helder voor de geest. We hadden ons een paar uur geheel naar wens geamuseerd. Toen het tegen elven liep en de verlichte priëlen in beslag genomen werden door geverfde hoertjes en hun aangeschoten heertjes, was

* Er schuilt gevaar in uitstel' (Livius, *Ab urbe condita*). JJA

** Beroemd vermaakspark dicht bij Battersea Bridge. Er werden o.a. regelmatig vuurwerk, bals, concerten en ballonvaarten georganiseerd. Het park was open van drie uur 's middags tot middernacht. Nadat de nette bezoekers waren vertrokken, werd het een berucht trefpunt van prostituees. Uiteindelijk werd het zo hinderlijk voor de omwonenden dat het in 1877 gedwongen werd te sluiten. JJA

ik er wel voor te vinden om ons elders verder te vermaken; maar tegen zijn gewoonte had Le Grice een hevig verlangen naar zijn bed geuit. En zo waren we om een paar minuten voor twaalf naar de uitgang van het park gelopen.

Bij de ingang aan King's-road waren we bij de kassa op gekrakeel gestuit. Een groepje van vier of vijf vrouwen – stuk voor stuk hoeren, oordeelde ik snel – en een paar ruwe pooiers waren op nogal strijdlustige toon aan het ruziën met een klein mannetje dat een opvallend stel grote bakkebaarden had. Toen we naderbij kwamen, greep een van de pooiers de man bij zijn kraag en smeet hem op de grond. Bij het licht van de grote geïllumineerde ster boven de kassa herkende ik onmiddellijk het angstige gezicht van Geoffrey Martlemass, de verloofde van Dorrie Grainger.

Door onze komst was het gebeuren wat verhitter geraakt, maar de pooiers lieten zich door een kleine demonstratie van onze gecombineerde kracht en vastberadenheid al gauw overreden om de benen te nemen, terwijl de hoeren heupwiegend in het donker verdwenen, onder veel geschreeuw en gejoel.

'Mijnheer Glapthorn, nietwaar?' vroeg het mannetje, terwijl ik hem overeind hielp. 'Wat een wonderbaarlijk toeval!'

De menslievende heer Martlemass had de goede raad van zijn geliefde in de wind geslagen en zich die avond gewijd aan een missie om het licht van Christus naar de hoeren van Cremorne te brengen – een taak die zelfs voor de apostel Paulus een zware beproeving zou zijn geweest. Hij was nogal terneergeslagen door zijn mislukking, maar leek geneigd om zijn kleren af te vegen en manmoedig een nieuwe poging te wagen. Er was veel overredingskracht voor nodig om hem zover te krijgen dat hij de ongeïnteresseerde doelgroep van zijn kruistocht nog wat langer in duisternis liet wandelen en onze raad aannam naar huis te gaan.

'We namen een rijtuig,' zei Le Grice, 'en je hebt mij afgezet op Piccadilly. Wat is er daarna gebeurd?'

Nadat Le Grice veilig was afgezet bij de ingang van Albany aan Piccadilly, vervolgden Martlemass en ik onze rit oostwaarts. 'Het was een mislukte avond,' zei hij, bedroefd zijn hoofd schuddend terwijl we door Temple Bar reden, 'maar ik ben in elk geval blij dat onze wegen elkaar weer hebben gekruist. Ik wilde naar uw arme vriend vragen.'

Ik kon niet bedenken over wie hij het had, maar toen hij mijn verwarring zag, verduidelijkte hij zijn woorden.

'Uw vriend mijnheer Pettingale. Van Gray's-Inn.'

'Ach ja, Pettingale. Natuurlijk.'

'Zijn de verwondingen ernstig?'

Ik had geen idee waar het mannetje het over had, maar mijn belangstelling was natuurlijk gewekt door het horen van Pettingales naam en daarom besloot ik te doen alsof ik de zaak begreep.

'Ernstig? O, niet zo heel erg, geloof ik.'

'Alle leden van de Vereniging hebben hun afkeuring en bezorgdheid uitgesproken – ze denken dat het nog nooit eerder is voorgekomen dat een lid op zijn kamers is overvallen – en vanzelfsprekend trekt mijn werkgever, de heer Gillory Piggott, zich als buurman van de heer Pettingale de wandaad bijzonder aan.'

'Natuurlijk.'

Door hem voorzichtig wat verder aan de tand te voelen, kreeg ik voldoende informatie los om het verhaal in grote lijnen te kunnen begrijpen.

Een paar dagen na mijn gesprek met hem was de heer Lewis Pettingale op een avond rond acht uur teruggekomen in zijn kamers. Zijn buurman, de heer Gillory Piggott, die toevallig een half uur later in Field-court aankwam, had een grote, forse man de trap naar de kamers van Pettingale af zien komen. De volgende ochtend ging een kelner van het koffiehuis dicht bij Gray's-Inn-gate zoals gewoonlijk diezelfde trap op om Pettingale zijn ontbijt te brengen, maar toen hij op de deur klopte, kwam er geen antwoord.

De deur bleek niet op slot te zijn. Toen de kelner wat verder rondkeek ontdekte hij het lichaam van de heer Pettingale languit in een hoek bij de schouw. Hij had flinke klappen in zijn gezicht en op zijn hoofd gehad, maar hij leefde nog. Er werd een dokter bij gehaald en die middag was de gewonde jurist met een koets naar zijn huis in Richmond gebracht om daar door zijn eigen arts behandeld te worden.

We waren nu bij de hoek van Chancery-lane aangekomen waar

Martlemass, die beslist niet wilde dat ik zou omrijden, uit het rijtuig stapte, en nadat hij me krachtig als altijd de hand had geschud, stapte hij kwiek weg naar zijn kosthuis op Red Lion-square.

Op het laatste gedeelte van de rit naar Temple-street piekerde ik erover waar de aanslag op Pettingale op zou kunnen duiden, maar zoals zo vaak de laatste tijd, had ik het gevoel dat ik blindelings in het donker rondtastte. Ik kon niet met zekerheid zeggen dat er een connectie was met zijn vroegere compagnon, Phoebus Daunt, al was dat intuïtief wel mijn conclusie. Misschien werd Pettingale onderuitgehaald door zijn criminele verleden. Een tochtje naar Richmond, besloot ik, kon wel eens aangenaam en leerzaam zijn.

De volgende ochtend stond ik vroeg op en kwam zonder veel moeilijkheden even na tien uur in Richmond aan. Ik gebruikte een laat ontbijt in The Star and Garter, dicht bij de hekken van het park, waar ik bij de kelners informeerde of ze weleens van een zekere heer Lewis Pettingale hadden gehoord. Bij mijn derde poging kreeg ik de informatie die ik zocht.

Het huis stond aan de Green, in de Maids of Honour Row, een rij aardige, drie verdiepingen hoge bakstenen huizen.* Het was het laatste in de rij, en had een goed onderhouden voortuin. Ik ging een smeedijzeren hek door en liep over het pad naar de voordeur, die op mijn kloppen geopend werd door een flets uitziend meisje van een jaar of twintig.

'Wil je dit aan je mijnheer geven? Ik blijf wachten.'

Ik overhandigde haar een briefje, maar ze keek me wezenloos aan en wilde me het briefje teruggeven.

'De heer Pettingale is toch hier, om te herstellen van zijn verwondingen?'

'Nee, mijnheer,' zei ze en keek me starogend aan, alsof ik gekomen was om haar te vermoorden.

'Hé, hé, wat is dat daar?'

* In 1724 gebouwd voor de Maids of Honour (hofdames) van Caroline van Anspach, vrouw van koning George II. JJA

Die vraag was afkomstig van een onguur uitziend man met een lapje over zijn oog en een vrij lange witte baard.

'Is de heer Pettingale thuis?' vroeg ik nog eens, licht geïrriteerd.

'Nee, mijnheer, het spijt me,' zei de man, en hij ging beschermend voor het meisje staan.

'En waar kan ik hem dan wel vinden?' was mijn volgende vraag.

Daarop begon het meisje wat zenuwachtig aan haar schort te frunniken, intussen angstige blikken op de man werpend.

'Phyllis,' zei hij, 'ga naar binnen.'

Toen ze weg was, keek hij mij aan en trok zijn schouders naar achteren, alsof hij zich opmaakte om een aanval van mij te weerstaan.

'De heer Pettingale,' zei hij ten slotte, 'is naar het buitenland vertrokken, en als u een goede vriend van hem was, dan had u dat geweten.'

'Ik ben geen vriend van de heer Pettingale,' antwoordde ik, 'maar ik wens hem ook geen kwaad toe. Ik heb hem nog maar kort geleden leren kennen en verwacht daarom niet dat hij mij in vertrouwen neemt. Is hij misschien naar Frankrijk gegaan, of naar Italië?'

'Nee, mijnheer,' zei de man, nu in een wat ontspannener houding. 'Naar Australië.'

Pettingales vlucht, en de redenen voor de aanslag op hem, riepen nog meer hoofdbrekende vragen op; hij had mij bovendien de mogelijkheid ontnomen Phoebus Daunt voor de ogen van lord Tansor, en van de hele wereld, te ontmaskeren als een dief en een oplichter.

Somber gestemd keerde ik terug naar Londen. Aan alle kanten vond ik obstakels op mijn weg, in de vorm van onbeantwoorde vragen, ongeverifieerde veronderstellingen en onbewezen verdenkingen. De moord op Carteret bevatte de sleutel tot het terugkrijgen van mijn geboorterecht, daar was ik zeker van. Maar hoe was die sleutel te vinden? Ik besefte dat ik volstrekt geen idee had wat ik nu moest doen. Slechts één man kon het volle licht van het begrip doen schijnen op de belangrijke waarheid die zo duidelijk het motief was achter Carterets brief aan Tredgold: de schrijver zelf, en de doden spreken niet.

Nadat ik zo terneergeslagen en moedeloos in Temple-street was teruggekomen, ging ik naar bed en viel onmiddellijk in een diepe slaap, waaruit ik wakker werd doordat er luid op de deur werd geklopt.

Toen ik opendeed, zag ik tot mijn verbazing een van de loopjongens van Tredgolds op de overloop staan, met in zijn hand een pakje in bruin papier.

'Alstublieft, mijnheer, dit is op kantoor voor u bezorgd. Er is ook een brief bij.'

Ik las eerst de brief, met enige nieuwsgierigheid. Het was een kort verontschuldigend briefje van de vriend van de heer Daunt, professor Lucian Slake uit Barnack:

WAARDE HEER,

Het spijt mij u te moeten mededelen dat ik eerst onlangs van het personeel van het George Hotel heb vernomen dat het pakje dat ik te uwer attentie had gezonden, was zoekgeraakt en eerst nu is teruggevonden. Ik heb de hotelhouder al een geduchte beklagbrief geschreven vanwege het ongemak dat dit alle betrokkenen heeft bezorgd. Maar daar de heer Daunt mij uit voorzorg het adres van uw werkgever had gegeven, zend ik u nu de proeven van zijn gedeeltelijke vertaling van Iamblichus, zoals hij verzocht. Het is naar mijn mening een goed stuk werk, een hoogst noodzakelijk correctief op de versie van Taylor, maar dat zult u beter weten dan ik.

Ik verblijf, mijnheer, met de meeste hoogachting,

LUCIAN M. SLAKE.

Dit was raadselachtig. Ik scheurde het pakje onmiddellijk open en trof inderdaad de proeven van Daunts vertaling aan. Wat zat er dan in het andere pakje, dat me in de handen was gedrukt door de bediende van het George Hotel toen ik op het punt stond de trein naar Peterborough te nemen?

Het lag nog op mijn werktafel, verborgen onder verscheidene oude nummers van *The Times*, en was geadresseerd aan 'De Weledele Heer E. Glapthorn, George Hotel'. Nu zag ik voor het eerst dat er 'Vertrouwelijk' op geschreven stond.

Het bevatte zo'n dertig à veertig vellen ongelinieerd papier, gevouwen als de bladen van een kleine kwarto, terwijl het eerste blad de vorm had van een titelpagina, beschreven met fraai gevormde hoofdletters. Elk van de overige bladen was tot de randen bedekt met klein, compact schrift – maar in een ander handschrift dan dat waarmee het pakpapier beschreven was.

Nieuwsgierig geworden hield ik een lucifer bij het vuur, trok mijn stoel wat dichter naar de haard en draaide de lamp op. Met bevende handen hield ik de bladzijden dicht onder het licht en begon te lezen.*

* Het verhaal van de auteur wordt op deze pagina van het manuscript tijdelijk beëindigd. Het volgende relaas, in het handschrift van de auteur, is op dit punt tussen het manuscript gebonden. JJA

DEPOSITIE VAN P. CARTERET

betreffende wijlen Laura, lady Tansor

I

Vrijdag 21 oktober 1853

Den lezer heil.

Hierbij zweer ik, Paul Stephen Carteret, wonende in het Douairièrehuis te Evenwood in het graafschap Northamptonshire, wilsbekwaam en in het volle bezit van mijn verstandelijke vermogens, plechtig dat onderstaande depositie de waarheid, de gehele waarheid en niets dan de waarheid is, zo waarlijk helpe mij God almachtig.

Ik begin met deze woorden omdat ik meteen wil vaststellen dat ik in dezen de positie en de verantwoordelijkheden van een getuige heb, ook al sta ik niet in de getuigenbank. Ik verzoek lezer dezes met klem mij als zodanig te beschouwen, want ik neem – al is het slechts in mijn verbeelding – mijn plaats in voor het hof der Gerechtigheid, om met gepaste ernst en zo juist en volledig mogelijk mijn getuigenis af te leggen.

Misdaden komen, net als de zonde zelf, in vele vormen en gradaties voor; bijgevolg worden degenen die zich eraan schuldig hebben gemaakt ook op verschillende manieren bestraft. Maar de misdaad die ik hier aan het licht moet brengen – waar moeten wij die plaatsen op de schaal van goed en kwaad, en welke straf verdient die? Ik twijfel er niet aan dat het een misdaad was, maar hoe moeten we die noemen? Dat is al de eerste moeilijkheid.

Een oordeel dienaangaande moet ik aan grotere geesten overlaten. Maar één ding weet ik zeker: in het geval dat ik hier ter sprake zal brengen, werd bewust en weloverwogen morele schade aan een medemens toegebracht. En als dat geen misdaad is, wat is het dan wél? Er zijn geen materiële bezittingen ontvreemd en er is geen bloed vergoten. Toch beweer ik dat het diefstal was – in zekere zin, en dat het moord was – in zekere zin. Kortom, dat het een misdaad was – in zekere zin.

Er is nóg een moeilijkheid: de dader is dood en het slachtoffer weet niets van de schanddaad die aan hem is begaan. Toch volhard ik in mijn mening dat er sprake is van een misdrijf, en mijn geweten zal mij geen rust gunnen totdat ik de bijzonderheden van het geval uiteen heb gezet, voor zover die mij bekend zijn. Ik kan nog niet overzien waartoe dit zal leiden, want ik weet wel het een en ander, doch niet alles. Ik schrijf dit dan ook als een noodzakelijke voorbereiding op een toekomstig proces waarvan ik de uitkomst nog niet kan voorzien, en waarin ikzelf wellicht een rol zal spelen, hoewel ook dat niet zeker is. Ik ben ervan overtuigd dat er gevaarlijke gevolgen op komst zijn door hetgeen ik heb ontdekt, en dat die gevolgen niet meer af te wenden zijn.

Over vier dagen zal ik een vertegenwoordiger van de firma Tredgold, Tredgold en Orr ontmoeten, de rechtskundige raadslieden van mijn werkgever. Ik ken hem niet, doch men verzekert mij dat hij het volledige vertrouwen geniet van de heer Christopher Tredgold, die ik wél ken, uit onze zakelijke correspondentie en als vriend, en zeer hoogacht, al meer dan vijfentwintig jaar. Ik heb toegezegd de vertegenwoordiger van de heer Tredgold onder vier ogen een kwestie te onthullen die mij ernstig zorgen baart sinds ik in het kader van mijn werkzaamheden bepaalde zaken heb ontdekt.

Om het geheel in het juiste perspectief te plaatsen, moet ik eerst een aantal zaken over mijzelf en mijn positie uiteenzetten.

In februari 1821 trad ik in dienst als secretaris van mijn neef, de vijfentwintigste baron Tansor. Drie jaar daarvoor had ik te Oxford mijn graad behaald, doch aangezien ik geen duidelijk plan voor een loopbaan had, heb ik een tijdlang op hoogst onverantwoordelijke wijze thuis rondgelummeld.

Mijn vader, mijn moeder en ik – mijn oudere broer bekleedde een post bij de diplomatieke dienst in het buitenland – leidden een aangenaam leven; we woonden in Ashby St John, aan de andere kant van de rivier, tegenover Evenwood, in een fraai oud huis dat mijn overgrootvader van vaderszijde, die de grondslag voor het familiefortuin had gelegd, indertijd had gekocht. Maar als jongste zoon kon ik niet eeuwig van mijn vader afhankelijk blijven, en bovendien wilde ik – zielsgraag – trouwen met de oudste dochter van onze buren, mejuffrouw Mariana Hunt-Graham. Zo besloot ik dan, na wat te hebben rondgereisd, de voetstappen van mijn oudere broer Lawrence te drukken en bij de diplomatieke dienst te gaan, daarbij geholpen door mijn academische graad, de goede diensten van mijn broer en een krachtige aanbeveling van mijn neef, lord Tansor, aan de toenmalige minister van Buitenlandse Zaken.* Vanwege dat besluit gaf mijn vader mij, hoewel met tegenzin, toestemming mejuffrouw Hunt-Graham een aanzoek te doen en beloofde hij mij een kleine toelage totdat mijn nieuwe positie mij in staat stelde in mijn onderhoud te voorzien. Zij nam mijn aanzoek aan en we trouwden in december 1820, op een dag die ik altijd als een van de gelukkigste van mijn leven zal blijven beschouwen.

Maar nog geen maand na mijn huwelijk werd mijn vader ziek; hij stierf, en bij zijn dood bleken wij geruïneerd. Zonder dat iemand, zelfs mijn moeder, Sophia, geboren Duport, het wist, had hij zijn volledige kapitaal in ruïneuze speculaties gestoken en op zeer ongunstige voorwaarden geld geleend, zodat wij vrijwel niets meer bezaten. Het huis moest uiteraard worden verkocht, evenals mijn vaders schitterende collectie Romeinse munten, en er was geen sprake meer van dat mijn jonge echtgenote en ik in Londen een bestaan konden opbouwen. Mijn arme moeder ging zwaar onder de schande gebukt, en zonder de genereuze geste van haar adellijke jonge neef, die mij een positie als persoonlijk secretaris aanbood en ons allen bij zijn stiefmoeder in het Douairièrehuis op Evenwood onderbracht, weet ik niet wat er van ons had moeten worden. Ik ben hem oneindig veel verschuldigd.

Toen ik met mijn werkzaamheden voor mijn neef begon, leefde zijn eerste echtgenote nog, Laura, lady Tansor, wier familie net als die van mijn vader uit de West Country afkomstig was. Er was kort tevoren sprake geweest van een breuk tussen lord en lady Tansor; de barones had haar echtgenoot verlaten en meer dan een jaar in Frankrijk doorgebracht, maar dit alles behoorde kennelijk inmiddels tot het verleden. In september 1820 was ze teruggekomen, geheel veranderd.

* Robert Stewart, lord Castlereagh (1769-1822). Hij werd in februari 1812 minister van Buitenlandse Zaken, leed aan een vorm van vervolgingswaanzin en pleegde in augustus 1822 zelfmoord door met een zakmes zijn keel door te snijden. JJA

Ik kan niet zonder genegenheid aan haar denken. Dat is onmogelijk. Ik moet toegeven dat zij fouten had, vele zelfs, maar toen ik haar leerde kennen, in de eerste jaren van haar huwelijk met mijn neef, deed zij zich aan mijn ontvankelijke natuur voor als de Cyprische godin van Spenser, '*newly borne of th'Oceans fruitfull froth*'.* Ik had mij toen reeds verliefd op mejuffrouw Hunt-Graham en had oog voor niemand anders, doch ik was van vlees en bloed, en een gezond jongmens kon niet anders dan lady Tansor bewonderen. Zij was een en al schoonheid, gratie en esprit – levendig, amusant en op velerlei gebied getalenteerd, een zo levendige persoonlijkheid dat zij allen om haar heen tot grauwe machines deed verbleken. Het contrast met mijn neef, haar echtgenoot, had niet groter kunnen zijn, want hij was van nature ernstig en gereserveerd, in ieder opzicht het tegendeel van zijn sprankelende gade; niettemin leken zij een tijdlang wonderbaarlijk goed bij elkaar te passen, alsof zij elk de scherpe kanten van het temperament van de ander neutraliseerden.

Na haar terugkeer uit Frankrijk had ik vrijwel dagelijks gelegenheid mijn neef en zijn vrouw te observeren. Ik had een werkkamer naast de Bibliotheek van Evenwood toegewezen gekregen, op de begane grond van de toren die bekendstaat als Hamnet's Tower,** op de bovenste verdieping waarvan zich het Archief bevindt, waar juridische documenten, verslagen, correspondentie inzake het landgoed, persoonlijke brieven, kortom alles van de familie Duport wordt bewaard, vanaf de tijd van de eerste baron, in de dertiende eeuw. In deze kamer verrichtte ik dagelijks mijn werkzaamheden, die zich al snel uitstrekten tot het algehele beheer van de Bibliotheek – die toen nog niet gecatalogiseerd was – nadat ik blijk had gegeven van mijn belangstelling en deskundigheid inzake de door ons beider grootvader verworven manuscripten die zich in het Archief bevonden.

Iedere ochtend om acht uur bezocht ik mijn neef om zijn instructies

* 'Zojuist aan 't vruchtbaar schuim des Oceaans ontsproten' – Spenser, *Faerie Queene* II, XII, 65. JJA

** Naar Hamnet Duport, de negentiende baron Tansor (1608-1670, die in de jaren vijftig van de zeventiende eeuw ingrijpende verbouwingen op Evenwood liet uitvoeren. JJA

voor die dag in ontvangst te nemen. De barones en hij zaten dan meestal gezamenlijk aan het ontbijt in de kamer die bekendstond als de Gele Salon, aan een kleine tafel in een erker die uitzag op een ommuurde tuin aan de zuidkant van het huis. Lady Tansor was al bijna een jaar weer in Engeland toen ik op Evenwood kwam, en zij scheen weer met haar echtgenoot verzoend. Een onvoltooid portret van haar, dat vóór haar vertrek was opgezet, hing aan een van de wanden van dit bescheiden vertrek als een dagelijkse herinnering aan de merkwaardige uiterlijke transformatie die was opgetreden nadat de schilder aan haar portret was begonnen – van de verblindende, betoverende schoonheid van vroeger, met de fiere, vlammende ogen en de weelderige ravenzwarte lokken was zij veranderd in de uitgemergelde, ietwat gebogen gestalte met het voortijdig grijzende haar die dag in dag uit, ieder seizoen, bij regen of zonneschijn, zonder mankeren tegenover haar echtgenoot aan het ontbijt zat en zwijgend langs hem heen de tuin in staarde terwijl hij met zijn rug naar het raam de *Times* las en zijn koffie dronk. En zo somber! Als ik des morgens binnenkwam, merkte ze mijn aanwezigheid nauwelijks op, en zij nam geen deel aan mijn gesprek met haar man. Soms stond ze afwezig op, liet haar servet op de grond vallen en zweefde als een geest de kamer uit.

Ze sloot zich vaak dagen, in de sombere winter zelfs weken, in haar vertrekken boven de Bibliotheek op en zag niemand, behalve haar kamenier, haar gezelschapsdame, juffrouw Eames, en aan tafel natuurlijk haar man. Later kreeg ze het soms ineens in haar hoofd dat ze naar Londen wilde, of ergens anders heen, ongeacht het weer of de toestand van de wegen. Zo wilde ze bijvoorbeeld een keer met alle geweld een oude vriendin bezoeken; op stel en sprong, met iets van haar oude temperament, vertrok ze midden in een wolkbreuk naar de zuidkust, met geen ander gezelschap dan juffrouw Eames, zeer tot ongenoegen van mijn neef en tot ontsteltenis van al degenen die net als ik van haar hielden en bezorgd waren om haar welzijn. Dit was tegen het eind van het jaar 1821, zie ik in mijn dagboek.

Ik herinner me dit incident in het bijzonder omdat ze na haar terugkomst iets van haar oude levendigheid leek te hebben herkregen, bijna alsof er een last van haar schouders was genomen. Ze begon weer wat aandacht aan haar echtgenoot te besteden en soms zag ik haar des morgens in de Gele Salon zelfs even glimlachen als lord Tansor een schertsende opmerking maakte – het was weliswaar een flauw, moeizaam lachje, maar het deed me toch deugd. In het voorjaar legde ze weer wat activiteit aan de dag – ze maakte plannen voor een nieuw stuk tuin, verving de gordijnen in haar boudoir, nodigde enkele politieke connecties van haar man uit om het weekeinde op Evenwood door te brengen en ging soms met de baron mee naar Londen. En zo klaarde de lucht weer enigszins op in het huwelijk van mijn neef, al was het niet zoals vroeger en al zou het ook nooit meer zo worden; in de ogen van de barones keerde de stralende energie, die zo fraai is vastgelegd in het onvoltooide portret boven de ontbijttafel in de Gele Salon, nimmer weer.

Deze gedeeltelijke terugkeer van het huwelijksgeluk van mijn neef en zijn vrouw, hoe broos en gering ook, bereikte tot grote vreugde van hun vele vrienden een hoogtepunt in de aankondiging dat de barones een kind verwachtte. De blijdschap van lord Tansor was overduidelijk, want het uitblijven van datgene waarnaar hij boven alles verlangde, een aan zijn echtvereniging met lady Tansor ontsproten erfgenaam van zijn eigen vlees en bloed, had bij mijn neef veel verdriet en zorgen teweeggebracht.

De verandering was opmerkelijk. Ik herinner mij zelfs dat ik hem op een morgen op de trap hoorde fluiten, wat ik hem nooit had horen doen, toen hij iets later dan gewoonlijk kwam ontbijten. Hij werd bewonderenswaardig zorgzaam voor zijn vrouw en deed alles om het haar naar de zin te maken; hij ging zelfs zo in haar welzijn op dat hij me des morgens dikwijls wegzond omdat zijn hoofd onder deze omstandigheden niet naar zaken stond, en soms wees hij mij zelfs scherp terecht omdat ik hen stoorde terwijl ik toch kon zien dat de barones vermoeid was of dat zij die morgen behoefte aan zijn gezelschap had; vaak maakte hij met een woord of een blik duidelijk dat hij die dag niets anders wenste te doen dan zich geheel aan de barones wijden.

Het voorwerp van zijn zorgzaamheid toonde zich evenwel niet verheugd met deze ongevraagde blijken van genegenheid; ze leek zich er zelfs in toenemende mate aan te storen, hetgeen de zo kort tevoren herstelde toestand van evenwicht en vrede weer in gevaar dreigde te brengen. Dit weerhield haar echtgenoot er evenwel niet van op de ingeslagen weg voort te gaan, en ondanks de onbehaaglijke atmosfeer bleef mijn neef koppig en met ongewoon geduld naar manieren zoeken om zijn zorg voor het welzijn van zijn vrouw tot uitdrukking te brengen, terwijl zij nors en lichtgeraakt al zijn goedbedoelde vragen naar haar welbevinden afwimpelde met een bruuskheid die hij niet verdiende. Toen ik op een ochtend zoals gewoonlijk op de deur van de Gele Salon wilde aankloppen, hoorde ik haar op scherpe toon zeggen dat zij niet zo door hem wilde worden verwend, daar zij zulks niet verlangde of verdiende. Nadien dacht ik over haar woorden na, en ik besloot dat haar prikkelbare gedrag moest worden toegeschreven aan haar gewetensnood omdat ze haar echtgenoot destijds had verlaten en de natuurlijke spanningen waarmee het naderend moederschap gepaard gaat.

Zo ging het voort, totdat de barones op de zeventiende november van het jaar '22 kort na drie uur des namiddags het leven schonk aan een zoon. De jongen, die Henry Hereward werd gedoopt, was al dadelijk flink en gezond, maar zijn moeder, deerniswekkend verzwakt door de inspanningen die het haar had gekost om hem ter wereld te brengen, verzonk in een diepe crisis, die dagenlang aanhield. Ze ademde nauwelijks, en achter de gordijnen van het prachtige grote hemelbed van Du Cerceau* dat lady Constantia Silk bij haar huwelijk met de vader van lord Tansor had meegebracht, zweefde ze tussen leven en dood. Geleidelijk herstelde ze zich enigszins, at weer wat en zat soms rechtop in bed. Een week na de geboorte van haar zoon brachten haar man en de min het kind voor het eerst bij haar, maar ze wilde er niet naar kijken. Ze sloot haar ogen, leunde in de kussens achter de zware bedgordijnen en zei alleen dat ze wilde slapen. Mijn neef drong er met zachte dwang op aan dat ze met hun prachtige stamhouder kennismaakte, maar nog steeds met gesloten ogen fluisterde ze nauwelijks verstaanbaar dat ze hem niet wilde zien.

'Ik heb mijn plicht gedaan,' zei ze alleen toen haar man erop aandrong dat ze haar ogen even opendeed en een eerste blik op het gezichtje van haar zoon wierp. Ze wilde zelfs de doop van het kind niet bijwonen, al was die uitgesteld totdat ze weer wat op krachten zou zijn gekomen.

* Jacques Androuet du Cerceau (ca. 1520-ca. 1584), Frans architect en graveur. JJA

Lord Tansor liet haar daarna met rust en keerde niet terug. Voortaan wijdde hij zich geheel aan het koesteren van zijn zoon, zoals hij zich eerder aan zijn vrouw had gewijd.

11

Vrijdag 21 oktober 1853 (vervolg)

De winter van 1822 was guur en vochtig. De barones kwam uit bed, doch weigerde zich te kleden en wilde alleen in een omslagdoek gewikkeld voor het haardvuur zitten, dat dag en nacht brandde; daar viel zij soms in slaap, om pas te ontwaken als haar kamenier des morgens de gordijnen open kwam doen. Zo gingen de weken voorbij zonder dat ze haar zoon wilde zien of uit haar vertrekken wilde komen. Als vrienden erop aandrongen dat ze haar leven hervatte en haar moederlijke plichten vervulde, luidde haar altijd eendere antwoord: 'Ik heb mijn plicht gedaan. De schuld is betaald. Meer is niet nodig.'

Alle bezoekers werden afgewimpeld, zelfs mijn lieve vrouw, op wie zij buitengewoon gesteld was. Alleen de gezelschapsdame, mejuffrouw Julia Eames, werd toegelaten in de donkere gecapitonneerde kamer waar zij meestal haar dagen doorbracht. Mijn neef was niet zeer met juffrouw Eames ingenomen en had dikwijls geopperd dat haar aanwezigheid in zijn huis niet noodzakelijk was, daar zijn vrouw zowel op het platteland als in de stad een uitgebreide kennissenkring bezat. De barones wilde echter helaas zoals dikwijls geen gehoor geven aan zijn wensen en haar weigering haar gezelschapsdame te ontslaan gaf regelmatig aanleiding tot wrijving tussen hen.

Tot juffrouw Eames, en tot haar alleen, wendde de barones zich voor troost en gezelschap in de weken en maanden na de geboorte van haar zoon. De intimiteit van hun betrekkingen werd mij eerst recht duidelijk toen de barones mij op een dag in het voorjaar van 1823 liet verzoeken haar de *Resolves* van Felltham uit de bibliotheek te brengen. Dat deed mij veel genoegen, want het leek mij te duiden op een beginnende terugkeer naar haar oude gewoonten; de barones had weliswaar veel van japonnen, juwelen en andere wufte zaken gehouden, maar ze had ook altijd graag serieus, kritisch en met onderscheid gelezen – in tegenstelling tot mijn neef, wiens literaire smaak niet zeer ontwikkeld was; hij had haar liefde voor poëzie en wijsbegeerte, zoals veel andere aspecten van haar karakter en haar voorkeuren, altijd onbegrijpelijk gevonden.

Toen ik het gevraagde boek naar haar zitkamer bracht, trof ik haar in vertrouwelijk gesprek met juffrouw Eames gewikkeld; ze zaten met hun hoofden dicht bij elkaar zacht en indringend te praten, gebogen over een werktafeltje met daarop een geopende ebbenhouten schrijfcassette met talloze brieven en andere papieren. Toen lady Tansor me zag binnenkomen, sloot zij langzaam de cassette en leunde achterover in haar stoel terwijl juffrouw Eames opstond, naar mij toe kwam en haar hand uitstak om het boek aan te nemen, en het scheen mij toe dat zij wilde voorkomen dat ik te dichtbij kwam en de inhoud van de cassette zag.

De gebeurtenis mag onbeduidend lijken, maar achteraf gezien is ze veelzeggend, zoals ik dadelijk zal toelichten.

Nu eerst het vervolg van mijn verklaring, die ik zo snel mogelijk wil voltooien.

Nog steeds liet de barones zich niet overhalen haar zelfopgelegde ballingschap te beëindigen; zij bleef halsstarrig weigeren haar vertrekken te verlaten. Maar in de nazomer, toen de dagen korter werden, leefde zij plotseling op, en op een heldere, koude dag in het begin van oktober 1823 kwam ze voor het eerst sinds de geboorte van haar zoon uit haar kamers, in bont gehuld – ik zag haar door het raam van het Archief op het terras voor de bibliotheek een luchtje scheppen; aan de arm van juffrouw Eames liep zij langzaam op en neer. De volgende ochtend bracht de min haar zoon, de kleine jonker Henry, die enkele ogenblikken bij zijn mama op schoot mocht zitten, en de ochtend daarop ontbeet ze weer met haar man in de Gele Salon.

Mijn neef reageerde met koele beleefdheid op haar terugkeer naar het huiselijk leven en zij behandelde hem met volmaakte onverschilligheid, al gebruikte ze de maaltijden met hem en bracht zij de avonden met hem door; daarbij werd er geen woord gewisseld, totdat beiden zich zonder elkaar welterusten te wensen elk in hun eigen slaapvertrek terugtrokken, elk in een andere vleugel van het huis. Voor haar zoon toonde ze al haast even weinig belangstelling, al maakte ze geen bezwaar toen mijn neef sir Thomas Lawrence liet komen om het familieportret te schilderen dat nu de hal van Evenwood siert.

Toen begon zij zorgelijke tekenen van zenuwziekte te vertonen, aanvankelijk licht, doch allengs vaker en ernstiger. In november 1823 noteerde ik in mijn dagboek dat ze herhaaldelijk luid en onbeheerst te kennen gaf de oude vriendin aan de zuidkust te willen bezoeken bij wie zij reeds eerder was geweest. Haar man was zo verstandig dit te verbieden, maar zij zag kans uit Evenwood weg te glippen toen hij voor zaken naar Londen moest. Bij haar terugkeer vielen er harde woorden, waarop zij zich twee dagen in haar kamer opsloot en weigerde naar buiten te komen, zelfs toen juffrouw Eames het haar smeekte, totdat mijn neef zich uiteindelijk gedwongen zag de deur te laten forceren. Toen hij binnenkwam om zich ervan te overtuigen dat zij zichzelf niets had aangedaan, duwde ze hem een velletje papier in de hand waarop ze een passage uit Fellthams *Resolves* had overgeschreven, het boek dat ik haar een paar maanden tevoren had gebracht. Het betrof dit citaat:

> Wanneer gij ziet dat het lichaam de droeve, asgrauwe kleur des doods aanneemt, in de doodse nachtelijke uren, als de stille duisternis het zwakke licht van uw flakkerende kaars omgeeft, en gij de plechtige doodsklok hoort luiden om hiervan kond te doen aan een wereld die bij deze klanken als het ware plots tot ademloze aandacht wordt gedwongen, zeg mij of gij dan ook maar de geringste gedachte aan genoegens of aan de vluchtige beuzelarijen des levens kunt wijden.*

Zij was ooit het schitterendste sieraad van de beau monde geweest, mooi en zorgeloos. Nu draaiden al haar gedachten nog slechts om de gekwelde contemplatie van haar onvermijdelijk verscheiden. Het is nog steeds met pijn in het hart dat ik van die laatste maanden spreek, waarin lady Tansor steeds onberekenbaarder en verwarder werd. Mijn neef had instructies gegeven dat zij nooit alleen gelaten mocht worden, en hij had een vrouw uit het dorp laten komen, Marian Brine, om de nachten op een veldbed naast het bed van de barones door te brengen,

* Felltham, *Resolves* XLVII ('Of Death'). JJA

terwijl overdag een bediende in de gang voor de deur van haar vertrekken moest zitten, zelfs als juffrouw Eames bij haar was, want de sleutels waren in beslag genomen om te voorkomen dat zij zich weer opsloot.

Die veiligheidsmaatregelen bleken echter onvoldoende, want op een avond glipte ze naar buiten, slechts gekleed in haar nachtjapon, hoewel de aarde keihard was van de late vorst; de volgende morgen werd ze op het pad naar het Griekse Tempeltje bij de westelijke rand van het Park aangetroffen, vuil, verfomfaaid en hartverscheurend jammerend, de blote voeten bloedend van het lopen door de doornstruiken.

Er werd een mantel om haar heen geslagen, en Gabriel Brine, de stalknecht van lord Tansor en de man van Marian Brine, droeg haar naar huis. Brine vertelde me later dat ze aldoor bleef raaskallen en jammeren en telkens riep: 'Hij is voor mij verloren, mijn zoon, mijn zoon,' maar toen hij haar probeerde te troosten door te zeggen dat alles in orde was en de kleine jonker Henry veilig in zijn wiegje lag, ontstak ze in razernij en begon te krijsen en te trappen en trachtte ze zich los te rukken, waarbij ze hem in de verschrikkelijkste termen vervloekte, totdat ze eindelijk op het Voorplein kwamen en zij zag dat haar man onder de lamp in de zuilengalerij gespannen op haar terugkeer wachtte, waarop ze kalmeerde, haar ogen sloot en zich uitgeput in Brines armen liet zinken.

Lord Tansor bleef even stil staan kijken naar dit verwoeste wezen, zijn eens zo mooie vrouw. Ik was ook aanwezig, binnen, achter de deur. Ik zag dat de baron even knikte tegen Brine, die daarop zijn deerniswekkende last naar boven droeg, waar ze in het grote, rijkbewerkte bed van lady Constantia werd gelegd, waaruit ze niet meer zou opstaan.

Ze stierf vredig op 8 februari 1824, kort na zes uur in de avond, en drie dagen later werd ze bijgezet in het mausoleum dat de overgrootvader van haar man had laten bouwen.

Zo eindigde het aardse bestaan van Laura Rose Duport, geboren Fairmile, echtgenote van de vijfentwintigste baron Tansor. Ik zal thans verdergaan met de verborgen gevolgen van dat tragische leven, en dan – eindelijk – met het misdrijf dat naar mijn mening de belangen van mijn neef zo heeft geschaad; ik hoop vurig dat Hij die uiteindelijk over ons allen zal oordelen de dader in Zijn oneindige genade vergiffenis heeft geschonken.

III

Zaterdag 22 oktober 1853

Direct na de bijzetting van zijn vrouw ontbood lord Tansor mejuffrouw Eames, de gezelschapsdame, om haar te verzoeken Evenwood zo spoedig mogelijk te verlaten. Hij voegde een genereuze douceur aan het verschuldigde salaris toe en dankte haar koel voor haar diensten aan zijn overleden vrouw. Hij sprak de hoop uit dat ze geen reden had zich over de bejegening te beklagen, waarop ze antwoordde dat hij dienaangaande niets te vrezen had en dat zij gepast dankbaar was voor alles wat haar in zijn huis te beurt was gevallen.

Hij nam niet de moeite zich af te vragen of te informeren of ze wel een thuis had. Dat had zij niet: haar vader, weduwnaar, was kort na het vertrek van de barones naar Frankrijk overleden, en haar zusters waren allemaal gehuwd. Een van hen woonde in Londen, en tot haar wendde juffrouw Eames zich vanuit Easton door middel van een telegrafisch bericht om tijdelijk onderdak.

Lord Tansor liet juffrouw Eames in alle rust haar weinige bezittingen bij elkaar zoeken en kwam mijn werkkamer binnen om mij te verzoeken zo snel mogelijk alle papieren van lady Tansor bij elkaar te zoeken en naar het Archief te brengen. Wilde hij ze daarna inzien? Neen. Wilde hij dat ik ze inkeek en ordende? Neen. Had hij nog andere instructies aangaande de papieren van de barones? Neen. Er diende verder slechts voor één ding te worden gezorgd: het onvoltooide portret van de barones moest uit de Gele Salon worden verwijderd en naar 'een minder in het oog lopende plaats' overgebracht. Had de baron een bepaalde plaats in gedachten? Neen. Zou hij er dan bezwaar tegen hebben dat ik het hier in mijn werkkamer ophing? Neen, geenszins.

Ongeveer een uur later werd er wederom op mijn deur geklopt. Het was juffrouw Eames, die afscheid kwam nemen. Ze sprak vriendelijke woorden over de kleine diensten die ik haar met genoegen had bewezen in de tijd dat wij beiden op Evenwood werkzaam waren en zei dat ze mij altijd als een vriend zou blijven beschouwen. Toen zei ze iets merkwaardigs:

'U zult altijd het beste van mij denken, nietwaar, mijnheer Carteret? Ik zou het niet prettig vinden – ik zou het niet kunnen verdragen – als dat niet het geval zou zijn.'

Ik verzekerde haar dat ik me niets kon indenken wat mijn hoogachting voor haar zou schaden, want ik vond haar een zeer verstandige en betrouwbare ziel, die veel – zeer veel – natuurlijke goedheid en medemenselijkheid bezat. Dat liet ik haar weten, en ik zei ook dat niemand haar meesteres beter of getrouwer had kunnen dienen dan zij. Daarom alleen al zou ik haar altijd bewonderen, want ik beschouw plichtsbetrachting jegens een werkgever of weldoener als een belangrijke deugd.

'Dan ben ik tevreden,' zei ze, en ze schonk me een wat vermoeide glimlach. 'Wij beiden zijn getrouwe dienaars, nietwaar?' En met die wat merkwaardige vraag trok ze zich terug om zich voor te bereiden op haar vertrek. Dat was de laatste keer dat ik mejuffrouw Julia Eames heb gezien.

De volgende ochtend, nadat ik zoals gewoonlijk mijn opwachting bij mijn neef had gemaakt, ging ik in de vertrekken van de barones op zoek naar brieven en andere papieren die naar het Archief moesten, zoals mij gevraagd was. Ik vond veel in het groengelakte bureau bij het raam in de zitkamer, en nog meer in verschillende tafelladen en kasten, maar de ebbenhouten schrijfcassette die ik meermalen had gezien en die ik me vooral herinnerde van de dag dat ik de barones de *Resolves* van Felltham had gebracht, was nergens te vinden. Ik zocht werkelijk overal, keek tot driemaal toe in alle kasten en laden, ging zelfs op handen en knieën liggen om onder het grote hemelbed te kijken, maar vergeefs. Ik begreep niet waar de cassette kon zijn, maar stopte mijn voorlopige buit in het valies dat ik daarvoor had meegebracht, keerde naar mijn werkkamer terug en beklom de trap naar het Archief.

Het ging tegen mijn aard in om de papieren ongeordend te laten, dus ik bedacht dat ik ze vast ruw zou sorteren, op type, en dan een voorlopige algemene inventaris zou maken voordat ik ze opborg. Dat ging snel en gemakkelijk, zodat ik binnen een uur al een aantal verschillende stapeltjes had: kwitanties, rekeningen, brieven, schetsboeken, aantekeningen en memoranda, correspondentie en kladjes van brieven, benevens nog een aantal varia, waaronder als voornaamste een album amicorum, een goedkoop boek met roodzijden linten en een verguld metalen omslag, een aantekenboekje met gedichten en prozafragmenten, kennelijk van haar eigen hand, en een adresboekje met een in reliëf bedrukte kalfslederen band. Ik kon geen weerstand bieden – wie wel? – aan de verleiding een aantal teksten in te zien alvorens ze op te bergen, hoewel ik moet toegeven dat ik dat ietwat besmuikt deed, want mijn werkgever had me opdracht gegeven de papieren in ongeordende staat te laten.

Het album amicorum bevatte een serie interessante bijdragen van vrienden en beroemde gasten, zowel op Evenwood als in het huis van de baron aan Park-lane, en vervolgens keek ik langer dan ik had mogen doen in een boek met verrukkelijke pentekeningen en houtskoolschetsen die zij in de loop der jaren had gemaakt. Een reeks Franse taferelen – ongetwijfeld een verslag van haar escapade naar het vasteland – was bijzonder goed uitgevoerd, want zij was een vaardig tekenares met een goed oog voor compositie. De meeste waren gesigneerd en gedateerd 'LRD, 1819', en bij een enkele stond een beschrijving. Ik herinner me in het bijzonder een treffende, romantische schets met het bijschrift 'Rue du Chapitre, Rennes, avond' van een oud, imposant herenhuis in vakwerk, met rijkbewerkte stijlen en een overhuifde ingang, waarachter men een deel van de binnenplaats kon onderscheiden. Er was ook een aantal meer uitgewerkte afbeeldingen van hetzelfde huis, allemaal met opmerkelijk veel zorg en gevoel uitgevoerd.

De klok van de kapel, die twaalf sloeg, schrikte me op uit mijn dagdromerij, en ik legde de stapeltjes, die ik losjes met een touwtje bijeen had gebonden, in een kistje met ijzerbeslag, dat ik vervolgens van een etiket voorzag. Ik stond op het punt weer naar mijn werkkamer af te dalen toen ik bij het wegbergen van mijn valies een vel papier zag liggen dat ik over het hoofd had gezien.

Bij nadere inspectie leek het van weinig belang, een rekening, gedateerd 15 september 1823, voor een rozenhouten kistje, gemaakt door James Beach, timmerman, Church-hill, Easton. Ik weet niet waarom ik dat het vermelden waard vind, afgezien van mijn wens zo volledig mogelijk te zijn, en omdat ik het merkwaardig vond dat de barones een voorwerp van zo weinig waarde op eigen rekening bij een ambachtsman in het stadje had besteld terwijl lord Tansor op het landgoed een heel goede timmerman in dienst had die het in een handomdraai voor haar had kunnen maken. Maar het was niet anders: ik kon het niet rechtvaardigen als ik nog meer kostelijke tijd, die aan de baron toebehoorde, verdeed aan loze veronderstellingen, en ik had al veel te lang gedaan over de taak die hij me had opgedragen. Ik voegde de rekening bij het betreffende bundeltje in de kist, sloot het deksel en ging naar mijn werkkamer.

Ik had zelf geen reden om de persoonlijke papieren van lady Tansor nader te onderzoeken en mijn werkgever vroeg het me niet. Alle belangrijke financiële en juridische documenten waren de baron natuurlijk al tijdens zijn huwelijk onder ogen gekomen en berustten reeds in mijn bewaring, dus in de daarop volgende weken raakte de inhoud van het kistje met ijzerbeslag geleidelijk uit mijn gedachten, om er ten slotte geheel uit te verdwijnen.

Jarenlang werd ik niet aan de persoonlijke papieren van de barones herinnerd. Het leven bracht ons ons deel aan vreugde en smart, zoals altijd. De stiefmoeder van lord Tansor, Anne Duport, met wie wij het douairièrehuis deelden, overleed in 1826. Het voorjaar daarop trad mijn neef in het huwelijk met jonkvrouw Hester Trevalyn, en het leek in de lijn der verwachting te liggen – hij was toen slechts zesendertig jaar oud en zijn tweede vrouw tien jaar jonger – dat deze echtvereniging met nakomelingen gezegend zou worden, zodat de erfopvolging voor de volgende generatie zeker werd gesteld.

Na de dood van zijn eerste vrouw had de baron zich geheel aan de verzorging en opvoeding van zijn zoon gewijd. Ik twijfel er niet aan dat hij om zijn eerste vrouw rouwde, maar dat deed hij op zijn eigen manier, als ik dat zo mag zeggen. Men noemde hem gevoelloos, vooral toen hij binnen een jaar na de dood van lady Tansor jonkvrouw Trevalyn het hof begon te maken, maar dat oordeel berustte waarschijnlijk op de ondoordringbare reserve die zijn hele gedrag kenmerkte, en op het onvermogen van zijn critici zich voor te stellen welke verantwoordelijkheden zijn positie met zich meebracht.

Tegenover zijn zoon kon hij zijn natuurlijke warmte en genegenheid spontaan uiten. Hij aanbad het kind. Een ander woord is er niet voor. De jongen vertoonde een opvallende gelijkenis met zijn moeder; hij bezat haar grote donkere ogen en weelderige zwarte haar, en toen hij groter werd, begon hij ook dezelfde karaktertrekken te vertonen. Hij was onvoorzichtig en geneigd tot tegenspraak en trok eeuwig aan zijn vaders mouw om te vragen of hij dit mocht, of dat, om woedend weg te rennen als hem iets werd geweigerd; toch heb ik nimmer gezien dat zijn vader zich boos maakte om die uitbarstingen, want een ogenblik later kwam de jongen alweer terug, vol geestdrift over weer een ander plannetje dat zijn vader wél goedvond, en dan huppelde hij juichend weg, als een gelukkige kleine wilde. Hij had zoveel uitbundige, onstuitbare levenskracht, zoveel spontane, natuurlijke charme, dat iedereen die met hem te maken kreeg erdoor overrompeld werd.

En bij dat alles was hij ook nog de erfgenaam en stamhouder van zijn vader. Ik kan niet genoeg benadrukken wat dit voor mijn neef betekende. Geen zoon was door zijn vader ooit vuriger verlangd en geen vader heeft ooit meer voor zijn zoon gedaan. Stelt u zich dan voor hoe het voor mijn neef moet zijn geweest toen op die zwarte dag de Dood zacht kwam aankloppen en niet alleen zijn kind, maar ook zijn enige erfgenaam van hem wegnam.

Een grotere ramp was niet denkbaar, het was een slag van onvoorstelbare proporties, een verschrikkelijk affront dat mijn neef niet kon verdragen of bevatten; het was nog veel meer. Hij was vader, met alle gevoelens van dien, maar hij was ook baron Tansor, de vijfentwintigste van zijn geslacht. Wie moest nu de zesentwintigste worden? Hij was ten einde raad. Hij liet zich niet troosten, hij wees iedereen af, en wekenlang vreesden wij waarlijk dat hij zijn verstand zou verliezen.

Het valt mij zwaar dit alles neer te schrijven, want als neef van de baron had en heb ik een plaats in de erfopvolging van de baronie. Ik verklaar hierbij plechtig dat dit nimmer mijn plichtsbetrachting jegens mijn neef heeft overschaduwd: zijn belangen waren, en zijn, steeds mijn eerste zorg. Het werd nog verergerd doordat er ten tijde van de dood van Henry Hereward slechts vijftien maanden waren verstreken sinds de dag dat ons eigen dierbare dochtertje Jane ons zo wreed werd ontrukt. De lieve kleinen hebben zelfs dikwijls samen gespeeld; dat deden zij ook op de middag dat ons engeltje van de brug tussen het zuidelijke hek en het grote huis viel. Het leven van mijn neef en mijzelf is sindsdien onherstelbaar getekend.

Maar ik schrijf thans over mijn neef, en mijn uitweiding over zijn verdriet om de dood van zijn enige zoon heeft slechts één reden: ik wil zo duidelijk mogelijk benadrukken hoe verschrikkelijk de misdaad was die hem naar mijn mening opzettelijk is aangedaan. In het licht van wat ik zojuist over zijn monomane hunkering naar een erfgenaam en stamhouder heb geschreven (ik bedoel niet dat hij in dat opzicht geestelijk gestoord was, maar ik meen dat die frase metaforisch juist is) weet ik niet waarmee men hem erger had kunnen treffen, afgezien van mishandeling of moord.

Pro tempore moet ik deze vraag onbeantwoord laten, en verder gaan met mijn depositie. Ik vrees dat ik wat ben afgedwaald, al doe ik mijn best om de vragen en tegenwerpingen van een denkbeeldige toehoorder voor te zijn. Nu ik de pen ter hand heb genomen, bemerk ik hoe verwonderlijk moeilijk het is me tot de hoofdzaken te beperken nu zo vele zaken zich aan mijn aandacht opdringen.

Welaan, laat ik pogen zo beknopt mogelijk te zijn. Mijn neef had de dood van zijn enige zoon en erfgenaam wellicht uiteindelijk kunnen verdragen, voor zover zulks voor een met gevoel begiftigd mens mogelijk is, indien zijn tweede huwelijk nieuwe erfgenamen had voortgebracht, maar dit mocht niet zo zijn, en waarschijnlijk zál het ook nooit zo zijn. Naarmate de jaren verstreken, heeft de baron zich derhalve genoodzaakt gezien zijn positie te heroverwegen, en nu hij drieënzestig jaar is, heeft hij naar andere wegen omgezien om aan zijn verlangen naar een opvolger tegemoet te komen. Hierop zal ik naderhand terugkomen.

IV

Zondag 23 oktober 1853

In de zomer van 1830 kreeg onze kleine kring een welkome uitbreiding in de persoon van de weleerwaarde heer Achilles Daunt, die ik thans de eer heb mijn vriend te mogen noemen; mijn neef benoemde hem tot voorganger van de parochie Evenwood. Doctor Daunt kwam met zijn tweede vrouw en een zoon uit zijn eerste huwelijk uit een parochie uit het Noorden; als geleerde genoot hij terecht een grote reputatie. Evenwood heeft veel goeds te bieden, doch ik vrees dat het intellect hier wat schraal vertegenwoordigd is, en voor mij was de komst van de heer Daunt een grote zegen, want hij bleek een zeer belezen man met een brede, diepgaande kennis, met wie ik mijn historische en paleografische belangstelling kon delen. Ik had de eer mijn vriend op bescheiden schaal te mogen assisteren bij zijn werk aan de grote catalogus van de Bibliotheek van Duport, en op zijn instigatie nam ik naderhand de taak op mij materiaal te verzamelen voor een geschiedenis van de familie Duport, waarbij mijn neef mij tot mijn grote dankbaarheid heeft aangemoedigd en gesteund.

De enige zoon van mijn vriend werd al snel een favoriet van lord Tansor, die er ook voor heeft gezorgd dat de jongen naar Eton ging. Het baarde me ernstig zorgen dat mijn neef de zoon van Daunt bijna als zijn eigen kind leek te gaan beschouwen. Ik zag dat zijn opvallende genegenheid voor de jongen in de loop van de tijd meer werd dan alleen sympathie. Het werd een zichzelf versterkende bezitsdrang die mijn neef blind voor al het andere maakte. De jongen was sterk, gezond, levendig, leergierig en gepast dankbaar voor de aandacht van de adellijke beschermheer van zijn vader; misschien was het heel natuurlijk dat lord Tansor in hem een gelijkenis met de gestorven stamhouder zag, hoe gering die voor een minder partijdig oog ook mocht zijn. Wat mij evenwel niet natuurlijk voorkwam (ik schroom kritiek op mijn adellijke neef te uiten, doch ik voel mij aan mijn eed verplicht mijn mening onverbloemd neer te schrijven) was het verlangen van de baron – in talloze materiële weldaden geuit, zoals ik in mijn hoedanigheid als rentmeester weet, doordat het mijn taak was ze te boeken – om zich de zoon van de predikant als zijn eigen vlees en bloed toe te eigenen (als ik mij zo mag uitdrukken). Hij kon hem natuurlijk niet kopen, zoals een raspaard of een nieuw rijtuig, maar hij kon hem wel geleidelijk tot zich trekken door de jongen steeds sterker aan zich te binden met die sterkste aller ketenen: eigenbelang. Welke zojuist afgestudeerde jongeman zou zich niet ten zeerste gevleid voelen door – en zeer veel zelfvertrouwen ontlenen aan – de buitengewone attenties van een van de machtigste edelen van het rijk? Phoebus Daunt was hier in ieder geval zeer gevoelig voor.

Het idee Phoebus Daunt als erfgenaam te adopteren was bij mijn neef opgekomen toen de jongeman uit Cambridge terugkwam. De gedachte heeft met de tijd steeds vaster postgevat, en thans, terwijl ik dit schrijf, kan niets hem hier waarschijnlijk nog van afbrengen. Het is niet aan mij de wijsheid of gepastheid van de wens van mijn neef in twijfel te trekken, maar hij wil het grootste deel van zijn bezittingen aan de jongeman nalaten, op voorwaarde dat die de naam van zijn adellijke beschermheer aanneemt; ik zeg alleen dat de keuze van de erfgenaam in kwestie wellicht niet strookt met het gebruikelijke verstandige oordeel dat de baron anders steeds bij het behartigen van zijn zaken aan de dag legt; bovendien heeft het bekendmaken van dit besluit een zeer nadelige uitwerking op de zoon van mijn vriend gehad – een aantal fouten in diens karakter is er sterk door vergroot. De kleine plechtigheid heeft ongeveer drie maanden geleden plaatsgevonden, tijdens een intiem diner op Evenwood waarvoor alleen de heer en mevrouw Daunt en hun zoon uitgenodigd waren, en sinds het algemeen bekend is, hebben velen in onze kleine gemeenschap opgemerkt dat de jongeman en zijn stiefmoeder zich ogenblikkelijk een zeker air hebben aangemeten en zich onuitstaanbaar zijn gaan gedragen (het spijt mij dat ik mij zo moet uitdrukken, maar ik neem het niet terug), terwijl de predikant een waardig stilzwijgen in acht heeft genomen – hij wil er zelfs in het geheel niet over spreken.

Ik zou nog heel wat meer over Phoebus Daunt kunnen zeggen, doch ik ben mij ervan bewust dat ik afdwaal.

Om tot mijn geschiedenis van de familie van mijn neef (en daarmee natuurlijk ook de mijne) terug te keren: ik zal de lezer niet vermoeien met een gedetailleerde beschrijving van het werk, waarvoor ik uit zeer vele bronnen moet putten die een zorgvuldige, geduldige bestudering vereisen. Jaar in, jaar uit werk ik mij langzaam maar gestaag door de documenten heen die alle generaties hebben verzameld en opgeslagen; ik maak aantekeningen en stel concepten op.

In januari dit jaar, 1853, werkte ik aan een verslag van de hachelijke tijd van de Burgeroorlog, toen de bezittingen van de familie op het spel stonden. Ik keek, zoals zo dikwijls, op naar het onvoltooide portret van de eerste vrouw van mijn neef, dat nu in mijn werkkamer hangt. Mijn taken als secretaris waren voor die dag volbracht, en het volgende uur had de geschiedenis van de familie ten tijde van Karel I mijn aandacht in beslag moeten nemen, maar ik was zeer vermoeid van de recente inspanningen en terwijl ik naar het schone gelaat op het schilderij keek, voelde ik plots – ik weet niet waarom – een hevig verlangen om naar de nagelaten papieren van Laura Tansor te kijken die ik na haar dood had opgeborgen. Het was hoogst onmethodisch en ook bepaald niet kenmerkend voor mijn werkwijze om aan zulk een onlogische impuls toe te geven, want ik had het materiaal voor mijn *Historia Duportiana* op strikt chronologische basis verzameld. Maar ik zwichtte voor deze plotse sterke behoefte, ging naar boven, naar het Archief, en opende het met ijzer beslagen kistje waarin ik de papieren van de barones bijna dertig jaar geleden had opgeborgen.

Ik keek weer naar haar prachtige schetsen en tekeningen, vooral die uit haar Franse periode, en las voor het eerst gedichten en andere ontboezemingen die haar weer opriepen door hun hartstochtelijke toon, zo vol leven en esprit. Toen richtte ik mijn aandacht op een dikke bundel brieven, en omdat ik mijn tijd niet wilde verbeuzelen, maakte ik er wat korte aantekeningen over, maar toen ik daarmee gereed was, deed zich een raadsel aan mij voor.

De correspondentie van de barones was uitgebreid en ging terug tot de brieven die mijn neef haar kort na hun eerste kennismaking had geschreven, en er waren ook talloze berichten bij van haar familie en vrienden uit de West Country. Als ik een zo groot aantal documenten aantref, orden ik ze doorgaans eerst op datum en afzender, maar toen ik daarmee klaar was, werd me duidelijk dat er een aantal brieven ontbraken, vooral van een zekere Simona More, later Glyver, die een jeugdvriendin van de barones geweest moest zijn. Er was een reeks brieven – minstens een per maand, soms wel twee of drie – van deze dame, te beginnen in augustus 1816, het jaar dat de barones mijn neef leerde kennen, maar toen, in juli 1819, hielden die brieven abrupt op om pas in oktober 1820 hun gebruikelijke frequentie te hervatten. Uit haar brieven aan lady Tansor werd duidelijk dat mejuffrouw More, weldra mevrouw Glyver, een zeer vertrouwde vriendin van de eerste vrouw van mijn neef was, en dat maakte dat hiaat in hun correspondentie – ongeveer vijftien maanden – des te opmerkelijker.

Een aantal andere documenten – rekeningen, kwitanties enzovoort – vertoonden een vergelijkbaar chronologisch hiaat. Nadat ik hierover even had nagedacht en naar het Douairièrehuis was gegaan om mijn eigen dagboeken te raadplegen voor de data, concludeerde ik dat er sprake moest zijn van een opzettelijke poging alle documenten, hoe onbelangrijk ook, te verwijderen, wellicht zelfs te vernietigen, die dateerden van juli 1819, kort voor het vertrek van lady Tansor naar Frankrijk, tot eind september het daaropvolgende jaar, toen ze weer bij haar echtgenoot terugkeerde.

Ik informeerde discreet bij mijn neef of hij nog papieren van zijn eerste vrouw in zijn bezit had, maar dat leek niet zo te zijn. Ik doorzocht zelfs haar vroegere vertrekken en andere plaatsen waar zij zouden kunnen zijn, doch ik vond niets. Verbijsterd borg ik de brieven weer in het kistje.

V

Zondag 23 oktober 1853 (vervolg)

Ik zag in mijn dagboek dat ik op 25 maart 1853 het volgende bericht ontving:

WAARDE HEER CARTERET,
Tot mijn droefheid moet ik Ued. mededelen dat mijn zuster, mejuffrouw Julia Eames, jongstleden donderdag, de 21ste dezes, is overleden. Haar familie en haar vele vrienden zijn God dankbaar dat haar laatste uren vredig waren, ook al heeft zij veel geleden.

Voordat het einde kwam, had mijn dierbare zuster nog de kracht mij met klem te verzoeken Ued. dit bericht te zenden als de Heer haar tot zich had genomen, teneinde Ued. te doen weten dat zij ten zeerste verlangde Ued. iets ter hand te doen stellen wat zij in bewaring had.

Ik hoop dan ook dat ge zo goed wilt zijn mij ten spoedigste te berichten op welke dag en welk uur het Ued. schikt ons alhier te bezoeken, zodat ik aan deze laatste plicht aan de dierbare overledene kan voldoen.

Inmiddels verblijf ik, mijnheer,
Ued. dw. C. MCBRYDE

Mijn neef bevond zich toen juist op het eiland Wight om de Prins-Gemaal te adviseren aangaande het nieuwe buitenverblijf van Hare Majesteit,* en zou vooreerst niet terugkomen, dus ik vroeg onmiddellijk

* Osborne House, als buitenverblijf voor koningin Victoria en prins Albert gebouwd op een perceel grond aan de Solent van honderdveertig hectare, gekocht van lady Isabella Blachford. In 1845 werd aan de bouw begonnen, onder toezicht van prins Albert, en in 1851 was het gebouw voltooid. JJA

voor de volgende week belet bij mevrouw McBryde.

Deze dame, die een sterke gelijkenis met haar overleden zuster vertoonde, ontving mij vriendelijk in een fraai huis aan Hyde-Park-square, in de nieuwe Londense wijk die bekendstond als Tyburnia.* Na de gebruikelijke plichtplegingen, waarbij ik mevrouw McBryde mijn oprechte deelneming met haar verlies betuigde, bood zij mij thee aan, waarvoor ik bedankte. Vervolgens liep zij naar een grote kast in de hoek van de kamer, die ze ontsloot.

'Dit wilde mijn zuster u geven.'

Het was het voorwerp dat ik bijna dertig jaar geleden op een tafel in de zitkamer van de barones op Evenwood zien staan. Een grote ebbenhouten schrijfcassette met de initialen LRD in parelmoer op het deksel.

'En dit.' Ze gaf me een aan mij geadresseerde brief.

Na een kort gesprek nam ik afscheid. Aangezien ik de volgende dag nog voor zaken in de stad moest zijn, had ik een kamer genomen in hotel Hummuns,** en daarheen richtte ik thans mijn schreden.

Ik onderzocht niet dadelijk de inhoud van de cassette. Ik zette haar op een tafel in mijn kamer en opende de brief.

Die was inderdaad afkomstig van juffrouw Eames, met onvaste hand geschreven en gedateerd drie dagen voor haar dood. Ik kopieer de inhoud hieronder:

MIJN WAARDE MIJNHEER CARTERET,

Ik weet niet hoe lang ik nog op deze aarde zal vertoeven, maar mijn tijd is kort. Ik wil niet voor mijn Schepper treden zonder mij te kwijten van mijn laatste plicht tegenover mijn dierbare vriendin, wijlen

* Deze naam, thans niet meer in gebruik, duidde een gebied aan dat ruwweg werd begrensd door Edgware Road in het oosten, Bayswater in het westen, Hyde Park in het zuiden en Maida Hill in het noorden. Er woonden voornamelijk beoefenaren van vrije beroepen en bankiers. 'Ah, dames,' schrijft Thackeray in hoofdstuk 1.1. van Vanity Fair (1848), 'vraag de eerwaarde heer Thurifer of Belgravia geen klinkend metaal is, en Tyburnia geen luidende schel. Het zijn ijdelheden. Ook zij zullen voorbijgaan.' JJA

** In Covent Garden. Een relatief goedkoop etablissement, dat voornamelijk werd bezocht door ongetrouwde heren uit de provincie. JJA

Laura Tansor. Ik tref daarom maatregelen opdat een zeker voorwerp dat zij mij bij haar dood heeft toevertrouwd, u ter hand worde gesteld door mijn zuster, naar de wens van mijn vriendin, wanneer ik dit zondig leven zal hebben verlaten. Als ge dit leest, zal ook ik alle pijn en leed achter mij hebben gelaten en, in de hoop door Gods genade van mijn ongerechtigheden te worden gereinigd, wederom door de eeuwigheid wandelen met haar die ik bij leven trouw heb gediend.

De laatste jaren van het leven mijner vriendin werd haar geweten zwaar belast door een daad die zij enige tijd daarvoor had begaan en die zij niet kon opbiechten en evenmin ongedaan kon maken. Ik was, met een ander, bij die daad betrokken, en ook mijn geweten werd erdoor bezwaard, zozeer dat ik dikwijls heb gedacht het niet langer te kunnen verdragen. Hoewel ik het herhaaldelijk heb geprobeerd, kon ik mijn vriendin niet van haar voorgenomen handelwijze afbrengen. Ik heb u eens gevraagd niet kwaad over mij te denken. Ik smeek u thans te overwegen wat ik heb gedaan, een zonde van nalatigheid in het licht van vriendschap en vertrouwen, en daaraan hecht gij zeer veel waarde, zoals ik weet, want ik heb plechtig en op de Bijbel van mijn moeder gezworen het geheim van de barones te bewaren, haar bij haar leven nimmer te verraden en mij aan mijn eed te houden totdat het de Almachtige behaagde mij tot Zich te roepen. Dat heb ik getrouw en standvastig gedaan, al die jaren, God is mijn getuige. Als ik er verkeerd aan heb gedaan de dierbaarste aller vriendinnen trouw te blijven, dan smeek ik daarvoor om vergiffenis – van de Heer van genade en gerechtigheid en van de levenden die door mijn stilzwijgen zijn geschaad.

En zo, mijn waarde mijnheer Carteret, sterf ik in de hoop dat hetgeen thans in Uw bezit overgaat, wellicht door U mag worden gebruikt om recht te zetten wat door de daden mijner vriendin aan onrecht is geschied. Ik veroordeel haar niet om wat zij heeft gedaan, want wie is zonder zonde? Zij was sterfelijk en verblind door haar hartstocht – geboren uit vurige trouw aan een geliefd familielid. Zij heeft berouw gehad van wat zij had gedaan, zij heeft het waarlijk berouwd, en gepoogd boete te doen. Doch zij werd verteerd door de voortdurende gedachte aan haar zonde – zo beschouwde zij het; die dreef haar tot waanzin en uiteindelijk tot de dood. Ik zal haar weldra ontmoeten en dit verheugt mijn hart.

De Here God zegene en behoede U. Bid voor mij, dat mijn overtreding vergeven, mijn zonde bedekt is.*

J. EAMES

Ik legde de brief neer en opende de schrijfcassette van lady Tansor.

Onder de scharnieren van het deksel bevond zich een grote hoeveelheid papieren, waarvan de meeste een reeks brieven van mevrouw Simona Glyver leken te zijn, uit het dorp Sandchurch in Dorset naar Evenwood gestuurd, vanaf begin juli 1819, met enkele van dezelfde hand uit Dinan in Frankrijk naar een adres in Parijs in de zomer van het daaropvolgende jaar, en nog meer brieven die de hele nazomer en de vroege herfst van het jaar 1820 aan de barones waren gezonden, eerst in Parijs en vanaf oktober naar Evenwood. Hoewel niet alle brieven gedateerd waren, zag ik al snel dat ze gedeeltelijk het hiaat vulden dat mij reeds was opgevallen bij mijn eerdere onderzoek van de brieven die ik al in mijn bezit had. Ik ging zitten en begon de brieven methodisch te lezen.

Ik heb geen tijd om de inhoud van alle brieven hier gedetailleerd weer te geven. Sommige waren onbelangrijk en vluchtig en bevatten slechts het gewone gebabbel en gebeuzel dat dergelijke uitwisselingen van dames kenmerkt. Andere waren evenwel geheel anders van doel en toon, vooral de eerdere, die in juli 1819 geschreven waren en die op een ernstige dreigende crisis leken te wijzen. Hieronder volgen enkele uittreksels van brieven die mevrouw Glyver die maand aan lady Tansor heeft geschreven (en waarin juffrouw Eames naar ik begrijp wordt aangeduid als 'juffrouw E.') om dit te illustreren.

[*Vrijdag 9 juli 1819, Sandchurch*]
Ik smeek u, lieve vriendin, bedenk u. Het is nog niet te laat. Juffrouw E. heeft er naar ik weet meer dan eens op aangedrongen dat ge op uw schreden terugkeert. Ik voeg mijn stem bij de hare – als ene die u lief-

* Een parafrase op psalm 32:1.

heeft als een zuster en immer uwe belangen voor ogen heeft. Ik weet dat ge hebt geleden na de dood van uw arme vader – maar staat de straf die ge ten uitvoer wilt leggen wel in de juiste verhouding tot de misdaad? Terwijl ik de vraag neerschrijf, ken ik uw antwoord reeds – en toch vermaan ik u met alle kracht die ik in mij heb wél te bedenken wat ge doet. Ik ben zeer bevreesd – juffrouw E is bevreesd – en dat zoudt gij eveneens moeten zijn, want wellicht zijn er gevolgen – van de verschrikkelijkste soort – die ge niet kunt bevroeden, of keren.

[*Donderdag 15 juli 1819, Sandchurch*]
Uw antwoord was zoals ik verwachtte – en ik zie dat ge vastberaden zijt. Ik heb ook van juffrouw E vernomen; zij zegt dat ge u niet van uw voornemen laat afbrengen en derhalve hulp van node hebt – opdat hetgeen gedaan moet worden, goed gedaan wordt, en zo discreet mogelijk. Want wij *kunnen* u dit niet alleen laten doen.

[*Zaterdag 17 juli 1819, Sandchurch*]
In haast. Ik heb mijn voorbereidingen getroffen. Juffrouw E heeft u de naam van het hotel gegeven – en ik heb het adres van de man in Londen. Het stelt mij enigszins gerust – hoe zelfzuchtig ook – dat deze veiligheid er is, als het dat is, voor de toekomst. God vergeve ons voor wat wij gaan doen – maar geloof nimmer, liefste L., dat ik u in de steek zal laten. Dat zal ik *nooit* doen – al word ik ter verantwoording geroepen – in deze wereld of in de volgende. Ik heb u zuster genoemd, en mijn zuster zijt gij en zult gij altijd blijven. Niemand is mij dierbaarder. Ik zal u *tot het allerlaatst* bijstaan.

[*Vrijdag 30 juli 1819, Red Lion, Fareham*]
Ben hier hedenmiddag behouden aangekomen en zend u dit om u te laten weten dat alles wel is. De kapitein had geen bezwaar tegen mijn vertrek – hij weet niet wat ik doe en het maakt hem ook niet uit, zolang ik hem bij zijn genoegens geen strobreed in de weg leg. Hij was zelfs zo beminnelijk op te merken dat ik voor zijn part naar de duivel mocht lopen, als ik hem maar met rust liet. Het deed hem deugd te vernemen dat mijn reis met u zijn beurs niet zal belasten! Dat was zijn grootste zorg. Morgen bezoek ik mijn tante te Portsmouth, zoals ge

weet. Zij vermoedt sterk dat over de oorzaak van mijn 'toestand' *zelfs niet gefluisterd mag worden*, en dat is natuurlijk niet wat ik bedoelde, doch ik zal haar niet uit de droom helpen – zo blijft het water troebel en dat komt ons goed te stade. Zij kan de kapitein niet uitstaan en zal dan ook niets tegen hem zeggen, noch mij ook maar in het minst veroordelen – zij juicht het zelfs toe, hoewel het, als het waar was, een onvoorstelbaar schandaal zou zijn. Ik ga er dan ook als een heldin heen – mijn tante is een groot bewonderaarster van mejuffrouw Wollstonecraft en haar onverschilligheid voor maatschappelijke welvoeglijkheid, en zij ziet in mij een vrouw die – net als mejuffrouw W – door middel van een faux pas een lans breekt voor de rechten van onze kunne.* Wat de kapitein zal zeggen als ik met een zuigeling in mijn armen terugkom, weet ik niet. Maar de kalender is nu onze getuige – daar heb ik voor gezorgd (al weet *hij* dat misschien niet meer).** Ik zal zoals voorzien dinsdagmorgen bij u zijn. De teerling is nu geworpen, en vannacht zullen twee mannen zonder hun vrouw gaan slapen. Ik wilde dat er een andere manier was – doch dat is niet meer mogelijk. Genoeg nu. Vernietig deze brief na lezing, zoals ge hopelijk ook met de andere hebt gedaan – ik ben zo voorzichtig mogelijk geweest en heb al mijn sporen uitgewist.

Uit een kwitantie van 3 augustus 1819 maak ik op dat de vriendinnen, mogelijk vergezeld door mejuffrouw Eames, elkaar in Folkestone hebben ontmoet. Van daar zijn ze op of rond de vijfde van die maand naar

* De feministische intellectueel Mary Wollstonecraft (1759-1797) had een onwettige dochter, Fanny, van de Amerikaanse speculant en schrijver Gilbert Imlay (haar tweede dochter, Mary, de toekomstige echtgenote van de dichter Shelley en schrijfster van *Frankenstein*, was voortgekomen uit haar huwelijk met de romancier en politiek denker William Godwin). Haar *Vindication of the Rights of Women* verscheen in 1792. Hier wordt gesuggereerd dat de tante van mevrouw Glyver aannam dat haar nichtje zwanger was van een minnaar, niet van haar wettige man. JJA

** Met deze tamelijk dubbelzinnige toespeling lijkt ze te bedoelen dat ze onlangs had gezorgd echtelijke betrekkingen met kapitein Glyver te hebben, op een tijdstip dat het aannemelijk maakt dat het resultaat daarvan samenviel met de geboorte van het kind van haar vriendin. JJA

Boulogne vertrokken. Een brief die de barones enkele weken later van een adres in Torquay ontving, bevestigt (wat ik nog niet zeker wist) dat juffrouw Eames hen niet naar het vasteland heeft vergezeld. Na de hierboven geciteerde brief, die ik aanvankelijk niet geheel begreep, schijnen er tot 16 juni 1820 tussen mevrouw Glyver en de barones geen brieven meer te zijn gewisseld, hetgeen mij sterk doet vermoeden dat ze gezamenlijk in Frankrijk waren – wat naderhand ook zo is gebleken. Er zijn echter wel brieven aan de barones van een zekere James Martin, secretaris van sir Charles Stuart, de Britse ambassadeur in Parijs,* uit februari en maart van het volgende jaar – toen ik ze in de cassette aantrof, herinnerde ik me dat de heer Martin meer dan eens op Evenwood te gast is geweest. Het doel van de correspondentie was het vinden van onderdak in de Franse hoofdstad voor de barones gedurende de zomermaanden. Ik moest mijns ondanks even glimlachen toen ik zag naar welk adres de heer Martin zijn brieven had gestuurd: Hôtel de Québriac, Rue du Chapitre, Rennes.

De brief van mevrouw Glyver van 16 juni 1820 waarop ik hierboven doelde, was uit Dinan naar haar vriendin in Parijs gestuurd, naar een adres in de Rue du Faubourg St. Honoré.** De vriendinnen lijken Rennes rond de tweede week van juni gezamenlijk te hebben verlaten en in Dinan te hebben gelogeerd voordat de barones alleen naar Parijs vertrok. In haar brief rept mevrouw Glyver allereerst van haar naderende vertrek naar Engeland. Dan volgt deze ongelooflijke passage:

> Gisteren ben ik met de kleine naar de graven in de Salle des Gisants*** – hij leek ze zeer amusant te vinden, hoewel het er koud en vochtig

* Sir Charles Stuart (1779-1845), in 1828 verheven tot baron Stuart de Rothesay, was van 1815 tot 1824 ambassadeur van Groot-Brittannië in Frankrijk. James Martin heb ik niet kunnen traceren. JJA

** De straat waar de Britse ambassade zich nog steeds bevindt. JJA

*** In het zogeheten Château de Dinan, dat in de stadswallen is gebouwd. In de Salles des Gisants bevinden zich zeven middeleeuwse praalgraven: dat van Roland de Dinan schijnt het oudste van zijn soort in West-Europa te zijn. De gebeeldhouwde figuur die mevrouw Glyver noemt, is waarschijnlijk die van Renée Madeuc de Quémadeuc, tweede vrouw van Geoffroi le Voyer, kamerheer van hertog Jan III van Bretagne. JJA

> was en we er niet lang gebleven zijn. Maar toen wij vertrokken, stak hij zijn handje uit – zo lief en zacht – om het gelaat van een van de gebeeldhouwde gestalten aan te raken, een magere oude dame. Het was natuurlijk slechts toeval en geen opzet, maar het leek zo bewust, en ik fluisterde hem toe dat dit allemaal nobele heren en vrouwen waren – net als zijn papa en mama. Hij keek me aan alsof hij ieder woord begreep. We ontmoetten Madame Bertrand bij de Porte du Guichet, en zij liep een eindje met ons op over de Promenade. Het was een mooie dag – onbewolkt, een verrukkelijk zacht briesje, en beneden lag de fonkelende rivier; ik had zo graag gewild dat gij bij ons hadt kunnen zijn. Madame B zei wederom dat hij zo op u lijkt, en dat is waar, al is hij nog zo klein. Als ik naar zijn lieve gezichtje kijk en zijn grote ogen beantwoorden mijn blik, dan voel ik u nabij. Ik vind het vreselijk me voor te stellen dat ge alleen zijt terwijl wij hier zijn, ik verlang naar u en heb gisteravond om ons beiden geschreid. Ge waart zo moedig bij het afscheid. Ik kon het haast niet verdragen, want ik wist dat ge verdriet hadt en nog meer zoudt lijden als ge ons niet meer zoudt zien. Zelfs nu zou ik hem naar u toe brengen als uw vastberadenheid mocht wankelen. Doch dat zal waarschijnlijk niet geschieden – ik schrei om u, lieve zuster. Ik kus uw prachtige zoon iedere avond en verzeker hem dat zijn mama altijd van hem houden zal. Ikzelf zal dat ook doen. Schrijf *spoedig.*

De andere brieven van mevrouw Glyver lieten er geen twijfel aan bestaan: de barones had in de stad Rennes het leven geschonken aan een zoon. Hij was in het Hôtel de Québriac geboren, in de Rue du Chapitre, in de maand maart van het jaar 1820.

Doch er was nog een kwestie die nog veel verder ging, van een reikwijdte die ik ternauwernood kon bevatten, en toch had ik het bewijs in mijn handen, in deze brieven die Simona Glyver aan haar vriendin de barones had geschreven, en ook in andere brieven, die de laatste in Parijs van juffrouw Eames had ontvangen. Lady Tansor was op 25 september 1820 in Engeland teruggekeerd – alleen. Waar was het kind dan? De gedachte kwam even bij me op dat hij gestorven was, maar de brieven die de barones na haar terugkeer op Evenwood van mevrouw Glyver had ontvangen, bevatten regelmatig verslagen over de ontwikkeling van het kind – de gewoonten die hij aannam, het donkerder worden van zijn haar, zijn geluidjes en hoe die werden uitgelegd, hoe heerlijk hij het vond als hij werd meegenomen naar de zee om de golven te zien aanrollen en de meeuwen erboven te zien scheren. Het schijnt ook – hoe verbijsterend het ook moge lijken – dat het kind heimelijk naar Evenwood is gebracht, in de zomer voor de dood van lady Tansor, toen haar echtgenoot voor politieke zaken was weggeroepen, en er was nog veel over en weer geschreven over de fascinatie van het jongetje voor de witte duiven die om de transen en spitsen van het grote huis fladderden en de goudvissen – vele zeer groot en oud – die stil door het donkere water van de visvijver gleden.

Een aantal brieven las ik twee-, zelfs driemaal, om mij ervan te overtuigen dat ik mij niet had vergist. Maar ik kon de bewijzen die zich hier aan mij voordeden niet anders uitleggen. *Lady Tansor had de rechtmatige erfgenaam van haar man in het geheim ter wereld gebracht en hem vervolgens aan een ander gegeven.*

Zo kom ik dan weer terug bij het begin. Dít was het misdrijf waarvan ik getuig: het onthouden – met voorbedachten rade, bedrieglijk en wreed (ik zal niet zo ver gaan het boosaardig te noemen, al zouden sommigen dat wel doen) – van het vaderschap aan mijn neef, die alleen leeft om aan zijn wettige zoon door te geven wat hijzelf van zijn voorvaderen heeft geërfd. Dit was verkeerd van de barones, en dat zeg ik als iemand die zeer veel van haar gehouden heeft. Ik geef toe dat het onuitsprekelijk wreed was om mijn neef datgene te ontzeggen wat zijn leven compleet zou hebben gemaakt; dat het van een verschrikkelijke haatdragendheid was zal niemand ontkennen, en in mijn ogen was deze daad in zijn gevolgen een misdrijf, want lord Tansor is ontnomen wat hem rechtens toebehoorde, al weet hij dit zelf niet.

En toch, nu ik haar heb aangeklaagd en de bewijzen tegen haar heb opgevoerd, kan ik haar veroordelen? Ze heeft een gruwelijke prijs betaald voor wat ze heeft gedaan – anderen, één in het bijzonder, waren medeplichtig, al hebben ze haar uit liefde en trouw geholpen; zij – en die anderen – zijn thans voor eeuwig buiten het bereik van de aardse rechter en zijn berecht door Hem die over ons allen oordeelt. Want zoals juffrouw Eames opmerkte, wie van ons is zonder zonden? Er is geen leven zonder geheimen, en dikwijls is het stilhouden van dergelijke geheimen nog het minste van twee kwaden. Laat mij als de aanklager van Laura, lady Tansor, dan op clementie aandringen. Laat haar rusten in vrede.

Maar de gevolgen van het misdrijf bestaan nog steeds en zijn niet zo eenvoudig recht te zetten. Welke rekeningen moeten nog vereffend worden? Is de jongen nog in leven? Weet hij wie hij is? Hoe kan dit worden rechtgezet?

Sinds ik mijn ontdekking heb gedaan, worstel ik dag en nacht met mijn geweten: moet ik het geheim van de barones bewaren of mijn kennis aan mijn neef mededelen? Ik word gekweld door de kennis die ik thans bezit, gelijk ook, naar ik vrees, de arme juffrouw Eames tijdens haar leven, doch nu ben ik wel gedwongen te handelen, en niet slechts om te voorkomen dat ikzelf ervan beschuldigd word deze wetenschap voor mezelf te hebben gehouden om mijn eigen belangen te beschermen.

Vanwege het vaste besluit van mijn neef om Phoebus Daunt als zijn wettig erfgenaam te adopteren, de oplossing waartoe hij zich heeft bekend om het deficit goed te maken dat de Natuur hem kennelijk heeft aangedaan, is het zaak dat ik de waarheid bekendmaak, zodat er onmiddellijk stappen kunnen worden gezet om de ware erfgenaam te vinden, indien die nog in leven is. Ik kan dit niet langer stilhouden, want als de ware erfgenaam nog leeft, moet alles in het werk worden gesteld om hem te vinden en de tenuitvoerlegging van de rampzalige beslissing van mijn neef te voorkomen. Bovendien is er nog iets anders dat mij zorgen baart.

In april van dit jaar kwam ik op een namiddag de Bibliotheek binnen toen ik zag dat Phoebus Daunt zacht de deur van mijn werkkamer sloot, waar hij niets te zoeken had, en toen om zich heen keek om zich ervan te overtuigen dat hij niet gezien was. Een man, dacht ik, is nooit méér zichzelf dan wanneer hij zich onbespied waant. Ik wachtte, ongezien, totdat hij de Bibliotheek door een van de terrasdeuren verlaten zou hebben. Toen ik in mijn kamer kwam, zag ik dadelijk dat een aantal papieren op mijn schrijftafel verplaatst waren; gelukkig was de deur van het Archief op slot en droeg ik de sleutel bij me.

In de weken daarop trof ik de heer Daunt dikwijls in de Bibliotheek aan, ogenschijnlijk verzonken in een of ander boek, of ook wel schrijvend aan een van de tafels. Ik vermoedde evenwel dat zijn bezoeken in werkelijkheid tot doel hadden de gelegenheid af te wachten om mijn werkkamer in te glippen en zich wellicht toegang te verschaffen tot het Archief. Maar die kans deed zich nooit voor, want ik droeg er nu zorg voor mijn werkkamer op slot te doen als ik buiten de Bibliotheek moest zijn.

Dit was niet de eerste keer dat ik reden had de zoon van mijn dierbare vriend van ronduit verachtelijk gedrag te verdenken. Zei ik verdenken? Ik zal het onomwonden zeggen. Ik wéét dat hij zich schuldig heeft gemaakt aan het lezen van de persoonlijke correspondentie van lord Tansor – waaronder ook zeer vertrouwelijke brieven – zonder dat hij daar toestemming voor had. Ik had er iets van moeten zeggen, en ik betreur het diep dat ik dat niet heb gedaan. Maar de vraag die ik hiermee uitdrukkelijk wil stellen is deze: Waartoe is een vastberaden, gewetenloos mens in staat als hij vreest dat zijn toekomstverwachtingen – die aanzienlijk zijn – de bodem ingeslagen worden? Ik zou daarop antwoorden dat zo iemand voor niets zou terugdeinzen om zijn positie veilig te stellen. Laat ik nog duidelijker zijn. Ik weet niet hoe Phoebus Daunt aan die kennis komt, maar ik ben er zeker van dat hij op de hoogte is van de aard van de documenten die juffrouw Julia Eames mij heeft nagelaten.

Middernacht.
Hij is er, al zie ik hem nu niet – hij lijkt met het donker te versmelten, een schaduw te worden. Maar hij was er – hij ís er. Ik dacht eerst dat het John Brine was, maar dat kan niet. Hij staat zo stil, in de schaduw van de cipres – hij loert, hij wacht, maar toen ik het raam opende, was hij weg, verzwolgen door de duisternis.

Ik heb hem al eerder gezien – heel dikwijls, maar altijd net uit het zicht, vaak in de schemering, als ik door het Park huiswaarts keerde, en de laatste tijd steeds vaker.

En ik weet zeker dat er vorige week een poging is gedaan in te breken in mijn studeerkamer, waar ik thans zit te schrijven, al was er voor zover ik zag niets verdwenen. Er was een ladder uit een van de bijgebouwen verdwenen, die later in de struiken werd teruggevonden, en het houtwerk van mijn raamkozijn was beschadigd.

Ik voel me voortdurend door hem bekeken, zelfs als ik hem niet zie. Wat betekent dit? Niets goeds, vrees ik.

Ik meen te weten wie die schaduw achter mij aan stuurt, wie wil weten wat ik nu weet. Hij glimlacht en vraagt hoe ik het maak, en hij straalt als een zon in de achting van de wereld, maar er is boosheid in zijn hart.

Mijn kaars is bijna op en ik moet eindigen.

Tot degenen die deze depositie lezen, zeg ik wederom dat ik de gehele waarheid heb neergeschreven voor zover die mij bekend is, en dat ik niets beweer wat niet is gebaseerd op bewijzen die ik ontleen aan de documenten die in mijn bezit zijn, aan zaken die mij persoonlijk bekend zijn, en aan rechtstreekse waarneming.

Dit zweer ik bij alles wat mij heilig is.

Door mij neergeschreven, de 23ste oktober van het jaar 1853.

P. CARTERET

34

Quaere verum*

Overweldigd door het lezen van de depositie van Carteret liet ik me uitgeput en verbijsterd in mijn leunstoel zinken. De doden hadden nu dan toch gesproken, en welk een wereld van nieuwe mogelijkheden werd hier door hun woorden geopend!

Aan de laatste bladzijde van het document was een kort briefje bevestigd:

AAN DE HEER GLAPTHORN

Mijnheer –

Ik heb er zorg voor gedragen dat het relaas dat u zojuist hebt gelezen, u door de heer Chalmers, de gérant van hotel George, bij uw vertrek aldaar ter hand wordt gesteld. Mocht hij daartoe geen gelegenheid zien, dan is hij geïnstrueerd dit rechtstreeks aan de heer Tredgold te zenden. Het leek mij wijs deze voorzorg te nemen voor het geval mij enig kwaad geschiedt voordat ik u de brieven van de barones kan overdragen. Zo zult u in ieder geval vernemen wat ik u wilde laten weten.

Ik ben geen bijgelovig man, maar hedenmiddag zag ik een ekster over het gazon voor het huis wandelen en ik heb nagelaten mijn hoed voor hem af te nemen, zoals mijn moeder mij heeft geleerd. Hieraan moet ik de hele avond denken, doch ik hoop dat de ochtendzon mijn verstand zal doen terugkeren.

De brieven uit de schrijfcassette van lady Tansor zijn naar een veilige plaats overgebracht, maar ik zal ze vóór onze ontmoeting weer te-

* 'Zoek de waarheid'. JJA

rughalen. Ik zou nog wel meer kunnen schrijven, maar ik ben zeer vermoeid en ik moet slapen.

Nog één ding.

Bij de brief die ik van juffrouw Eames ontving zat een strookje papier ingesloten. Hierop stond de volgende zin geschreven – en niets anders – in hoofdletters: SURSUM CORDA.* Ik heb mij destijds ten zeerste afgevraagd wat dit wel mocht beduiden, doch ik heb het opgegeven. Eerst zeer onlangs – tot mijn schande – heb ik begrepen waar deze woorden wellicht op doelen, en als wij elkander morgen spreken, zal ik u in verband hiermede een mogelijke handelwijze voorleggen.

P.C.

Ik stond niet lang bij dit postscriptum stil, want het verslag van de laatste jaren van lady Tansor en haar verschrikkelijke dood had mij zeer aangegrepen; en dan op die met zoveel zorg volgeschreven bladen te moeten lezen over mijn geboorte in de Rue du Chapitre, en hoe ik werd meegenomen naar Dinan, en het maken van het kistje, hetzelfde, naar mijn stellige overtuiging, waarin 'juffrouw Lamb' de tweehonderd sovereigns had gedaan die ze me gegeven had. Het vervulde mij met verwondering dit alles te vernemen, want sinds de dood van degene die ik moeder had genoemd, had ik gemeend dat ik, en ik alleen, van deze geheimen op de hoogte was. Maar hier stonden ze, neergeschreven in het handschrift van een ander, als koele, algemene feiten. Een vervreemdende gewaarwording – alsof men een hoek omslaat en zichzelf tegenkomt.

En dan te bedenken dat ik als kind op Evenwood was geweest! Mijn hart danste van een mengeling van angst en opgetogenheid bij de gedachte. Dat betoverende, paleiselijke kasteel met zijn hoge, ranke torens, dat ik in mijn jeugd in mijn dromen had gezien, was dus echt geweest – geen verbeelding, doch een herinnering van het huis van mijn vader, dat eens het mijne zou zijn.

Toch waren er nog zo veel onbeantwoorde vragen, er was nog zo veel wat ik moest weten. Ik herlas de woorden van Carteret, en toen nog

* 'Heft uw hart op'. Uit de Latijnse eucharistie. JJA

eens. Tot diep in de nacht zat ik te lezen, te denken, me allerlei af te vragen.

Ik kwam mezelf voor als een man in een droom die zich in volle vaart, met bonkend hart, naar een eindeloos, steeds terugwijkend doel toe snelt; hoe harder ik naar mijn einddoel rende, hoe verder het zich tergend buiten mijn bereik plaatste, steeds zichtbaar, doch nimmer grijpbaar. Toch had ik nu een fragment van het geheel gezien, doch de grotere waarheid, waarvan deze Verklaring een deel was, onttrok zich nog steeds aan mijn waarneming.

De waarheid? Het is altijd de waarheid die we zoeken, nietwaar? Conformiteit met bekende feiten of met algemeen erkende maatstaven, of met wat naar onze ervaring de onontkoombare werkelijkheden van het bestaan zijn. Maar er is nog iets wat verder gaat dan alleen 'de waarheid'. Wat wij gemeenlijk voor 'waar' houden – A is gelijk aan B, of de Dood wacht geduldig op ons allen – is dikwijls slechts een afschaduwing of kopie van iets groters. Eerst wanneer deze schaduw-waarheid en zijn *betekenis* samenvallen, en bovenal samenvallen met de *ervaring* van die betekenis, zien wij de substantie zelve, de Waarheid van de waarheid. Ik twijfelde er niet aan dat de woorden van Carteret die van een waarheidslievend man waren, doch zij waren slechts delen van een ongrijpbaar geheel.

Ik begreep uiteraard dat ik nu in het bezit was van iets wat mijn aanspraken als erfgenaam van lord Tansor in aanzienlijke mate versterkte, doch ik had genoeg sluwe advocaten aan het werk gezien om te weten dat de Verklaring van Carteret in rechtskundige zin zeer aanvechtbaar was, en ik kon mezelf niet toestaan te geloven dat die *in zichzelf* de ultieme, boven iedere twijfel verheven bevestiging was die ik reeds zo lang zocht. Ten eerste konden de oorspronkelijke documenten waaruit Carteret citeerde niet worden overlegd; ze hadden in zijn tas gezeten toen hij werd overvallen. Hoe viel dan te bewijzen dat die brieven werkelijk hadden bestaan en dat de woorden die Carteret aanhaalde juist en waarheidsgetrouw waren, dat hij ze niet zelf had verzonnen? Zijn reputatie en zijn vermaarde rechtschapenheid zouden zulk een veronderstelling weliswaar ontkrachten, maar een advocaat die zijn vak verstond, kon nog steeds veel kwaad aanrichten met gerede twijfel. Men zou zelfs kunnen aanvoeren dat Carteret zijn Verklaring op mijn instigatie had geschreven. Ik was wel iets verder gekomen nu ik dit document in handen had, en wat mijn positie aanging was de Verklaring een belangrijke aanvulling en ondersteuning van hetgeen mijn pleegmoeder in haar dagboeken had geschreven. Maar het was niet voldoende.

Ik wist nu weliswaar eindelijk wat Carteret me wilde vertellen en wat er in de jachtopzienerstas had gezeten, maar nu zag ik nóg een gruwelijke zekerheid uit de mist van twijfel en speculatie oprijzen. De reden voor zijn gespannen houding toen hij in de gelagkamer van hotel George op mij zat te wachten werd nu duidelijk: hij vreesde voor zijn veiligheid, misschien zelfs voor zijn leven, door toedoen van degene die hem naar hij geloofde liet schaduwen.

Hoe verblind en dwaas was ik geweest! Ik had slechts één vraag hoeven stellen om de waarheid boven tafel te krijgen: *Cui bono?**

Als iemand bij toeval iets vernam wat, indien het uitlekte, een ander, die een immense erfenis verwachtte, zou beletten daar aanspraak op te maken, en die ander verteerd werd door een overweldigende ambitie en bereid was zijn belangen gewetenloos te verdedigen, zou dan die ander het niet noodzakelijk vinden de hand op die inlichtingen te leggen, zodat het eens en voor al uitgesloten was dat een ander er iets van vernam, zodat de erfenis veilig gesteld werd? Er was er maar één die er voordeel bij had de documenten in Carterets tas in handen te krijgen. Eén. Wie was door Carteret zelf betrapt op het snuffelen in de persoonlijke papieren van lord Tansor, aan wie schreef Carteret nog andere, ergere, hoewel niet met name genoemde daden toe? En wie had een gretige belangstelling voor de papieren van de eerste lady Tansor aan de dag gelegd? Wie wilde weten wat Carteret wist? En op wiens veronderstelde instigatie werd hij geschaduwd?

Dat was Phoebus Daunt, en door zich meester te maken van de incriminerende briefwisseling van lady Tansor meende hij ongetwijfeld de verdwenen erfgenaam uit te schakelen. En op dat moment wist ik, met instinctieve zekerheid, wie het had gedaan. Die verschrikkelijke ver-

* Een uitspraak van de tribuun Lucius Cassius Longinus, zoals geciteerd door Cicero: 'In wiens voordeel?' Dikwijls aangehaald om degene aan te wijzen die het meeste voordeel bij een misdrijf had. JJA

wondingen waren de gewelddadige handtekening van Josiah Pluckrose, die ik voor het eerst op het gezicht van Mary Bakers zuster Agnes had gezien, en korter geleden, als ik me niet zeer vergiste, op dat van Lewis Pettingale. Pluckrose, die, dat was zeker, in opdracht van Phoebus Daunt handelde, had Carteret gevolgd en hem overvallen toen hij door het westelijke hek het Park van Evenwood binnenreed. Ik zag het duidelijk voor me. Of hij Carteret wilde vermoorden of alleen zijn tas wilde stelen was wellicht nog een open vraag. Maar over de identiteit van de daders had ik nu geen twijfel meer.

En toen ik de logische lijn van mijn vermoedens en deducties verder volgde, kwam de mogelijkheid bij me op dat ook ik in gevaar zou kunnen verkeren als Daunt ontdekte dat Edward Glapthorn, de vertegenwoordiger van Tredgold, Tredgold & Orr, geen ander was dan Edward Glyver, de verloren erfgenaam. Iets zei me dat de jacht al begonnen was; dat mijn vijand zijn oude schoolmakker nu zocht, en voor zover ik kon raden met slechts één doel. Een levende Edward Glyver was een voortdurende bedreiging. Een dode Edward Glyver betekende veiligheid.

Maar al doorzocht hij de hele wereld naar Edward Glyver, waar zou hij hem vinden? In Sandchurch kon niemand hem iets vertellen. Er werden Glyver uit dat dorp geen brieven meer gestuurd. In het adresboek op het postkantoor zou hij hem vergeefs zoeken. Hij stond er niet in. Geen bord op een deur, en ook geen grafsteen, droeg zijn naam. Hij was van de aardbodem verdwenen. En toch leeft en ademt hij, in míj! Ik bén Edward Glapthorn, ik wás Edward Glyver en ik wórd Edward Duport. O Phoebus, licht van onze tijd! Hoe wilde je dit fantoom vangen, deze schim, die nu de een en dan weer de ander is? Hij is hier, hij is daar, hij is nergens. Hij is achter je.

Maar ik heb nóg iets op hem voor. Hij kent mij nog niet, maar ik ken hém wel. Ik ben met zijn vader bevriend geraakt en kan openlijk diens huis in- en uitlopen wanneer ik maar wil – ik heb het onlangs nog gedaan. Ik ben onzichtbaar voor mijn vijand als hij des avonds naar zijn club loopt of door het Park van Evenwood wandelt. Stel je eens voor, machtige Phoebus, wat dat inhoudt! De man die tegenover je in de trein zit als je terugkomt van het platteland: ziet die er niet bekend uit? Iets aan hem roept misschien een vage herinnering oproept, maar slechts heel even. Je leest weer verder in je courant en ziet niet dat zijn ogen op je gericht zijn. Hij zegt je niets – een medepassagier, meer niet, maar je zult beter moeten opletten. Het is vanavond mistig, de straten zijn verlaten, niemand hoort je roepen. Want waar is je schild, waar is je wapenrusting, tegenover een man die je niet kunt zien, wiens naam je niet weet, die je niet kent? Ik merk dat ik hardop zit te lachen, dat ik zó moet lachen dat de tranen me over de wangen rollen.

En als ik uitgelachen ben, zie ik duidelijk waar dit op uit zal draaien. Maar wie zal de jager, en wie de bejaagde zijn?

VIJFDE DEEL

De zin van het duister
1853-1855

De kennis van de mens toont hem
slechts zijn onwetendheid.

Owen Felltham, *Resolves* (1623),
XXVII, 'Over leergierigheid'

35

Credula res amor est*

De Verklaring van Carteret opende een venster op vele zaken die zich tot dan toe aan mijn waarneming hadden onttrokken en bevestigde wat mijn pleegmoeder in haar dagboeken had vastgelegd; bovendien bevatte ze waardevolle details over de stappen die lady Tansor had ondernomen en hun verstrekkende gevolgen. Maar in mijn hart wist ik dat de brieven uit de tas van Carteret nooit meer terug zouden komen, en dat mijn zaak zonder die brieven niet ontvankelijk zou zijn. Ik zag nog een mogelijkheid dat er andere, vergelijkbare documenten bestonden, maar al waren die er, hoe zou ik ze moeten vinden? Ik kwam tot de neerslachtig stemmende conclusie dat ik nog net zo ver was als voorheen, terwijl de positie van Daunt steeds sterker werd.

Ik verviel weer in een van mijn sombere buien. Maar toen, drie dagen later, bracht een koerier me een briefje van Lizzie Brine, waarin ze me meedeelde dan juffrouw Carteret en haar vriendin, Mademoiselle Buisson, die maandagmiddag, 14 november, de National Gallery zouden bezoeken. Ik leefde onmiddellijk op, en op de dag in kwestie liep ik even na tweeën naar Trafalgar-square en stelde me onder aan de trap van de Gallery op.

Kort na halfdrie zag ik haar naar buiten komen, de herfstzon in, met haar vriendin aan haar zijde. Ze begonnen de treden af te dalen terwijl ik volmaakt nonchalant juist naar boven kwam.

'Juffrouw Carteret! Hoe ongelooflijk toevallig!'

Ze antwoordde niet en enkele ogenblikken lang vertoonde haar gelaatsuitdrukking geen enkel spoor van herkenning. Ze stond me door

* De liefde is een goedgelovig iets. JJA

haar ronde brillenglazen aan te kijken alsof ik een wildvreemde was, totdat haar vriendin eindelijk iets zei.

*'Emilie, ma chère, est-ce que tu vas me présenter à ce Monsieur?'**

Pas na die woorden ontspanden haar trekken zich. Ze wendde zich tot Mademoiselle Buisson en stelde mij aan haar voor als 'De heer Edward Glapthorn, over wie ik je wel heb verteld'. Toen, nadrukkelijker: 'Mijnheer Glapthorn heeft een tijd in Parijs verbleven en spreekt vloeiend Frans.'

'Ah,' zei Mademoiselle Buisson met bijzonder charmant opgetrokken wenkbrauwen, 'dan kunnen wij niet over hem praten zonder dat hij ons verstaat.'

Haar Engels was volmaakt van intonatie en uitspraak, met nauwelijks een spoor van een Gallisch accent. Met innemende, meisjesachtige radheid verklaarde ze zeer verheugd te zijn kennis met me te maken en begon toen meteen, alsof we elkaar al langer kenden, met ademloos, overrompelend enthousiasme bepaalde voorwerpen te beschrijven die ze op de tentoonstelling hadden gezien. Volgens juffrouw Rowthorn was ze even oud als juffrouw Carteret, maar ze bezat een eenvoudige, ongekunstelde lieftalligheid die haar jonger deed lijken. Ze waren inderdaad een ongelijk paar: Mademoiselle Buisson was levendig, expressief en toeschietelijk, vrolijk *à la mode* gekleed, en vol natuurlijke, sprankelende uitbundigheid. Juffrouw Carteret, somber en statig in haar zwarte rouwjapon, stond er stil bij, op haar hoede, als een toegeeflijke oudere zuster, terwijl haar vriendin fladderde en giechelde. Toch was het onmogelijk de innigheid van hun band niet op te merken – de manier waarop Mademoiselle Buisson zich tot haar vriendin wendde als ze iets wilde benadrukken en haar hand op de arm van juffrouw Carteret legde, met diezelfde gedachteloze vertrouwelijkheid die ik na de begrafenis op Evenwood had gezien; de korte samenzweerderige blikken, van oog tot oog, spraken van gedeelde confidences en bewaarde geheimpjes.

'Mag ik vragen hoe lang u in Londen blijft, juffrouw Carteret?'

'Met uw voorkennis, mijnheer Glapthorn,' antwoordde ze, 'kunt u die vraag ongetwijfeld zelf wel beantwoorden.'

* 'Emily, liefje, stel je me niet aan mijnheer voor?' JJA

'Voorkennis? Hoe bedoelt u?'

'Moet ik dan geloven dat deze ontmoeting louter toeval is?'

'Geloof wat u wilt,' zei ik zo opgewekt als ik kon, 'als u zich niet met de idee van het toeval kunt verenigen, dan staat wellicht de gedachte van het Noodlot u meer aan.'

Daarop kon er wel een berouwvol lachje af, en ze verontschuldigde zich voor haar humeurigheid.

'U schreef heel vriendelijk dat u bij de uitvaart van mijn vader aanwezig zoudt zijn,' ging ze verder, 'maar tot onze teleurstelling hebben we u niet gezien.'

'Ik was wat laat, vrees ik. Ik heb uw vader de laatste eer bewezen – zowel namens de firma als persoonlijk – toen de rijtuigen al waren vertrokken, en omdat ik een dringende afspraak hier in de stad had en mij niet aan u en uw familie wilde opdringen, ben ik direct daarna vertrokken.'

'We hadden gehoopt u weer in het Douairièrehuis te mogen ontvangen,' zei ze; ze zette haar bril af en liet hem in haar reticule glijden. 'U werd verwacht. Maar ongetwijfeld had u uw eigen redenen om niet te komen.'

'Ik wilde me niet opdringen, zoals ik al zei.'

'Zoals u al zei. Maar u hebt zich wel zeer veel moeite voor ons getroost, u bent helemaal naar Northamptonshire gereisd, alleen om meteen weer terug te gaan. Hopelijk was u wel op tijd voor uw afspraak?'

'Ik verzeker u, het was geen moeite.'

'Heel vriendelijk van u, mijnheer Glapthorn. En als u ons nu wilt excuseren. Misschien wil het toeval – of het Noodlot – dat onze wegen elkaar wel weer eens kruisen.'

Mademoiselle Buisson schonk me een glimlach en een révérence, maar juffrouw Carteret neeg alleen even het hoofd, zoals ik haar ook tegen Daunt had zien doen, en vervolgde haar weg naar beneden.

Ik kon hen natuurlijk niet zo laten gaan, dus ik veinsde een plotselinge afkeer bij het vooruitzicht op een zo ongewoon fraaie novemberdag binnen naar saaie schilderijen te gaan kijken en vroeg of mij de eer was vergund een eindje met hen op te lopen, als ze te voet gingen. Mademoiselle deelde opgewekt mee dat ze dachten naar Green-park te lopen, en ik stemde met haar in dat dit op een middag als deze een uitstekend idee was.

'Maar loopt u dan met ons mee, mijnheer Glapthorn!' riep mademoiselle uit. 'Daar heb je toch geen bezwaar tegen, Emily?'

'Ik heb er geen bezwaar tegen als jij dat ook niet hebt, en als mijnheer Glapthorn niets beters te doen heeft,' luidde het antwoord.

'Dat is dan afgesproken,' zei haar vriendin en ze klapte in haar handen. 'Hoe heerlijk!'

En zo liepen we gedrieën over het plein, juffrouw Carteret rechts van mij en Mademoiselle Buisson links.

In de open ruimte van het park leek juffrouw Carteret iets minder prikkelbaar te worden. Geleidelijk gingen onze gesprekken over andere zaken dan de droeve gebeurtenissen die onlangs op Evenwood hadden plaatsgevonden, en tegen het einde van de middag, toen de zon reeds begon onder te gaan, spraken we open en ongedwongen met elkaar alsof we oude vrienden waren.

Tegen vier uur liepen we naar Piccadilly, en de dames wachtten op het trottoir terwijl ik een huurrijtuig aanhield.

'Mag ik de koetsier zeggen waar hij u heen moet rijden?' vroeg ik onschuldig.

Ze gaf het adres van het huis van haar tante in Wilton-crescent, en ik hielp haar instappen, en daarna ook Mademoiselle Buisson, die me dromerig toelachte toen ze plaatsnam.

'Juffrouw Carteret, het is vrijpostig, ik weet het, maar staat u mij toe u – en Mademoiselle Buisson – een visite te maken?'

Tot mijn verrassing antwoordde ze zonder aarzelen:

'Ik ben iedere morgen vanaf elf uur thuis – of liever gezegd in het huis van mijn tante.'

'Mag ik dan vrijdag om elf uur mijn opwachting maken?' Ik geef toe dat ik dit vroeg in de veronderstelling dat ze een uitvlucht zou bedenken om me niet te hoeven ontvangen, doch tot mijn verwondering hield ze haar hoofd even schuin en zei alleen:

'Maar natuurlijk.'

Terwijl het rijtuig wegreed, duwde ze het raampje open, keek me aan en glimlachte.

Een glimlach, meer niet. Maar een die mijn lot bezegelde.

Die vrijdag maakte ik juffrouw Carteret zoals afgesproken een visite ten huize van haar tante in Wilton-crescent. Ik werd in een grote, elegante salon gelaten, waar ik juffrouw Carteret en haar vriendin op een sofa bij het venster aantrof, beiden verzonken in een boek.

'Mijnheer Glapthorn! Welk een genoegen!'

Mademoiselle was de eerste die sprak; ze sprong op, trok een leunstoeltje dichter naar de sofa en vroeg me te gaan zitten.

'Wij zijn vanmorgen zo verschrikkelijk saai, mijnheer Glapthorn,' zei ze. Ze nam weer plaats naast juffrouw Carteret en wierp haar boek op een tafeltje neer. 'We lijken wel twee oude vrijsters. Ik zou waarschijnlijk krankzinnig zijn geworden als u niet gekomen was. Emily kan urenlang alleen zitten, haar hindert dat niet, maar ik heb gezelschap nodig. Houdt u niet dolveel van gezelschap, mijnheer Glapthorn?'

'Alleen van mijn eigen gezelschap,' antwoordde ik.

'O, maar dat is verschrikkelijk. U bent al net zo erg als Emily. En toch was u onlangs in het park zulk aangenaam gezelschap, nietwaar, Emily?'

Tijdens dit gesprekje keek juffrouw Carteret voortdurend met haar boek in haar hand ondoorgrondelijk naar haar vriendin. Ze negeerde de vraag, wendde zich tot mij en zette haar bril af.

'Hoe vaart uw werkgever, mijnheer Glapthorn?'

'Mijn werkgever?'

'Ja. De heer Christopher Tredgold. Ik heb van lord Tansor begrepen dat hij een toeval heeft gehad.'

'De laatste keer dat ik hem zag, maakte hij het niet zeer goed. Ik weet niet of zijn toestand sedertdien verbeterd is.'

Mademoiselle Buisson zuchtte even en sloeg haar armen over elkaar, alsof ze gepikeerd was door de ernstige wending die het gesprek nam.

Ik had op een warmere, minder gereserveerde ontvangst van juffrouw Carteret gehoopt en wist niet goed wat ik nu moest zeggen.

'Is uw tante thuis?' vroeg ik ten slotte, omdat het me beleefd leek daarnaar te informeren.

'Zij bezoekt een vriendin,' antwoordde juffrouw Carteret, 'ze zal eerst vanavond thuiskomen.'

'Mevrouw Manners houdt zeer veel van gezelschap,' merkte Mademoiselle Buisson met een uitdagend hoofdknikje op.

'Ik meen dat de heer Tredgold me heeft verteld dat mevrouw Manners de jongste zuster van uw moeder is?' Mijn werkgever had de familie van Carteret eens ter sprake gebracht, ook deze dame, met wie juffrouw Carteret een zeer innige band had.

'Dat is juist.'

'Degene bij wie u in Parijs hebt gewoond?'

'U bent wel heel nieuwsgierig naar mijn familie, mijnheer Glapthorn.' De terechtwijzing – als de opmerking inderdaad zo bedoeld was – werd op zachte, bijna plagende toon uitgesproken, waaruit ik duidelijk meende te begrijpen dat ze bij nader inzien toch de vriendschappelijke betrekkingen wilde voortzetten die tijdens onze middag in Green-park waren ontstaan. Hierdoor aangemoedigd waagde ik te antwoorden:

'Ik ben nieuwsgierig naar uw familie, juffrouw Carteret, omdat ik nieuwsgierig naar u ben.'

'Dat is een wat boude bewering, en ook curieus. Welk belang kan iemand als u stellen in een saai leven als het mijne? Want ik heb de indruk, mijnheer Glapthorn, dat u een man met een brede ervaring en belangstelling bent, met de ruime opvattingen die ik reeds dikwijls heb gezien bij mannen met een groot intellect die de wereld kennen en daarin op hun eigen wijze leven. U hebt zichzelf leren redden – dat weet ik zeker – en daardoor hebt u, als ik zo vrij mag zijn, tot op zekere hoogte de aard van een wild dier gekregen. Ja, u bent een avonturier, mijnheer Glapthorn. Ik bedoel niet dat u ontembaar bent, maar ik ben ervan overtuigd dat u niet voor een huiselijk leven bent voorbestemd. Geloof je ook niet, Marie-Madeleine?'

Mademoiselle had juffrouw Carteret en mij met intense belangstelling gadegeslagen, met ogen die van de een naar de ander schoten, al naar gelang een van ons aan het woord was.

'Ik geloof,' zei ze langzaam, en ze tuitte peinzend haar lippen, 'dat mijnheer Glapthorn ondoorgrondelijk is – zo heet dat toch? Ja, dat denk ik. *Vous êtes un homme de mystère.*'

'Wel,' zei ik met een glimlach, 'ik weet niet of ik me nu gevleid moet voelen of niet.'

'Ah,' zei Mademoiselle, 'gevleid, natuurlijk. Een zweem van mysterie is altijd aardig.'

'U vindt me dus mysterieus?'

'Zeker.'

'En wat vindt u, juffrouw Carteret?'

'Ik geloof dat iedereen mysterieus is,' antwoordde ze, met wijd opengesperde ogen. 'Het is een kwestie van gradatie. Iedereen heeft wel iets wat hij het liefst voor anderen verborgen houdt, zelfs voor degenen die hem na staan – kleine geheime zonden, zwakheden, angsten, zelfs hoop die hij niet durft uit te spreken, maar over het algemeen zijn dat onbeduidende mysteriën, die het degenen die hem liefhebben niet onmogelijk maken hem te kennen zoals hij wezenlijk is, ten goede of ten kwade. Maar er zijn ook mensen die in het geheel niet zijn wat zij schijnen. Zulke mensen zijn waarlijk mysterieus, geloof ik. Hun ware zelf houden zij opzettelijk geheel verborgen, en een ander kan slechts hun onware uiterlijke schijn kennen.'

Haar vaste blik gaf me een onbehaaglijk gevoel, en de stilte die op haar woorden volgde nog meer. Ze sprak natuurlijk in het algemeen; toch hadden haar woorden een onmiskenbaar scherpe klank die me ten zeerste trof. Mademoiselle zuchtte, ten teken dat ze ongeduldig werd van haar ernstige vriendin, terwijl ik zwakjes glimlachte en in een poging het gesprek een andere wending te geven, juffrouw Carteret vroeg hoe lang ze nog in Londen hoopte te blijven.

'Marie-Madeleine vertrekt morgen naar Parijs. Ik blijf hier nog wat, want in Evenwood is niets meer wat mij daarheen trekt.'

'Zelfs niet de heer Phoebus Daunt?' vroeg ik.

Daarop slaakte Mademoiselle Buisson een gilletje: ze wiegde heen en weer van het lachen.

'Phoebus Daunt! Denkt u dat ze om hem terug zou gaan? Maar nu plaagt u ons toch, mijnheer Glapthorn.'

'Waarom zou juffrouw Carteret haar oude vriend niet willen zien?' vroeg ik met overdreven onbegrip.

'Ah, ja,' antwoordde Mademoiselle met een glimlach, 'haar oude vriend en speelkameraad.'

'Mijnheer Glapthorn deelt de bewondering van de wereld voor Phoebus Daunt niet,' zei juffrouw Carteret. 'Hij heeft zelfs een zeer streng oordeel over hem. Nietwaar, mijnheer Glapthorn?'

'Maar mijnheer Daunt is zo ongelooflijk charmant!' riep Mademoiselle Buisson uit. 'En zo briljant, en zo knap! Bent u soms jaloers, mijnheer Glapthorn?'

'Beslist niet, dat verzeker ik u.'

'Kent u hem dan?' vroeg Mademoiselle, nog steeds met een glimlach.

'Mijnheer Glapthorn kent hem alleen van reputatie,' zei juffrouw Carteret, eveneens glimlachend, 'en dat lijkt hem voldoende om hem antipathiek te vinden.'

Ze keken elkaar aan alsof ze een spel speelden waarvan alleen zij beiden de regels kenden.

'Moet ik hieruit dan afleiden, juffrouw Carteret,' vroeg ik, 'dat we tóch dezelfde mening delen over het karakter en de talenten van de heer Daunt? De laatste keer dat we hierover spraken, leek u geneigd hem te verdedigen.'

'Zoals ik u toen reeds te verstaan gaf, ben ik de heer Daunt de hoffelijkheid verschuldigd die een oude kennis en goede buur toekomt. Maar ik probeer hem niet te verdedigen. Hij is zeer wel in staat zichzelf te verdedigen, tegen uw mening en tegen de mijne.'

'Wel,' zei Mademoiselle, 'als u mijn mening over de heer Phoebus Daunt wilt weten: hij is onuitstaanbaar. Dát is mijn mening – niet meer en niet minder, zoals men hier zegt. Dus u ziet, mijnheer Glapthorn, dat we het allemaal eens zijn.'

Ik zei dat mij dat genoegen deed.

'Maar Emily,' ging ze voort, en ze keek haar vriendin aan, 'ik kan wel een heel goede reden bedenken waarom je naar Evenwood terug zou willen gaan.'

'Wat dan?' vroeg juffrouw Carteret.

'Wel, dat mijnheer Daunt daar nu niet is!'

Mademoiselle leek zeer ingenomen met haar snedige repliek. Ze klapte in haar handen, kuste juffrouw Carteret op de wang en sprong op. Ze begon door de kamer te dansen, te huppelen en pirouettes te draaien, onder het zingen van: '*Où est le soleil? Où est le soleil?*' en ging uiteindelijk weer naast juffrouw Carteret zitten, blozend en met stralende ogen.

'En waar is de zon dan nu?' vroeg ik.

'In Amerika,' zei juffrouw Carteret. Bij die woorden keek ze haar vriendin met plagend opgetrokken wenkbrauwen aan en ik voelde weer die onmiskenbare onderstroom van samenzweerderigheid. 'Hij maakt een tournee en houdt lezingen.'

'Waarover?' vroeg ik.

'Het onderwerp is "De epische dichtkunst", meen ik.'

Ik kon een minachtend gesnuif niet onderdrukken. De epische dichtkunst, nota bene! Toen beheerste ik me, want anders stond me wellicht een standje van juffrouw Carteret te wachten omdat ik me onhoffelijk over haar oude speelkameraad uitliet, maar tot mijn voldoening zag ik dat zij en Mademoiselle ook moesten lachen, juffrouw Carteret zacht en discreet, haar vriendin voluit.

'Zie je wel, Emily,' zei Mademoiselle ten slotte, 'mijnheer Glapthorn is een verwante geest. Hij is dezelfde mening toegedaan als wij. We kunnen hem al onze geheimen toevertrouwen, zonder bang te zijn dat hij ons zal verraden.'

Juffrouw Carteret liep naar het raam en keek naar buiten.

'Wat is het hier benauwd,' zei ze. 'Zullen we een halfuurtje gaan wandelen?'

De beide dames haalden snel hun hoed en omslagdoek en weldra liepen we door Hyde-park, over een tapijt van afgevallen bladeren. We rustten een poos op een bankje met uitzicht op de Serpentine, maar Mademoiselle Buisson werd ongedurig en liep na enkele minuten weer een eindje het park in, zodat juffrouw Carteret en ik voor het eerst alleen achterbleven.

'Juffrouw Carteret,' waagde ik nadat we enkele ogenblikken zwijgend over het water hadden uitgekeken, 'mag ik vragen of de politie al vorderingen heeft gemaakt bij het zoeken naar de overvallers van uw vader?'

Haar blik bleef op een punt in de verte gericht terwijl ze antwoordde.

'Er is een man uit Easton – een bekende schurk – ondervraagd, maar hij is weer op vrije voeten gesteld. Ik heb alle hoop laten varen dat de politie de daders ooit zal vinden.'

Het kwam er snel en stellig uit, alsof ze mijn vraag had verwacht en het antwoord al had voorbereid. Haar mooie gezicht stond gespannen, en ik zag dat ze verstrooid met de franje van haar omslagdoek speelde.

'Neemt u het me niet kwalijk,' zei ik zacht. 'Het was tactloos van me u dit te vragen.'

'Nee!' Ze draaide zich half om en keek me aan, en ik zag dat haar ogen vol tranen stonden. 'Nee. U vroeg het uit vriendelijkheid, dat weet ik, en ik ben u dankbaar voor uw bezorgdheid, werkelijk. Maar mijn hart is zo vol – verdriet om mijn vader, onzekerheid over mijn toekomst. De dood van mijn vader heeft alles onzeker gemaakt. Ik heb geen middelen van bestaan en weet niet eens of ik wel in mijn huis zal mogen blijven wonen.'

'Maar lord Tansor zal uw positie toch wel begrijpen en zijn verplichtingen jegens u als familielid nakomen?'

'Lord Tansor zal alleen doen wat in zijn eigen belang is,' antwoordde ze enigszins stekelig. 'Ik klaag niet dat hij me in het verleden geen consideratie zou hebben betoond, maar hij is nergens toe verplicht. Hij heeft mijn vader in dienst genomen op instigatie van zijn tante, mijn grootmama, maar het ging niet geheel van harte, al heeft hij er onschatbaar veel voordeel van gehad. Mijn vader was zijn neef, maar hij werd soms niet beter behandeld dan een bediende. Ik kan niet ontkennen dat de materiële omstandigheden dat enigszins goedmaakten, maar niets was werkelijk van onszelf. Alles kregen we van lord Tansor, we waren voor alles van hem afhankelijk in plaats van als familie te worden behandeld, met alle waardigheid van dien. Ik heb mijn vader de onrechtvaardigheid van de situatie nooit kunnen doen inzien, maar ik heb zelf zeer onder de schande en het onrecht geleden. Hoe kan ik dan veiligheid en onafhankelijkheid verwachten van mijn familiebetrekking met de baron?'

'Maar misschien zal hij u toch wel genereus behandelen.'

'Misschien. Ik heb Duportbloed in mijn aderen en dat is voor lord Tansor altijd een belangrijke overweging. Maar ik kan er niet op rekenen dat alles in mijn voordeel uitvalt, en ik wil lord Tansor niet eeuwig naar de ogen hoeven zien.'

Ik merkte op dat een dame altijd nog een ander middel tot haar beschikking had om zich van een comfortabel bestaan te verzekeren.

'U bedoelt het huwelijk, neem ik aan. Maar wie zou met mij willen trouwen? Ik heb geen eigen geld en mijn vader heeft me weinig nagelaten. Ik ben bijna dertig jaar – nee, zeg niet dat mijn leeftijd er niet toe doet. Ik weet zeer goed dat die wel degelijk belangrijk is. Nee, mijnheer Glapthorn, die kans is verkeken. Ik zal als oude vrijster sterven.'

'Er is er toch zeker één die graag met u zou trouwen.'

'Wie dan?'

'Wel, Phoebus Daunt natuurlijk.'

'Maar mijnheer Glapthorn, u bent geobsedeerd door Phoebus Daunt. Hij lijkt wel een idee-fixe voor u te zijn geworden.'

'Maar u geeft toe dat ik gelijk heb?'

'Zeer zeker niet. Iedere neiging in die richting die mijnheer Daunt ooit heeft gehad, is allang verdwenen. Zelfs al had mijn vader hem geschikt voor me geacht, wat niet het geval was, dan nog zou ik zijn gevoelens toch nooit hebben kunnen beantwoorden. Ik heb mijnheer Daunt niet lief, en voor mij, die het voorbeeld van mijn ouders voortdurend voor ogen heb gehad, is liefde de enige reden voor een huwelijk. En zullen we nu afspreken de heer Daunt verder te laten rusten? In gezelschap verveelt hij me, en het verveelt me nog meer om over hem te praten. Ik zal zeker een manier vinden om mijn toekomst te verzekeren, op mijn eigen voorwaarden en tot mijn tevredenheid, zonder me aan de genade van mijnheer Daunt en zijn toekomstverwachtingen over te leveren. Maar vertelt u eens, hebt u *Villette* van Currer Bell* gelezen?'

Ze ondervroeg me over mijn smaak en mijn opinies. Bewonderde ik Dickens? Wat vond ik van het werk van Wilkie Collins? Was *In Memoriam*** van Tennyson geen schitterende prestatie? Had ik onlangs nog concerten of voordrachten bezocht? Vond ik het werk van Rossetti en zijn geestverwanten*** verdienstelijk?

Bij ieder onderwerp dat in ons discours ter sprake kwam, gaf ze blijk van eruditie, belangstelling en een verstandig oordeel, en we ontdekten al spoedig dat onze mening over de verdiensten, of het gebrek daaraan, van verschillende schrijvers en schilders toevalligerwijs geheel samen-

* Pseudoniem van Charlotte Brontë. *Villette* verscheen in januari 1853. JJA

** *In Memoriam A.H.H.* (= Arthur Henry Hallam, 1811-1833) werd door Edward Moxon (de uitgever van Daunt) in 1850 uitgegeven, het jaar waarin Tennyson na de dood van Wordsworth tot Poet Laureate werd benoemd. JJA

*** De *Pre-Rafaelite Brotherhood*, opgericht in 1848 door Dante Gabriel Rossetti (1828-1882), John Everett Millais (1829-1896), William Holman Hunt (1827-1910) en anderen. JJA

viel, en langzaam maar zeker werd ons gesprek dat van twee mensen die stilzwijgend hun wederzijdse sympathie erkennen. Toen kwam Mademoiselle Buisson weer terug naar ons bankje.

'Het wordt wat koud, *ma chère*,' zei ze en ze pakte de hand van haar vriendin om haar aan te moedigen op te staan, 'en ik heb honger. Zullen we teruggaan? Mijn compliment, mijnheer Glapthorn. Ik zie aan Emily's gezicht dat haar gesprek met u haar goed heeft gedaan. Waar ging het over?'

'Niets wat jou interesseert, liefje,' zei juffrouw Carteret, die haar omslagdoek om zich heen trok. 'Het was een heel ernstig gesprek, nietwaar, mijnheer Glapthorn?'

'En toch ben je er vrolijk van geworden,' merkte Mademoiselle peinzend op. 'U moet haar spoedig weer eens komen opzoeken, mijnheer Glapthorn, voor nog zo'n ernstig gesprek, dan hoef ik me geen zorgen over haar te maken als ik weer thuis ben.'

In een opgewekte stemming liepen we terug naar Wilton-crescent; Mademoiselle kwetterde en lachte, juffrouw Carteret glimlachte kalm en tevreden en ik gloeide inwendig van een nieuw geluk.

Voor het huis aangekomen wipte Mademoiselle lenig de stoeptreden op.

'Vaarwel, mijnheer Glapthorn,' riep ze toen ze bij de voordeur stond. Toen dacht ze even na. 'Een merkwaardige naam, nietwaar? Glapthorn. Hoogst merkwaardig; hij past wel bij een ondoorgrondelijk man.' En met die woorden verdween ze lachend naar binnen.

Ik wendde me naar juffrouw Carteret toe.

'Mag ik u nog eens een visite maken?'

Ze bood me haar hand, die ik in de mijne nam en een kostbaar ogenblik lang vasthield.

'Moet u dat nog vragen?'

36

Amor vincit omnia*

De vrijdag daarop maakte ik voor de tweede keer mijn opwachting in Wilton-crescent, hoopvol gestemd dat Emily Carteret me met dezelfde hartelijkheid zou ontvangen als waarvan ze de laatste keer blijk had gegeven. Ik hield nog meer van haar dan ooit, en ik durfde inmiddels de gedachte toe te laten dat zij mettertijd ook van mij zou kunnen gaan houden. Tijdens dit bezoek werd ik voorgesteld aan mevrouw Fletcher Manners – een bedrijvige, knappe vrouw die slechts een jaar of vijf ouder was dan haar nichtje – en geïnviteerd om met de twee dames de lunch te gebruiken. Na afloop, toen mevrouw Manners was vertrokken om op middagvisite te gaan, bleven Emily Carteret en ik getweeën in de salon achter.

'Het was me een waar genoegen, mijnheer Glapthorn,' zei ze, zodra haar tante weg was, 'maar helaas moet ik morgen alweer terug naar Evenwood, en zal dan lange tijd niet in de gelegenheid zijn u te ontvangen, tenzij...'

Ik begreep meteen waar ze op aanstuurde.

'Ik een aanleiding heb om binnenkort naar Evenwood te komen. De oude heer Daunt en ik zijn beiden hartstochtelijk bibliomaan – ik bedoel, dat we van oude boeken houden – en voorts delen we een groot aantal andere antiquarische en wetenschappelijke interesses. Hij heeft gevraagd of ik de drukproeven van een door hem gemaakte vertaling wilde doorlopen en het lijkt me het beste als ik hem die persoonlijk overhandig. Misschien schikt het u als ik bij die gelegenheid ook even bij het Douairièrehuis aan ga.'

* 'Liefde overwint alles': Vergilius, *Bucolica.* JJA

'U bent altijd van harte welkom,' zei ze. Toen zuchtte ze. 'Al weet ik niet hoe lang ik het Douairièrehuis nog mijn thuis zal kunnen noemen. Sir Hyde Teasedale heeft te kennen gegeven dat hij het graag ter bewoning voor zijn dochter zou willen huren, die gaat namelijk binnenkort trouwen; en ik ben bang dat lord Tansor veel welwillender tegenover een betalende huurder zal staan dan tegenover een armlastig familielid.'

'Maar hij zal u toch niet op straat zetten?'

'Nee, dat denk ik ook niet. Maar ik heb weinig eigen geld en ik ben niet in staat om hetzelfde bedrag op te brengen dat sir Hyde als huur voor de woning kan neertellen.'

'Dan moet lord Tansor een ander onderkomen voor u verzorgen. Heeft hij de kwestie al met u besproken?'

'Slechts in het voorbijgaan. Maar laten we niet op de zaken vooruitlopen. Lord Tansor zal me heus niet van de honger laten omkomen.'

We praatten nog een tijdje door en opnieuw had ik dat heerlijke gevoel, net als de week daarvoor aan de Serpentine, dat ik haar helemaal voor mezelf had. Ze had haar reserve nog steeds niet helemaal laten varen; maar toen ik die middag vertrok, voelde ik me gesterkt door haar toeschietelijke houding jegens mij, die bij mij de hoop deed rijzen dat mijn liefde voor haar niet tevergeefs was.

Ik schreef direct een brief aan de oude Daunt, en we kwamen overeen dat ik de week erop, donderdag 1 december, met de drukproeven van zijn vertaling naar Northamptonshire zou afreizen.

Het werd een geanimeerde middag, waarop de predikant en ik over Iamblichus discussieerden, en Daunt was mij zeer erkentelijk voor de paar onbeduidende verbeteringen die ik in zijn vertaling had aangebracht en voor de enkele opmerkingen die ik mij had verstout te maken.

'Allervriendelijkst van u, mijnheer Glapthorn,' zei hij, 'werkelijk allervriendelijkst. U hebt zich heel wat moeite moeten getroosten om mijnentwil. Een reis naar het platteland in dergelijke weersomstandigheden is bijzonder vermoeiend.'

Ruim een dag al stond er een straffe wind, en door de regen waren de wegen en paden in de omgeving tot drasland getransformeerd.

'Ach, het was werkelijk geen enkele moeite,' antwoordde ik. 'En ik ben gaarne bereid elk ongerief te verduren als het om de wetenschap gaat, en zeker als me een interessante discussie in het vooruitzicht wordt gesteld zoals wij die hedenmiddag hebben gevoerd.'

'Allervriendelijkst van u. Maar u blijft toch zeker wel hier om een lichte maaltijd te gebruiken? Mijn vrouw is helaas niet thuis en mijn zoon verblijft in het buitenland waar hij een reeks lezingen geeft; dus we zijn maar met ons beiden. Ik heb echter iets om u mee over te halen: een uitzonderlijk gaaf exemplaar van Quarles' *Hieroglyphikes** dat onlangs in mijn bezit is gekomen, en waarover ik gaarne uw mening zou horen, als u tenminste niet elders dringende zaken hebt.'

Ik kon de aardige oude man niet teleurstellen, en daarom bleef ik voor de lichte maaltijd die werd opgediend en genuttigd, en ondertussen werd het boek in kwestie erbij gehaald en besproken, waarna nog een aantal andere vergelijkbare werken ter discussie kwamen. Het was al na vieren, het begon reeds te schemeren, toen ik eindelijk met goed fatsoen kon opstappen.

Er stond een onstuimige harde oostenwind, die de regen in mijn gezicht deed striemen, terwijl ik me voorzichtig staande probeerde houden op de glibberige voren van het pad dat van de pastorie naar het Douairièrehuis leidde. Plotseling verergerde de regen en ik liet mijn oorspronkelijke voornemen om naar de voorkant van het huis te lopen voor wat het was en rende zo hard mijn benen me konden dragen over het stalerf naar de keukendeur, die op mijn kloppen dadelijk door juffrouw Rowthorn werd geopend.

'Mijnheer Glapthorn, toch, komt u binnen, komt u binnen.' Ze liet me de keuken in, waar John Brine voor het keukenvuur zijn tenen zat te warmen.

'Wordt u verwacht, mijnheer?' vroeg de huishoudster.

'Ik kom net van de pastorie en wilde graag voordat ik weer naar Easton vertrek mijn complimenten aan mejuffrouw Carteret overbrengen, als ze thuis is.'

* *Hieroglyphikes of the Life of Man* (1638) van de Engelse dichter Frances Quarles (1592-1644). JJA

'O, zeker, mijnheer, ze is thuis. Wilt u even gaan zitten en wachten?'

'Misschien mag ik eerst even opdrogen bij het vuur,' zei ik, terwijl ik mijn jas uitdeed en naar de plek liep waar John Brine zat. Na een paar minuten ging juffrouw Rowthorn op een holletje naar boven om iets te halen, waardoor ik de gelegenheid had om Brine te vragen of hij nog nieuws voor me had.

'Niets bijzonders te melden, mijnheer. Mejuffrouw Carteret is de afgelopen dagen voornamelijk in huis gebleven, en heeft alleen mevrouw Daunt ontvangen, die twee keer op bezoek is geweest sinds de juffrouw terug uit Londen is. De jonge mijnheer Daunt komt pas over enkele weken thuis, zoals u weet.'

'Is juffrouw Carteret niet uit geweest, zeg je?'

'Nee, mijnheer, behalve voor een afspraak met lord Tansor.'

'Brine, ik word werkelijk hoorndol van je. Waarom heb je dat niet eerder verteld? En wanneer had de juffrouw een afspraak met lord Tansor?'

'Op dinsdagmiddag,' zei een stem, maar niet die van John Brine. Ik draaide me om en zag zijn zuster, Lizzie, onder aan de trap staan.

'John heeft haar in de landauer gebracht,' ging ze voort. 'Nog geen uur later waren ze weer terug.'

'En weten jullie wat de reden van dit bezoek was?' vroeg ik.

'Volgens mij had het iets van doen met lord Tansors besluit om het Douairièrehuis aan sir Hyde Teasedale te verhuren. De juffrouw heeft een onderkomen in het grote huis aangeboden gekregen, in de kamers die vroeger door de eerste lady Tansor werden bewoond. Ik ga met haar mee. John blijft hier, met de anderen, als bedienden van sir Hyde's dochter en haar echtgenoot.'

Op dat moment, terwijl ik dit nieuwtje op mij liet inwerken, kwam juffrouw Rowthorn terug en vroeg of ik klaar was om boven mijn opwachting te maken, waarop ik achter de royale rug van de huishoudster naar de hal liep.

Emily Carteret zat bij het vuur in het vertrek waar we ook ons eerste gesprek hadden gevoerd. Ze maakte geen aanstalten op te staan toen ik binnenkwam, alsof ze juffrouw Rowthorn niet had horen kloppen, en zat met haar kin op haar hand peinzend in de vlammen te staren.

'Neem me niet kwalijk, juffrouw, maar mijnheer Glapthorn is er.'

Haar gezicht, dat verlicht werd door de gloed van het vuur aan de ene kant, en door de stralen van de raapoliebrander* aan de andere kant, had een onaardse marmerblanke teint. Heel even leek ze het gesneden beeld van een godin uit de oudheid, ontzagwekkend en onaantastbaar, in plaats van een vrouw van vlees en bloed. Maar toen glimlachte ze en stond op om me te begroeten, zich verontschuldigend voor haar gemijmer.

'Ik dacht aan papa en mama,' zei ze, 'en alle gelukkige jaren die we hier hebben doorgebracht.'

'Maar u gaat toch niet weg van Evenwood, dacht ik, alleen uit het Douairièrehuis.'

Haar gezicht verstrakte een weinig, maar toen neeg ze haar hoofd en keek me plagend aan: 'Wat bent u goed op de hoogte, mijnheer Glapthorn, van al onze dagelijkse bezigheden! Ik ben heel benieuwd hoe dat zo komt.'

Omdat ik de identiteit van mijn informant niet wilde prijsgeven, zei ik dat er niets geheimzinnigs achter school: een terloopse opmerking van de oude heer Daunt, meer niet, en ik voegde eraan toe dat het me deugd deed dat lord Tansor zijn plicht jegens haar was nagekomen.

'Goed, ik heb nu mijn verklaring,' zei ze. 'Maar het wordt misschien ook tijd dat ik wat meer over ú te weten kom, als we vrienden willen worden. Kom naast me zitten en vertel me alles over Edward Glapthorn.'

Ze maakte plaats voor me op het bankje waarop ze zat, vouwde haar handen in haar schoot en wachtte tot ik van wal stak. Ik was zo betoverd door haar mooie gezicht en haar nabijheid dat ik enkele tellen onbeweeglijk bleef zitten.

'Hebt u niets te vertellen?'

'Niets wat u zal interesseren, dunkt me.'

'Kom, kom, mijnheer Glapthorn, geen valse bescheidenheid. Ik heb

* Raapolie is een dikke viskeuze plantaardige olie die als lampolie werd gebruikt voor de uitvinding van petroleum in 1878. JJA

het idee dat u heel veel hebt te vertellen, als u zich over uw gêne heen zet. Neem bijvoorbeeld uw ouders. Vertel eens wat over hen.'

Het scheelde niet veel of ik had haar de hele waarheid verteld, maar er was iets wat me tegenhield. Ik had me heilig voorgenomen haar pas alles te vertellen als ik haar mijn liefde had verklaard, en zij die hopelijk had beantwoord; dan zou ik haar in vertrouwen nemen zoals ik nog nooit iemand had vertrouwd, zelfs Bella niet. Maar tot die tijd, totdat ik zekerheid had, kon ik me slechts veroorloven haar een beperkte versie van de waarheid te geven, en de rest met leugentjes te omkleden.

'Mijn vader was kapitein bij de huzaren maar hij was al gestorven voordat ik werd geboren. Mijn moeder voorzag in ons levensonderhoud met het schrijven van romans.'

'Een schrijfster! Hoe interessant! Maar ik kan me geen enkele schrijfster met de naam Glapthorn herinneren.'

'Ze schreef onder een schuilnaam.'

'Aha. En waar bent u opgegroeid?'

'Aan de kust van Somerset. Mijn familie van moederskant komt uit de West Country.'

'Somerset, zegt u? Ik ken het zelf niet goed, maar ik heb lord Tansor vaak horen zeggen dat het er prachtig is, de familie van zijn eerste vrouw kwam er vandaan, weet u. En hebt u nog broers of zusters?'

'Mijn oudere zuster is op zeer jonge leeftijd overleden. Ik heb haar nooit gekend. Mijn moeder heeft me thuis lesgegeven en later ben ik naar de dorpsschool gegaan. Na de dood van mijn moeder heb ik enige tijd in Heidelberg gestudeerd en veel door Europa gereisd. In 1848 keerde ik terug naar Londen en vond een betrekking bij mijn huidige werkgever, de firma Tredgolds. Ik verzamel boeken, bestudeer de kunst der fotografie en leid over het algemeen een betrekkelijk saai leven. Ziezo, dat is het. Edward Glapthorn, *en tout et pour tout*.'

'Wel,' zei ze toen ik klaar was met mijn beknopte levensbeschrijving, 'toch blijf ik u beschuldigen van valse bescheidenheid, want uit uw opsomming leid ik af dat u over allerlei opmerkelijke talenten beschikt die u nu voor me verborgen houdt. Zoals fotografie. Dat is iets waarvoor men zowel wetenschappelijke kennis als een kunstzinnige blik nodig heeft, niettemin vermeldt u het haast terloops, alsof het een kunst is die de eerste de beste zich eigen kan maken. Ik interesseer me bovenmatig voor de fotografie. Lord Tansor heeft een album met enkele magnifieke gezichten op Evenwood. Ik heb ze dikwijls met bewondering bekeken. Dezelfde fotograaf heeft, naar ik meen, het portret gemaakt van lord Tansor dat op zijn bureau staat. Weet u, ik zou wel willen dat er een portret van míj gemaakt werd. Ja, heel graag zelfs. Zoudt u van mij een portret willen maken, mijnheer Glapthorn?'

Ik keek haar onderzoekend in de ogen, grote donkere poelen, oneindig diep, maar daarin kon ik geen spoor van een bijbedoeling ontwaren. Het enige wat ik zag was oprechtheid en eerlijkheid, en mijn hart sprong op van vreugde dat ze me op deze manier bezag, zonder de reserve die steeds zo hardnekkig aanwezig was geweest. Ik zei dat het me een eer en genoegen zou zijn om haar portret te mogen maken, en daarna, misschien wat onbezonnen, ontsnapte de bekentenis aan mijn lippen dat ik degene was die, op instigatie van Tredgold, de fotografische gezichten op Evenwood die ze zo bewonderde, en het portret van lord Tansor had vervaardigd.

'Ach, natuurlijk!' riep ze uit. 'Op het portret staan de initialen E.G., van Edward Glapthorn! Hoe bestaat het, u was op Evenwood om uw fotografieën te maken terwijl ik het niet wist! Denk u eens in dat we elkaar toen waren tegengekomen of elkaar op het landgoed als vreemden waren gepasseerd, niet beseffend dat we voorbestemd waren om elkaar op een goede dag te ontmoeten.'

'Dus u denkt dat onze ontmoeting voorbestemd was?'

'U niet?'

'Zoals u weet heb ik een sterk geloof in het lot,' antwoordde ik. 'Dat is mijn heidense inslag. Ik heb mezelf met logica proberen om te praten, maar dat lukt gewoonweg niet.'

'Dan staan we dus machteloos,' zei ze berustend en ze wendde haar hoofd naar het vuur.

Er daalde een stilte neer in de kamer, een stilte die door het zachte tikken van een klok nog dieper en haast voelbaar werd, en de knetterende, oplaaiende houtblokken en de loeiende wind, die bladeren en takjes tegen de ramen blies, maakten de stilte nog pregnanter.

Mijn ademhaling ging sneller van het verlangen haar tegen me aan te trekken, heur haar tegen mijn gezicht te voelen, en haar borst tegen de mijne. Zou ze me wegduwen? Of zou ze onmiddellijk toegeven aan het moment? Toen zag ik haar gebogen hoofd en ik begreep dat ze schreide.

'Vergeef me,' zei ze haast fluisterend.

Ik wilde net zeggen dat ze zich geenszins hoefde te verontschuldigen voor het tonen van haar emoties toen ik zag dat haar opmerking niet voor mij bestemd was maar voor een ander, iemand die niet bij ons in de kamer was, alleen in haar gedachten.

'U had niet dood mogen gaan!' Ze praatte nu op een soort kreunende toon en schudde snel haar hoofd heen en weer; ik begreep dat de gedachte aan haar vaders gruwelijke dood haar plotseling en onverwacht overviel, zoals dat vaak gaat.

'Juffrouw Carteret–?'

'Oh, mijnheer Glapthorn, het spijt me zo.'

'Nee, nee, nee. U hoeft nergens spijt van te hebben. Voelt u zich niet goed? Zal ik om juffrouw Rowthorn schellen?'

Ik vond het hartverscheurend om haar zo zichtbaar overstuur te zien, al streed mijn medelijden om voorrang met mijn ziedende woede om wat Daunt in haar leven had aangericht. Hij was dan misschien niet direct schuldig aan Carterets dood, maar ik bleef ervan overtuigd dat hij erbij betrokken was geweest. En zo werd er op zijn rekening nog een schuld bijgeschreven, die wat mij betreft zo spoedig mogelijk vereffend diende te worden.

Juffrouw Carteret reageerde op mijn bezorgdheid met de verzekering dat ze echt niets nodig had en ze begon haar ogen te betten. Enkele tellen later had ze zich weer hersteld en vroeg me, uiterlijk een en al opgewekte interesse, wanneer ik naar Londen terugkeerde. Ik zei dat ik nog een nachtje in Easton bleef logeren en de volgende ochtend zou vertrekken.

'Och!' riep ze uit terwijl een onstuimige windvlaag aan een van de ruiten rammelde. 'U kunt echt niet terug naar Easton in dit weer. John Brine zou u kunnen brengen, alleen is een van de paarden kreupel. U moet vannacht hier blijven slapen. Ik sta erop.'

Ik sputterde natuurlijk tegen dat ik beslist geen misbruik wilde maken van haar gastvrijheid, maar zij wimpelde al mijn bezwaren weg. Ze schelde meteen om juffrouw Rowthorn, en droeg haar op om een kamer in orde te maken en aan tafel voor een persoon extra te dekken.

'U hebt er toch, hoop ik, geen bezwaar tegen dat het een diner à deux is, mijnheer Glapthorn?' vroeg ze. 'Ik weet dat het ietwat onbetamelijk is, aangezien ik op het ogenblik geen chaperonne heb, maar ik heb een hekel aan al die vermoeiende gedragsregels. Indien een dame met een heer wenst te dineren in haar eigen huis, dan is dat toch zeker haar eigen zaak. Bovendien komen er tegenwoordig zelden nog gasten op het Douairièrehuis.'

'Maar ik meen u te hebben horen zeggen dat u vrienden in de buurt hebt?'

'Mijn vrienden houden zich gepast afzijdig in deze verdrietige tijd, en ik gevoel weinig lust om uit te gaan. We lijken wel wat op elkaar, mijnheer Glapthorn. We hebben genoeg aan ons eigen gezelschap.'

Een diner *à deux* met mejuffrouw Emily Carteret! Ik kon mijn geluk niet op toen ik tegenover haar in de gelambriseerde eetkamer zat met uitzicht op het park achter het Douairièrehuis, en ik merkte dat ik haar met een vertrouwelijkheid tegemoet trad die ik slechts luttele uren daarvoor niet voor mogelijk had gehouden. Het gesprek kwam op het nieuws van de dag, waaronder, uiteraard, de recente gevechten bij Sinope,* en we ontdekten dat we allebei vonden dat Rusland een lesje nodig had – het was een aangename verrassing te merken dat juffrouw Carteret zelfs nog meer uitgesproken was in haar strijdlust dan ikzelf. Vervolgens raakten we in discussie over *The Heir of Redclyffe*,** dat we tot in de details analyseerden – zonder tot een gunstig oordeel te komen – en daarna bespraken we alle aspecten van Ruskins denkbeelden

* In oktober 1845 verklaarde Turkije Rusland de oorlog. Op 4 november versloegen de Turken de Russen bij Oltenitza, maar de Turkse vloot werd op de dertigste van diezelfde maand op de Zwarte Zee bij Sinope door de Russen vernietigd – een actie die grote verontwaardiging in Engeland opriep. Deze oorlogshandelingen waren de directe aanleiding tot wat later de Krimoorlog zou gaan heten. Groot-Brittannië en Frankrijk verklaarden in maart 1854 Rusland de oorlog. JJA

** Door Charlotte M. Yonge (1823-1901), uitgekomen in 1853. De roman, waarin de geloofsstrijd wordt beschreven van de hoofdpersoon, Guy Morville, weerspiegelde de Tractariaanse opvattingen van de schrijfster zelf en was een van de populairste romans uit die tijd. JJA

aangaande de gotische bouwstijl.* We lachten, we redetwistten, nu eens in ernst, dan weer in luchtige scherts; we ontdekten dat we van veel dezelfde dingen hielden, en dat we beiden aan nog meer dingen een hekel hadden. We kwamen erachter dat we beiden geen domheid en saaiheid duldden en dat we furieus werden van lichtzinnige onnozelheid. Een uur vloog om; twee uur. De klok had net tien uur geslagen toen ik, inmiddels in de salon gezeten, aan mijn gastvrouw vroeg of ze zo goed wilde zijn iets te spelen.

'Iets van Chopin misschien,' opperde ik. 'Ik weet nog goed dat u bij mijn eerste bezoek aan het Douairièrehuis iets van hem speelde, een nocturne, meen ik.'

'Nee,' verbeterde ze me licht blozend. 'Dat was een prelude.** Nummer 15 in des grote terts, ook wel "De regendruppel" genoemd. Helaas heb ik de bladmuziek niet meer. Ik zal iets anders voor u spelen. Ik kan ook iets voor u zingen.'

Ze liep haastig naar de piano, alsof ze niet lang bij de herinnering aan die avond wilde stilstaan, en gaf een gloedvolle vertolking van Schumanns 'An meinem Herzen, an meiner Brust',*** waarbij ze zichzelf gevoelig op het klavier begeleidde. Ze had een diepe, warme stem, maar er klonk een bekoorlijke zachtheid in door. Ze speelde en zong met dichte ogen, want ze kende zowel de muziek als de tekst van buiten. Toen ze klaar was, deed ze de klep dicht en bleef even in de richting van het raam zitten kijken. De trekgordijnen waren omlaag en toch bleef ze maar naar de onbedrukte stof staren, alsof ze er dwars doorheen kon kijken, over het gazon, door de Plantage heen naar een of ander bijzonder boeiend voorwerp in de verte.

'Zingt u vanuit het hart, juffrouw Carteret?' vroeg ik.

Ze gaf geen antwoord maar bleef strak naar het gordijn kijken.

'Misschien heeft dit stuk een bijzondere betekenis voor u?'

* Het eerste deel van *The Stones of Venice* door John Ruskin (1819-1900), waarin hij de lof zong van de gotische architectuur, kwam in maart 1851 uit; deel twee volgde in juli 1853 en deel drie in oktober van hetzelfde jaar. JJA

** Opus 28. Gecomponeerd tussen 1836 en 1839, gepubliceerd in 1839. JJA

*** 'Aan mijn hart, aan mijn boezem', uit de liederencyclus van Schumann voor vrouwenstem en piano, *Frauenliebe und Leben* ('Liefde en leven van een vrouw'), 1840. JJA

Ze draaide zich naar me om.

'Niet in het minst. Maar u lijkt eigenlijk een andere vraag te stellen.'

'Een andere vraag?'

'Ja. U vraagt of dit stuk een bijzondere betekenis voor me heeft, maar in werkelijkheid wilt u iets anders weten.'

'Ik merk dat u me al aardig doorgrondt,' zei ik terwijl ik een stoel bijtrok. 'U hebt gelijk. Ik wil inderdaad iets anders weten, maar nu schaam ik me voor mijn aanmatigende gedrag. Ik hoop dat u het mij niet euvel duidt.'

Een flauw lachje voordat ze antwoord gaf. 'Vrienden mogen gerust een weinig aanmatigend zijn, mijnheer Glapthorn, ook nieuwe vrienden als wij. Zet uw gewetensbezwaren opzij en vertel me wat u wilt weten.'

'Goed dan. Ik ben benieuwd – hoewel het me niets en niemendal aangaat – wie de heer was met wie ik u in de Plantage heb zien praten, op de avond dat ik hier voor het eerst op bezoek was. Ik stond toevallig voor het raam, ziet u, en heb u een poosje gadegeslagen. Maar u hoeft geen antwoord te geven. Ik heb geen enkel recht–'

Ze verschoot van kleur, en ik verontschuldigde me voor mijn onbeschaamdheid, maar ze herstelde zich snel.

'Vraagt u dat nu alleen uit nieuwsgierigheid, mijnheer Glapthorn, of hebt u een bijbedoeling met uw vraag?'

Haar onderzoekende blik maakte me onrustig en ik nam, zoals meestal in een dergelijke situatie, mijn toevlucht tot grootspraak.

'Och, welnee, ik ben gewoon onverbeterlijk nieuwsgierig, meer niet. In veel opzichten is dat een voordeel, maar in andere ben ik me er terdege van bewust dat het een nogal vulgaire tekortkoming is.'

'Ik bewonder u om uw eerlijkheid,' zei ze, 'en daar wordt u voor beloond. De heer in kwestie was George Langham, de broer van een van mijn oudste vriendinnen, Henrietta Langham. Ik vrees dat u getuige was van het moment dat ik de heer Langham alle romantische hoop die hij nog koesterde voorgoed heb ontnomen. Een paar maanden terug heeft hij me, in het geheim, een aanzoek gedaan, maar ik heb geweigerd. Die avond kwam hij weer, niet wetende dat mijn vader–'

Ze zweeg, deed haar ogen dicht en haalde diep adem.

'Nee, nee,' zei ze snel toen ze zag dat ik iets te berde wilde brengen.

'Laat me doorgaan. Onder het pianospelen zag ik door het raam mijnheer Langham en ik ging naar buiten om te vragen wat hij wilde. Hij was dusdanig buiten zichzelf dat hij me smeekte, hoewel ik hem vertelde wat mijn vader was overkomen, om mijn besluit opnieuw in overweging te nemen. We zijn met ruzie uiteengegaan, vrees ik. Ik ben bang dat ook Henrietta boos op me is omdat ik zijn aanzoek niet heb aangenomen. Maar ik houd niet van George zoals een vrouw van een man zou moeten houden, en dat zal ook niet gebeuren. Daarom is het voor mij onmogelijk om met hem te trouwen. Zo, mijnheer Glapthorn, dat is uw antwoord. Is uw nieuwsgierigheid bevredigd?'

'Ruimschoots. Alleen–'

'Ja?'

'De bladmuziek, die ik verscheurd heb aangetroffen–'

'Dat was, zoals ik geloof ik eerder heb verteld, een van de lievelingsstukken van mijn vader. Die avond heb ik het voor het laatst gespeeld, en ik heb mezelf plechtig beloofd dat ik het nooit meer zou spelen. Het had niets van doen met mijnheer Langham, en het lied dat ik vanavond heb gezongen evenmin.'

'Dan ben ik tevreden,' zei ik en ik maakte een statig buiginkje voor haar, 'ook al heb ik het idee dat ik onze vriendschap te zeer op de proef heb gesteld.'

'We kunnen onze ware aard niet verloochenen, mijnheer Glapthorn. Maar misschien wilt u mij omwille van de vriendschap een wederdienst bewijzen. Ik ben namelijk ook benieuwd naar iets.'

'En dat is?'

'Een vraag die u tijdens onze eerste ontmoeting weigerde te beantwoorden. Wat was uw betrekking met mijn vader?'

De aard en de directheid van deze vraag overrompelde me, en het was alleen dankzij mijn ingesleten waakzaamheid waar het zakelijke en persoonlijke kwesties betrof dat ik niet ter plekke alles aan haar bekende. Of het nu haar opzet was of niet, ze maakte het me lastig nog langer om de waarheid heen te draaien, zoals ik voordien wel had gekund toen ze me dezelfde vraag stelde. Niettemin waagde ik een onbeholpen poging.

'Zoals ik al eerder heb gezegd,' begon ik, 'is het een kwestie van zakelijk vertrouwen–'

'En is zakelijk vertrouwen meer bindend dan persoonlijk vertrouwen?'

Daar had ze me in het nauw gedreven. Op mijn vraag over haar ontmoeting in de Plantage had ze me eerlijk antwoord gegeven; het was niet meer dan beleefd dat ik haar vraag ook beantwoordde, maar ik nam wel mijn toevlucht tot bondigheid, in de hoop dat ik haar zo eerlijk mogelijk antwoord kon geven en tegelijkertijd zo min mogelijk van de waarheid hoefde prijs te geven.

'Uw vader had het kantoor van Tredgold aangeschreven inzake de erfopvolging van de baronie van Tansor. Het leek mijn werkgever niet gepast om persoonlijk een ontmoeting met de heer Carteret te hebben, zoals die had verzocht, en daarom moest ik hem vertegenwoordigen.'

'Inzake de erfopvolging? Een dergelijke kwestie zou mijn vader ongetwijfeld eerst aan lord Tansor hebben voorgelegd, en niet aan mijnheer Tredgold.'

'Daarop kan ik geen commentaar geven,' antwoordde ik. 'Het enige wat ik weet is dat het uw vaders uitdrukkelijke wens was dat zijn contact met de heer Tredgold strikt vertrouwelijk bleef.'

'Maar wat kan hem nu toch deze handelwijze hebben ingegeven? Hij was een zeer loyaal dienaar van lord Tansor. Het zou tegen al zijn principes hebben ingedruist om iets achter de rug van de baron om te doen.'

'Juffrouw Carteret,' zei ik. 'Ik heb reeds meer onthuld over deze kwestie dan mijn werkgever goed zou vinden; en bovendien heb ik niets meer toe te voegen aan wat ik al heb gezegd. Bij onze ontmoeting in Stamford heeft uw vader niets losgelaten, en door zijn voortijdige dood tast ik nog altijd in het duister over de reden waarom hij een brief aan mijn werkgever heeft geschreven. Wat hij nu precies via mij aan Tredgold wilde onthullen, zal altijd een raadsel blijven.'

Wat verfoeide ik mezelf om die leugen. Zo'n behandeling verdiende ze niet, alsof ze iemand was die me wilde dwarsbomen, net als Phoebus Daunt, die ze overigens evenzeer leek te haten als ik. Ik had geen enkele reden om achterdocht jegens haar te koesteren, en alle reden om haar mijn vertrouwen te schenken. Ze had zich openlijk tot mijn vriendin verklaard, ze had me gastvrijheid en hartelijkheid geschonken, en een zekere welwillendheid die ik hoopvol voor ontluikende genegenheid hield. Ze had zeker het recht om mijn vertrouwen op te eisen. Ja, ze had het recht om te weten wat haar vader in zijn Depositie had geschreven, en in te zien wat dat voor mij, en voor haar, betekende. De tijd was echter nog niet rijp, nog niet helemaal, maar het zou niet lang meer duren voordat ik alle leugens en bedrog voorgoed achter me kon laten.

Koesterde ze soms achterdocht? Het was moeilijk te zeggen, want haar gezicht had dezelfde ondoorgrondelijke sereniteit als altijd. Ze leek mijn woorden te overdenken. En toen, alsof ze een plotse ingeving kreeg, vroeg ze:

'Zou het wellicht iets te maken kunnen hebben met mijnheer Daunt, ik bedoel de kwestie die mijn vader onder de aandacht van de heer Tredgold wilde brengen?'

'Dat zou ik echt niet kunnen zeggen.'

'Maar als u het wist, zou u het me toch zeker wel vertellen? Als vriendin.'

Ze was naar me toe gelopen en stond nu met haar ene hand op de piano en keek me recht in de ogen.

'Een echte vriendin zou ik nooit iets kunnen weigeren,' zei ik.

'Welnu, we staan quitte, mijnheer Glapthorn.' De glimlach werd breder. 'We hebben vertrouwelijkheden uitgewisseld en onze schulden vereffend. Ik ben bijzonder blij dat u bent gekomen. Bij onze volgende ontmoeting zal ik hier voorgoed zijn vertrokken. Het is een merkwaardige gedachte dat ik langs het Douairièrehuis loop en dat er iemand anders woont. Maar u brengt me toch nog weleens een bezoek, hoop ik, in het grote huis, of in Londen?'

'Moet u dat nog vragen?' herhaalde ik de vraag die zij mij had gesteld na onze wandeling door Green-park.

'Nee,' zei ze, 'ik geloof van niet.'

37

Non sum qualis eram*

De volgende ochtend zag ik juffrouw Carteret niet. Toen de huishoudster me ontbijt op mijn kamer kwam brengen, deelde ze me mee dat de juffrouw al vroeg de deur uit was gegaan, hoewel het een mistige, sombere dag voor een wandeling was.

'Maar het is een goed teken,' zei ze, 'dat de juffrouw weer naar buiten gaat. Sinds ze terug is uit Londen zat ze maar dagen achtereen op haar kamer, rouwend om haar arme papa, dat is wel duidelijk. Maar vanochtend leek ze wat vrolijker, en dat deed me werkelijk veel deugd.'

Daar mijn trein pas over enkele uren vertrok, besloot ik een verkenningstochtje door het park te maken, met als doel om mijn erfgoed nog eens in ogenschouw te nemen, maar ook in de hoop om juffrouw Carteret tegen te komen.

Beneden vroeg ik het meisje dat de stoep bij de voordeur aan het schrobben was of ze John Brine even wilde gaan halen.

'Brine,' vroeg ik, 'ik wil graag naar het mausoleum gaan. Is daar een sleutel van?'

'Die kan ik wel voor u halen, mijnheer,' antwoordde hij, 'als u even wilt wachten tot ik naar het grote huis ben gereden. Het zal niet langer dan een kwartiertje duren.'

Hij hield woord, en niet lang daarna wandelde ik vergenoegd over verscholen paadjes door het druipnatte bos, en langs statige lanen omzoomd met kale lindebomen, en af en toe bleef ik even staan om door een waas van motregen naar het grote huis te kijken. Vanaf sommige plekken zag het huis er schimmig en spookachtig uit, een amorfe mas-

* 'Ik ben niet wie ik was'. JJA

sa; vanaf andere plekken won het aan scherpte, en rezen de torens en spitsen duidelijk door de mist heen als de versteende vingers van een of ander kolossaal monster. Vreemd genoeg leek het opeens van wezenlijk belang dat ik alle afzonderlijke elementen in mij opzoog; elk detail van boog of raam, elke hoek en elke nis, drongen zich aan mij op als oneindig dierbare zaken, alsof ik een man was die voor het allerlaatst naar het gezicht van zijn geliefde kijkt.

Uiteindelijk stond ik dan – nat en verkleumd, en met modder bespat – voor de indrukwekkende dubbele deur van het mausoleum.

Het solide koepelvormige bouwwerk in Grieks-Egyptische stijl stond in het midden van een halfronde, dichte haag van met klimop overwoekerde bomen en was in het jaar 1772 in opdracht van de eenentwintigste baron gebouwd, die voor het ontwerp vrijelijk – sommigen zouden zeggen kritiekloos – had geput uit verscheidene prenten van mausolea uit Roland Fréarts *Parallèle de l'Architecture Antique et de la Moderne.**

Het gebouw bestond uit een grote centrale hal geflankeerd door drie kleinere vleugels en een entree, en het geheel werd afgesloten door twee massieve, afschrikwekkende met lood beklede deuren, waarop in reliëf zes omgekeerde toortsen waren aangebracht, drie op elke deur. De ingang werd bewaakt door twee levensgrote stenen engelen op een sokkel – de ene droeg een krans, de andere een opengeslagen boek. Ik haalde de sleutel uit mijn zak die Brine me had gegeven en stak die in het omgekeerde sleutelgatplaatje.

In de grote hal stonden vier of vijf imposante graftombes, terwijl in de muren van de drie vleugels een rij overwelfde, van een poort voorziene grafkamertjes waren, waarvan sommige leeg en in afwachting van een bewoner, en andere met leistenen platen met ingebeitelde inscripties waren afgesloten.

De eerste grafplaat waar mijn oog op viel was die van de oudste broer van lord Tansor, Vortigern, die aan een epileptische toeval was overleden, zo had mijnheer Tredgold me verteld; daarna richtte ik mijn aandacht op de plaat die de grafkamer afsloot waarin de stoffelijke resten van mijn eigen broer, Henry Hereward Duport, lagen. En daarnaast bevond zich datgene waarvoor ik was gekomen.

* Uitgegeven in 1650. JJA

In de koude, vochtige stilte stond ik enige minuten peinzend naar de eenvoudige inscriptie op de leistenen plaat te kijken; de verwachte eerbied en smart bleef uit, in plaats daarvan begon mijn hart te bonzen. Dit is wat ik las:

Laura Rose Duport
1769-1824
Sursum Corda

Deze inscriptie deed mij direct denken aan het briefje dat mijnheer Carteret bij zijn getuigenis had gevoegd. Sursum corda: de woorden van de Latijnse eucharistie, die op een stukje papier waren gekrabbeld en dat mijn moeders vriendin en gezelschapsdame, mejuffrouw Julia Eames, aan hem had gestuurd. SURSUM CORDA. Hoezeer ik het ook probeerde, het lukte me niet een betekenis aan de woorden te ontfutselen; toch was Carteret erin iets opgevallen dat hij per se aan mij kenbaar had willen maken.

Ik liet mijn gedachten over dit nieuwe raadsel gaan terwijl ik de stilte en het duister van het mausoleum achter me liet, en over een modderig paadje uitkwam bij een met grind bedekt ruiterpad dat langs de ommuring van het park liep en eindigde bij de zuidelijke toegang. Teleurgesteld dat ik juffrouw Carteret onderweg niet was tegenkomen, liep ik terug naar het Douairièrehuis en ging het stalerf op om de sleutel van het mausoleum aan John Brine terug te geven.

'Ik zou het op prijs stellen als je hier een duplicaat van zou willen maken. Onopvallend. Snap je?'

'Ik snap het, mijnheer.'

'Heel goed. Mijn complimenten aan je zuster.'

Hij tikte aan zijn pet en stopte het kleingeld dat ik in zijn hand had gedrukt schielijk in zijn zak.

'We zien u waarschijnlijk een tijdje niet, mijnheer.'

Ik draaide me om. 'Hoezo? Waarom zeg je dat?'

'Ik bedoelde alleen maar, nu de juffrouw weggaat en zo–'

'Weggaat? Waar heb je het over?'

'Neem me niet kwalijk, m'neer. Ik doch dat u het wel wist. Ze gaat naar Parijs, m'neer. Om kerstmis bij haar vriendin, juffrouw Buisson, door te brengen. Ze zal zeker een maand wegblijven.'

Waarom? Waarom had ze het mij niet verteld? Tijdens mijn wandeling naar Easton, vanwaar ik de diligence naar Peterborough zou nemen, voelde ik me helemaal wee van twijfel en achterdocht; maar toen de koets wegreed van het marktplein, kreeg de rede gelukkig weer vat op me. Ze was het domweg vergeten, meer niet. Als we elkaar die ochtend op onze afzonderlijke wandelingetjes door het park ergens waren tegengekomen, had ze me ongetwijfeld ingelicht over haar aanstaande vertrek. Dat stond voor mij vast.

Toen ik die middag in Temple-street was teruggekeerd, ging ik aan mijn schrijftafel zitten en pakte een vel papier. Met bonzend hart begon ik te schrijven.

1, Temple-street,
Whitefriars, Londen
2 december 1853

GEACHTE MEJUFFROUW CARTERET,

Met dit korte episteltje wil ik u van harte danken voor uw gastvrijheid & dat u het goed vindt dat ik onze vriendschap spoedig hervat.

Wellicht bent u binnenkort in de gelegenheid om uw tante te bezoeken; mocht dat het geval zijn, dan vertrouw ik erop dat u mij niet te voortvarend vindt als ik zeg de hoop te koesteren – hoe gering ook – dat u mij op de hoogte stelt van uw komst, zodat ik voor het gebruikelijke tijdstip een rendez-vous kan arrangeren. Mocht u besluiten in Northamptonshire te blijven, dan is er wellicht gelegenheid voor mij – met uw toestemming – om u aldaar in uw nieuwe onderkomen te bezoeken. Ik zou gaarne uw mening horen over de gedichten van Monsieur de Lisle.* *Les poèmes antiques* vind ik in alle opzichten een bewonderenswaardig werk. Kent u het toevallig?

* Charles-Marie-René Leconte de Lisle (1818-1894), leider van Les Parnassiens. Zijn *Poèmes antiques* werden in 1852 gepubliceerd. JJA

Inmiddels verblijf ik, met de meeste hoogachting,
uw vriend,

E. GLAPTHORN

Nerveus wachtte ik op haar antwoord. Zou ze terugschrijven? En wat zou ze schrijven? Twee dagen verstreken, zonder een reactie. Het enige wat ik kon doen was de tijd in somber gepeins op mijn kamers doorbrengen, uit het raam naar de loodgrijze lucht staren, of met een dichtgeslagen boek op mijn schoot zitten, uren achtereen, in een staat van wezenloze wanhoop.

Toen, op de derde dag, werd er een brief bezorgd. Eerbiedig legde ik die, ongeopend, op mijn schrijftafel, verlamd door het zien van haar handschrift. Met mijn wijsvinger volgde ik bedachtzaam elke letter van het adres, en drukte vervolgens de enveloppe tegen mijn gezicht om het zweempje van haar parfum op te snuiven. Ten slotte pakte ik mijn pennenmes om het velletje postpapier uit zijn omhulsel te bevrijden.

Bij het lezen van haar woorden werd ik overspoeld door een golf van opluchting en vreugde.

Het Douairièrehuis
Evenwood Northamptonshire
5 december 1853

WAARDE HEER GLAPTHORN,

Uw vriendelijke brief bereikte me nog net op tijd. Morgen reis ik af naar Parijs, voor een verblijf bij mijn vriendin, mejuffrouw Buisson. Het spijt me zeer dat ik er niet aan gedacht heb om u tijdens uw bezoek alhier ervan op de hoogte te stellen – de enige reden van verschoning die ik hiervoor kan aanvoeren is dat door uw aangename gezelschap alle andere gedachten uit mijn hoofd werden verdreven, & ik besefte mijn nalatigheid pas toen u al was vertrokken.

U zult me wel een zonderlinge vriendin vinden – daar we hadden afgesproken, meen ik, dat we vrienden waren – dat ik een dergelijk feit voor u achterhoud, al was er beslist geen opzet in het spel. Ik hoop echter op uw vergevensgezindheid, zoals elke zondaar doet.

Waarschijnlijk keer ik eerst in januari of februari naar Engeland terug, maar ik zal dikwijls aan u denken, en ik hoop u ook af en toe aan mij. Zodra ik thuis ben, beloof ik u bericht te sturen – u kunt ervan op aan dat ik zulks beslist níet zal vergeten. U hebt me zoveel vriendelijkheid en aandacht geschonken – & mij in deze verdrietige tijd geestelijk bijgestaan, zonder dat ik daarom had gevraagd – dat ik wel zeer onverschillig tegenover mijn eigen welbevinden zou staan als ik mij, zodra de gelegenheid zich voordoet, het genoegen van uw gezelschap ontzegde.

Ik ben bekend met sommige werken van M. de Lisle, maar niet met de door u genoemde dichtbundel – ik zal tijdens mijn verblijf in Frankrijk kijken of deze ergens te verkrijgen is, zodat ik bij onze eerstvolgende ontmoeting er in ieder geval iets verstandigs over weet op te merken. Ondertussen, verblijf ik, met de meeste hoogachting,

Uwe u toegenegen vriendin,

E. CARTERET

Ik drukte een kus op het papier en leunde achterover in mijn stoel. Alles was in orde. Alles was heerlijk in orde. Zelfs het vooruitzicht van haar gescheiden te zijn, joeg me geen angst aan. Ze was toch mijn toegenegen vriendin, die dikwijls aan me zou denken, zoals ik aan haar zou denken. En als ze terug was – wel, dan vertrouwde ik erop dat de toegenegen vriendschap zich weldra tot brandende liefde zou ontwikkelen.

De daaropvolgende weken zal ik overslaan, aangezien die somber en kleurloos waren. Uren achtereen zat ik aan mijn schrijftafel aantekeningen te maken en memoranda aan mezelf te krabbelen aangaande de verschillende kwesties die nog een oplossing behoefden, zoals de dood van Carteret, en wat de beste aanpak was met betrekking tot de zaken die hij in zijn Depositie had onthuld: de inmiddels dringende noodzaak om onweerlegbaar juridisch bewijs in handen te krijgen dat mijn ware identiteit aantoonde; de reden dat juffrouw Eames aan mijnheer Carteret de woorden SURSUM CORDA had geschreven; en als laatste, maar niet als minste, de middelen waarmee ik kon aantonen wat de ware aard van mijn vijand was. Kon ik Tredgold maar om raad vragen! Maar zijn toestand ging slechts langzaam vooruit, en tijdens de twee of drie keer dat ik hem in Canterbury had bezocht, had ik wanhopig aan zijn bed gezeten en me afgevraagd of de goede man ooit nog zou ontwaken uit de vegetatieve staat waarin hij zo wreed was geworpen. Zijn broer echter bleef hoop koesteren – zowel op zakelijk als persoonlijk vlak – dat het weer goed kwam, en hij verzekerde me dat hij eerder had meegemaakt dat patiënten met dezelfde aandoening weer geheel herstelden. Daarop keerde ik terug naar Temple-street met de onbestemde hoop dat ik bij mijn eerstvolgende bezoek aan mijn werkgever wellicht tekenen van herstel zou zien.

Maar hoe meer dagen er verstreken, hoe moedelozer ik werd. Londen was koud en deprimerend – ondoordringbaar, soms hing er dagenlang een mist die de mensen de adem benam en de straten waren glibberig van modder en smeer, de mensen zagen er even geel en ongezond uit als het miasma dat de stad omhulde. Ik merkte dat ik het mooie gezicht van Emily Carteret verschrikkelijk miste en ik vreesde dat ze me, ondanks haar beloftes, zou vergeten. Tot overmaat van ramp had ik ook geen vrienden om op terug te vallen: Le Grice zat in Schotland en Bella was naar Italië afgereisd om een ziek familielid bij te staan. Daags na mijn terugkeer naar Evenwood had ik haar gezien, op een diner dat Kitty Daley ter ere van de verjaardag van haar protégée had gegeven. Hoewel mijn hoofd en hart natuurlijk helemaal vol waren van juffrouw Carteret, zag Bella er zoals gewoonlijk beeldschoon uit. Moeiteloos zou ik me op haar kunnen verlieven; een man zou krankzinnig zijn als hij zich niet op haar verliefde. Toch was ik zo'n man – krankzinnig verliefd op Emily Carteret, en dat was ongeneeslijk.

Aan het einde van de avond, toen de andere gasten vertrokken waren, stonden Bella en ik voor het raam naar de maanverlichte tuin te kijken. Ze legde haar hoofd tegen mijn schouder en ik kuste haar geurende haar.

'Je was vanavond buitengewoon amoureus, Eddie,' fluisterde ze. 'Misschien is het werkelijk zo dat afwezigheid de liefde versterkt.'

'Geen enkele afwezigheid, hoe lang ook, zou mijn liefde voor jou sterker kunnen maken dan zij al is,' antwoordde ik.

'Blij dat te horen,' zei Bella die zich tegen steviger me aandrukte. 'Maar ik zou willen dat je niet zo vaak weg was. Volgens Kitty loop ik tijdens jouw afwezigheid te mokken als een jongejuffer met liefdesverdriet, en zoiets, moet je weten, doet de zaken geen goed. Vorige week was ik niet in staat sir Toby Dancer te ontvangen, die door alle meisjes als een zeer beschaafd man wordt beschouwd. Zie je, je moet me niet zo vaak in de steek laten, anders wordt Kitty boos op je.'

'Maar, lieveling, ik kan er toch niets aan doen dat mijn werkzaamheden me beletten om bij jou te zijn. Bovendien, als je door dat mokken andere mannen afschrikt, moet ik misschien wat vaker weggaan.'

Ze kneep me hard in mijn arm om deze vrijpostige opmerking en maakte zich los; maar ik zag dat haar boosheid slechts gespeeld was; en even later bevonden we ons op haar kamer, waar ik die zoete volmaakte rondingen die de beschaafde mijnheer Dancer waren onthouden, eerst mocht bewonderen en daarna bezitten.

De volgende ochtend vroeg vertrok ik uit Blithe Lodge en liet Bella slapend achter. Ze bewoog zich even toen ik haar kuste, en even bleef ik staan kijken naar haar donkere haar dat in een verstrengelde massa op het kussen lag uitgespreid. 'Liefste Bella,' fluisterde ik. 'Kon ik maar van je houden.' Toen draaide ik me om en liet haar verder dromen.

Kerstmis kwam en ging, en het nieuwe jaar van 1854 was reeds een maand oud voordat er iets van belang gebeurde.

Op de tweede februari werd ik ontboden bij mr. Donald Orr. Er volgde een nogal ijzig gesprek. Orr deelde me mee dat hij wist dat ik een riant salaris opstreek zonder dat ik daar, naar zijn weten, bijster veel werk voor hoefde te verrichten. Maar aangezien ik persoonlijk was aangesteld door de oudste vennoot, kon hij weinig meer doen dan mij misprijzend langs zijn benige Schotse neus aankijken en zeggen dat hij aannam dat mijnheer Tredgold wel zo zijn redenen had gehad om mij in dienst te nemen.

'U hebt gelijk,' antwoordde ik met een zelfgenoegzaam lachje, 'die had hij.'

'Maar dit is geen situatie die tot in lengte van dagen kan blijven bestaan.' Hij wierp me een enigszins dreigende blik toe. 'Mocht de heer Tredgold, god verhoede, niet meer herstellen, dan zullen we onze maatregelen moeten nemen wat betreft de toekomstige inrichting van ons kantoor. In dat droevige geval, mijnheer Glapthorn, zullen we helaas geen gebruik meer maken van uw diensten aangezien uw persoonlijke betrekking met mijnheer Tredgold dan niet-bestaand is geworden. Ik hoop dat ik me zo duidelijk heb gemaakt.' Op deze vriendelijke toon werd het tweegesprek prompt beëindigd.

Die avond zette ik het op een drinken, behalve naar alcohol was ik ook zo dwaas om naar mijn fles Dalby's* te grijpen. In mijn dromen zag ik Evenwood, maar niet zoals ik het in de dromen uit mijn jeugd of bij helder daglicht had gezien, nee, het was ergens in de toekomst en door een enorme catastrofe was de luisterrijke pracht van weleer verwoest en waren de oprijzende torens ingestort. Alleen het mausoleum stond nog overeind in de desolate woestenij. Ik zag mezelf opnieuw voor de grafkamer met de tombe van Laura Tansor staan en ik begon met mijn vuisten, tot bloedens toe, op de plaat te beuken, in mijn radeloze verlangen om me toegang tot haar rustplaats te verschaffen, maar de steen wilde niet wijken en toen ik me omdraaide, zag ik lord Tansor, zeer elegant gekleed zoals altijd, glimlachend in het duister naast mij staan.

Hij spreekt:

Wat weet je? Niets.

Wat heb je bereikt? Niets.

Wie ben je? Niemand.

En dan werpt hij zijn hoofd in zijn nek en begint te lachen totdat ik het niet langer kan verdragen. Uit mijn zak haal ik een lang mes, dat ik daar verstopt had, en stoot dat recht in zijn hart. Toen ik wakker werd, lag ik te baden in het zweet en mijn handen konden niet meer ophouden met trillen.

Bij het ochtendgloren begreep ik opeens wat Carteret me had geprobeerd duidelijk te maken.

* Dalby's Carminative, een van de vele gepatenteerde drankjes waarin laudanum zat.
JJA

SURSUM CORDA. De woorden op zich hadden geen betekenis. Maar waarin ze gebeiteld waren, was van het grootste belang. De grafplaat waarop deze woorden stonden, scheidde niet alleen de levenden van het dodenrijk, maar ook de levenden van de waarheid.

38

Confessio amantis*

Er braken lange dagen aan van onzekerheid en dreigende radeloosheid, afgewisseld met periodes van koortsachtige vreugde. Had ik gelijk? Was het werkelijk zo dat, zoals ik had gedroomd, het doorslaggevende bewijs in de tombe van de vrouw lag die mij het leven had geschonken, of zag ik in mijn bezetenheid dingen die er niet waren? En hoe moest ik mijn gelijk halen? Dat was alleen mogelijk als ik grove grafschennis pleegde. Heen en weer, op en neer, rond en rond, mijn verwarring werd alleen maar groter. Het ene moment was ik zo zeker van mijn zaak dat ik in jubelstemming verkeerde, het andere was ik zo in verwarring dat ik me geen raad wist. Eten en lichaamsbeweging had ik uit mijn bestaan geschrapt en ik leefde voornamelijk nog op mijn laudanumdrankje, waardoor ik liggend op bed in de gruwelijkste nachtmerries verstrikt raakte en me niet meer bewust was van de overgang tussen dag en nacht en nacht en dag.

Dit ging zo door totdat mijn flesje Dalby's leeg naast mijn bed stond. Omdat ik niet bij machte was een nieuwe fles te gaan halen, gleed ik weg in een staat van wezenloze bedwelming, waaruit ik ontwaakte door het voorzichtige porren van vrouw Grainger, die me in deze zorgwekkende toestand had aangetroffen en uit vrees dat mijn einde naderde de hulp had ingeroepen van mijn buurman, Fordyce Jukes, die achter haar op zijn kop stond te krabben.

'Dit is rum,' hoorde ik hem zeggen, 'onmiskenbaar rum.'

* 'Een minnaars bekentenis'. De Latijnse titel is van het beroemde veertiende-eeuwse gedicht van John Gower (1325?-1408?). JJA

'Is mijnheer dood?' vroeg vrouw Grainger jammerend.

'Dood?' zei Jukes honend, met een minachtend vingerknippen. 'Dood? Natuurlijk is hij niet dood, mens. Je ziet toch dat hij ademt? Is er hier iets te eten? Nee? Goed, ga dan snel even wat halen. En sterk gehopt bier. Vooruit, anders zijn we allemaal dood voordat je terug bent.'

'Moet ik een dokter halen, mijnheer?'

'Dokter?' Jukes leek hier lang over te moeten nadenken. 'Nee,' zei hij ten slotte. 'Dat lijkt me niet nodig. Beslist niet. Hup, in de benen!'

Hoewel ik goed kon zien en horen, merkte ik dat ik niet in staat was iets te zeggen noch mijn hoofd, armen en benen te bewegen, en een tijdlang verkeerde ik in deze merkwaardige halfbewuste staat. Jukes bleek niet meer aan mijn bed te staan, want ik hoorde het vertrouwde kraken van de vloerplanken in mijn zitkamer. Een poosje later, ik kon onmogelijk zeggen of het uren of minuten waren, merkte ik dat mijn krachten terugkeerden en ik draaide mijn hoofd voorzichtig heen en weer om de kamer rond te kijken.

Op het nachtkastje stond een leeg bord, met de resten van een kotelet en een half opgegeten aardappel; daarnaast stond een deels geledigde kroes bier. Van vrouw Grainger of Jukes echter geen spoor.

Ik constateerde dat er eten was gehaald voor mij, voor de helft opgegeten, en dat ik daarna in slaap was gevallen, al kon ik me dat niet meer herinneren. Voorzichtig stapte ik uit bed en waggelde op onvaste benen naar de deur die toegang gaf tot mijn zitkamer.

'Nee, maar, mijnheer Glapthorn, wat ben ik blij dat u zich weer wat beter voelt! Laat me u helpen.'

Jukes, die in mijn leunstoel *The Times* aan het lezen was, sprong op en bracht me naar de stoel waarin hij had gezeten.

'Ja, zo, houdt u zich maar aan mij vast, mijnheer, goed zo. Daar zijn we al. Hemeltjelief, in wat voor toestand was u nou toch verzeild, mijnheer Glapthorn? Zal ik u wat vertellen, mijnheer, u klopte al op de poort van de dood, maar gelukkig werd er niet opengedaan. Eten en rust was wat u nodig had, en u moet er voortaan goed op letten dat u van beide voldoende krijgt, als ik zo vrij mag zijn. Sinds gisteren heb ik aan uw bed gezeten. Welnee, mijnheer–' Hij stak zijn hand op en schudde in een vermanende grijns zijn hoofd toen hij zag dat ik iets probeerde te zeggen: 'Geen woord, alstublieft. Een fatsoenlijk heer als u wil mij natuurlijk bedanken voor alle moeite, maar ik bid u om dat toch vooral niet te doen. Moeite? Ach, wat voor moeite heb ik nu helemaal gedaan? Niets, niemendal, heus. Een medeploeteraar in werkhuis Tredgold, en bovendien nog een buurman, die ziek wordt? Ach, dan weet men toch wat men te doen staat. Het genoegen, en de voldoening van een vervulde taak, zijn een overvloedige doch onverdiende beloning voor het luttele wat ik heb kunnen doen. En daarom, mijnheer Glapthorn, nu u zich weer wat beter voelt, zal ik u alleen laten zodat u in alle rust kunt herstellen, maar op één strikte voorwaarde – en dan bedoel ik, strikt! – dat u voortaan beter voor uzelf zult zorgen, en dat ik morgenochtend even mag komen kijken hoe het met u gaat.'

Hij stopte nog een kussen achter mijn rug, legde een deken over mijn benen en gooide nog een houtblok op het vuur en liep vervolgens, na een diepe buiging te hebben gemaakt, zijwaarts de kamer uit en liet mij in stomme verbijstering achter om de toestand waarin ik mij na ontwaken bleek te bevinden.

Onmiddellijk gooide ik de deken van me af en wankelde naar mijn schrijftafel. Alles leek er nog precies zo te liggen; er was niets verschoven of verplaatst, dat wist ik zeker. De pen lag nog dwars over een onvoltooide brief – aan dr. Shakeshaft over de verdiensten van verschillende Engelse vertalingen van Paracelsus* – precies zoals ik hem had neergelegd; de papieren die in geëtiketteerde stapels bijeengebonden lagen zagen er onaangeroerd uit; de banden van mijn moeders dagboeken, waarvan elk een dierbare oude vriend was, stonden nog in exact dezelfde volgorde waarin ik ze altijd met zorg achterliet. Vervolgens liep ik naar het kabinet, waarin ik al mijn aantekeningen en gesystematiseerde samenvattingen had opgeborgen; niets was van zijn plaats en elke lade was stevig op slot. Ik slaakte een bescheiden zucht van verlichting.

Niettemin zat het me dwars dat Jukes vrijelijk in mijn kamer had kunnen rondlopen, en ik begon nog eens alles twee keer zo nauwkeurig na te lopen, op zoek naar een aanwijzing dat hij in mijn papieren of andere spullen had zitten neuzen. Maar toen vermande ik me. Jukes

* Zwitserse arts en alchemist (echte naam: Theophrastus Bombastus von Hohenheim, 1493-1541). JJA

mocht een onderkruipsel zijn, maar Tredgold scheen hem te vertrouwen, dus waarom ik niet? Die plotse ongefundeerde achterdocht waaraan ik dikwijls ten prooi viel vertroebelde alleen maar mijn oordeelsvermogen, en leidde me af van mijn eigenlijke doel. Op deze manier praatte ik mijn kromme gedachten recht, maar ik nam me heilig voor dat ik Fordyce Jukes nooit meer gelegenheid zou geven mijn kamers binnen te gaan. En zo kwam het dat ik, toen hij de volgende ochtend zoals afgesproken op mijn deur klopte, niet opendeed, maar hem simpelweg door het sleutelgat meedeelde dat ik me een stuk beter voelde (dat was ook zo) en dat ik zijn hulp niet meer nodig had.

De volgende dag waagde ik me voor het eerst in ruim een week weer buiten om in de Albion Tavern een versterkende maaltijd te gebruiken. De ochtend daarop besloot ik om een kijkje op kantoor te nemen, en even na halfacht 's ochtends sloot ik mijn deur af en liep door de regen naar Paternoster-row.

Toen ik de kamer binnenliep waar de kantoorklerken zaten, kwam Birtles, de loopjongen, op me afstormen en duwde me een brief in de hand. 'Deze kwam gister met de post, mijnheer.' Ik herkende het handschrift niet, en omdat ik verder niets te doen had, ging ik naar boven om de brief in mijn kamer te lezen.

Tot mijn stomme verbazing bleek hij afkomstig te zijn van mejuffrouw Rowena Tredgold, die in de brief, in tamelijk omstandige termen, de hoop uitsprak dat ik op korte termijn in staat was om naar Canterbury af te reizen, het liefst zo snel mogelijk. Ze eindigde met de woorden dat deze invitatie op expliciet verzoek van haar broer, de heer Christopher Tredgold, aan mij was gestuurd. Hieruit maakte ik op dat mijn werkgever eindelijk aan de beterende hand was, waarop ik opgetogen per kerende post berichtte dat ik de uitnodiging gaarne aannam.

Enkele dagen later was ik opnieuw te gast in Marden House en werd hetzelfde vertrek binnengelaten waar ik voor het eerst met dokter Jonathan Tredgold had kennisgemaakt.

Mejuffrouw Rowena Tredgold zat met een strak gezicht in een ongerieflijk ogende rechte stoel, naast een lelijke zwartmarmeren schouw, waarvan de holle opening kil en somber gaapte. Op de salontafel, die ze dicht bij haar knieën had gezet, stond een grote beker gerstewater en daarnaast lag een verzegelde enveloppe. De zware gordijnen voor het raam waren half dichtgetrokken, en de laatste stralen van het zachte schemerlicht van de namiddag probeerden door een schuine baan beroet glas naar binnen te komen.

Uiteraard informeerde ik eerst naar de toestand van haar broer.

'Ik stel uw medeleven zeer op prijs, mijnheer Glapthorn. We hebben een vreselijke tijd achter de rug, maar gelukkig kan ik u meedelen dat hij herstellende is. Hij herkent ons en hij zit af en toe rechtop. En we zijn dankbaar dat hij weer een paar woordjes kan zeggen.' Ze sprak op een talmende, hortende manier, elke lettergreep werd zorgvuldig uitgesproken, waardoor de vreemde indruk ontstond dat ze elk woord eerst op betamelijkheid controleerde voordat ze het van haar tong liet rollen.

'Er is dus hoop dat zijn toestand zich verder zal verbeteren?'

'Er is hoop, mijnheer Glapthorn,' zei ze na een korte afwachtende stilte. 'Bent u van mening dat mijn broer, Christopher Tredgold, een goed mens is?'

Hoewel de vraag me nogal overrompelde, antwoordde ik zonder aarzelen: 'Die mening ben ik zeker toegedaan. Een van de besten die ik ken.'

'U hebt gelijk. Hij is een goed mens. En vindt u ook dat hij een rechtschapen mens is?'

'Zonder meer.'

'U hebt alweer gelijk. Hij is een rechtschapen mens. Goedheid en rechtschapenheid zijn twee woorden die mijn broer ten voeten uit beschrijven.'

De toon waarop ze het zei wekte de indruk dat ik precies het tegenovergestelde had beweerd.

'Maar er zijn veel mensen op de wereld die goed noch rechtschapen zijn en die misbruik maken van degenen die deze eigenschappen juist als de onwankelbare peilers van hun persoonlijk normbesef beschouwen.'

Ik zei dat ik dat alleen maar kon beamen.

'Welnu, ik ben blij dat we dezelfde mening zijn toegedaan. Ik zou graag willen dat u zich dat steeds voor ogen houdt, mijnheer Glapthorn, en dat u niet vergeet wat voor inborst mijn broer heeft. Als hij van het rechte pad is afgedwaald, komt dat doordat hij in een onhoudbare positie is gemanoeuvreerd door lieden die niet dezelfde hoge normen in gedrag en karakter nastreven als mijn broer altijd in zijn handelen, zowel zakelijk als persoonlijk, heeft betracht.'

Ik moet bekennen dat ik geen idee had waar het goede mens het over had, maar ik glimlachte instemmend, waarmee ik hoopte te laten doorschemeren dat ik de kwestie volledig begreep.

'Mijnheer Glapthorn, ik heb hier een brief' – ze gebaarde naar de verzegelde enveloppe – 'die mijn broer heeft geschreven op de avond voordat hij ziek werd. Hij is aan u gericht. Voordat ik u hem echter overhandig: mijn broer heeft mij gevraagd of ik zijn woorden vooraf wil laten gaan door enkele van mij, als u me toestaat.'

'Vanzelfsprekend. Mag ik vragen, juffrouw Tredgold, of u de brief van uw broer zelf heeft gelezen?

'Nee, dat heb ik niet.'

'Maar ik mag aannemen dat er zaken van vertrouwelijke aard in staan?'

'Dat mag u inderdaad aannemen.'

'En bent u persoonlijk bij deze vertrouwelijke zaken betrokken?'

'Ik treed slechts als tussenpersoon op voor mijn broer, mijnheer Glapthorn. Als hij gezond was, dan kunt u ervan uitgaan dat hij deze kwestie zelf met u had besproken. Niettemin is er één onderwerp waarover hij me tot mijn grote eer in vertrouwen in heeft genomen. En dat is tevens het onderwerp waarover ik op zijn verzoek u eerst iets heb mee te delen alvorens u de brief leest. Voordat ik begin, hoop ik dat ik op uw absolute discretie kan rekenen, zoals u op de mijne?'

Ik beloofde haar dat ik geen woord van wat ze ging zeggen naar buiten zou brengen, en ik vroeg haar met klem om te beginnen.

'U moet eerst weten,' zei ze, 'dat het kantoor waarvan mijn broer inmiddels oudste vennoot is door mijn overgrootvader, Jonas Tredgold, en diens jongere compagnon, James Orr, in het jaar onzes heren 1767 is opgericht. Mettertijd is wijlen mijn vader, Anson Tredgold, ook tot de firma toegetreden, waarna ze onder de naam Tredgold, Tredgold & Orr voortgingen, en deze naam heeft de praktijk sindsdien gehouden, alsmede een reputatie die voor geen enkel advocatenkantoor in het Londense onderdoet.

Mijn grootvader was degene die als eerste het contact legde tussen het kantoor en een zekere adellijke familie – van wie u, meen ik, een en ander weet. Ik heb het natuurlijk over de familie Duport van Evenwood, houders van de baronie van Tansor. Na verloop van tijd werd mijn vader de behartiger van de juridische belangen van de familie en daarna mijn broer, Christopher.

In de tijd dat Christopher tot de praktijk toetrad, was mijn vader in zijn eenenzeventigste levensjaar, weliswaar nog gezond van lijf en leden en helder van geest, maar helaas waren zijn concentratie en aandacht niet meer wat die ooit geweest waren. Als oudste vennoot echter genoot hij nog altijd het volledige vertrouwen van de belangrijkste cliënt van het kantoor, de huidige lord Tansor, tot aan zijn overlijden toe.

En nu is mijn broer de oudste vennoot. Jammer genoeg heeft hij geen zoon aan wie hij de leiding van het kantoor kan overdragen, zoals zijn vader en zijn grootvader dat vóór hem hadden gedaan. Dat is de tragiek van mijn broers leven, want het is altijd zijn innige wens geweest om te trouwen. Enfin, nu moeten wij ons bezinnen op het vooruitzicht dat de firma Tredgold, Tredgold & Orr het in de toekomst zonder een levende Tredgold zal moeten stellen.'

'Mag is zo vrij zijn te vragen, juffrouw Tredgold,' viel ik haar in de rede, 'wat mijnheer Tredgold ervan heeft weerhouden in het huwelijk te treden?'

'Dat, mijnheer Glapthorn, is nu precies de kwestie die mijn broer met u wil bespreken, als u zo vriendelijk wilt zijn mij mijn betoog af te laten maken.'

Haar vermaning werd op koel beleefde toon uitgesproken en ik voelde me verplicht om me te verontschuldigen voor de onderbreking.

'Het was een hartstochtelijke liefde, mijnheer Glapthorn, voor een dame die nimmer de zijne kon worden – een liefde die zoals hij wist onmogelijk was, maar waaraan hij geen weerstand kon bieden; een liefde die ook nu nog zijn gehele leven beheerst, en waarvan het voorwerp hem ruim dertig jaar in de ban heeft gehouden. Ik kan u zelfs de precieze datum geven waarop het allemaal begon.

'In juli 1819 werd ik meerderjarig, en op de twaalfde van die maand kreeg mijn vader, Anson Tredgold, bezoek van Laura, barones van Tansor, de echtgenote van zijn meest vooraanstaande cliënt, die hem over een zakelijke kwestie wenste te spreken. Haar reputatie van oogverblindende schoonheid was haar vooruitgesneld, en u begrijpt dat ik popelde om haar met eigen ogen te zien – ik was toen nog jong en dwaas en wist niet beter. Er werd gefluisterd, zoals u misschien wel weet, dat zij het onderwerp was van de beroemde regels van lord Byron die beginnen met "There be none of Beauty's Daughters"* door de dichter (zo wil het gerucht) geschreven voor juffrouw Fairmile – zoals ze toen nog heette – voordat zij in het huwelijk trad met lord Tansor. Of dit nu waar is of niet, ze werd algemeen beschouwd als een van de mooiste, bestgeklede vrouwen van Engeland; en omdat ik wist van haar komst en dolgraag een glimp van deze vermaarde schoonheid wilde opvangen, verzon ik een uitvlucht om op kantoor te zijn als ze aankwam. Toen ze door de hoofdklerk werd ontvangen en naar mijn vaders kamer op de eerste verdieping werd gebracht, stond ik op de trap te dralen en in het voorbijgaan draaide ze zich langzaam naar me om en dat moment zal me altijd bijblijven.'

Juffrouw Tredgold tuurde afwezig naar het zwarte gat van de enorme schouw.

'Ze had een prachtig gezicht, zeker, maar het had ook iets uitermate breekbaars, alsof het een tere schildering op glas was; haar schoonheid en voorkomen leken haast te volmaakt om de schokken waarmee ieder mensenleven te maken krijgt op te vangen. Op dat moment, toen ze me recht in de ogen keek en daarna begroette met een bevestigend knikje, werd ik doorstroomd met een zekere deernis voor haar, medelijden haast, die ik niet kon verklaren. Alle schoonheid is vergankelijk, ook

* 'Stanzas for Music', geschreven op 28 maart 1816, en voor het eerst uitgekomen in *Poems* bij uitgeverij John Murray in 1816. Het gerucht ging dat Laura Fairmile in deze beroemde stanzen werd bezongen, maar of het klopt is twijfelachtig, want er zijn verder in de literatuur geen aanwijzingen voor. Doorgaans neemt men aan dat Byron het gedicht voor Claire Clairmont heeft geschreven. Laura Fairmile trad in december 1817 in het huwelijk met Julius Duport. Bryon zelf trouwde in januari 1815 met Annabella Milbanke. JJA

die van haar, dacht ik; en iedereen die gezegend is met ongekende lichamelijke schoonheid moet zich dit, nam ik aan, voortdurend bewust zijn. Ik was niet knap; dat wist ik. Toch was ik niet jaloers op haar – nee, beslist niet – want op mij maakte ze de indruk dat ze aan een ernstige zielenpijn leed die zijn schaduw reeds over haar volmaakte gezicht wierp.

Lady Tansor besprak de kwestie met mijn vader en werd door hem naar de voordeur begeleid, waar ze mijn broer Christopher tegenkwamen die juist naar binnenging. Ik was beneden in het kantoor bij de klerken gebleven en kon vanaf de eerste rang het tafereeltje gadeslaan.

Ik herinner me nog goed dat de barones ongedurig en onrustig leek, ze frunnikte aan de linten van haar muts en tikte met de punt van haar parasol op de vloer. Mijn vader vroeg of zij hem het genoegen wilde gunnen haar naar haar rijtuig te brengen, maar dat aanbod sloeg ze af en ze maakte aanstalten weg te gaan. Mijn broer echter kwam nogal onbehouwen tussenbeide en beweerde met grote stelligheid dat de barones beslist niet zonder hulp de trap af kon lopen en het trottoir oversteken. Ik had hem nog nooit zo hoffelijk meegemaakt, en bezag zijn pogingen met een zekere geamuseerdheid. Ze gaf hem een kort bedankje, maar toen hij weer terug was op kantoor nadat hij haar in het rijtuig had geholpen, zag je aan zijn gezicht dat hij zich min of meer in de buurt van een godin had gewaand. Ik plaagde hem er natuurlijk mee, en daar reageerde hij nogal prikkelbaar op, hij zei dat ik me niet als een dom klein gansje moest gedragen, en dat maakte me furieus daar ik juist meerderjarig was geworden.

Maar ik had hem niet moeten plagen, mijnheer Glapthorn, want het werd me al snel duidelijk – helaas was ik de enige – dat Christopher volkomen in de ban was van deze dame, die ver boven zijn stand verheven was. Deze verliefdheid, die hem, als jongeman, vergeven kon worden, bleek de reden van zijn besluit nooit met een ander te trouwen. Zijn liefde groeide namelijk al ras uit tot zoiets heftigs en allesoverheersends dat het niet meer ontkend kon worden, maar dat kon en mocht niet. Het was een liefde die de dichters bezingen, maar die men in het werkelijke leven zelden tegenkomt. Hij heeft haar nimmer zijn liefde verklaard, hij heeft nooit iets laten merken, en was altijd uiterst hoffelijk tegen haar. Er waren momenten dat ik vreesde dat hij krankzinnig zou worden, want ik was de enige aan wie hij durfde te vertellen hoe groot zijn kwelling was. Geleidelijk aan werd hij zichzelf weer meester – althans ogenschijnlijk – en hij zocht afleiding in het verzamelen van zeldzame oude boeken, die ook nu nog in zijn vrije uurtjes zijn grote troost zijn. Maar haar overlijden was een verschrikkelijke slag voor hem, werkelijk verschrikkelijk. Denkt u zich eens in, wat hij moest doorstaan toen lord Tansor hem verzocht aanwezig te zijn bij haar bijzetting in het mausoleum op Evenwood. Direct daarop keerde hij terug naar Londen en legde de plechtige gelofte af in de Temple Church dat hij tot zijn dood van haar zou houden en dat hij nimmer een andere vrouw zijn hart zou schenken. Al zijn hoop richtte zich op hun hereniging in het hiernamaals, waar alle zorgen en lijden voorgoed voorbij zijn. Hij heeft zich aan die gelofte gehouden en hij zal als vrijgezel het graf ingaan vanwege zijn liefde voor Laura Tansor.

Wel, mijnheer Glapthorn, ik heb u verteld wat mijn broer me heeft opgedragen, en dan geef ik nu dit.'

Ze overhandigde me de enveloppe.

'Misschien vindt u het prettiger als ik mij een halfuurtje op mijn kamer terugtrek.'

Ze stond op uit haar stoel en liep naar de deur, die ze zachtjes achter zich dichttrok.

De ontdekking dat mijn werkgever niet alleen mijn echte moeder had gekend maar zelfs van haar had gehouden; en dat hij nog steeds van haar hield, zelfs alle andere vrouwen voor haar had verzaakt! Deze opzienbarende onthulling bracht bij mij een siddering van zowel opwinding als angst teweeg. Van alle mannen op de wereld! Maar geheimen die na lange tijd onthuld worden, blijven nooit zonder gevolgen; en zo maakte ik met trillende handen de brief open en begon te lezen. Ik zal de inhoud hier niet in zijn geheel weergeven, maar sommige passages moet ik onder uw aandacht brengen. Hier volgt de eerste.

> Mijn beste Edward, hoe vaak heb ik het verlangen gehad om je in vertrouwen te nemen! Maar in mijn positie was het altijd lastig, en is het nog steeds, om prompt te reageren. Niettemin hebben de gebeurtenissen van de afgelopen tijd – hierbij doel ik met name op de dood van de heer Carteret – mij gedwongen om over te gaan op een handel-

wijze waarover ik lange tijd heb nagedacht maar waarvan plicht en geweten me tot nu toe hebben weerhouden.

Toen je mij voor de eerste keer bezocht, was dat in de hoedanigheid van particulier assistent (dat was de term die je gebruikte, meen ik) van de heer Edward Glyver. Je informeerde naar het bestaan van een akte tussen de moeder van Glyver en wijlen Laura, barones van Tansor. Ik moet je nu vertellen, en je moet van mij aannemen hoe zwaar het me valt dit op te biechten, dat ik indertijd niet volledige openheid van zaken heb gegeven over de omstandigheden waaronder de overeenkomst is opgesteld.

Ten eerste, het was niet mijn vader, Anson Tredgold, die hem heeft opgesteld, maar ikzelf. Zijn krachten waren al afgenomen en na het eerste korte onderhoud van de barones met mijn vader, verzocht hij mij een concept op te stellen. Voorts had ik een aantal persoonlijke gesprekken met lady Tansor – buiten kantoor – om me ervan te verzekeren dat het haar goedkeuring had. Enige tijd later kwam de barones samen met mevrouw Glyver naar Paternoster-row om de akte in aanwezigheid van mijn vader te passeren.

De intentie van de door mij opgestelde overeenkomst – waarvan een afschrift nu in jouw bezit is – was om mevrouw Glyver een zekere immuniteit te verschaffen tegen alle mogelijke nadelige gevolgen voortvloeiende uit bepaalde handelingen, die ze uitsluitend op dringend verzoek van lady Tansor zou gaan uitvoeren. De waarheid gebiedt me te zeggen dat ik geen idee heb of deze akte enige rechtsgeldigheid bezat – mijn vader was reeds te ziek om de inhoud te accorderen en hij was eigenlijk alleen uit hoofde van zijn functie bij het passeren aanwezig. Mevrouw Glyver echter kon zich met de inhoud verenigen, en daarmee was de overeenkomst een feit.

Ik heb al gezegd dat ik geen verslag heb gevonden van de gesprekken voorafgaand aan de overeenkomst. Dat was ook echt zo: ik heb alles vernietigd, op een afschrift van de akte na, waarin geen melding wordt gemaakt van de omstandigheden die tot de opstelling ervan hebben geleid. Mijn motief? Een dwaas maar onwrikbaar verlangen om lady Tansor te beschermen, voor zover dat in mijn vermogen lag, tegen de gevolgen van haar daad.

Ik had haar lief, Edward, zoals weinig mannen een vrouw hebben liefgehad – het voert te ver om daar nu dieper op in te gaan, maar ik kan wel zeggen dat mijn genegenheid voor haar steeds het ijkpunt en de drijfveer van al mijn handelen is geweest. Zij gaf vorm en richting aan mijn leven. Háár belangen, toen ze nog leefde maar ook uit eerbied voor haar postume reputatie, gingen boven alles.

Ik raakte in haar ban in juli 1819, toen de barones voor het eerst op kantoor bij mijn vader kwam. Ze was aan een zeer gevaarlijk waagstuk begonnen. Lady Tansor was in verwachting, zonder dat haar echtgenoot het wist; ze was van plan naar Frankrijk te vluchten in gezelschap van haar beste vriendin, Simona Glyver, en daar te blijven tot de geboorte; dan zou het kind aan de zorgen van mevrouw Glyver worden toevertrouwd, die het als haar eigen kind zou grootbrengen. Ze heeft mijn vader niet verteld wat de ware reden van deze wanhoopsdaad was, maar sprak er slechts in vage algemeenheden over, en ze had haar vriendin absolute geheimhouding laten beloven. Zelf heeft ze zich daar niet aan gehouden en al spoedig nam ze me in vertrouwen, waarschijnlijk omdat ze bemerkte dat ik een diepe genegenheid voor haar koesterde – ongeoorloofd, dat geef ik toe, maar deze gevoelens heb ik nimmer getoond, bekend of openlijk geuit. Ik was volkomen gefascineerd door haar – hopeloos verliefd. Dus zwoer ik dat ik haar zou bijstaan, op welke manier dan ook, en dat ik haar geheim aan niemand zou doorvertellen. 'Mijn beste lieve Christopher,' zei ze tegen me bij onze laatste ontmoeting. Dat waren haar letterlijke woorden. En toen kuste ze mijn wang, zo'n vluchtige, zedige kus! Hoewel ik zweer dat ik haar niet heb bekend dat ik haar liefhad, heb ik op dat moment wel gezegd dat ik nog liever stierf dan haar toestand aan derden bekend te maken.

Het was dwaas van me – nee, erger, veel erger dan dwaas – om me bloot te stellen aan lasterpraat en aantasting van mijn goede naam als advocaat; het druiste in tegen alle principes die ik ooit zo hoog had gehouden. Ik beken dat mijn daad me ernstig zorgen baarde, en ik heb de barones duidelijk gemaakt dat de kans bestond, zelfs zeer groot was, dat haar plan ontdekt zou worden, en ik raadde haar dringend aan het alsnog te laten varen, want met deze verschrikkelijke daad ontzegde lady Tansor haar echtgenoot zijn allerliefste wens. Mijn raad werd uiteraard weggewuifd – luchthartig doch beslist.

Ik betreurde het dat ik medeplichtige was geworden in de samenzwering van de barones. Maar gedane zaken nemen geen keer; en dat zou ik ook voor geen goud gewild hebben. Eenmaal een zondaar, dan ook een goede zondaar; omwille van de vrouw die ik tot aan mijn dood zou dienen, zoals ik plechtig had beloofd.

Ik zag de beminnelijke Tredgold voor me met zijn stralende lach. Tredgold die zijn monocle oppoetste. 'U blijft toch zeker voor de lunch, die staat al klaar.' De immer gastvrije Tredgold. 'Kom volgende zondag weer langs.'

In deze trant sprak hij nog een wijle door over de mate waarin zijn liefde voor lady Tansor zijn leven had bepaald; dat het onmogelijk voor hem bleek om genegenheid voor andere vrouwen op te vatten, en dat hij dientengevolge 'andere middelen' had aangegrepen – waarmee hij denkelijk doelde op zijn heimelijke belangstelling voor prikkelende literatuur – om leniging te zoeken van zijn natuurlijke verlangens en driften die iedere man moet trachten te beteugelen.

En daarom ga ik thans door naar de volgende passage.

Na mijn vaders dood werd ik de raadsman van lord Tansor en was geregeld op Evenwood voor een zakelijke bespreking met de baron. Dat zijn vrouw wroeging had om haar daad was van haar gezicht af te lezen – ook die arme Carteret had dat met droefenis geconstateerd, maar alleen ik wist de ware reden van haar verdriet. We spraken elkaar af en toe, als er even geen anderen bij waren, en dan pakte ze mijn hand en noemde mij een echte vriend, omdat ze wist dat ik haar nimmer zou verraden, ofschoon ik mijn plicht als adviseur van haar man verzuimde, iets dat zich steeds deed gevoelen, ook nu nog. Maar er is een hoger streven dan plicht, en ik ontdekte dat mijn geweten zich gemakkelijk schikte naar de machtiger bevelen van de liefde, waardoor het me gelukte om naar mijn beste vermogen lord Tansor bij te staan en tegelijk mijn plechtige belofte aan zijn echtgenote na te komen. Ik onthield hem de waarheid, maar ik vertelde geen leugens. Ik geef toe dat ik redeneerde als een jezuïet, en het zou een pover verweer zijn, maar het kwam mij goed te stade. Mocht hij het me recht op de man af gevraagd hebben, dan had ik, God vergeef me, gelogen, als dat háár wens was geweest.

Daarom was ik ook niet oprecht tegen je toen ik zei niets te weten van een persoonlijke overeenkomst, waarnaar de akte verwijst, tussen lady Tansor en Simona Glyver, en daarvoor vraag ik je nederig om vergiffenis.

Maar je bent ook niet altijd oprecht tegen mij geweest, Edward. Laten we vanaf nu eerlijk tegen elkaar zijn.

Bij het lezen van deze woorden begonnen zich zweetdruppeltjes op mijn voorhoofd te vormen. Ik legde de brief weg en liep naar het raam om het open te doen, maar het zat op slot. Ik had het gevoel of ik levend begraven was in deze sombere, stoffige kamer, met zijn afzichtelijke bruingeverfde beschot, het donkere, bewerkte meubilair en de zware gordijnen van groen pluche; daarom deed ik mijn ogen even dicht en droomde van licht en ruimte – de buitenlucht en zonnige bossen, wind en water, zand en zee, oorden van vrede en vrijheid.

Een deur sloeg dicht en ik deed mijn ogen open. Voetstappen haastten zich door de gang, daarna stilte. Ik richtte mijn aandacht weer op de brief.

Hij had me al die tijd doorzien, vanaf het moment dat ik door Albert Harrigan op die zondagochtend in september 1848 zijn rookkamer in Paternoster-row werd binnengelaten; ondanks mijn voorwendselen stond mijn identiteit zo overduidelijk op mijn voorhoofd geschreven dat ik evengoed een kaartje met de naam 'Edward Duport (voorheen Glyver)' had kunnen afgeven. Hij wist wie ik was! Ik had voor hem gestaan, de zoon van de vrouw die hij nog altijd hartstochtelijk beminde, en hij had haar in mij gezien. Dat was de reden voor zijn directe, onmiskenbare belangstelling voor mij, voor zijn bereidwilligheid mij tegemoet te komen, voor het enthousiasme waarmee hij mij een betrekking had aangeboden. Hij wist wie ik was! Op al onze wandelingen door de Temple Gardens en onze gezamenlijke zondagen, waarbij we ons over meesterwerkjes uit de erotische verbeelding bogen, en tijdens de besprekingen van zijn 'probleempjes'. Hij wist wie ik was! Al die tijd dat ik verwoed bezig was – alleen en onbekend, zoals ik dacht – om mijn geboorterecht op te eisen, had hij geweten wie ik was! Maar hij had plechtig beloofd om mijn moeders geheim niet prijs te geven – *zelfs niet aan mij*; al die jaren dat ik voor hem werkte, had hij mij gadegeslagen, de zoon van de vrouw die hij onvoorwaardelijk liefhad, had hij geweten wie ik was en wat mijn afkomst was, maar hij was niet bij machte om me te helpen bij mijn onderneming. Hij wist dat ik, als Edward Glapthorn, bij hem op kantoor was gekomen met als enige doel een manier te vinden om mijn ware identiteit te heroveren. Maar ook in dat opzicht kon hij niets voor mij betekenen, aangezien hij – zoals hij had toegegeven – alle sporen van zijn zakelijke contact met lady Tansor had gewist, en niets meer bezat – geen brief, geen memorandum, geen enkel document – dat onweerlegbaar kon aantonen dat ik degene was die hij en ik wisten dat ik was. Het enige wat hij kon doen was toekijken en afwachten, daar hij gebonden was door de belofte aan mijn moeder en door zijn beroepsgeheim.

Maar toen brachten de gebeurtenissen het vergelijk dat Tredgold met zijn geweten had getroffen aan het wankelen.

De eerste aanwijzing van een dreigende crisis deed zich voor toen lord Tansor tegen Tredgold had gezegd dat hij Phoebus Daunt als zijn erfopvolger wilde aanwijzen, met als enige voorwaarde dat de begunstigde de naam Duport zou aannemen. Alles wat mij toekwam zou dan naar Daunt gaan, uitsluitend en alleen omdat hij de stiefzoon was van lord Tansors achternicht, Caroline Daunt, die door deze familiebetrekking op een dag, als kroon op haar werk, de titel zelf zou erven, als vrouwelijke bloedverwant in de tweede graad van de eerste baron van Tansor.

Wat had Tredgold moeten doen? Hij kon niet aan lord Tansor vertellen dat die reeds een levende erfgenaam had, want dan had hij mijn moeders geheim moeten prijsgeven, mocht hij al bewijs hebben voor deze aanspraak; maar in Tredgolds ogen (niet in die van lord Tansor) was deze toekomstige erfgenaam de titel zo onwaardig dat zijn professionele geweten ernstig begon op te spelen, en niet voor de eerste keer had hij bijna op het punt gestaan om zijn adellijke cliënt de waarheid te vertellen opdat dit rampzalige plan geen doorgang zou vinden. Vooral de volgende passage trok mijn aandacht:

> Ik wist natuurlijk van je vroegere betrekkingen met Daunt, als schoolvrienden, en ik kon me wel een voorstelling maken van hoe jij over zijn verdere verrichtingen dacht. Zelf had ik bitter weinig ach-

> ting voor hem. Van Paul Carteret had ik verontrustende berichten over zijn persoonlijkheid ontvangen; en zelf heb ik ook mijn redenen gehad om hem te verdenken van uiterst lage aandriften. Al van jongs af aan is hij door zijn stiefmoeder als een soort vervanger van lord Tansors zoon naar voren geschoven – van zijn jongste zoon, moet ik zeggen. Mevrouw Daunt heeft altijd als een tijgerin gevochten om haar stiefzoon (en laten we haarzelf niet uitvlakken) van een mooie toekomst te verzekeren. Uiterst behendig en vastberaden heeft ze voortdurend haar invloed bij lord Tansor aangewend om de jongen in zijn achting te doen stijgen. En dat is haar, boven alle verwachtingen, gelukt.
>
> Bij talloze gelegenheden heb ik steeds getracht om mijn cliënt, voor zover ik daartoe uit hoofde van mijn beroep in staat was, te kennen te geven dat hij er goed aan deed zijn besluit Daunt tot zijn erfgenaam te benoemen te heroverwegen. Maar ik kon de baron daar niet van overtuigen, en bij mijn laatste poging gaf hij me vrij bars te verstaan dat de zaak afgedaan was.

Maar toen kwam de brief van Carteret en stond alles plotseling op losse schroeven. Tredgold had intuïtief de ontstellende mogelijkheid aangevoeld dat zijn oude vriend zelf had ontdekt wat hij zelf al die jaren verborgen had proberen te houden. En zodoende werd ik naar Stamford gestuurd, met alle gevolgen die ik reeds heb beschreven. Deze waren een grote slag voor Tredgold. Het bericht, dat ik vanuit Evenwood had gestuurd, dat Carteret om het leven was gebracht, bracht een enorme schok teweeg en is waarschijnlijk ook grotendeels debet aan de beroerte die hem vervolgens trof.

Op dat moment ging de deur open en toen ik omkeek zag ik juffrouw Tredgold in de deuropening staan. De zon was aan de overkant van de straat achter de huizen gezakt waardoor de kamer in een nog donkerder bruingetinte somberte was gehuld dan eerst. Ze had een blaker in haar hand.

'Als u wilt, kan ik u nu naar mijn broer brengen.'

39

Quis separabit?*

Juffrouw Tredgold ging me voor door de gang, de donkere trap omhoog, via een koude donkere overloop naar een verduisterde kamer. In de hoek achter in het vertrek zat mijnheer Tredgold ineengedoken naast een bureautje met daarop een aantal vellen papier en schrijfbenodigdheden. Hij had een wollen sjaal omgeslagen; zijn hoofd hing op zijn borst en zijn ooit zo onberispelijke volle haardos zag er dun en onverzorgd uit.

'Christopher.'

Juffrouw Tredgold sprak zacht en tikte haar broer even op de schouder terwijl ze de kaars ophief zodat hij haar gezicht beter kon zien.

'Ik heb mijnheer Glapthorn meegebracht.'

Hij keek op en knikte.

Ze gebaarde dat ik op de stoel tegenover mijn werkgever moest gaan zitten en ze zette de blaker op het bureautje.

'Schel maar als u klaar bent,' zei ze en ze wees naar een schellekoord vlak achter Tredgolds stoel.

Toen ze de deur achter zich dichttrok, boog Tredgold zich verbazingwekkend vief naar me toe en pakte mijn hand.

'Beste... Edward...' Hij sprak de woorden onduidelijk en hortend uit, maar desondanks kon ik hem goed verstaan.

'Mijnheer Tredgold, ik ben erg blij u weer te zien...'

Hij schudde zijn hoofd. 'Geen... Geen... Geen tijd. Heb je... de brief... gelezen?

'Ja.'

* 'Wie zal ons scheiden?' JJA

'Beste kerel... verschrikkelijk veel spijt...'

Hij liet zich achterovervallen, uitgeput door de inspanning van het praten.

Ik wierp een blik op het papier en de schrijfbenodigdheden op het bureau naast zijn stoel.

'Mijnheer Tredgold, misschien kunt u beter opschrijven – als u daartoe in staat bent – wat u me te zeggen hebt.'

Hij knikte en draaide zich om om de pen te pakken. Het was doodstil in de kamer, alleen het krassen van de punt en het knetteren van de smeulende houtblokken achter het haardrooster waren hoorbaar. Het was een trage, inspannende bezigheid, maar ten slotte, terwijl de laatste vonken doofden, legde hij zijn pen neer en overhandigde me het vel papier. Het was ietwat onsamenhangend, en geschreven in een uiterst beknopte stijl zonder interpunctie. Hieronder volgt mijn eigen bewerkte verslag van wat ik te lezen kreeg.

'Lieve jongen, want dat ben je voor mij, als was je mijn eigen kind. Het breekt mijn hart dat ik niet met je kan praten zoals ik graag zou willen, of je kan helpen om je rechtmatige erfdeel op te eisen. Het is me een raadsel hoe je achter het geheim van je afkomst bent gekomen, maar ik dank God dat het gebeurd is en dat Hij ons bij elkaar heeft gebracht, want het heeft allemaal een reden. Ik heb de waarheid voor je verborgen gehouden, uit liefde voor je moeder; maar de tijd is gekomen om de zaken recht te zetten. Helaas, weet ik niet wat ik in mijn huidige toestand kan betekenen, en de dood van mijn arme vriend heeft ons beiden van een uiterst waardevolle bondgenoot beroofd. Ik weet zeker dat Carteret in het bezit moet zijn gekomen van documenten die van doorslaggevend belang voor jouw zaak waren geweest – maar die zijn ons ontsnapt, misschien wel voorgoed, en een goed mens heeft de waarheid met de dood moeten bekopen. Ik vrees nu voor jóuw leven, beste Edward. Je vijand zal stad en land afzoeken naar de zoon van Laura Tansor, en zich door niets laten weerhouden om zijn vooruitzichten veilig te stellen. Mocht hij ontdekken wie je werkelijk bent, dan is er maar één mogelijk gevolg. Ik smeek je daarom om alle voorzorgsmaatregelen te nemen. Wees voortdurend op je hoede. *Vertrouw niemand.*'

Hij keek me aan met een bezorgde uitdrukking op zijn gezicht. Toen ik het had gelezen, pakte ik zijn hand.

'Mijn beste mijnheer, u behoeft zich om mij geen zorgen te maken. Ik ben opgewassen tegen elk mogelijk gevaar dat zich aandient; en al zijn de documenten die Carteret bij zich had in handen van de vijand terechtgekomen, wij hebben iets dat bijna van even grote waarde is.'

Ik vertelde hem over de dagboeken van mijn pleegmoeder, en dat de inhoud ervan door de depositie van Carteret werd bevestigd, waarop hij mijn handen vastpakte en een merkwaardig soort zucht uitstootte. In zijn deerniswekkende fletse ogen leek een vurig licht te ontbranden toen hij opnieuw naar zijn pen greep.

'Dan is nog niet alles verloren' – schreef hij – 'mits deze verklaringen niet in handen van Daunt vallen. Ze zijn ontoereikend, zoals je vast weet, maar ze moeten koste wat kost beschermd worden, evenals de ware identiteit van Edward Glapthorn. En dan moeten we samen proberen lord Tansor ervan te overtuigen dat hij een dwaasheid heeft begaan, zodat eindelijk alles rechtgezet kan worden.'

'Ze zijn veilig,' verzekerde ik hem, 'en ik ook. Ik heb een afschrift van de depositie laten maken, en die heb ik hier bij me, dan kunt u hem in veilige bewaring houden.' Ik legde het document op het bureau. 'Daunt kan in de verste verte niet vermoeden dat Edward Glapthorn degene is die hij zoekt. En u hebt ongelijk, mijnheer, met uw bewering dat we geen bondgenoot hebben. Ik geloof namelijk van wel.'

Hij boog zich weer naar me toe, met bevende handen, en schreef op: 'Een bondgenoot?'

En zo kwam het dat ik tegenover Tredgold mijn gemoed uitstortte over juffrouw Emily Carteret.

'Ik heb haar lief met heel mijn hart. En dat hoef ik u niet uit te leggen, mijnheer, want u weet hoe het is om iemand zo lief te hebben.'

'Maar beantwoordt ze je gevoelens?' schreef hij.

'Al mijn instincten zeggen van wel,' antwoordde ik, 'al hebben we geen van beiden onze liefde uitgesproken, en dat moet zo blijven tot ze terug is uit Frankrijk. Maar ik zou haar nu al mijn leven durven toevertrouwen. Ze heeft nooit iets anders dan minachting voor Daunt gehad; denkt u zich eens in wat ze van hem zal vinden als eenmaal zijn ware aard aan het licht is gekomen. Ik heb niet de geringste twijfel dat ze ons zal steunen bij onze inspanningen om zijn schurkachtigheid aan te tonen en zo lord Tansor van zijn ware aard te overtuigen.' Vervolgens vertelde ik hem over Daunts betrekkingen met Pluckrose; over zijn criminele loopbaan, zoals die me door Lewis Pettingale was geschetst; en ik besloot met de opmerking dat ik ervan overtuigd was dat Carteret door Pluckrose, in opdracht van Daunt, in de val was gelokt.

Hij deed geen poging een antwoord op te schrijven, al was de pen nog in zijn hand. Hij liet zich alleen achterover vallen in zijn stoel en sloot zijn ogen, schijnbaar uitgeput van vermoeidheid.

'Mijnheer,' zei ik zachtjes. 'Ik moet u nog één ding vertellen.' Tredgold bleef roerloos zitten. 'Ik denk dat ik weet waar het doorslaggevende bewijs van mijn ware afkomst te vinden is.'

Langzaam deed hij zijn ogen open en keek me aan.

Terwijl ik aan het woord was, was juffrouw Tredgold de kamer binnengekomen; ze gaf me te kennen dat ik niet door mocht praten. Bij het zien van het gezicht van haar broer, besloot ze dat hij niet in staat was het gesprek af te maken, en ik had geen andere keus dan weg te gaan, al mocht ik van haar wel de woensdag erop weer komen, mits zijn toestand dan wat verbeterd was.

In de trein terug naar Londen bepeinsde ik dat mijn bezoek me een zekere hoop had gegeven dat het herstel van de heer Tredgold en de openhartige, eerlijke manier waarmee we nu spraken over zaken die we voordien voor elkaar verborgen hadden gehouden, misschien een gunstige invloed op mijn eigen situatie kon hebben. Of een dergelijk optimisme gerechtvaardigd was viel nog te bezien; het was in ieder geval een troost om te weten dat ik niet geheel alleen stond, en dat Tredgold en ik een gemeenschappelijk doel voor ogen hadden. Bovendien was ik nu vastbesloten mijn lot in eigen hand te nemen en zodra de gelegenheid zich voordeed mijn liefde aan juffrouw Carteret te verklaren. En dan, hoopte ik, waren we gedrieën.

Terug in Temple-street bleek er een brief te zijn bezorgd, met een poststempel uit Parijs. In één oogopslag zag ik dat het adres niet door juffrouw Carteret zelf was geschreven, desondanks scheurde ik de enveloppe meteen open. Het was een kort episteltje van Mademoiselle Buisson.

WAARDE ONDOORGRONDELIJKE,

Onze gemeenschappelijke vriendin heeft mij verzocht om u te informeren dat zij aanstaande maandag naar Engeland zal terugkeren en dat zij zich erop verheugt u woensdag in het huis van mevrouw Manners te ontvangen. Vanwege een lichte ongesteldheid is zij op het ogenblik verhinderd u persoonlijk te schrijven. Ik mag wel zeggen, *entre nous*, dat ze zeer saai gezelschap is geweest, waarvan ik de schuld geheel en al bij u leg. Het is hier de afgelopen weken uitsluitend mijnheer Glapthorn voor en mijnheer Glapthorn na geweest, alsof er geen enkel ander gespreksonderwerp was dan de heer Edward Glapthorn. En terwijl gans Parijs te onzer beschikking stond, bleef ze hele dagen binnen, slechts af en toe wilde ze op een mooie ochtend een wandelingetje door het Bois maken, met haar neus in een boek. Vandaag leest ze in een slaapverwekkende gedichtenbundel van M. de Lisle, die ik van mijn eigen geld voor haar heb moeten kopen! *Et enfin*, mijnheer Glapthorn, ik geef haar weer aan u terug. Maar verlief u niet op haar. Dat meen ik in alle ernst.

Adieu, cher Monsieur,

MARIE-MADELEINE BUISSON

Ik las het briefje nog eens over, glimlachend bij de gedachte aan het meisjesachtige voorkomen van de stelster, en haar schalkse plaagzieke maniertjes. Ernst! De fladderende, kwikzilverige mejuffrouw Buisson was nimmer in ernst. Haar waarschuwing dat ik me niet op haar vriendin mocht verlieven was niet meer dan een ironisch plagerijtje, want ze moest toch weten dat het al te laat was.

Het werd woensdag – de dag dat ik naar Canterbury had moeten gaan om Tredgold weer op te zoeken. Maar ik ging niet. Alles wat eerst al mijn tijd en geestelijke energie in beslag had genomen, deed er niet meer toe; als ik wakker was, werd ik maar door één verlangen gedreven, zo sterk dat het alle andere dringende zaken in mijn hoofd verdrong. In plaats van mijn afspraak met Tredgold na te komen, liet ik de deurklopper vallen op de deur van het huis van mevrouw Manners in Wilton-crescent, om elf uur stipt, en vroeg of mejuffrouw Emily Carteret thuis was.

'Ja, zeker, m'neer,' zei de meid. 'U wordt verwacht.'

'Ziet u wel,' zei ze toen ik de salon betrad, 'ik heb me aan mijn belofte gehouden. Ik ben terug en u bent de eerste die ik ontvang.'

Ach, wat was het heerlijk om weer in haar lieftallige aanwezigheid te zijn. We geraakten al snel in een prettige kout waarin juffrouw Carteret vertelde over haar verblijf in Parijs en ik haar verslag deed van de verbetering in de toestand van de heer Tredgold. Lord Tansor was op reis, zei ze, met lady Tansor naar de plantages in West-Indië; het grote huis was afgesloten en daarom zou ze bij haar tante in Londen logeren tot de baron terug was.

'Mijnheer Daunt is met hen mee op reis,' voegde ze er met een zijdelingse blik aan toe.

'Waarom vertelt u me dat?' vroeg ik.

'Omdat u altijd lijkt te willen weten waar Daunt is, en wat hij doet.'

'Het spijt me dat ik die indruk heb gewekt,' antwoordde ik. 'Ik kan u verzekeren dat de heer Phoebus Daunt me geen greintje interesseert.'

'Zo denk ik er ook over,' zei ze. 'Welnu, mijnheer Glapthorn, wilt u zo goed zijn om dan nu mijn kennis betreffende Monsieur de Lisle, te beproeven en me aan een overhoring te onderwerpen. Ik denk dat ik u niet zal teleurstellen.'

Zo brachten we twee verrukkelijke uurtjes door totdat mevrouw Manners in de deuropening verscheen om haar nichtje aan een afspraak te herinneren waar ze beiden heen moesten. Juffrouw Carteret liep met me mee de hal in.

'Komt u volgende week woensdag weer?' vroeg ze.

En zo begon mijn wereld zich in te krimpen tot één enkel punt van allesoverweldigend belang. Ik kon aan niets anders denken dan aan juffrouw Carteret; al het andere was uit mijn gedachten gebannen. Tussen onze wekelijkse ontmoetingen in leefde ik in een soort kleurloze droom waaruit ik op woensdagochtend elf uur op slag ontwaakte. Af en toe bracht ik nog weleens een avond door op Blithe Lodge, maar ik verzon altijd een uitvlucht om weer snel weg te kunnen. Op een avond vroeg Bella of er soms iets aan de hand was. Ik glimlachte en zei dat ik me nog nooit zo goed had gevoeld.

'Op het ogenblik ben ik zeer geoccupeerd door mijn werk,' zei ik in antwoord op haar vraag. 'Als dat eenmaal achter de rug is, zal ik weer de oude zijn.'

'Mijn arme Eddie! Je moet ook niet zo hard werken, hoor. Daar word je ziek van. Kom, leg je hoofd in mijn schoot.' Toen ik aan haar voeten zat, begon ze met haar lange vingers zachtjes door mijn haar te woelen terwijl ze een Italiaans wiegelied zong, en enkele heerlijke momenten lang was ik weer een kind, dat naar het krijsen van zeevogels en het waaien van de wind vanuit het Kanaal luisterde terwijl mijn moeder een verhaaltje voor het slapengaan las.

Ik had haar tedere strelingen moeten weerstaan en haar de onverbiddelijke waarheid moeten vertellen; maar eerlijkheid kwam mij voor als een erger kwaad dan een leugentje om bestwil. En na verloop van tijd ontdekte ik dat mijn hart niet geheel en al door mejuffrouw Carteret was veroverd, maar dat er ergens nog een klein plekje, diep weggestopt, voor Isabella Gallini was overgebleven, zoete herinnering.

In het voorjaar van 1854 deed ik juffrouw Carteret af en toe een voorstel voor een uitstapje. Hadden zij en haar tante soms lust om naar de opera te gaan, of naar een concert in de Hanover-square Rooms? Wat dacht ze van een bezoek aan het British Museum om aldaar de Assyrische oudheden te bekijken? Maar al mijn voorstellen werden met spijt maar beslist van de hand gewezen. Toen op een ochtend, terwijl ik al vreesde haar nooit uit de beslotenheid van haar tantes huis te kunnen lokken, gaf ze plotseling te kennen dat ze de slangen in de Zoölogische Tuin wilde bekijken. 'Ik heb nog nooit van mijn leven een slang gezien,' zei ze, 'en dat zou ik toch graag eens willen. Kan dat gearrangeerd worden?'

'Uiteraard,' zei ik. 'Wanneer schikt het u?'

We besloten het uitstapje 12 april, de week daarop, te maken. Mevrouw Manners had verplichtingen elders en dus gingen we, tot mijn grote vreugde, met ons tweeën. Vooral de ratelslangen brachten haar in verrukking en zwijgend stond ze daar enkele minuten lang geboeid naar te kijken. Hierna liepen we verder in de zonneschijn, en keuvelden alsof we geen enkele zorg hadden. Ze moest lachen om het nijlpaard, die plotseling zijn bassin in dook en zo opzettelijk de dichtstbijzijnde omstanders een koud stortbad gaf, en ze applaudisseerde van pret om de pelikanen die gevoederd werden. Toen we de diergaarde uitliepen, langs een klein trapje omlaag, struikelde ze en ze stak haar hand naar mij uit om te voorkomen dat ze naar beneden viel. Ik hield haar hand stevig vast totdat ze haar evenwicht had hervonden; maar ik liet haar niet gaan en ze maakte zich ook niet los, niet direct. We stonden wat schutterig hand in hand, maar toen maakte ze, alsof het de gewoonste zaak van de wereld was, haar hand los en haakte haar arm door de mijne terwijl we verder liepen.

'Waar zullen we nu heen gaan?' vroeg ze. 'Het is zo'n prachtige dag, ik heb nog geen lust om naar huis te gaan.'

'Misschien voelt u er wat voor de St Paul te bezichtigen?'

Toen we bij de kathedraal waren gaf ze de wens te kennen, nadat we een mededeling hadden gelezen waarop de toegangsprijzen stonden vermeld, allereerst naar de Gouden Galerij te willen. Dat raadde ik haar af, omdat ik wist dat het laatste deel van de trap vuil en moeilijk begaanbaar was, en in mijn ogen niet geschikt voor een dame om te beklimmen. Daar wilde ze echter niets van horen, en zo betaalden we, tegen mijn advies in, de sixpence entree en begonnen aan de klim naar de Fluistergalerij. Hier bleven we even om op adem te komen.

'Wat zullen we fluisteren?' vroeg ze en ze drukte haar mond tegen het koude steen.

'U moet hardop spreken, niet fluisteren,' zei ik.

'Gaat u dan snel verderop staan. Ik ben benieuwd of u het kunt horen.'

Daarop haastte ik me naar de andere kant van de galerij, drukte mijn oor tegen de muur en wuifde ten teken dat ik gereed stond. Aanvankelijk hoorde ik niets, en ik maakte een gebaar dat ze nog iets moest zeggen; en langzaam maar zeker druppelden haar woorden op mysterieuze wijze door de muren heen, onduidelijk maar af en toe ving ik een woordje op: '... *blinde dwaas... mijn ogen aan... zij aanschouwen... niet zien wat ze zien.*'*

* Woorden uit de eerste twee regels van Shakespeare's sonnet 137: 'Liefde, gij blinde dwaas, wat doet gij mijn ogen aan/dat zij aanschouwen en niet zien wat ze zien?' JJA

'Hebt u het gehoord?' vroeg ze opgewonden toen ik bij haar terug was.

'Was het wel voor mijn oren bestemd?' vroeg ik.

'Natuurlijk. Kom. Ik wil nog hoger.'

Dus gingen we hoger, langs de klokkenkamer, almaar hoger, almaar steiler, en ondertussen telden we hardop de smalle treden. Eindelijk, na veel hijgen en lachen om de situatie, nadat we gebukt onder de lage plafonds de trappen hadden bestegen en ons af en toe tegen de muur van de overloop hadden moeten drukken om andere bezoekers te laten passeren, kwamen we in wazig zonlicht uit op de Gouden Galerij, vlak onder de Lantaarn. Haar zwarte japon was besmeurd door stof en spinnenwebben, en ze had rode wangen van de inspanning van het beklimmen van de ruim vijfhonderd treden. Zodra we in de buitenlucht waren, werden we gegeseld door een koele wind en toen we naar de lage ijzeren balustrade waren gelopen, greep ze mijn arm.

In zwijgende verwondering stonden we naast elkaar. Het leek wel of we ons op het dek van een machtig schip bevonden dat over een oneindige oceaan van grauwe wolken zeilde. In de diepte lagen de brede straten, waar het wemelde van mensen zo klein als mieren en stromen voertuigen zich traag voortbewogen. Het oog viel direct op de bekende torens en spitsen, paleizen en parken en in de verte fabrieksschoorstenen die zwarte rookpluimen uitbraakten; de zon weerkaatste schitterend in ruiten en vergulde pinakels en legde een goudglanzende mantel over de grijze rivier; achter London-bridge echter leek het net of een donker scherm dwars over de toegangspoort van de hoofdstad was neergelaten: er was geen enkele mast te zien van de vele schepen die er aangemeerd lagen. Ook elders had de laaghangende nevel de details al hun scherpte ontnomen en waren ze wazig, onduidelijk en droomachtig geworden. Vanaf deze uitkijkpost was de enorme zwoegende metropool in de diepte niet goed te zien maar men voelde de kloppende nabijheid ervan. Ik kende het goed, dat besef van levenskracht van de Grote Leviathan. Maar voor haar was de ontzagwekkende sublimiteit van de stad een openbaring en met haar grote donkere ogen wijd opengesperd stond ze er in een woordeloze extase, met versnelde ademhaling naar te kijken, en ze pakte me zo stevig beet dat ik haar nagels door haar handschoenen heen in mijn huid voelde dringen.

Zo bleef ze enkele minuten omlaag staan turen in de nevelige weidsheid, dicht tegen mij aan. De illusie dat ze van mij afhankelijk was bracht een siddering in mij teweeg, ook al wist ik precies wat die waard was. Maar achteraf was dat broze, vluchtige moment een van de gelukkigste van mijn leven, toen ik hoog boven de valse verraderlijke wereld van strijd en zonde stond met de vrouw die ik liefhad, samen met haar op het kleine plat ergens tussen hemel en aarde, met de rusteloze rokerige stad onder ons uitgespreid, en de onmetelijke lucht daarboven.

'Ik vraag me af hoe het zou zijn,' zei ze na een poosje, met een vreemde zachte stem.

'Hoe bedoelt u?'

'Om hier vanaf te springen en dat hele eind naar beneden te vallen naar de harde grond. Wat denkt u dat men tijdens de val zou zien en voelen?'

'Men moet wel erg ongelukkig zijn om zo'n daad te overwegen,' zei ik terwijl ik haar een eindje bij de balustrade vandaan trok. 'En u bent toch niet zo ongelukkig, of wel?'

'O, nee,' zei ze opeens geestdriftig. 'Ik dacht niet aan mezelf. Ik ben in het geheel niet ongelukkig.'

Dat hele voorjaar en de maand juni verkeerde ik bijna dagelijks in het gezelschap van mejuffrouw Carteret – die ik inmiddels bij haar voornaam mocht aanspreken. Soms zaten we wel twee uur lang te kouten of wandelden zes of zeven keer rond Belgrave-square, helemaal opgaand in ons gesprek; bij andere gelegenheden maakten we kleine uitstapjes – een waaraan ik bijzonder goede herinneringen bewaar was de keer dat

* Marie Tussaud, geboren Grossholz (1761-1850). Tijdens de Franse Revolutie was ze de assistente van de wassenbeeldenmaker dr. Philippe Curtius en hielp hem met afgietsels maken van de onthoofde slachtoffers van de Terreur. In 1835 richtte ze haar Bazaar in Baker Street op. De naam 'Gruwelkabinet' werd gemunt door een medewerker van *Punch* in 1845 om het vertrek mee te beschrijven waarin de weerzinwekkende overblijfselen van de Revolutie alsmede nieuwe wassen beelden van moordenaars en andere misdadigers waren tentoongesteld. JJA

ik met haar de wassenbeeldententoonstelling van wijlen Madame Tussaud's Bazaar* in Bakerstreet bezocht (waar we, op Emily's uitdrukkelijke wens, zes pence extra betaalden om de lugubere attracties in het Gruwelkabinet te bezichtigen). We gingen ook naar de hortus botanicus in Kew, en een andere keer maakten we een pleziertochtje op de stoomboot van Chelsea naar Blackwall, waarbij we natuurlijk langs de Temple Gardens voeren, waar ik zo dikwijls met Tredgold had gewandeld, en de Temple Pier, waar mijn eigen roeibootje lag. Het schonk me een zeker schuldbewust genot haar in de nabijheid van al die vertrouwde plekken te zien en het deed me inwendig glimlachen van geluk. Ik hoopte dat weldra de dag aanbrak dat ze naast mij door diezelfde straten en lanen liep, in de Temple Church naast me zat en de trap naar mijn kamers onder de hanenbalken besteeg, maar dan als mijn aanstaande.

Ze leek oprecht genoegen te beleven aan mijn gezelschap, ze begroette me steevast met een zonnige lach op haar gezicht als ik de salon in het huis van haar tante betrad, ze haakte haar arm door de mijne als we een wandeling maakten en bij binnenkomst en afscheid stond ze me toe haar hand te kussen.

Ze was een uiterst prettige gespreksgenote geworden, een uiterst attente vriendin, maar ik ving inmiddels ook onmiskenbare tekenen op dat er meer was – bepaalde gebaartjes en blikken, een intonatie, mijn hand die iets langer in de hare bleef, en iets steviger, dan eerst; de vurige, enthousiaste begroetingen, haar lichaam dat opzettelijk het mijne raakte als we bij een oversteekplaats wachtten. Dit alles duidde op meer – veel meer – dan slechts vriendschap; en ik was uitzinnig van vreugde dat zij eindelijk ook door de liefdeskoorts was bevangen, net als met mij was gebeurd.

En toen, in de derde week van juni, keerden lord en lady Tansor terug uit West-Indië – Daunt reisde op eigen gelegenheid naar huis, omdat hij nog in New York literaire besognes had af te handelen. Zoals afgesproken, maakte juffrouw Carteret zich op het huis van haar tante te verlaten en weer haar intrek op Evenwood te nemen. Op de ochtend voor haar vertrek maakten we een wandeling door Hyde-park. Het was een bewolkte dag en na een uur, toen we ons in een verlaten hoekje van het park bevonden, moesten we plotseling naar een grote eik rennen om te schuilen voor een onverwachte stortbui.

We stonden een poosje dicht bij elkaar te lachen als kleine kinderen terwijl de regendruppels op de takken tikten. Ergens ver in het westen hoorde we de donder rommelen en dat geluid deed haar angstig om zich heen kijken.

'We zijn hier niet veilig,' zei ze.

Ik zei dat er geen gevaar was en dat het onweer nog te ver weg was om ons zorgen te maken.

'Toch ben ik bang.'

'Maar, lieve, dat is nergens voor nodig.'

Ze wachtte even met haar antwoord. 'Misschien is het niet het onweer dat me angst aanjaagt,' zei ze zachtjes met neergeslagen blik, 'maar de nog heftiger beroering in mijn hart.'

Een tel later had ik haar tegen me aangedrukt. Haar adem was zoet en warm toen ik mijn lippen op de hare drukte, aanvankelijk voorzichtig maar allengs krachtiger. Het lichaam dat ik steeds ongevoelig voor mijn begeerte had gedacht gaf zich gewillig, vurig over aan mijn strelingen en ze drukte zich zo hard tegen het mijne dat ik bijna mijn evenwicht verloor. Maar ze maakte zich niet los uit de omarming. Als een onstuitbare machtige waterval stortte ze zich over me heen, overspoelde me, dompelde me onder, totdat ik als een drenkeling mijn leven aan me voorbij zag trekken en ik mezelf overgaf aan een gelukzalig vergeten.

Ze klampte zich hijgend aan mij vast, haar mutsje was op haar schouders gegleden, haar haar zat slordig en verfomfaaid, haar gezicht was nat van regendruppels.

'Vanaf het eerste ogenblik had ik je lief,' fluisterde ik.

'En ik jou.'

Zwijgend stonden we bij elkaar, haar hoofd lag op mijn schouder en met haar vingers trok ze cirkeltjes in mijn nek, totdat de regen begon weg te trekken.

'Zul je me altijd liefhebben?' vroeg ze.

'Moet je dat nog vragen?'

40

Nec scire fas est omnia*

Vanaf die dag voelde ik me herboren, opgebloeid, gelukkiger en onbezorgder dan ik sedert mijn studententijd in Heidelberg ooit was geweest. Ik zou bergen kunnen verzetten, nu ik de liefde van mijn lieveling bezat! Afgesproken was dat ik naar Evenwood zou gaan zodra ze zich daar geïnstalleerd had, een vooruitzicht waarbij al het andere kleurloos en oninteressant leek. Maar toen kreeg ik een brief van de heer Tredgold, die me beschaamd deed denken aan alle dingen die ik had veronachtzaamd.

MIJN BESTE EDWARD,

Ik maakte me zeer ongerust toen je niet nog eens naar Canterbury kwam, zoals was afgesproken. Er zijn vele weken voorbijgegaan zonder bericht van jou, & nu heeft de heer Orr mij geschreven dat je al een maand niet op Paternoster-row bent geweest, zodat ik vrees dat je iets is overkomen. Ik ben erg vooruitgegaan, zoals je aan mijn handschrift ziet & zoals je zelf zou kunnen vaststellen. Maar omdat ik Canterbury nog niet kan verlaten, vraag ik je mij zo spoedig mogelijk te schrijven, om mij gerust te stellen dat het goed met je gaat.

Ik zal hier niet de andere zaak aanroeren die mij sinds jouw laatste bezoek voortdurend heeft beziggehouden – ik doel natuurlijk op de opmerking die je bij ons afscheid maakte, over datgene waarnaar je op zoek was – behalve dat ik wil zeggen dat die van een zodanig gewicht is dat het onverstandig zou zijn, voor ons beiden, daarover iets

* 'Het is niet geoorloofd alle dingen te weten' (Horatius, *Oden*, IV.IV). JJA

op papier te zetten. Ik hoop dat je spoedig zult schrijven om me te laten weten wanneer ik je hier kan verwachten, zodat we de zaak mondeling kunnen bespreken.

God zegene je en behoede je, mijn beste jongen.

C. TREDGOLD

De woorden van mijn werkgever wekten mij uit mijn lotusdroom en ik nam onmiddellijk de trein naar Canterbury.

Ik trof Tredgold aan in een zonnige tuin aan de achterkant van Marden House, waar hij onder een sering in een rieten stoel zat. Hij had een reisdeken over zijn knieën en was bezig aantekeningen te maken in een klein, in leer gebonden boekje. Zijn gezicht, overschaduwd door een grote hoed, was mager en vermoeid, maar hij had weer iets van zijn oude beminnelijkheid terug, zoals bleek uit de stralende glimlach waarmee hij me begroette.

'Edward, mijn lieve, beste jongen! Daar ben je dan. Ga zitten! Ga zitten!'

Hij praatte een beetje onduidelijk, en ik zag dat zijn hand licht beefde toen hij zijn monocle poetste, maar voor het overige leek hij niet gehinderd te worden door blijvende ongemakken. Hij verspilde geen tijd aan nutteloze praatjes, maar begon me direct te vertellen dat er nu onder toezicht van het hooggerechtshof een akte was opgesteld om het onvervreemdbare deel los te maken van de nalatenschap van lord Tansor en dat er, in afwachting van de afdoening daarvan, een nieuw testament was opgesteld om Phoebus Daunt tot wettige erfgenaam van lord Tansor te maken.

'Lord Tansor heeft alle betrokkenen laten weten dat hij de zaak snel afgehandeld wil hebben,' zei Tredgold, 'en al kan de magistratuur natuurlijk niet tot haast worden aangezet, het is zeker dat ze zich verplicht zal voelen wat harder te lopen. Sir John Mounteagle is door lord Tansor in de arm genomen om de akte door het hooggerechtshof te loodsen, en ik twijfel er niet aan dat hij dat met zijn gebruikelijke energie zal doen. Ik denk dat we mogen verwachten dat de zaak tegen de herfst geregeld is. En Edward, als we willen voorkomen dat het testament getekend wordt, is het dus nodig dat we een onoverwinnelijk instrument in handen krijgen. Heb jij, zoals je suggereerde, de beschikking over zo'n instrument?'

'Ik heb niets tot mijn beschikking,' gaf ik toe, 'behalve de dagboeken van mijn pleegmoeder en de Depositie van de heer Carteret die, naar uw mening, niet voldoende zullen zijn om mijn gelijk te bewijzen. Maar ik heb een stellige overtuiging aangaande de plaats waar het doorslaggevende bewijs verborgen kan zijn, en ik geloof dat de heer Carteret die overtuiging deelde.'

'En waar mag die plaats wel zijn?'

'In het mausoleum op Evenwood. In de graftombe van lady Tansor.'

De monocle viel uit Tredgolds bevende vingers.

'In de graftombe van lady Tansor! Waarop kan die verbazende overtuiging van je gestoeld zijn?'

En toen vertelde ik hem van de woorden die juffrouw Eames op een stukje papier had geschreven en naar de heer Carteret had gezonden – dezelfde woorden die in het graf van mijn moeder gebeiteld waren.

De heer Tredgold zette zijn hoed af en legde zijn hoofd in zijn handen. Na enkele ogenblikken, waarin we beiden zwegen, sloeg hij zijn droeve blauwe ogen naar mij op.

'Wat wil je doen?'

'Met uw toestemming wil ik mijn overtuiging beproeven.'

'En als ik je mijn toestemming niet kan geven?'

'Dan zal ik vanzelfsprekend geen verdere actie ondernemen.'

'Lieve Edward,' zei hij, en het licht kwam terug in zijn ogen, 'jij hebt altijd het juiste woord op de juiste plaats. Ik heb haar nagedachtenis al te lang beschermd. Carteret had gelijk. Wat zij heeft gedaan was een misdaad – en ik heb eraan meegewerkt. Ze had het recht niet jou te ontzeggen wat je toekwam en je tot een vreemde voor je eigen familie te maken. Ik zal haar altijd liefhebben, maar met de doden kan men niet leven. Jij bent haar levende zoon – mijn zorg geldt jou. Je hebt daarom mijn toestemming alles te doen wat nodig is, ter wille van de waarheid. Kom zo snel je kunt terug, en moge God ons beiden vergeven. En nu krijg ik het een beetje koud. Wil je me naar binnen helpen?'

Hij steunde op me toen we langzaam over een kronkelig grindpad naar het huis liepen, nog steeds druk in gesprek.

'Eén ding is me nooit duidelijk geweest,' zei ik, terwijl we door een tunnel van bleke rozen liepen. 'Het is datgene waar al het andere uit voortkomt, maar toch is er niets over te vinden in de dagboeken van mijn pleegmoeder, en evenmin in de Depositie van de heer Carteret.'

'Je bedoelt vermoedelijk,' antwoordde Tredgold, 'hoe lady Tansor tot haar opmerkelijke daad is gekomen.'

'Ja, inderdaad. Dat is precies wat ik bedoel. Wat kan een vrouw van lady Tansors rang en stand ertoe gebracht hebben haar kind, dat in een wettig huwelijk geboren was, geheel toe te vertrouwen aan de zorgen van een ander?'

'Het lag heel eenvoudig. Ze ontzegde haar echtgenoot het enige waarnaar hij bovenal verlangde omdat hij haar iets had ontzegd dat voor haar evenzeer van het hoogste belang was. *Quid pro quo*. Dat is het, in een notendop.'

Hij zag aan mijn gezicht dat ik het niet begreep en begon het toe te lichten.

'Het begon allemaal met de manier waarop lord Tansor haar vader behandelde. Mejuffrouw Fairmile, zoals ze voor haar huwelijk heette, was buitengewoon mooi en kwam uit een oude, aanzienlijke familie in de West Country. Maar qua rijkdom en positie waren ze volstrekt niet te vergelijken met de Duports. Ze leerde lord Tansor in Londen kennen, kort nadat hij de titel had geërfd; de rol van galante ridder lag hem niet, maar Laura Fairmile maakte een zodanige indruk op hem dat hij haar het hof maakte, ondanks zijn nogal lage dunk van haar familie. Heel wat mannen die knapper waren dan lord Tansor hadden hun hart verloren aan mejuffrouw Fairmile, al kon geen van hen haar zoveel bieden als hij. Het lijkt misschien vreemd, maar het schijnt dat hij een oprechte genegenheid voor haar koesterde, hoewel hij daarnaast, altijd zijn positie in het openbare leven indachtig, op die leeftijd al, ook een sympathieke echtgenote en levensgezellin zocht om met hem samen een rustig leven te leiden en hem de erfgenaam te schenken waarnaar hij zozeer verlangde.

Hij vroeg haar ten huwelijk; zij zei ja. Niemand nam het haar kwalijk. De verschillen – hun temperament, hun beider positie in de maatschappij – leken van weinig belang in vergelijking met het voordeel dat beiden bij de verbintenis hadden. De barones werd weldra het volmaakte sieraad van haar echtgenoot. O, Edward, je had haar naast haar echtgenoot moeten zien rijden op Rotten-row, in haar rijkostuum van helgroene zijde en violet fluweel, met als bekroning een elegante hoed met wuivende veren! Zij liet nooit na hem te behagen, zij steunde hem op alle mogelijke manieren en ze was algemeen geliefd en geacht in hun kringen, wat weer op hem afstraalde.

Niet alles was echter zo mooi als het leek. Al gauw bleek dat hun temperament en karakter rampzalig met elkaar botsten. Lord Tansor was koud en afstandelijk, terwijl zijn vrouw met haar levendigheid en haar lach een heel vertrek lichter maakte; hij gaf zich niet bloot, zij babbelde onbekommerd; hij werd gerespecteerd, soms gevreesd, maar was niet algemeen geliefd, terwijl zij door iedereen bewonderd werd; hij leefde voor politiek en zaken en het vergroten van zijn erfenis, terwijl zij van rustige genoegens en het gezelschap van vrienden hield, en bovenal hechtte aan de innige genegenheid tussen haar en haar familie – in het bijzonder haar vader. Na korte tijd waren deze verschillen versterkt en verankerd, waardoor bij onenigheid een wapenstilstand niet meer mogelijk was. De genegenheid waarop hun verbintenis in de eerste maanden had gesteund, begon te vervluchtigen, en ervoor in de plaats kwamen koele beleefdheid in gezelschap en ijzig stilzwijgen wanneer ze samen waren.

Toen kwam het breekpunt. Ik heb gezegd dat de Fairmiles een oude, gerespecteerde familie waren, maar ze waren bijna failliet. Laura Fairmile had gedacht dat er door haar huwelijk met lord Tansor een einde zou komen aan de uitzichtloze financiële toestand van haar vader, want ze ging ervan uit dat de Fairmiles door haar verbintenis met lord Tansor met open armen in de Duport-dynastie verwelkomd zouden worden. Maar daarin werd ze al gauw teleurgesteld. In plaats van de schulden van sir Robert te betalen, zoals ze had verwacht, kocht lord Tansor eenvoudigweg de hypotheken op huis en land van zijn schoonvader in Church Langton op en stelde de premies op een lager niveau dan voordien; maar toen sir Robert zelfs die lagere bedragen niet kon opbrengen, nam lord Tansor het enige besluit dat een zakenman kan nemen en executeerde de lening. Lady Tansor was in alle staten; ze vleide, ze smeekte, ze dreigde weg te gaan, ze paaide – alles tevergeefs. De baron kon geen uitzondering maken op de onaantastbare principes die voor zijn zakelijke betrekkingen golden. Sir Robert was in gebreke gebleven. Lord Tansors vaste principe in zulke gevallen was executeren. Hij wees erop dat het al edelmoedig van hem was geweest zijn schoonvader een jaar te geven om orde op zaken te stellen, iets waar hij normaal gesproken niet over gedacht zou hebben. Maar er moest een punt gezet worden. De lening moest afgelost worden.

Deze geschiedenis was de genadeslag voor sir Robert, die zich gedwongen zag het huis waarin hij geboren was te verkopen, evenals de laatste stukjes grond die hij nog behouden had, en naar een te kleine woning in Taunton te verhuizen, zodat er niets overbleef om aan zijn enige zoon na te laten. De oude man overleed niet lang daarna, gebroken en verbitterd.

Lady Tansor was, zoals ik al heb vermeld, dol op haar vader. Ze had zich in alles naar de wensen van haar echtgenoot gevoegd; nu had ze hem gevraagd deze ene uitzondering te maken op zijn zakelijke principes en hij had geweigerd. Ze voelde zich machteloos en de gevangene van haar ongelijke positie. Niet lang daarna echter merkte ze dat ze in verwachting was en dat verschafte haar een wapen tegen haar echtgenoot dat ze in haar uitzinnige smart en woede niet ongebruikt kon laten. Om te beginnen besloot ze dan ook lord Tansor in onwetendheid te laten van haar toestand, om vervolgens allerverschrikkelijkst wraak te nemen door in het geheim met haar beste vriendin af te spreken dat deze het kind zou opvoeden alsof het van haarzelf was.'

Ik wierp tegen dat in mijn ogen de straf nog steeds in geen enkele verhouding stond tot de misdaad.

'Tja, dat kun je wel denken,' antwoordde de heer Tredgold. 'Maar wanneer een hartstochtelijke natuur tegengewerkt wordt in haar verlangens, kunnen de gevolgen extreem zijn. Lady Tansor had haar echtgenoot dit ene gevraagd. Het zou voor een zo vermogend man als hij een kleine concessie aan de echtelijke harmonie zijn geweest om de schuld af te schrijven, omwille van zijn vrouw. Maar dat had hij niet voor haar over – hij dacht er zelfs niet aan, en toen sir Robert Fairmile overleed, wist hij niet meer op te brengen dan een vormelijke schijn van wroeging. Misschien was daardoor voor haar de maat vol.'

Onder aan een klein trapje bleven we even staan zodat de heer Tredgold op adem kon komen.

'Het was dus gewoon wraak?' vroeg ik.

'Wraak? Ja, maar niet gewoon. Toen ze trouwde had lady Tansor, omwille van haar familie, haar wat je zou kunnen noemen enigszins jakobijnse opvattingen onderdrukt. Ze heeft me dat zelf verteld, en ze voegde eraan toe dat ze wilde dat haar kind zou ontsnappen aan wat zij de vloek van erfelijke rijkdom en bevoorrechting noemde, die de eisen van normale menselijke gevoelens en familiebanden zo meedogenloos met voeten had getreden. Het was ongetwijfeld een bizarre gedachte, maar heel reëel voor haar, die had gezien hoe haar aanbeden vader voortijdig de dood werd ingejaagd door een vertegenwoordiger van de oudste Engelse adel, alleen ter wille van het behoud van zijn maatschappelijke positie. Ze zei tegen me dat ze niet wilde dat haar kind zo zou worden als zijn vader – en niemand kan toch ontkennen dat ze daarin geslaagd is. Maar een in dat opzicht gunstig effect is geen rechtvaardiging voor wat ze deed, met mijn hulp. Ze wist dat ze iets verkeerds had gedaan, maar het lag niet in haar aard het ongedaan te maken, hoewel ze probeerde haar echtgenoot op de enig mogelijke manier genoegdoening te geven – door hem na verloop van tijd de erfgenaam te schenken waarnaar hij zo verlangde. Maar helaas werd ook die hem ontnomen, zoals je weet.'

Ik vond het wonderlijk dat ik lady Tansor naarmate ik meer over haar te weten kwam, steeds minder begreep. Hoe anders was ze geweest dan haar rustige, plichtsgetrouwe vriendin, Simona Glyver! Ik bedacht dat ze niet alleen haar echtgenoot, maar ook mij had gestraft door me te verbannen – geheel buiten mijn schuld – uit het leven waarvoor mijn geboorte me had bestemd. Tredgold had van haar gehouden en was natuurlijk geneigd haar daden in een gunstig licht te zien, en ze onpartijdig af te wegen tegen de provocatie. Maar hoewel ik niets liever wilde dan erkend worden als lady Tansors zoon in naam en positie, voelde ik een soort intense opluchting dat ik door een ander was opgevoed en dat ik nu nooit meer zou hoeven te bedenken of ik net zo van mijn echte moeder hield als ik van haar vriendin had gehouden.

Terwijl ik Tredgold het trapje naar het huis op hielp, vroeg hij me of ik nog verliefd was op mejuffrouw Carteret.

'Ja,' zei ik met een lachje, 'en dat zal in der eeuwigheid wel zo blijven.' En toen vertelde ik hem over onze wandeling in Hyde-park, en hoe we elkaar onze liefde hadden verklaard.

'En heb je haar de waarheid over jezelf verteld? Ah, ik zie dat je aarzelt, je hebt het dus niet verteld. Hoe weet je dan zo zeker dat ze van je houdt, terwijl ze zelfs je ware naam niet kent?'

'Ze houdt van me om mezelf,' antwoordde ik, 'niet vanwege mijn ware naam, of vanwege wat ik misschien zal worden als ik mijn taak volbreng, want van beide weet ze niets; en daarom ben ik nu bereid haar alles te vertellen.'

'Ik ken de dame niet zo goed,' zei Tredgold toen we het huis in liepen, 'maar ze is ontegenzeggelijk mooi en intelligent. En als ze net zo van jou houdt als jij van haar, dan is ze werkelijk het veroveren waard. Toch zou ik je aanraden goed uit te kijken voordat je een ander de waarheid in handen geeft. Neem me niet kwalijk. Ik ben jurist, en kan het niet laten me het ergste voor te stellen. Voorzichtigheid is voor mij een tweede natuur.'

Hij glimlachte breed, maar zijn ogen stonden ernstig.

'Ik besef, mijnheer, dat u het beste met me voor hebt. Maar zoals u ongetwijfeld weet, ligt roekeloosheid niet in mijn aard; ik neem alleen stappen in een kwestie als ik volkomen zeker ben van de gevolgen.'

'En je bent zeker van de liefde van juffrouw Carteret, en je vertrouwt haar volledig?'

'Ja.'

'Welnu, ik heb mijn plicht als jurist gedaan. Je laat je niet afleiden van de koers die je bent ingeslagen, dat is duidelijk; en ik heb geen argumenten die sterk genoeg zijn om een verliefd man ervan te overtuigen dat hij voorzichtig moet zijn – God weet dat ik zelf ook genoeg dwaasheden heb begaan in naam van de liefde. Het is niet anders. Je schrijft me zo gauw je kunt, daar reken ik op. Ga dan maar, met mijn zegen, en moge je de waarheid mee terugbrengen, want die is al te lang verborgen geweest.'

Toen ik wegging, stond hij onder aan de trap in de sombere gang, met zijn ene hand de leuning omklemmend, terwijl hij me met de andere vaarwel wuifde. Ik heb hem nooit weer gezien.

Mijn lieveling had me een brief beloofd vanaf Evenwood, als ze eenmaal geïnstalleerd was in haar nieuwe onderkomen, maar er ging een week voorbij, en toen nog een, en nog steeds kwam er geen bericht. Ten slotte hield ik het niet meer uit en schreef een kort briefje waarin ik informeerde of alles in orde was en voorstelde de volgende week naar Northamptonshire te reizen. Ik was er zeker van dat er per kerende post een antwoord zou komen, maar werd weer teleurgesteld. Ten slotte kreeg ik bijna een week nadat ik mijn briefje had verzonden, een brief terug.

MIJN LIEFSTE,
Dank je voor je lieve briefje, dat naar Shrewsbury is doorgestuurd, waar ik nu ben.

Wat moet je me onhebbelijk hebben gevonden. Maar, liefste, ik heb je geschreven, twee weken geleden, dat ik met lord en lady Tansor door Wales reis terwijl er werk wordt uitgevoerd op Evenwood – de baron heeft het in zijn hoofd gehaald om waterbuizen te laten installeren, waarvan je je de gevolgen voor zijn rust en welzijn gemakkelijk zult kunnen voorstellen. Het stof en het lawaai zijn onbeschrijflijk. Waar mijn brief is gebleven, waarin ik je dit alles schreef, kan ik me niet voorstellen, maar het is hier erg primitief en ik veronderstel daarom dat hij gewoonweg ergens zoekgeraakt of verloren is. We blijven nog enige tijd weg – het werk zal zeker niet eerder dan over een maand gereed zijn, en wanneer we hier weggaan, reizen we naar een saaie buitenplaats in Yorkshire, die aan de broer van lady Tansor toebehoort. Kon ik er maar aan ontkomen! Maar ik ben een gevangene en moet mijn meester volgen, aangezien ik nu geheel op hem aangewezen ben, wil ik een dak boven mijn hoofd hebben; en verder, weet je, schijnt hij werkelijk genoegen te scheppen in mijn gezelschap (lady T is zo vreselijk saai – zegt geen woord en lacht nooit), en zo heb ik eigenlijk geen keus en moet doen wat ik kan om mijn gevoelens te beheersen. Die richten zich voortdurend op een zekere persoon, wiens identiteit ik vast niet hoef te onthullen! Ik hunker ernaar van mijn plichten bevrijd te zijn en weer omhelsd te worden door de man die ik boven alle andere liefheb en die ik altijd zal liefhebben, tot in de eeuwen der eeuwen.

Ik zal bericht sturen zodra ik weet wanneer we terugkeren naar Evenwood. Altijd de jouwe,

E.

Nog ten minste een maand! Maar het was te dragen. Ik kuste de woorden die ze had geschreven: '*Ik hunker ernaar van mijn plichten bevrijd te zijn en weer omhelsd te worden door de man die ik boven alle andere liefheb en die ik altijd zal liefhebben, tot in de eeuwen der eeuwen.*'

Hoe ik de eindeloze weken doorkwam hoef ik niet uitvoerig te vertellen. Ik nam een paar vroegere studies weer op – maakte opnieuw kennis met enkele van de meest cryptische Griekse filosofen, vervolgde mijn studie van het hermetisme en hield me bezig met mijn bibliografische interesses. In de winkel van de heer Nutt aan The Strand* had ik een exemplaar aangeschaft van de catalogus van de heer Daunt, de *Bibliotheca Duportiana*, en ik bracht verscheidene uren per dag in verrukking door met het lezen van de inhoud. Wat een intens en onuitputtelijk genoegen was het, terwijl ik Daunts nauwgezette beschrijvingen in hoog tempo tot me nam, te bedenken dat ik uiteindelijk de bezitter van al die boeken zou worden. 's Nachts waagde ik me wel eens buiten om mijn altijd onrustige demonen te bedwingen, maar het gaf me steeds minder voldoening, zodat ik weldra nogal een kluizenaar werd, tevreden met louter intellectuele genoegens, behalve dat ik een enkele keer met Le Grice ging eten in The Ship and Turtle.

In de eerste week van augustus kwam er een brief van mijn lieveling, en toen een paar weken later nog een uit Lincolnshire, waar de Tansors op uitnodiging van de graaf van Newark heen waren gegaan. Ze schreef lief en teder, en betreurde het smartelijk dat ze door omstandigheden gescheiden was van de man die ze boven alle andere liefhad; en mijn hart vloeide over bij de gedachte dat ze de mijne was. 'Als ik vleugels had,' schreef ze in haar tweede brief, 'zou ik met de snelheid van engelen naar mijn liefste lief vliegen, al was het maar voor één kort ogenblik.'

* De boekverkoper David Nutt, op de nummers 270 en 271 aan The Strand. JJA

Eindelijk was het grote huis op Evenwood gereed om zijn adellijke eigenaar weer te ontvangen, en in de tweede week van september kreeg ik een briefje met het bericht dat het mejuffrouw Carteret genoegen zou doen me op ieder tijdstip dat ik zou willen voorstellen in Northamptonshire te zien.

Bij mijn aankomst werd ik naar de eerste verdieping gebracht en ging een lang, laag vertrek binnen boven de Bibliotheek, met een opvallende rij van vier oude boogramen die uitkeken op het terras eronder. Ik bleef daar even staan, getroffen door de gedachte dat dit ooit de kamers van mijn moeder, lady Tansor, waren geweest. Aan de andere kant van de kamer stond een deur op een kier, waardoorheen een druk gebeeldhouwd bed gedeeltelijk te zien was – hetzelfde bed waar mijn arme verblinde moeder, gek van verdriet en wroeging, door de vader van John Brine in gelegd was en waarvan ze nooit meer was opgestaan. Door deze deur kwam mijn lieveling nu op me af rennen en ze sloeg haar armen om me heen in een vurige omhelzing. Vele lieve woordjes werden uitgewisseld, en daarna gingen we samen op een bankje onder een van de boogramen zitten, vanwaar we voorbij de Franse tuin het park zagen liggen en nog verder weg het Vierwindentempeltje, het meer en de bossen.

'Drie lange maanden! Ik heb je zo gemist!' riep ik terwijl ik opgewonden haar hand kuste.

'Gescheiden zijn van je geliefde is de ergste kwelling,' zei ze. 'Ik had nooit gedacht dat ik er zo onder zou lijden. Maar aan alle lijden komt een eind. Mijn lief is weer bij me en ik ben de gelukkigste vrouw ter wereld. Liefste, wil je me een ogenblik excuseren?' Waarop ze terugliep naar de belendende slaapkamer en de deur sloot. Ik voelde me wat opgelaten en belachelijk toen ik zo stond te wachten totdat ze enkele minuten later weer terugkwam, enigszins blozend, met een boek in haar hand.

'Ik heb een cadeautje voor je meegebracht,' zei ze en gaf me het boek.

Het was Gildons uitgave van de gedichten van Shakespeare.*

* *A Collection of Poems*, uitgegeven door Charles Gildon (1665-1724) en in 1709 in één klein octavo-deel verschenen bij Bernard Lintot (het is later nog in twee delen verschenen). Het boek bevat *Venus and Adonis, The Rape of Lucrece, The Passionate Pilgrim* en 'Sonnets to Sundry Notes of Musick', die in feite de laatste zes gedichten in het voorafgaande werk zijn. JJA

'Tijdens mijn verbanning zijn mijn gedachten steeds bij de liefde geweest,' zei ze, 'en dit boekje was mijn voortdurende troost. Nu kun jij het lezen wanneer we niet bij elkaar zijn en er ook troost in vinden, wetend dat mijn tranen op iedere bladzijde zijn gevallen. Ik heb de passages die me bijzondere troost gaven, onderstreept. En vertel nu eens wat jij hebt gedaan sinds we elkaar voor het laatst zagen.'

En zo praatten we door totdat het licht begon af te nemen en mijn lieveling zei dat ze haar kamenier moest roepen en zich gaan kleden voor het diner.

'Het spijt me dat ik je niet kan inviteren voor het diner,' zei ze toen we naar de deur liepen, 'maar je begrijpt toch dat ik nu de gast van lord Tansor ben.'

'Natuurlijk,' antwoordde ik. 'Maar wanneer mag ik weer komen?'

'Morgen,' zei ze. 'Kom morgen.'

Toen ik de trap af liep naar de hal kwam ik Lizzie Brine tegen. Omdat ze samen was met een andere dienstbode, deed ze geen poging iets tegen me te zeggen maar boog alleen even het hoofd, net als de andere vrouw, en liep door. Maar toen ik beneden kwam en achterom keek, zag ik haar boven aan de trap staan met een vreemde, bezorgde blik op haar gezicht die ik onmogelijk kon duiden.

Ik ging terug naar de Duport Arms in Easton, al herinner ik me niets van de wandeling erheen, noch wat ik bij het diner at, noch waar ik me die avond mee bezighield.

De volgende middag ging ik zoals afgesproken weer naar Evenwood, maar deze keer ging ik, zoals mijn lieveling had voorgesteld, zelf naar haar vertrekken langs een bochtig trapje, dat bereikt kon worden via een deur vanaf het pad dat van het terras bij de Bibliotheek rond de voet van Hamnet's Tower liep. Weer zaten we samen op het bankje onder het raam te praten en te lachen totdat er een bediende kaarsen kwam brengen.

'Sir Hyde Teasedale en zijn onbenullige dochter komen vanavond dineren,' zuchtte ze. 'Zij is zo'n schaap en de man met wie ze pas getrouwd is, is geen haar beter. Ik kan je wel vertellen dat ik geen idee heb wat ik tegen hen zal zeggen. Maar omdat lady Tansor zo'n bijzonder slechte gastvrouw is, schijn ik nu de eer te hebben de gasten van haar echtgenoot te mogen ontvangen, dus moet ik nu gaan om te doen wat mijn heer beveelt. O Edward, was ik maar niet zo afhankelijk van lord Tansor! De gedachte dat ik mijn hele leven naar zijn pijpen moet dansen maakt me zo ongelukkig. En wat gebeurt er met mij als hij overlijdt? Dit was niet mijn bestemming, maar wat kan ik eraan doen? Nu mijn vader er niet meer is, heb ik niemand.'

Ze boog haar hoofd terwijl ze die woorden uitsprak en ik voelde mijn hart wat sneller kloppen. Dit is het moment. Nu. Zeg het haar nu.

'Mijn lieveling,' zei ik en streelde haar haar. 'Zet al je zorgen van je af. Dit is niet jouw toekomst.'

'Wat bedoel je?'

'Ik ben je toekomst, en jij bent de mijne.'

'Edward, liefste, je spreekt in raadselen. Zeg het eens duidelijk, mijn lieveling.'

'Duidelijk? Welnu dan. Hier komt het, zo duidelijk als ik kan. Mijn naam is niet Edward Glapthorn, maar Edward Duport, en ik ben lord Tansors zoon.'

41

Resurgam*

Ze luisterde zwijgend naar mijn verhaal. Ik hield geen enkel detail voor haar achter. Alles kreeg ze te horen: hoe lady Tansor en mijn pleegmoeder, Simona Glyver, hun plan beraamden; hoe ik in Sandchurch opgroeide als Edward Glyver; hoe ik Daunt ontmoette in Eton en hij mij vervolgens verried; hoe ik in de dagboeken van mijn pleegmoeder de waarheid over mijn geboorte op het spoor kwam en bleef zoeken naar het definitieve bewijs dat me in staat zou stellen mijn rechtmatige plaats als lid van de familie Duport op te eisen. Ik vertelde haar ook dat ik als Edward Glapthorn naar Londen was gegaan om te proberen van de heer Tredgold informatie los te krijgen over de overeenkomst tussen lady Tansor en mijn pleegmoeder, en dat ik mijn aangenomen naam gehouden had nadat de oudste vennoot me een betrekking had aangeboden. Ten slotte sprak ik over Daunts misdadige karakter en over zijn connecties met Pluckrose en Pettingale. Bij ieder feit dat ik onthulde, voelde ik me gereinigd, had ik een heerlijk gevoel van opluchting dat de last van het bedrog eindelijk van me af gevallen was.

Toen ik uitgesproken was, liep ze naar het raam en keek naar het donkerende park. Ik bleef verwachtingsvol staan.

'Dit is voor mij zo moeilijk te begrijpen,' zei ze na enige tijd, 'al begrijp ik nu tenminste je belangstelling voor Phoebus Daunt. De zoon van lord Tansor – is het mogelijk? O...' Ze slaakte een kreetje en legde haar hand op haar lippen. 'Neef en nicht! We zijn neef en nicht!'

Toen keek ze me aan.

'Waarom heb je het me niet eerder verteld?'

* 'Ik zal herrijzen'. JJA

'Liefste Emily, wees niet boos. Ik wilde je zo graag – zo verschrikkelijk graag – in vertrouwen nemen; maar dat kon toch niet voordat ik zeker wist dat jij hetzelfde voor mij voelde als ik voor jou, er stond immers zoveel op het spel? Nu ik buiten alle twijfel weet – door je brieven, en door de lieve woorden die je tegen me gesproken hebt, en door alle tedere ogenblikken die we samen hebben gehad – dat jouw liefde voor mij even sterk en even onverbrekelijk is als de mijne voor jou, nu is de situatie natuurlijk geheel anders. Waar ware liefde bestaat, moeten vertrouwen en oprechtheid volgen. Er mogen nu geen geheimen meer tussen ons zijn. Wanneer we getrouwd zijn...'

'Getrouwd?' Even leek het of ze haar evenwicht zou verliezen en ik sloot haar haastig in mijn armen.

'Dat wil je toch, mijn liefste?'

Ze knikte langzaam. Er stonden tranen in haar ogen.

'Natuurlijk,' zei ze, met zachte, lage stem. 'Dat wil ik liever dan wat ook ter wereld. Ik heb alleen nog niet durven hopen dat je me dat zou vragen.' Toen sloeg ze haar mooie betraande ogen naar me op. 'Maar in elk geval, liefste, kunnen we toch niets doen voordat jij bewezen hebt dat je lord Tansors zoon bent?'

'Nee,' gaf ik toe, 'daar heb je gelijk in. Maar wanneer die dag komt – en hij komt zeker – zul je niet meer afhankelijk zijn van lord Tansor, want dan zul je de vrouw zijn van Edward Duport, de toekomstige zesentwintigste baron Tansor.'

'O, Edward,' riep ze uit, 'moge die dag spoedig komen!' En toen weende ze tedere tranen – van vreugde bij het vooruitzicht dat ik haar had voorgespiegeld, zij het ongetwijfeld vermengd met natuurlijke bezorgdheid.

'Je zult wel begrijpen, mijn liefste,' zei ik, met mijn armen nog steeds om haar heen, 'hoe noodzakelijk het is dat de geheimen die we nu delen goed bewaard blijven – geen woord van wat ik je verteld heb mag verder verteld, of zelfs maar genoemd worden, tegen niemand. En voorlopig lijkt het mij het beste om mijn bezoeken aan jou *entre nous* te houden. Want als Daunt zou ontdekken dat Edward Glapthorn dezelfde is als Edward Glyver, dan is mijn leven – en misschien ook het jouwe – in gevaar.'

'Gevaar? Van mijnheer Daunt?'

'O, mijn lief, ja, van Daunt. Hij is nog een veel grotere schurk dan je denkt.'

'In welk opzicht?'

'Dwing me niet dat te zeggen.'

'Wat bedoel je toch? Waarom spreek je niet? Zeg het me, zeg het me!'

Haar ogen waren wild en ze leek weer in de greep van diezelfde vreemd opgewonden geestesgesteldheid waarvan ik in het Vierwindentempeltje getuige was geweest, nu ze zo radeloos midden in de kamer in een kringetje rondliep. Ik ging weer met haar naar het raam en pakte haar hand.

'Ik geloof dat Daunt verantwoordelijk was voor de aanval op je vader.'

Als reactie op mijn woorden had ik een krachtige stroom emoties verwacht, maar ze bezwijmde en viel zacht tegen mij aan. Ik ving haar op en legde haar op het bankje. Ze was doodsbleek en haar handen maakten vreemde fladderende bewegingen, als door galvanische stroomstootjes. Juist toen ik op het punt stond om hulp te roepen, opende ze haar ogen.

Langzamerhand begon haar kleur terug te komen en kon ze een paar slokjes wijn nemen, waardoor gaandeweg haar geestvermogens terugkeerden, al bleef ze diep geschokt door wat ik haar verteld had en door wat ik nu onthulde over de documenten die haar vader bij zich had gedragen toen hij werd aangevallen, en ook over de reden waarom Daunt zoveel moeite had gedaan om ze in handen te krijgen.

'Ik zeg niet dat het Daunts opzet was je vader te vermoorden,' zei ik. 'Eigenlijk geloof ik van niet. Maar ik ben er zeker van dat de aanval door Pluckrose zijn opdracht was, om de documenten in zijn bezit te krijgen die het bestaan van een wettige erfgenaam bewijzen.' Toen vroeg ze me hoe ik wist wat er in haar vaders tas had gezeten en ik vertelde haar over de Depositie, waarop ze zeer geagiteerd raakte.

'Maar als Daunt ook dat document zou bemachtigen? Hoe verwacht je dan je zaak met succes te kunnen voortzetten?'

'Hij zal het niet kunnen vinden,' zei ik met een zelfverzekerd lachje.

Voordat ik naar Evenwood kwam had ik ingezien dat er nu voor Carterets Depositie en voor de kleine zwarte boekjes waarin het dagelijks leven van mijn pleegmoeder was vastgelegd, een volmaakt veilige bergplaats gevonden moest worden. Mijn kamers in Temple-street waren altijd goed afgesloten, maar sloten kunnen geforceerd worden en het feit dat vrouw Grainger de enige andere sleutel in haar bezit had, was ook een reden tot ongerustheid: stel dat ze werd gevolgd, of aangevallen? En dan was er nog Jukes, die ik er al van verdacht in mijn persoonlijke papieren te snuffelen. En daarom had ik besloten, nadat ik haar alles bekend had en ze mij had vergeven dat ik zoveel voor haar verborgen had gehouden, mijn lieveling te vragen de beheerster van die zo kostbare stukken te worden.

'Maar hoe weet je zo zeker dat hij ze niet zal kunnen vinden?' vroeg ze, en haar ongerustheid was nog duidelijk zichtbaar.

Ik zei dat ik een afschrift van de Depositie aan de heer Tredgold had gegeven en dat ik het origineel samen met de dagboeken van mijn moeder ergens op wilde bergen waar Daunt er niet bij kon.

'Maar waar dan, liefste?' riep ze, en ze zag er deerniswekkend angstig uit.

'Hier,' antwoordde ik. 'Hier, bij jou.'

En toen leek het of de opluchting over haar lieve, tedere gezicht stroomde. 'Ja, ja,' zuchtte ze. 'Natuurlijk, je hebt gelijk! Waar hij ook zal zoeken, niet hier! Hij heeft helemaal geen reden om in deze kamers te komen, en hij kan ook niet weten dat je mij in vertrouwen hebt genomen. Maar ik ben wel heel bezorgd om jou, liefste, vreselijk bezorgd, zolang je de documenten niet hebt opgehaald uit Londen.'

Ik nam haar hand en kuste hem, en verzekerde haar dat ik geen tijd zou verspillen, maar de volgende ochtend naar Londen zou teruggaan om de Depositie en de dagboeken op te halen en ze mee terug te nemen naar Evenwood.

'Waar zullen we ze leggen?' vroeg ik.

Ze dacht even na en toen kreeg ze een idee. 'Hier,' zei ze, en ze repte zich naar een klein, ovaal portret van Anthony Duport,* een jongere broer van de eenentwintigste baron, als kind. Ze nam het schilderij van de muur en opende een klein kastje dat in de betimmering verborgen was.

* Het schilderij in kwestie, een portret van Anthony Charles Duport (1682-1709) door sir Godfrey Kneller (1646-1723) bevindt zich nu in de National Portrait Gallery. JJA

'Is dit geschikt?'

Ik inspecteerde het inwendige van het kastje en verklaarde het volmaakt geschikt.

'Dat is dan afgesproken,' zei ze, en ze deed het deurtje dicht en hing het portret er weer voor.

We zaten samen onder het raam, hand in hand, rustig pratend, zo innig verbonden als twee harten maar kunnen zijn. Ze noemde me haar liefste lief; ik zei dat zij mijn engel was. Daarna kusten we elkaar vaarwel.

'Mijn lieve meisje,' fluisterde ik. 'Weet je zeker dat je de beheerster van die documenten wilt zijn? Misschien moet ik ze eigenlijk maar liever naar de bank brengen. Mocht Daunt...'

Ze legde haar wijsvinger op mijn lippen om me te beletten nog meer te zeggen.

'Liefste Edward, je hebt me gevraagd dit voor je te doen, en ik heb gezegd dat ik het zal doen. Wat je me ook vraagt, nu en in de toekomst, zal ik zo goed mogelijk doen.' Ze lachte even. 'Je weet dat ik me er spoedig, hoop ik, toe zal verbinden je te eerbiedigen en te gehoorzamen, in ziekte en gezondheid, en het kan dus geen kwaad daar nu mee te beginnen. Het is tenslotte zo iets gerings wat je me vraagt, en ik zou alles – *alles* – doen voor de man die ik liefheb.'

Ze liep met me mee naar de deur, en we kusten elkaar nog een laatste keer.

'Kom snel bij me terug, mijn liefste lief,' fluisterde ze. 'Ik zal de minuten tellen totdat je weerkomt.'

Ik nam, onopgemerkt, de nieuwe route, het bochtige trapje af en het pad langs Hamnet's Tower op.

Bij de hekken aan de zuidkant van het park bleef ik staan. Het Douairièrehuis was door de Plantage heen nog net te zien: er brandden lampen in de salon en in een van de kamers boven. In een plotselinge opwelling nam ik het pad dat omliep naar het stalerf. Ik had geluk: de deur naar de zadelkamer stond open en door de opening viel een bleke rechthoek licht op de keien.

'Goedenavond, Brine.'

Hij was bezig geweest een brembezem te binden toen ik binnenkwam en keek verbaasd in het rond bij het horen van mijn stem.

'Mijnheer Glapthorn! Ik – we hadden u niet verwacht.'

'En je hebt me niet gezien,' zei ik en deed de deur achter me dicht. 'Heb je de duplicaatsleutel waar ik om gevraagd heb?'

'Ja, mijnheer.' Hij trok een lade van een oude keukenkast open en gaf me de sleutel.

'Ik heb wat gereedschap nodig. Kun je me daaraan helpen? En een lantaarn.'

'Gereedschap? O, ja, natuurlijk, mijnheer.' Ik zei hem wat ik nodig had en hij ging naar een belendende ruimte en kwam een paar minuten later terug met een tas met de noodzakelijke werktuigen en een ossenooglantaarn.*

'Denk eraan, Brine, ik ben hier niet geweest. Snap je?' Ik overhandigde hem het gebruikelijke douceurtje.

'Ja, mijnheer. Natuurlijk, mijnheer.'

Even later liep ik, met de tas op mijn rug, over het grindpad dat langs de muur van het park naar het Mausoleum loopt. Het was juist dat melancholieke tijdstip wanneer het eindelijk gedaan is met de dag en de schemering begint te wijken voor de invallende duisternis. Ergens voor me uit blafte een vos en een koud, zwak windje beroerde de bomen langs het pad dat van het grindpad naar de open ruimte voor het Mausoleum loopt. Mijn gedachten waren vervuld geweest van mijn lieveling; maar toen ik dichter bij het eenzame bouwwerk kwam, begon mijn opgewonden vreugde weg te ebben bij het overdenken van de verschrikkelijke werkelijkheid van wat ik hier kwam doen.

SURSUM CORDA. Waar had juffrouw Eames anders op kunnen doelen toen ze deze woorden naar Carteret stuurde, dan dat hetgeen waar ze in gebeiteld waren iets van cruciale betekenis bedekte? Dat was de intuïtieve conclusie waartoe ik was gekomen en waardoor ik me nu liet leiden. Maar het was een gruwelijk vooruitzicht: inbreken in mijn moeders graftombe, zonder enig idee van wat ik zocht. Ik hoopte vurig dat datgene wat daar verborgen was, áls het er verborgen was, gemak-

* Een lantaarn met een dikke, bolle lens van geblazen glas aan één zijde om het licht te concentreren. JJA

kelijk te vinden zou zijn in de grafkamer zelf. Maar als het eens in de kist was? Dat zou een verschrikking kunnen zijn die zelfs mijn krachten te boven ging.

Ik ging naar binnen door de grote dubbele deur, met gebruikmaking van de sleutel die Brine me bezorgd had, en toog aan het werk.

Het was na middernacht toen de steen die mijn moeders grafkamer afsloot eindelijk meegaf onder mijn beitel. Ik had de beschermende hekken om de grafkamer zonder veel moeite opengebroken, maar het kostte bijna een uur om het rechthoekige stuk leisteen los te beitelen, en ik had al mijn kracht nodig om het gewicht ervan te dragen en het op de vloer te leggen. Maar ten slotte was het gebeurd en keek ik, bij het licht van de lamp die ik uit de zadelkamer had meegebracht, wat zich daar binnen bevond.

Een eenvoudige kist van donker eiken, in de lengte geplaatst, vulde het gewelf voor het grootste deel. Door de lantaarn wat hoger te houden zag ik een eenvoudige koperen plaat met de woorden 'LAURA ROSE DUPORT' die op het deksel van de kist was bevestigd. Er was niet veel meer dan dertig centimeter tussen het deksel en de zoldering van de kleine grafkamer, en maar zo'n tien centimeter tussen de kist zelf en de achterwand; aan de zijkanten was er echter een smalle ruimte, een centimeter of twintig breed. Ik knielde voor de kist en reikte naar voren, het donker in, maar voelde alleen spinnenwebben en stukjes mortel. Ik kroop naar de andere kant en stak mijn arm in de ruimte daar.

Eerst voelde ik niets, maar toen sloten mijn vingers zich rond iets dat zacht en los was, bijna als een geplette lok haar. Snel trok ik mijn arm terug, greep de lantaarn en tuurde in die donkere ruimte.

Uit de smalle spleet tussen de achterwand van de kamer en de kist stak iets naar buiten dat, zoals ik nu kon zien, de rand was van een of ander kledingstuk met franje – een sjaal misschien. Ik stak mijn hand achter de achterkant van de kist en begon te trekken, maar stuitte onmiddellijk op weerstand. Ik trok nog eens, met hetzelfde resultaat. Ik ging op mijn zij liggen en reikte in de ruimte, zover ik kon om de rand van de kist heen. Na nog wat zachtjes rukken en trekken haalde ik ten slotte wat ik ontdekt had uit zijn rustplaats te voorschijn en legde het in het gele licht van de lantaarn om het beter te bekijken, met een zucht van verlichting dat het niet nodig was geweest in de kist te zoeken.

Het was inderdaad een sjaal met franje – een paisleysjaal, die was opgerold en achter de kist geduwd. Hij leek aanvankelijk van weinig belang, totdat ik hem begon uit te rollen. Toen bleek al gauw dat er andere voorwerpen in waren gewikkeld. Ik spreidde de sjaal uit op de vloer.

In een tweede doek van wit linnen vond ik tot mijn verbazing een prachtig geborduurde doopjurk, een paar piepkleine zijden schoentjes en een in oud rood marokijnleer gebonden boekje. Dit laatste voorwerp was niet moeilijk te identificeren: het was de eerste uitgave van Fellthams *Resolves*, rond 1623 in duodecimo gedrukt voor Seile.* Het was voorzien van het ex libris van William, drieëntwintigste baron Tansor. Ik twijfelde er niet aan dat dit het exemplaar uit de Bibliotheek was dat Carteret mijn moeder kort voor haar dood in 1824 had gebracht. Dit verklaarde waarom de heer Daunt het boek, dat door Burstall vermeld werd, niet had kunnen vinden toen hij zijn catalogus samenstelde. Maar wie had het hier weggestopt, en waarom?

Het was duidelijk dat het, samen met de andere voorwerpen, een boodschap of betekenis moest overbrengen. Hoewel het meer dan dertig jaar in zijn schuilplaats had gelegen, was het in opmerkelijk goede staat, want de grafkamer was schoon en droog. Ik bekeek de titelpagina: *Resolves: Divine, Morall, Politicall.* Er was niets in geschreven en ik begon dus de bladzijden langzaam een voor een om te slaan en elk van de honderd genummerde essays nauwkeurig te bekijken. Ik zag niets ongewoons – geen opmerkingen of kanttekeningen, en niets tussen de bladzijden gevoegd, maar toen ik het boek dicht sloeg, merkte ik dat het niet helemaal vlak lag. Ik zag ook waarom: over het oorspronkelijke achterschutblad was zorgvuldig een velletje papier geplakt. Toen ik wat beter keek ontdekte ik dat er iets tussen het valse en het echte schutblad was geschoven.

Ik pakte mijn pennenmes en begon het valse schutblad weg te peuteren. Het bleek vrij slecht gelijmd te zijn en liet al gauw los, waarna er twee opgevouwen stukken dun papier te voorschijn kwamen.

Het is inderdaad waar dat de begeerte die vervuld is, zoet is voor de ziel.** Zie dan hoe mijn inspanningen uiteindelijk werden beloond. Op het eerste stuk papier stonden de volgende woorden:

* De boekverkoper Henry Seile (actief 1619-1661). JJA

** Spreuken 13:19. JJA

AAN MIJN LIEFSTE ZOON,

Ik schrijf dit omdat het mij onverdraaglijk is jou te verlaten zonder ook een korte weergave van de waarheid achter te laten. Wanneer je mij weer ziet, zal ik een vreemde voor je zijn. Ik heb je aan de zorgen van een ander toevertrouwd en heb God gesmeekt dat jij nooit zult weten dat je niet door haar ter wereld gebracht bent. En toch dwingt mijn geweten mij deze weinige woorden neer te schrijven, al zal ik wat ik geschreven heb veilig bij me houden totdat ik over moet gaan tot een beter leven. Misschien zul je dit stuk papier ooit in handen krijgen, of misschien zal het door vreemden ontdekt worden, eeuwen later, wanneer niemand meer iets weet van al deze dingen. Misschien zal het vergaan met mijn botten en zul jij je hele leven onwetend zijn van je ware afkomst. Wat ermee gebeurt laat ik over aan God, aan wiens goedertierenheid ik ook het lot van mijn zondige ziel toevertrouw.

Jij ligt in een diepe slaap in een rieten mandje dat toebehoort aan Madame Bertrand, een dame die heel vriendelijk voor ons is geweest hier in Dinan. Het was warm vandaag, maar op de binnenplaats is het koel en het is prettig het water van de fontein te horen klateren.

En nu, mijn lieve zoete jongetje, ook al droom je nu (waarover kan ik niet bevroeden) en ook al weet je nog maar nauwelijks wat het is om te leven, adem te halen en te denken, en ook al zou je me zelfs als je die grote zwarte ogen van je opende en mijn stem kon horen, niet begrijpen, wil ik nog drie dingen tegen je zeggen alsof je mijn woorden kon verstaan en volledig begrijpen.

Ten eerste, de vrouw aan wie je de plichten van een zoon verschuldigd zult zijn, is mijn oudste en beste vriendin. Ik bid dat je haar zult liefhebben en eerbiedigen; wees altijd goed voor haar, breng nooit haar nagedachtenis in opspraak en haat haar niet vanwege de liefde die ze mij toedroeg; en bedenk dat trouw en vriendschap pas waarlijk beproefd worden in extreme omstandigheden. Dit laatste zei de schrijver van een boekje dat me de laatste weken dikwijls heeft vertroost en dat ik later nog dikwijls zal opslaan.* Ik bid dat je zo'n

* Het citaat is afkomstig uit Fellthams *Resolves*, XI ('Van de beproeving van trouw en vriendschap'). JJA

vriendschap zult mogen vinden als die tussen ons. Ik heb vele zegeningen gekend in mijn leven, maar haar vriendschap is waarlijk de grootste geweest.

Ten tweede, de naam die je nu draagt is niet je eigen naam, maar veracht hem niet. Als Edward Glyver moet je je eigen weg vinden in het leven, en daarbij gebruik maken van de vermogens en de talenten die God je heeft gegeven, en van niets anders; als Edward Duport had je in prachtige koetsen gereden en van gouden borden gegeten, niet vanwege je eigen verdienste, maar om geen andere reden dan dat je de zoon was van een man die door overerving enorme rijkdom en macht bezit. Geloof niet dat dergelijke dingen gelukkig maken, of dat er geen voldoening te vinden is in eerlijke arbeid en eenvoudige genoegens. Ik heb dat ooit geloofd, maar heb mijn vergissing ingezien. Door voorspoed en overvloed ben ik oppervlakkig geworden, een gewichtloze zeepbel, een zwevend veertje. Ik huiver nu als ik bedenk wat ik geweest ben. Maar dat wens ik jou niet toe – en ook mezelf niet meer. Draag dus je aangenomen naam met gepaste trots, doe hem eer aan door je eigen inspanningen en bereik daardoor dat ook je kinderen hem met gepaste trots zullen dragen.

Ten derde, verafschuw mij niet. Verafschuw alleen wat mij hiertoe gedreven heeft. En denk niet dat ik je heb verloochend uit onverschilligheid of erger. Ik heb je verloochend omdat ik te veel van je houd om je gecorrumpeerd te zien worden, zoals jouw vader gecorrumpeerd is door het bloed waaraan hij zoveel waarde hecht, moreel verminkt door die blinde, verschrikkelijke familietrots, waarvoor ik jou door deze daad heb willen behoeden.

Maar omdat ik me bewust ben van mijn zonde, die erin bestaat jou te beroven van wat je had kunnen hebben en mijn echtgenoot van de erfgenaam waarnaar hij zo verlangt, heb ik alles in Gods hand gelegd. Als het Zijn wil is jou naar de waarheid te leiden, dan beloof ik voordat ik sterf in de middelen te voorzien waardoor jij je ware naam kunt opeisen, mocht je dat wensen – hoewel ik bid tot Hem voor Wiens aangezicht ik geoordeeld moet worden, dat jij dat níet zult wensen, en dat je de kracht zult hebben te verwerpen wat je door je geboorte toekomt.

Slaap dus, mijn prachtige zoon. Wanneer je wakker wordt zal ik weg zijn. Je zult me nooit als je moeder kennen, maar ik zal jou altijd als mijn zoon kennen.

Je liefhebbende moeder,

L.R. DUPORT

Dinan, juni 1820

Het tweede stuk papier bevatte alleen de volgende woorden, in een beverig, onregelmatig handschrift:

AAN MIJN LIEFSTE ZOON,

Ik heb mijn belofte aan jou gehouden en heb je de sleutel gegeven om je ware identiteit te ontsluiten. Mocht God in Zijn wijsheid en genade jou erheen leiden, gebruik ze dan of vernietig ze, al naar je hart je ingeeft.

Ik moest huilen toen ik je voor het laatst kwam bezoeken en je aan mijn voeten zat te spelen, zo sterk en mooi als ik wist dat je zou worden. Maar ik zal je nooit meer zien, tot die dag waarop de aarde zijn doden prijsgeeft en we in eeuwigheid herenigd zijn.

Het licht verflauwt. Meer kan ik niet schrijven. Mijn hart is vol.

Je moeder,

L.R. DUPORT

Onder aan het papier was, in een ander handschrift, het volgende geschreven:

Ze is gisteren gestorven. De sjaal die ze droeg toen ik haar arme ogen toedrukte, omvat deze brieven aan haar verloren zoon (de allerlaatste woorden die ze schreef), de twee aandenkens aan zijn geboorte en ook het boekje waaruit ze zoveel troost putte en waarvan ze *wenste dat het ooit in zijn bezit zou komen.* Ze stelde haar vertrouwen in God om deze dingen uit de duisternis van het graf weer in het licht van de dag terug te brengen, indien het Zijn wil is dat te doen. Dit is mijn laatste dienst aan haar. Moge God haar ziel rust geven.

J.E. 1824

Het handschrift was natuurlijk dat van Julia Eames, die voordat ze zelf overleed de twee woorden had opgeschreven die te lezen waren op de plek waar haar vriendin begraven was en ze naar de heer Carteret had gestuurd om een tipje op te lichten van de sluier van het geheim dat ze zo vele jaren zo trouw had bewaard. Ik kon me niet voorstellen hoe ze erin geslaagd was de sjaal met zijn inhoud in de grafkamer te plaatsen voordat die werd verzegeld, maar ze waren er. Het zag ernaar uit dat de Almachtige, met wat hulp van mejuffrouw Julia Eames, Zijn wil bekend had gemaakt.

Ik las de brieven van mijn moeder nog eens door, hield ze dicht bij de lantaarn en keek aandachtig naar ieder woord, vooral het begin van de tweede brief: 'Ik heb mijn belofte aan jou gehouden en heb je de sleutel gegeven om je ware identiteit te ontsluiten.' Ik dacht eerst dat het een raadsel was dat ik nooit zou kunnen oplossen; toen dacht ik nog eens na over de opmerking dat ik 'aan haar voeten had gespeeld', en in een oogwenk werd het allemaal wonderbaarlijk, uitzinnig duidelijk.

Een beeld van juffrouw Lamb komt me voor de geest: die droevige, magere juffrouw Lamb, die met haar lange gehandschoende vingers over mijn wang streelde en keek hoe ik naast haar op de grond speelde met de vloot kleine houten scheepjes die Billick voor me had gemaakt. De tijd verstrijkt en er verschijnt een andere herinnering aan haar: 'Een cadeautje van een heel oude vriendin, die heel veel van je hield, maar die jou nooit meer zal zien.' En daarna een laatste, beslissende herinnering: een rekening voor het maken van een klein kistje van rozenhout door mijnheer James Beach, timmerman, Church-hill, Easton, die Carteret na haar dood in de papieren van mijn moeder had gevonden. Tweehonderd gouden sovereigns – in een rozenhouten kistje dat nog altijd in Temple-street op de schoorsteenmantel staat. Maar wat zat er nog meer in?

In grote opwinding, onuitsprekelijk opgetogen door mijn ontdekking en trots dat ik het door juffrouw Eames achtergelaten raadsel had weten op te lossen, leg ik de steen zo goed mogelijk op zijn plaats terug om de opening van de grafkamer af te sluiten, en blijf dan een ogenblik naar de inscriptie kijken. Het is een merkwaardig gevoel dat mijn moeder maar een paar stappen van me af ligt, in die koude, smalle ruimte, gehuld in lood en hout; toch heeft ze rechtstreeks tegen me gesproken, met haar eigen stem, door middel van de brieven die ik nu in mijn hand houd. De tranen stromen over mijn gezicht en ik zink op mijn knieën. Wat voel ik? Vreugde, zeker, over mijn triomf; maar ook boosheid, over de volstrekte dwaasheid en het egoïsme van mijn moeders daden; en liefde voor haar aan wier zorgen ik werd toevertrouwd. Ik denk aan het portret van lady Tansor dat boven Carterets bureau hing, en herinner me haar onvergetelijke, hooghartige schoonheid; en dan denk ik aan haar vriendin, Simona Glyver, die, altijd over haar werktafel gebogen, haar boeken schreef en haar geheimen bewaarde. Toen ik de waarheid over mijn geboorte nog maar pas had ontdekt, stoorde ik me eraan dat ze haar zorgeloze vriendin zo trouw was; maar dat was verkeerd van mij. Ik noemde haar ooit mijn moeder. Hoe zal ik haar nu noemen? Ze heeft me niet in haar schoot gedragen, maar ze heeft voor me gezorgd, me terechtgewezen wanneer ik stout was, me beschermd, me getroost en van me gehouden. Wat was zij dan anders dan mijn moeder?

Toch was ik Laura Tansor dankbaar dat ze naar haar geweten had geluisterd en was ik juffrouw Eames dankbaar dat ze Carteret de aanwijzing had gestuurd die mij had bevrijd van het juk van onophoudelijk gehuichel. De toegang tot het beloofde land lag nu voor me open en ik was eindelijk vrij om de wereld tegemoet te treden als Edward Duport, om met mijn liefste te trouwen en om mijn vijand eindelijk uit te schakelen.

42

Apparatus belli*

Wanneer ik mijn zitkamer in Temple-street binnen kom, loop ik regelrecht naar de schoorsteenmantel, pak het rozenhouten kistje en neem het mee naar mijn werktafel.

Het lijkt leeg, maar ik ben er nu zeker van dat het dat niet is. Ik schud ermee en begin er met mijn zakmes aan te peuteren. Er gaat een minuut voorbij, dan twee; maar terwijl mijn handen ieder stukje van het oppervlak betasten, duwend, trekkend en zoekend, weet ik dat het uiteindelijk zijn geheime bergplaats prijs zal geven.

En dat gebeurt. Ik heb het kleine sleuteltje al minstens tien keer heen en weer bewogen in het sleutelplaatje; maar wanneer ik het een klein eindje terugtrek en het dan in een enigszins schuine stand ronddraai, lijkt het ergens in te grijpen; en dan gebeurt er een wonder. Met een zacht klikje glijdt er een laatje naar buiten, net onder een ingelegde strook lichter hout, een paar centimeter boven de onderkant van het kistje. Het is zo ingenieus gemaakt dat ik verbaasd sta van de kundigheid van de plattelandstimmerman James Beach.

Het laatje is groot genoeg om twee opgevouwen documenten te bevatten, die ik er nu uithaal en bevend uitspreid op mijn tafel.

Het eerste is een attestatie in mijn moeders handschrift, beëdigd en ondertekend in aanwezigheid van een notaris uit Rennes en gedateerd de 5de juni 1820. Er wordt kort maar categorisch in verklaard dat het kind dat op de 9de maart van het jaar 1820 geboren was in het huis van Madame H. de Québriac, Hôtel de Québriac, Rue du Chapitre, in de stad Rennes, de wettig verwekte zoon was van Julius Verney Duport,

* 'Het oorlogsapparaat'. JJA

vijfentwintigste baron Tansor, van Evenwood in het graafschap Northamptonshire, en zijn vrouw, Laura Rose, en dat genoemd kind, Edward Charles Duport, voorgoed was toevertrouwd aan de zorgen van mevrouw Simona Glyver, vrouw van kapitein Edward Glyver, voorheen van het Elfde Regiment Lichte Dragonders, uit Sandchurch in het graafschap Dorset, om volgens de uitdrukkelijke wens van zijn moeder, genoemde Laura Rose Duport, door haar opgevoed te worden als haar eigen kind. Naast de handtekening van mijn moeder – met als getuigen Madame de Québriac en nog iemand wiens naam ik niet kan lezen – is een waszegel aangebracht met een afdruk van het Duportwapen, mogelijk afkomstig van een zegelring. Bij de attestatie zit een korte verklaring, getekend door twee getuigen, betreffende mijn doop in de kerk van St-Sauveur, op 19 maart 1820.

Samen met de Depositie van de heer Carteret en de brieven uit de graftombe van lady Tansor, en bovendien nog de bevestiging door de dagboeken van mijn pleegmoeder, heb ik nu alle troeven in handen en ben ik onverslaanbaar. De rest van de dag en het grootste deel van de avond ben ik bezig passages uit de dagboeken die bijzonder relevant zijn voor mijn zaak over te schrijven en ze in een opschrijfboek te plakken, samen met afschriften van de andere cruciale documenten. Dan ga ik, na mijn eigen dagboek voor die dag bijgewerkt te hebben, in mijn leunstoel zitten en val in een diepe slaap.

Toen ik wakker werd, koud en hongerig, was mijn eerste gedachte dat ik het allemaal gedroomd moest hebben, mijn vondst in de graftombe van lady Tansor en de ontdekking van het geheim van het rozenhouten kistje. Maar daar, op mijn werktafel, lagen de twee brieven en de getekende attestatie, zichtbaar en tastbaar aanwezig. Het waren gouden pijlen, de punten in waarheid gedoopt, die klaarlagen om afgeschoten te worden op het verdorven hart van Phoebus Daunt. Na zo lange tijd had ik de middelen in handen om mijn vijand te gronde te richten en mijn ware positie in het leven in te nemen. Weldra zou de dag komen waarop ik het ellendige bestaan vol verwarring en valsheid dat ik leidde, voorgoed achter me zou laten en de gouden plaats zou innemen die de Meestersmid voor mij in gereedheid had gebracht, met mijn lieveling aan mijn zijde.

Mijn eerste taak die dag was de heer Tredgold te schrijven hoe de juistheid van mijn overtuiging zo glorieus was aangetoond en hem de afschriften die ik van de nieuwe documenten had gemaakt ter bewaring toe te zenden. Daarna ging ik de deur uit om een stevig ontbijt te gebruiken.

De volgende maandagochtend ging ik terug naar Evenwood.

Weer ging ik, na me ervan verzekerd te hebben dat ik niet was opgemerkt, de bochtige trap op naar de vertrekken van mijn liefste. Toen ik door de trapdeur de gang in kwam, zag ik Lizzie Brine. Ik ging wat achteruit en beduidde haar mij te volgen.

'Is er iets te vertellen, Lizzie?' vroeg ik.

'Dat weet ik niet, mijnheer,' antwoordde ze.

'Wat bedoel je daarmee?'

'Alleen maar dit, mijnheer. De dag toen we elkaar tegenkwamen op de trap, toen Hannah Brown bij me was...'

'Ja?'

'Nu, mijnheer, ik kon het u niet in uw gezicht zeggen, maar ik dacht dat u het toch wel zou weten.'

'Lizzie, dit is niets voor jou,' zei ik. 'Je lijkt je broer wel. In godsnaam, zeg op.'

'Het spijt me, mijnheer. Nu dan, zo goed als ik kan. Ik had u door het raam hier, tegenover de deur van de juffrouw, op het voorplein zien aankomen. Maar vlak daarvoor, net toen ik deze zelfde trap op kwam, had een ik heer haar kamer binnen zien gaan. Ik was op weg naar de linnenkamer, maar ik wist dat u ieder ogenblik de trap op kon komen naar de zitkamer van de juffrouw. En zodoende dacht ik natuurlijk, toen ik u later zag, dat u die heer wel gezien zou hebben. Duidelijker kan ik het niet zeggen, mijnheer.'

'En toch begrijp ik het nog niet,' zei ik. 'Er was geen heer aanwezig toen ik in de zitkamer van juffrouw Carteret werd binnenlaten. Ben je zeker van wat je gezien hebt?'

'O, ja, mijnheer.'

'En heb je gezien wie het was? Heb je hem herkend?'

'Ik zag alleen zijn jaspanden.'

Ik dacht even na. 'Misschien was het lord Tansor,' suggereerde ik.

'Misschien wel,' zei Lizzie wat aarzelend.

'Nee, het moet zeker de baron geweest zijn.' Ik was er nu heel zeker van dat ik wist wie die mysterieuze heer was. 'Hij had ongetwijfeld een kort gesprekje met juffrouw Carteret – een paar woorden maar – en verliet daarna het vertrek voordat ik kwam. Dat moet het zijn.'

'Ja, mijnheer. U zult wel gelijk hebben.'

Ik liet haar gaan, met een douceurtje om me ook verder van haar diensten te verzekeren, en klopte op de deur van mijn lieveling.

Toen ik de kamer binnenkwam zat ze bij een van de boogramen, druk bezig met een borduurwerk. Pas toen ze mijn groet hoorde keek ze op en zette haar bril af.

'Heb je ze meegebracht?'

Ik was wat beduusd door de gebiedende toon van haar vraag, waarvoor ze zich snel verontschuldigde; ze zei dat ze de hele dag vreselijk ongerust was geweest over mijn veiligheid.

'Heeft iemand je zien komen?' vroeg ze angstig, en ze stond op, deed het raam open en keek omlaag naar het terras. 'Weet je zeker dat niemand je gezien heeft? O Edward, ik was toch zo bang!'

'Kom, kom, kindje. Ik ben er nu, veilig en wel. En hier zijn de papieren.' Ik deed mijn tas open en haalde er de Depositie van haar vader uit, gevolgd door zo'n vijf, zes zwarte boekjes van mijn moeder, en legde ze op tafel. Ze zette haar bril weer op en ging aan de tafel zitten om met de grootst mogelijke interesse de woorden van haar arme overleden papa te bekijken – de laatste die hij had geschreven. Ik zat een eindje van haar vandaan en keek hoe ze een voor een de bladzijden van de Depositie omsloeg totdat ze aan het eind kwam.

'Je hebt gelijk,' zei ze zacht. 'Hij is dood omdat hij te veel wist.'

'En er is maar één mens die er beter van zou worden door hem van de bron van zijn kennis te beroven.'

Ze knikte, stilzwijgend toegevend dat ze begreep over wie ik het had, verzamelde de bladen met trillende handen en sloeg toen een van de zwarte boekjes open.

'Ik kan dit niet lezen,' zei ze, turend naar het kriebelige schrift, 'maar je weet toch zeker dat de woorden van mevrouw Glyver bevestigen wat mijn vader in de papieren van lady Tansor ontdekte?'

'Dat lijdt geen enkele twijfel,' antwoordde ik.

Nadat ze nog een of twee boekjes had opengeslagen en vluchtig naar de inhoud had gekeken, pakte ze ze op en legde ze, met de Depositie, in het verborgen kastje achter het portret van Anthony Duport in zijn blauwzijden kuitbroek.

'Zo,' zei ze met een glimlach, 'nu is alles veilig.'

'Nog niet alles,' zei ik en ik haalde de brieven die ik uit de graftombe van lady Tansor had meegenomen uit de tas, samen met de attestatie en de getuigenverklaring omtrent mijn doop.

'Wat zijn dat?'

'Dit,' zei ik, 'zijn de instrumenten waarmee onze toekomst wordt verzekerd: ik als zoon en erfgenaam van lord Tansor, en jij als mijn vrouw – meesteresse van Evenwood!'

Ze slaakte een kreetje.

'Ik begrijp niet...'

'Ik heb het eindelijk gevonden!' riep ik. 'Het definitieve bewijs waar ik naar zocht, het bewijs dat mijn zaak onaanvechtbaar maakt.'

We gingen samen aan de tafel zitten en ze las de brieven, en daarna de attestatie.

'Maar dit is ongelooflijk!' riep ze uit. 'Hoe kom je aan deze documenten?'

In het kort vertelde ik hoe de aanwijzing die juffrouw Eames aan haar vader had gestuurd mij op het idee had gebracht dat er in lady Tansors graftombe wel eens iets van cruciaal belang voor mijn zaak te vinden kon zijn.

'O, Edward, hoe vreselijk! Maar wat ga je nu doen?' vroeg ze, haar ogen glanzend van opwinding.

'Ik heb afschriften naar de heer Tredgold gestuurd en zal hem zo spoedig mogelijk raadplegen over de beste strategie. Misschien zal hij namens mij lord Tansor willen benaderen, maar wat hij ook adviseert, ik zal zijn raad graag opvolgen. Denk je eens in, mijn liefste Emily, niets kan me er nu van weerhouden op te eisen wat me rechtmatig toekomt. Met Kerstmis kunnen we getrouwd zijn!'

Ze keek me verbaasd aan en zette haar bril af.

'Zo gauw?'

'Liefste, kijk niet zo geschrokken! Je zult het net als ik toch zeker onverdraaglijk vinden langer te wachten dan noodzakelijk is?'

'Natuurlijk. Wat ben je toch een dommerd, Edward!' lachte ze, voorover buigend om mijn wang te kussen. 'Ik bedoelde alleen maar dat ik niet had durven hopen dat het al zo gauw zou zijn.' Waarop ze de papieren oppakte van de tafel en ze bij de andere in het kastje achter het portret legde.

Er ging een uur voorbij waarin we, de tijd vergetend, onze plannen maakten en onze liefdedromen sponnen. Waar zouden we gaan wonen? Misschien hier in het grote huis, zei ze. Maar, wierp ik tegen, lord Tansor zou ons toch een eigen buitengoed willen geven en een huis in Londen. We zouden op reis kunnen gaan. We zouden kunnen doen wat we wilden, want ik was de enige zoon en erfgenaam van lord Tansor, die verloren was geweest maar nu was teruggevonden. Hoe zou hij me iets kunnen ontzeggen?

Om vier uur zei ze dat ik moest gaan omdat ze bij de Langhams ging dineren.

'Lijdt mijnheer George Langham nog aan een gebroken hart?' vroeg ik ondeugend.

Ze aarzelde even, alsof ze mijn vraag niet begreep. Toen schudde ze snel haar hoofd.

'O, dat! Nee nee. Hij is geheel en al hersteld van zijn aandoening, zozeer dat hij nu verloofd is met mejuffrouw Maria Berkeley, de jongste van sir John Berkeley. Ga nu, voordat mijn kamenier me komt kleden. Ik wil niet dat ze je hier ziet.'

Ze had niets dan lachjes en speelse kusjes, en ik bleef een ogenblik staan, betoverd door haar vrolijkheid en schoonheid, totdat ze me de kamer begon uit te werken met allerlei charmante maniertjes om haar gespeelde ongenoegen te uiten over mijn weigering weg te gaan, afgewisseld met nog meer gestolen kussen.

Bij de deur draaide ik me om en maakte een zwierige toneelbuiging, met mijn hoed in de hand.

'Ik wens u een goede avond, lief zoet nichtje, de toekomstige lady Tansor!'

'Ga nu, zot!'

Nog één laatste, lachende kus en toen wendde ze zich af, pakte haar borduurwerk en ging zitten, de bril op het puntje van haar mooie neus, onder het portret van Anthony Duport in zijn blauwzijden kuitbroek.

Terug in de Duport Arms had ik me juist op mijn kamer teruggetrokken na iets te hebben gegeten, toen er op de deur werd geklopt.

'Neem me niet kwalijk, mijnheer.'

Het was de nurkse kelner met wie ik kennis had gemaakt toen ik de eerste keer in de herberg logeerde. Behalve dat hij nurks was, liep hij nu ook nog te snuffen.

'Iemand met een boodschap, mijnheer.' *Snuf.*

'Een boodschap? Voor mij?'

'Ja m'neer. Beneden in de bar.' *Snuf. Snuf.*

Ik ging onmiddellijk naar beneden, waar ik een magere jongeman aantrof in de Duport-livrei.

'Van juffrouw Carteret, mijnheer.' Hij stak een groezelige hand uit met een opgevouwen stuk papier erin. Het korte briefje dat daarop was geschreven, was in het Frans, dat ik hier zal vertalen.

LIEFSTE – IN HAAST –

Lord T zei me vanavond dat we morgen vroeg naar Ventnor* vertrekken. Datum van terugkeer onbekend. De barones was de afgelopen week onwel, & de baron is bang dat haar toestand verergerd wordt door het vochtige weer – ondanks de warmwaterbuizen. O mijn liefste, ik ben wanhopig! Wat moet ik beginnen zonder jou?

Maak je vooral geen zorgen over de papieren. Ik verzeker je dat alleen jij en ik die plek kennen. Ik zal schrijven zo vaak ik kan, en zal iedere minuut van iedere dag aan je denken. Ik kus je. En nu *au revoir.*

Je liefh.

E

Dit was een vreselijke slag en ik verwenste lord Tansor grondig nu hij mijn lieveling van me afnam. Een dag zonder haar was al erg genoeg;

* Een veel bezochte plaats aan de zuidkust van het eiland Wight, bekend om zijn milde klimaat. JJA

niet weten wanneer ze naar Evenwood zou terugkeren was een ondraaglijk vooruitzicht. Terneergeslagen door deze onverwachte wending, keerde ik in een zwaarmoedige, nerveuze toestand terug naar Londen. Drie weken kwijnde ik daar, vrijwel zonder iemand te zien. Op de eerste ochtend dat ik weer in Temple-street was, schreef ik Tredgold om te vragen of hij mij nog eens kon ontvangen, maar twee dagen later kreeg ik een briefje van zijn broer waarin stond dat mijn werkgever thans wat koortsig was en niet in staat was zich met correspondentie bezig te houden, maar dokter Tredgold beloofde hem bij de eerste gelegenheid mijn brief voor te leggen.

Ik begin ongedurig te worden en word nacht op nacht wakker gehouden door vage angsten. Maar waar zou ik angstig voor zijn? De strijd is gewonnen, of vrijwel. Waarom voel ik me dan zo rusteloos en verlaten?

Dan beginnen mijn demonen te fluisteren en te kletsen, en brengen mij in herinnering wat er, vlak buiten de muren van mijn kamer, altijd beschikbaar is om mijn angsten te doen verdwijnen. Een tijdlang bied ik weerstand; maar op een nacht, wanneer de mist zo dicht is dat ik de daken van de huizen aan de overkant niet kan zien, krijgen ze me ten slotte in hun greep.

De mist is echter geen beletsel: ik zou geblinddoekt de weg kunnen vinden. Het gedempte geraas van de grote stad dringt van alle kanten op, al is het onmogelijk iets anders te zien dan wazige menselijke gestalten die uit de donkerte te voorschijn komen en er onmiddellijk weer in verdwijnen, als schuifelende spookverschijningen, hun gezicht een ogenblik verlicht door de rokerige vlam van een fakkel* of door het zwakke schijnsel van een gaslamp in een huis of een winkelraam. Die levende gestalten kan ik ten minste zien, zij het kortstondig en onduidelijk, en soms voel ik ze wanneer we tegen elkaar op lopen; wat ik alleen kan horen en vaag bespeuren, maar niet kan zien, is de stroom op huis aan gaande rijtuigen, karren, omnibussen en huurkoetsjes die

* In de straten boden fakkeldragers hun diensten aan om mensen bij te lichten met fakkels gemaakt van touwgaren en pek. JJA

zich blindelings en met moeizame traagheid voortbeweegt door de modderige hoofdstraten.

Na middernacht strompel ik over The Strand, al vanaf Bluegatefields achtervolgd door nachtmerries. De mist begint iets op te trekken, uiteengeblazen door een stevig briesje vanaf de Theems. Ik kan nu de bovenste verdiepingen van de gebouwen zien en vang af en toe tussen het verschuivende floers een glimp op van dakranden, rokende schoorstenen en onregelmatige stukjes inktzwarte lucht.

Bijna voordat ik het besef, ben ik op de Haymarket en wankel door een helverlichte deur. Er zit een jonge vrouw alleen. Ze schenkt me een beleefde glimlach.

'Hé, liefie. Heb je zin in iets?'

Er volgt een kort gesprekje, maar juist op het moment dat we opstaan om weg te gaan, komen er nog twee vrouwspersonen op ons af, van wie er een me direct bekend voorkomt.

'Heb je ooit, as dat mijnheer Glapthorn niet is,' zegt ze opgewekt. 'Ik zie dat u al kennis hebt gemaakt met onze Mabel.'

Het is niemand minder dan Madame Mathilde, eigenaresse van het Rijk der Schoonheid. Ik zie dat zij en het meisje een blik uitwisselen en begrijp onmiddellijk hoe de zaken liggen. 'En u hebt nu een tweede pijl op uw boog, madame.'

'Het werd wat stilletjes in het Rijk na dat ongelukkige misverstand met mevrouw Bonner-Childs.'

'Dat spijt me voor u.'

'O, u kunt er niks aan doen, mijnheer Glapthorn. Ik heb graag dat een man zijn plicht doet, wat er ook van komt. Maar och, zo gaan de dingen nu eenmaal, toch? Bovendien, zoals u al dacht, heb ik nu een tweede bedrijfje, in Gerrard-street – loopt ook heel goed, al zeg ik het zelf. Mabel is een van mijn protesjees, net as haar zuster hier. Meschien,' gaat ze verder, en ze kijkt veelbetekenend van Mabel naar haar al even bevallige zuster, Cissie geheten, 'valt er te praten over de tweede voor de halve prijs?'

Wie a zegt... denk ik. En zo ga ik mee naar Madames onopvallende huis in Gerrard-street, met Mabel aan de ene en Cissie aan de andere arm en breng de avond tot mijn grote tevredenheid in hun gezelschap door, waarvoor hun werkgeefster royaal beloond wordt.

Mijn demonen zijn voorlopig tevredengesteld wanneer ik bij het eerste daglicht de trap naar mijn kamer op ga, mijn geest versuft, mijn hoofd bonkend en mijn geweten gekweld door schuldgevoelens en zelfhaat. Ik mis mijn lieveling zo vreselijk. Wat blijft er zonder haar voor mij te hopen?

Er gaat nog een week voorbij. Maar dan krijg ik op een mooie oktoberochtend een briefje. Het komt van Lizzie Brine.

MIJNHEER,

Ik vond dat u moest weten dat mijn juffrouw drie dagen geleden is teruggekomen uit Ventnor.

Met mijn beste wensen.

L. BRINE

Ik blijf wel tien minuten zitten, als verdoofd. Drie dagen! En geen bericht! Denk na, denk na! Ze was met andere dingen bezig. Lord Tansor heeft haar voortdurend bij zich gehouden. Ze heeft dag en nacht voor de barones gezorgd. Er zijn wel honderd heel geldige redenen te bedenken waarom ze niet geschreven heeft dat ze thuis is. Wie weet zet ze op dit ogenblik de pen op het papier.

Ik besluit terstond haar te verrassen. Mijn Bradshaw ligt op de tafel. De trein van halftwaalf vertrekt over iets minder dan een uur. Ik heb ruim voldoende tijd.

Op Evenwood vallen de bladeren. Ze fladderen triest over paden en terrassen, en stuiven over de binnenplaatsen, bijna als levende wezens, in de plotseling koude wind die aan komt vlijmen vanaf de rivier. In de moestuin vormen ze kledderige hoopjes tussen kluwens verflenste munt en slap hangende bernagie, en onder de pruimenbomen aan de noordkant van de boomgaard liggen ze in dikke, goud-zwarte zwaden, zacht onder de voeten, waaronder het gras al bleekgeel wordt.

De regen begint als donkere rouwsluiers over de Franse tuin en het park te spoelen. De laatste keer dat ik ze zag, waren de rozenperken aan het eind van de promenade een zee van kleuren; nu is die glorie van de vroege zomer ingesnoeid en de kale grond van lady Hesters vroegere 'kloktuin' – een zinloos bedenksel, dat ze vol had gezet met postelein, ooievaarsbek en andere bloemen die naar het schijnt op achtereenvolgende tijden van de dag open- of dichtgaan – lijkt nu een stomme, gruwelijke getuige van de menselijke dwaasheid en van wat de tijd met ons allen zal doen.

Ik duw het witgeschilderde deurtje open en ga de bochtige trap naar de eerste verdieping op, naar de vertrekken boven de Bibliotheek waar mijn moeder is overleden, en waar ik mijn lieveling hoop aan te treffen. Ik heb haar zo ontzettend gemist en ik brand van verlangen haar weer te zien en haar lieve gezicht te kussen. Ik neem de laatste treden met twee tegelijk en voel mijn hart opspringen van vreugde bij de gedachte dat we nooit meer gescheiden hoeven te zijn.

Haar deur is gesloten, de gang verlaten. Ik klop twee keer.

'Binnen!'

Ze zit bij het vuur, onder het portret van de jonge Anthony Duport, te lezen in (zoals ik al snel ontdek) een dichtbundel van mevrouw Browning.* Er ligt een reismantel op de sofa.

'Emily, mijn liefste, wat is er aan de hand? Waarom heb je niet geschreven?'

'Edward!' roept ze uit, plotseling verbaasd opkijkend. 'Ik verwachtte je niet.'

Op haar gezicht was weer die verschrikkelijke ijzige blik, die me zo krachtig had getroffen toen ik haar voor het eerst zag, in de hal van het Douairièrehuis. Ze glimlachte niet en maakte geen aanstalten van haar stoel op te staan. Er was nu geen spoor, noch in haar gedrag noch in haar stem, van de warmte en tedere genegenheid die ze me eerder had

* Zoals de volgende verwijzing naar 'de Portugese sonnetten van mevrouw Browning' (d.w.z. de 'Sonnets from the Portuguese') duidelijk maakt, is dit de editie van *Poems* die in november 1850 in twee delen verscheen bij Chapman and Hall. JJA

betoond. In plaats daarvan was er een nerveuze kilte waardoor ik onmiddellijk op mijn hoede was.

'Ken je de Portugese sonnetten van mevrouw Browning?' vroeg ze. De toon was vlak en onecht, en ik stelde mijn vraag nog eens.

'Liefste, vertel me wat er aan de hand is? Je hebt niet geschreven, en je had gezegd dat je dat zou doen.'

Ze sloeg het boek dicht en slaakte een korte, ongeduldige zucht.

'Ik kan het je beter meteen vertellen. Ik vertrek vanmiddag van Evenwood naar Londen. Ik heb heel veel te doen. Phoebus en ik gaan trouwen.'

43

Dies irae *

Het leek of de wereld zich samentrok en daarna wegzonk, waardoor ik gescheiden was van wat eens geweest was en van wat ik vroeger had gekend en geloofd.

Ik stond aan de grond genageld in die vreselijke kamer, vol ongeloof, en voelde hoop en geluk uit me wegvloeien als bloed uit een doorgesneden ader. Ik moet mijn ogen even gesloten hebben, want ik herinner me duidelijk dat ik ze weer opendeed en zag dat mejuffrouw Carteret van haar stoel was opgestaan en nu bij de sofa haar mantel stond aan te trekken. Misschien was het een grap geweest – een van die spelletjes die vrouwen soms graag spelen met hun aanbidders. Misschien...

'Je kunt hier niet blijven, hoor. Je moet onmiddellijk vertrekken.'

Koud, koud! Hard en koud! Waar was mijn lieveling, mijn zoete, liefdevolle Emily? Nog altijd mooi – zo wonderlijk mooi! Maar zij was het niet. Dit woedende simulacre bewoog en sprak vanuit een volkomen ander wezen, onherkenbaar en vreselijk.

'Edward – mijnheer Glapthorn! Waarom geeft u geen antwoord? Hebt u gehoord wat ik zei?'

Eindelijk vond ik mijn tong terug.

'Ik heb het gehoord, maar niet begrepen en ik begrijp het nog steeds niet.'

'Dan zal ik het u nog eens zeggen. U moet nu weggaan, anders roep ik om hulp.'

Haar ogen schoten nu vuur en haar mooie lippen, die lippen die ik zo dikwijls had gekust, waren samengetrokken tot een zuinig tuitmondje.

* 'De dag des toorns'. JJA

Zoals ze daar stond, star en dreigend, gehuld in haar lange zwarte mantel met capuchon, leek ze een tovenares uit de legenden, die zojuist was opgerezen uit de diepten van de onderwereld; en een ogenblik was ik bang – ja, bang. De verandering in haar was zo groot en zo volledig, dat ik niet kon bedenken hoe die tot stand was gekomen. Het leek een fotografisch negatief, wat licht had moeten zijn was nu donker – zo donker als de hel. Was ze bezeten? Was ze plotseling gek geworden? Misschien was ik degene die om hulp zou moeten roepen?

In een werveling van boos zwart schoot ze naar de deur, en toen leek het alsof ik plotseling ontwaakte uit een droom. Tovenares? Larie! Dit was pure slechtheid. Ik rook het en herkende het.

Haar hand lag bijna op de deurkruk toen ik hem greep en haar naar me toe rukte. We stonden nu tegenover elkaar, oog in oog, wil tegen wil.

'Laat me los, mijnheer! U doet me pijn!' Ze vocht maar ik had haar stevig vast.

'Een ogenblikje van uw tijd, juffrouw Carteret.'

Ze zag de vastberadenheid in mijn ogen en voelde de grotere kracht van mijn greep; vrijwel onmiddellijk zwichtte ze voor het onvermijdelijke en verzette zich niet meer.

'Welnu, mijnheer?'

'Laten we op ons oude bankje onder het raam gaan zitten. Dat is zo'n prettig plekje om te praten.' Ik bood haar mijn arm aan om haar daarheen te leiden.

Ze wierp haar mantel van zich af en liep naar het bankje onder het raam. Voordat ik naast haar ging zitten, draaide ik de deur op slot.

'Ik zie dat ik een gevangene ben,' zei ze. 'Gaat u me vermoorden?'

'In dat geval bent u wel erg koelbloedig,' antwoordde ik, terwijl ik over haar heen gebogen stond. Ze haalde alleen even haar schouders op bij wijze van antwoord en keek uit het raam naar de door de regen gestriemde tuin.

'U sprak van een huwelijk,' ging ik verder. 'Met de heer Daunt. Ik wil wel toegeven dat dit voor mij enigszins verrassend was.'

'Dan bent u een grotere dwaas dan we dachten.'

Ik was vast van plan me een houding van onbekommerde bravoure aan te meten, maar in werkelijkheid voelde ik me zo hulpeloos als een klein kind. Ik had natuurlijk het voordeel van lichamelijke kracht, maar wat had ik daaraan? Ze had me waarachtig volslagen voor gek gezet; en weer had Phoebus Rainsford Daunt genomen wat mij rechtens toekwam. En toen moest ik plotseling onbedaarlijk lachen, zo hard lachen dat ik de tranen met mijn mouw moest wegvegen; lachen dat ik zo dom was, zo ontstellend dom was dat ik haar had vertrouwd. Had ik maar naar Tredgolds raad geluisterd!

Ze keek een poosje naar me terwijl ik door de kamer wankelde, schuddend van het lachen als een waanzinnige. Toen stond ze op en de boosheid laaide weer op in haar grote zwarte ogen.

'U moet me laten gaan, mijnheer,' zei ze, 'anders ziet het er niet best voor u uit. Doe onmiddellijk die deur open!'

Ik negeerde haar verzoek, liep terug naar de plaats waar ze stond en duwde haar weer op het bankje onder het raam. Haar blikken begonnen door de kamer te schieten, alsof ze een mogelijkheid zocht om te ontsnappen, of misschien een wapen om mij aan te vallen. Had ze toen maar geglimlacht en toegegeven dat het allemaal een flauwe grap was! Ik zou haar terstond in mijn armen genomen en vergeven hebben. Maar ze glimlachte niet. Ze zat stijf rechtop, zwaar ademend, met haar woedende ogen wijd open, groter dan ik ze ooit eerder had gezien.

'En mag ik vragen of u van de heer Phoebus Daunt houdt?'

'Of ik van hem houd?' Ze legde haar wang tegen de ruit en er kwam een plotselinge kalmte over haar, bijna alsof ze in trance was.

'Ik vraag het alleen maar omdat u me duidelijk de indruk gaf – evenals uw vriendin, juffrouw Buisson – dat u hem afstotelijk vond.'

'Er bestaat geen woord dat kan uitdrukken wat ik voor Phoebus voel. Hij is mijn zon, mijn maan, mijn sterren. Mijn leven behoort aan hem.' Door haar adem was de ruit beslagen, en ze begon langzaam een letter te tekenen, toen nog een, en toen een derde en een vierde: P-H-O-E...

Nu werd ik echt woedend; ik rukte haar hand weg en veegde met mijn mouw de letters uit.

'Waarom heb je tegen me gelogen?'

Haar antwoord kwam onmiddellijk.

'Omdat je niets voor me betekent, vergeleken met hem; en omdat ik je met leugens aan het lijntje moest houden totdat je me de bewijzen van je ware afkomst zou geven.'

Ze wierp een blik op het schilderij waarop de jeugdige Anthony Duport prijkte in zijn mooie kleren, met een hand op zijn heup, een donkerblauwe sjerp over zijn borst. Haar woorden waren als een mes in het hart. Met twee passen stond ik onder het portret. Ik pakte het met mijn ene hand en probeerde met de andere het kastje dat erachter verborgen was te openen, maar het was op slot.

'Wil je de sleutel hebben?' Ze stak haar hand in haar zak. 'Ik heb gezegd dat ik alles veilig zou bewaren.' Glimlachend stak ze me een zwart sleuteltje toe.

Ik zag haar gezicht en toen wist ik dat alles verloren was; toch nam ik in mijn vertwijfeling het sleuteltje aan, stak het in het slot van het kastje en het kleine paneeldeurtje zwaaide open. Ik greep een kaars van een tafel en tuurde naar binnen. Maar ik zag niets. Ik deed een stap naar voren en tastte in het rond. Het kastje was natuurlijk leeg.

'Zie je wel,' hoorde ik haar zeggen. 'Alles is veilig. Niemand zal je geheimen nu vinden. Niemand.'

Ik hoefde niet te vragen waar de papieren nu waren. Híj had ze nu. De sleutels die de poort van het paradijs voor me ontsloten zouden hebben, waren nu in handen van mijn vijand.

En toen wist ik dat ik verslagen was; dat alle hoop, iedere droom die ik had gekoesterd tot stof en as geworden was.

Wat weet je? Niets.
Wat heb je bereikt? Niets.
Wie ben je? Niemand.

Ik stond met mijn rug naar haar toe in de lege holte te staren, toen ze begon te praten. Haar stem was nu een verheerlijkt gefluister.

'Ik houd al van hem zolang ik me kan herinneren. Toen ik nog maar een klein meisje was, was hij mijn prins en ik zijn prinses. We wisten toen al dat we op een dag zouden trouwen, en droomden ervan samen in een groot huis te wonen, net zoals Evenwood. Mijn vader heeft Phoebus nooit gemogen en hem altijd gewantrouwd, al toen we kinderen waren; maar we leerden al snel te doen alsof we elkaar onverschillig lieten als er andere mensen bij waren, en toen we ouder werden, deden we dat steeds geraffineerder. Niemand vermoedde de waarheid; maar één keer, bij een diner ter ere van de verjaardag van lord Tansor, konden we ons niet beheersen. Het was zo'n kleinigheid – niet veel meer dan een blik – maar mijn vader zag het. Hij was boos op me – zo boos als ik hem nog nooit gezien had; maar ik overtuigde hem ervan dat hij zich vergiste en dat Phoebus niets voor me betekende. Natuurlijk geloofde hij me. Hij heeft me altijd geloofd. Iedereen trouwens.'

'Maar Daunt heeft je vader vermoord!' riep ik. 'Hoe kon je dan van hem blijven houden?'

Ze had weer strak door de beslagen ruit zitten kijken waarop ze begonnen was de naam van haar geliefde te schrijven; maar nu wendde ze mij haar gezicht toe, en ik huiverde toen ik de woedende blik in haar grote donkere ogen zag, en de harde echo van een lang verdragen krenking in haar stem hoorde.

'Ik hield van mijn vader, maar ik haatte hem ook, omdat hij Phoebus haatte, en omdat hij zijn bevooroordeelde mening over hem tussen ons liet komen. Het verlies van mijn zusje was, denk ik, de oorzaak. Hij wilde me altijd bij zich houden, me voor zichzelf hebben; en nadat mijn moeder gestorven was, was ik natuurlijk alles wat hij had. En zo bleef ik hem altijd gehoorzamen, ook toen ik al lang meerderjarig was; ik gaf toe aan zijn wil, om hem te plezieren en om een belofte na te komen die ik mijn lieve moeder had gedaan, om hem zolang hij leefde niet in de steek te laten. Hij heeft meer dan eens tegen me gezegd dat hij me nooit meer als zijn dochter zou beschouwen als ik met Phoebus trouwde, en dat vooruitzicht was onverdraaglijk voor me. Maar het was wreed om me zo tegen te werken – me van mijn hartsverlangen af te houden, terwijl hij wist dat ik hem zou blijven liefhebben en hoogachten, en dat ik hem nooit in de steek zou laten.'

'Maar hij verdiende het toch niet om te sterven?'

'Nee,' zei ze, zachter. 'Dat is zo en het was ook niet de opzet. Pluckrose ging te ver, zoals gewoonlijk. Het was een vergissing van Phoebus om hem erin te betrekken – dat geeft hij toe, en we hebben allebei smartelijk geleden door wat Pluckrose heeft gedaan. Toen Pluckrose Phoebus de brieven bracht en hem vertelde wat hij had gedaan, was Phoebus buiten zichzelf van woede. Nee. Hij had niet mogen sterven. Hij had niet mogen sterven.'

Dat tweemaal uitgesproken zinnetje eindigde in een stilte. Huilde ze? Oprecht? Dan was ze niet verstoken van betere gevoelens. Dan was er nog iets menselijks.

'Je hebt genoeg gezegd om me duidelijk te maken hoe grondig ik ben bedrogen.'

Ze keek me niet aan. Ze had haar hoofd nu tegen de ruit gedrukt en staarde met lege blik naar buiten, de toenemende duisternis in.

'Maar ik wil nog één ding weten: hoe hebben jullie ontdekt wat lady Tansor had gedaan?'

'Beste Edward!' O, haar stem! Zo teder, zo verlokkend, zo betoverend! De ijzige woede was geheel weggesmolten; ervoor in de plaats was een blik van meewarige toegeeflijkheid gekomen, alsof ze me haar geheime kant wilde laten zien om me verdere angst en onzekerheid te besparen. Ze stak haar hand uit, lang en wit. Ik pakte hem en ging naast haar zitten.

'Het was niet mijn bedoeling dat je van me zou gaan houden, hoor. Maar toen het eenmaal zo was – nou ja, alles werd er zoveel gemakkelijker door. Ik weet dat Marie-Madeleine je heeft gewaarschuwd...'

'Juffrouw Buisson! Wist die ervan?'

'Maar natuurlijk. Marie-Madeleine en ik hadden geen geheimen voor elkaar. We waren echte boezemvriendinnen. Ik vertelde haar weleens dingen die zelfs Phoebus niet van me wist. Maar ik denk dat het toen ze je schreef, eigenlijk al te laat was, niet? Arme, lieve Edward!' Ze boog zich naar voren en begon mijn haar van mijn voorhoofd te strijken; ik was zo gebiologeerd dat ik niet bij machte was haar daarmee te laten ophouden.

'En weet je, ik vond je attenties eigenlijk wel prettig. Daar werd Marie-Madeleine vreselijk boos om.' Om haar lippen kwam een sluw lachje. 'Ze heeft meer dan eens tegen me gezegd dat ik je niet moest aanmoedigen – dat was onnodig wreed. Maar ik kon het niet laten; en in de loop van de tijd begon ik te denken dat ik misschien wel verliefd op je werd – een heel klein beetje maar. Dat was slecht van me, ik weet het, en Marie-Madeleine was nog geschokter toen ik het haar vertelde. Die stiekemerd! Ik geloof dat ze jou zelf wel had willen hebben! Maar je vroeg me hoe we die escapade van lady Tansor op het spoor kwamen.

Dat was heel toevallig. Mijn vader had me gevraagd hem te helpen een paar brieven in het Frans te vertalen. Mijn vader liet zelden iemand toe in zijn werkkamer, behalve natuurlijk lord Tansor, maar deze keer maakte hij een uitzondering. Toen ik ermee gereed was, verzocht hij me de papieren naar het Archief te brengen. Ik wilde net weer teruggaan, toen mijn oog op een met ijzer beslagen kist viel. Volgens het etiket dat erop bevestigd was, zaten er de persoonlijke papieren van de eerste vrouw van lord Tansor in. Nu heb ik Laura Tansor altijd fascinerend gevonden. De mooiste vrouw van Engeland, zeiden ze indertijd. En ik kon het dus niet laten in de kist te kijken. Wat denk je dat ik er het eerst uit haalde? Een brief, gedateerd de zestiende juni 1820, aan lady Tansor in Parijs, van een vriendin – alleen aangeduid met de hoofdletter 'S' – in het stadje Dinan in Bretagne.'

Ik zag onmiddellijk aan haar gezicht dat het lot haar de brief in handen had gespeeld die mijn pleegmoeder aan haar vriendin had geschreven en die door Carteret in zijn Depositie was geciteerd, en waaruit duidelijk blijkt dat lady Tansor een kind ter wereld had gebracht.

'Ik had geen tijd om de brief in zijn geheel te lezen,' vervolgde ze, 'want ik hoorde mijn vader de trap op komen; maar ik had genoeg gelezen om te weten dat er een verbijsterende mogelijkheid uit bleek. Natuurlijk vertelde ik Phoebus onmiddellijk over mijn ontdekking. Hij heeft verscheidene malen geprobeerd in het Archief te komen, maar dat lukte hem niet, tot zijn grote ergernis. Je moet weten dat hij toen al wist dat hij de erfgenaam van lord Tansor zou worden. Als lady Tansor van een wettig kind was bevallen – ik hoef je niet te vertellen wat Phoebus dáárvan vond.'

En daarna vertelde ze me hoe ze haar vader in de gaten had gehouden, door aan te bieden hem ook verder bij zijn werk te helpen. Zo kwam ze te weten dat Carteret van plan was om bepaalde brieven van lady Tansor naar de bank in Stamford te brengen, en dat hij die later terughaalde voordat hij mij zou ontmoeten in het George Hotel. Daunt had toen het plan bedacht Carteret, als hij uit Stamford terugkeerde naar Evenwood, te laten opwachten door Pluckrose, die hem onder het mom van een roofoverval de papieren zou afnemen. Er was een briefje naar het hotel gestuurd, zogenaamd van lord Tansor, waarin haar vader verzocht werd zich bij lord Tansor te vervoegen op het grote huis. Dat garandeerde dat hij de meest rechtstreekse weg uit Easton door het park zou nemen, door de bossen aan de westkant.

'Maar,' wierp ik tegen, 'toen ik die afspraak met je vader had, werd me met grote stelligheid gezegd dat Daunt afwezig was, in opdracht van lord Tansor.'

'Dat was ook zo. Maar hij kwam een dag eerder terug, zonder dat zijn ouders het wisten, om hier te zijn wanneer jij aankwam. Pluckrose had je in de gaten gehouden – hij zat zelfs in dezelfde trein uit Londen als jij. We wisten dat je door de heer Tredgold was gestuurd, zie je. Phoebus weet alles.'

'En wist je voordat ik het je vertelde dat ik Edward Glyver was?'

Ze schudde het hoofd.

'Niet met zekerheid, al vermoedden we het wel.'

'Hoe kwam dat zo?'

Ze stond op, liep naar een boekenkast tegen de wand tegenover ons en haalde er een boek uit.

'Dit is toch van jou?'

Het was mijn exemplaar van Donnes *Devotions*, waarin ik de nacht voor Carterets begrafenis had gelezen.

'Mevrouw Daunt kreeg het van Luke Groves – de kelner in de Duport Arms in Easton. Groves dacht dat het van jou moest zijn – het was op jouw kamer achter het bed gevallen – hoewel er een andere naam in stond. Natuurlijk was die naam – Edward Glyver – Phoebus heel vertrouwd. Werkelijk heel vertrouwd. Er zou een eenvoudige verklaring kunnen zijn – het boek had op allerlei manieren toevallig in jouw bezit kunnen komen. Maar Phoebus wantrouwt het toeval. Hij zegt dat er voor alles een reden is. Daarom waren we vanaf dat ogenblik op onze hoede.'

'Zo,' zei ik, 'ik schijn dus mooi het haasje te zijn geworden. Mijn complimenten aan jullie beiden.'

'Bij onze eerste ontmoeting heb ik je gewaarschuwd dat je Phoebus niet moest onderschatten, en daarna heb ik je nog eens gewaarschuwd. Maar je wilde niet luisteren. Je dacht dat je hem wel te slim af kon zijn, maar dat kun je niet. Hij weet alles van je – alles. Hij is de intelligentste man die ik ken. Niemand zal het ooit van hem kunnen winnen.' Ze glimlachte schalks. 'Ben je niet verbaasd dat ik niet bang voor je ben?'

'Ik zal je geen kwaad doen.'

'Nee, dat geloof ik ook niet. Want je houdt immers nog altijd van me?'

Ik gaf geen antwoord. Ik had haar niets meer te zeggen. Ze sprak verder, maar ik luisterde nauwelijks meer. Ergens begon een half gevormde gedachte te voorschijn te kruipen uit de duisternis waarin mijn geest was ondergedompeld. Die gedachte werd sterker en duidelijker, totdat ze ten slotte mijn geest geheel vervulde en ik nergens anders aan kon denken.

'Edward! Edward!'

Langzaam richtte ik mijn aandacht op haar, maar ik voelde niets. Toch restte er nog één vraag.

'Waarom heb je dit gedaan? Wanneer mijn identiteit eenmaal bewezen was, had ik je alles kunnen bieden wat Daunt je kon geven – meer nog.'

'Beste Edward! Heb je niet geluisterd? *Ik houd van hem! Ik houd van hem!*'

Ik had daar geen antwoord op; want ook ik wist wat het was van iemand te houden. Ik zou voor haar door het vuur zijn gegaan, iedere marteling hebben doorstaan uit liefde voor haar. Hoe kon ik haar dan de dingen verwijten, hoe bitter haar verraad mij ook trof, die ze uit liefde deed?

Half verdoofd pakte ik mijn hoed. Ze zei niets, maar keek aandachtig toen ik mijn Donne-bundel oppakte en naar de deur liep. Terwijl ik die van het slot deed, werd mijn oog getroffen door een open doos sigaren op een tafeltje. Met kille voldoening zag ik de naam van de fabrikant: Ramón Allones.

Ik opende de deur en liep de gang in.

Zonder achterom te kijken.

Ik herinner me weinig van de reis naar huis, alleen verwarde indrukken van stenen torens, sterren en zwaaiende bomen, en het geluid van water, en hoe ik een lange donkere heuvel op liep; en daarna een koude reis naar Peterborough, gevolgd door lichten en lawaai en onderbroken dromen; ten slotte het geraas en de rook van Londen om me heen, en hoe ik me uiteindelijk de trap naar mijn kamers op sleepte.

Ik had een verschrikkelijke nacht waarin ik terugkeek op de teloorgang van mijn grootse onderneming. De poort van het paradijs had zich achter me gesloten en zou nooit meer opengaan. Met grenzeloze handigheid hadden ze me aan de lijn laten spartelen, totdat het haakje mijn strot had doorboord, en nu moest ik beroofd van alle hoop verder leven, dag en nacht gekweld door het verlies van mijn ware zelf, en van haar – zo mooi, zo onbetrouwbaar! – van wie ik tot mijn laatste snik zou houden. Ik ben ook verraden, lijkt het, door de Meestersmid. Een andere plaats is me bereid – niet Evenwood, het droompaleis van mijn kinderfantasieën, maar een bescheiden woning tussen andere bescheiden woningen, waar ik zal leven en sterven, onopgemerkt en vergeten, voor eeuwig verbannen uit het leven dat het mijne had moeten zijn.

Maar ik zal niet ongewroken sterven.

44

Dictum, factum*

De eerste week na mijn terugkeer van Evenwood sloot ik me op in mijn kamers, at weinig en sliep bijna helemaal niet.

Er kwam een briefje van Le Grice met het voorstel ergens te gaan eten, maar ik excuseerde me wegens ongesteldheid; er kwam ook een briefje van Bella, waarin ze vroeg waarom ik zolang niet in Blithe Lodge was geweest, waarop ik antwoordde dat ik wegens dringende zaken voor de heer Tredgold de stad uit was geweest, maar de volgende week zou komen. Toen vrouw Grainger kwam om mijn vloer te vegen en de haard schoon te maken, zei ik dat ik haar niet nodig had, gaf haar tien shilling en vroeg haar naar huis te gaan. Ik verlangde er niet naar nog één menselijk wezen te zien en wilde niets anders dan steeds weer mijn ondergang en de manier waarop die zich had voltrokken, overpeinzen. Dat ik na zoveel inspanning alles zo gemakkelijk had verloren! De bedrieger van a tot z bedrogen! En als ik dan mijn ogen dichtdeed, bij nacht of bij dag, had ik een steeds weerkerend visioen van haar kamer op Evenwood, precies zoals die was geweest op de dag waarop ik verraden werd, en van haar tegen de ruit gedrukte gezicht en de blik in haar ogen toen ze de letters van zijn naam op het glas had getekend. Waar was ze nu? Wat deed ze? Was hij bij haar – kuste hij haar, fluisterde hij iets in haar oor, deed hij haar zuchten van verrukking? Zagen ze nog eens met voldoening terug op hun triomf? Zo bedacht ik zelf subtiele folteringen om mijn pijn nog te verergeren.

Toen ik op de zevende dag in mijn leunstoel lusteloos nog eens naar het rozenhouten kistje zat te kijken waarin mijn moeder de documen-

* 'Gezegd, en gedaan' (Terentius, *Heautontimorumenos*). JJA

ten had verborgen waardoor het onrecht dat ze mij gedaan had, ongedaan gemaakt had kunnen worden, keek ik om me heen en zag wat er van me geworden was. Was dit mijn koninkrijk? Waren dit mijn enige bezittingen? Deze smalle, betimmerde kamer, met zijn verschoten oosterse tapijt op de kale planken, deze zwartgeblakerde haard, deze vuile ramen, deze grote werktafel waaraan mijn moeder haar hele leven had geschreven en waaraan ook ik zo vruchteloos had gezwoegd; deze kleine herinneringen aan gelukkiger tijden – de klok uit mijn moeders slaapkamer, een aquarel van het huis in Church Langton waar ze was geboren, die vroeger in Sandchurch in de gang hing, een ets van het schoolplein in Eton? Waren die dingen mijn erfenis? Veel was het niet, zelfs gevoegd bij de weinige ponden die ik bij Coutts & Co. had gelaten en mijn bescheiden boekenverzameling. Maar het deed er niet toe. Ik had geen erfgenaam en zou er ook nooit een hebben. Ik glimlachte bij de gedachte dat mijnheer Tredgold en ik door hetzelfde lot getroffen waren: beiden gekluisterd aan de herinnering aan een liefde die voor altijd verloren was; geen van beiden in staat nog eens lief te hebben.

Ik liep de kamer door en trok het opgelapte stuk fluwelen gordijn opzij waarachter mijn fotografische uitrusting ongebruikt lag te verstoffen. Op een plank stond één afbeelding van Evenwood, de enige opname die ik niet goed genoeg had gevonden om in het album op te nemen dat ik in de zomer van 1850 voor lord Tansor had gemaakt.

Hij was genomen binnen het ommuurde gedeelte rond de visvijver, over het zwarte water heen naar de zuidgevel van het huis. Het gebouw lag in diepe schaduw, met alleen hier en daar plekjes lichte zonbeschenen steen. Ik moet de camera hebben bewogen, want een van de hoge, met een koepel bekroonde torens was onscherp, maar al was de uitvoering niet volmaakt, de compositie en de opgeroepen stemming waren goed getroffen. Ik pakte hem en tuurde ernaar. Maar hoe langer ik tuurde, hoe bozer ik werd dat ik voorgoed van deze heerlijke plek, de geboortegrond van mijn voorouders, was buitengesloten door een nietswaardige indringer. Ik was een Duport, hij was een niemand, een stofje, een nul. Hoe kon zo'n onbeduidend persoon de euvele moed hebben die oude naam aan te nemen? Dat kon hij niet. Dat zou niet gebeuren.

En toen kwam er, naast mijn woede, een vast besluit om nog een laatste keer het lot te werpen. Ik zou nogmaals naar Evenwood gaan, misschien wel voor het laatst. Ik zou naar lord Tansor toe gaan en hem recht in zijn gezicht de waarheid zeggen die meer dan dertig jaar voor hem verborgen was gehouden. Ik had niets te verliezen en alles te winnen. Oog in oog, van man tot man, zou hij me toch zeker wel herkennen als zijn eigen zoon?

Ik was bezeten van dit nieuwe plan, hoe wanhopig het misschien ook was, en sprong ogenblikkelijk overeind om voorbereidingen te gaan treffen. Daarna rende ik de houten trap af, met klossende laarzen, langs de deur van Fordyce Jukes, en voor het eerst in een week de wereld in.

Het was een gure, grauwe dag en boven de stad hing een vlakke, neerdrukkende hemel. Ik baande me een weg door de ochtenddrukte en was al gauw bij het station, waar ik nogmaals in de trein ging zitten waarmee ik zo dikwijls naar het noorden was gereisd, naar Evenwood.

Toen de diligence uit Peterborough me op het marktplein van Easton had gebracht, liep ik de Duport Arms in om iets te gebruiken alvorens naar het grote huis te wandelen. Terwijl ik mijn gin met water zat te drinken, gebracht door mijn oude vriend, de nurkse kelner Groves, die zonder het te weten het instrument was geweest waardoor mevrouw Daunt en haar zoon zekerheid over mijn identiteit hadden gekregen, bedacht ik plotseling dat lord Tansor misschien niet op Evenwood zou zijn; dat hij wel in Londen kon zijn, of elders; en toen werd ik boos om mijn impulsiviteit. Dat ik die hele reis gemaakt had zonder me van dit ene essentiële feit te vergewissen, toonde mij aan dat ik mezelf niet was en dat ik de zaken in de toekomst zorgvuldiger moest regelen. Maar ik besefte ook dat ik de dingen maar moest nemen zoals ze waren; en ik dronk mijn glas leeg, knoopte mijn overjas dicht en ging op weg, de heuvel af, onder een krakend gewelf van kale takken, naar Evenwood.

Er begon een dichte motregen te vallen. Eerst trok ik mij er niets van aan, maar toen ik over de Odstock Road in de richting van het hek aan de westzijde van het park liep, voelde ik mijn broek tegen mijn benen plakken en zwaar worden van het vocht, en tegen de tijd dat ik door de bossen in de open ruimte van het park zelf was gekomen, waren mijn hoed en jas druipnat, zaten mijn laarzen onder de modder en zag ik eruit als een verzopen kat.

Het terras bij de Bibliotheek kwam plotseling in zicht. Rechts van mij was Hamnet's Tower, met op de eerste verdieping de ramen van het Archief. En daar, boven de Bibliotheek, over de hele lengte van het terras, waren de ramen van de vroegere vertrekken van mijn moeder, nu bewoond door mijn ontrouwe geliefde. Natuurlijk vroeg ik me onwillekeurig af of ze al terug was uit Londen en nu daar was, uitkijkend over de nevelige, doorweekte tuin naar de bossen waar haar vader op zijn laatste rit naar huis doorheen was gekomen. Wat zou ze denken, als ze mijn lange, verwaaide gestalte door het donker zag lopen? Dat ik haar kwam vermoorden? Of haar minnaar? Maar toen ik dichterbij kwam en de ramen een voor een aandachtig bekeek, was haar mooie, bleke gezicht niet te bekennen en liep ik door.

Ik besloot dat me niets anders te doen stond dan gewoonweg op de voordeur te kloppen en lord Tansor te spreken te vragen, en dat deed ik. Gelukkig werd de deur opengedaan door mijn vroegere informant, John Hooper, met wie ik kennis had gemaakt toen ik vier jaar eerder het huis fotografeerde.

'Mijnheer Glapthorn,' zei hij. 'Kom toch binnen. Wordt u verwacht?'

'Nee, Hooper, ik word niet verwacht. Maar ik wil de baron spreken over een belangrijke kwestie. Is hij thuis?'

'Hij is in zijn werkkamer, mijnheer, als u me wilt volgen.'

Hij ging me voor door een rij staatsievertrekken totdat we bij een groengeschilderde dubbele deur kwamen. Hooper klopte zachtjes.

'Binnen!'

De bediende ging eerst naar binnen, boog en zei: 'De heer Glapthorn, van Tredgolds, wenst u te spreken, my lord.'

Het vertrek was klein en donker maar weelderig gemeubileerd. Lord Tansor zat achter een bureau met zijn gezicht naar ons toe. Door een breed schuifraam achter hem zag ik nog net de brede oprijlaan die naar de andere kant van de rivier liep en uiteindelijk langs het Douairièrehuis afdaalde naar de hekken aan de zuidzijde, de weg die ik de afgelopen maanden zo dikwijls gegaan was. Een lamp met een groene kap verlichtte de documenten waaraan de baron had zitten werken. Hij legde zijn pen neer en keek me strak aan.

'Glapthorn? De fotograaf?' Hij wierp een blik op een vel papier. 'Ik heb hier geen aantekening over een gesprek met iemand van Tredgolds vandaag.'

'Nee, my lord,' antwoordde ik. 'Ik verzoek u oprecht mij te excuseren dat ik onaangekondigd bij u aan kom. Maar het gaat om een kwestie van het grootste gewicht.'

'Je kunt gaan, Hooper.'

De bediende boog en verliet het vertrek, en trok de deur zacht achter zich dicht.

'Een belangrijke kwestie, zegt u? Bent u door Tredgold gestuurd?'

'Nee, my lord. Ik kom uit eigen beweging.'

Hij kneep zijn ogen wat dicht.

'Wat zouden u en ik te bespreken kunnen hebben?' Zijn stem klonk hard, laatdunkend en intimiderend. Maar dat had ik wel verwacht van de vijfentwintigste baron Tansor.

'Het betreft uw overleden vrouw, my lord.'

Daarop verduisterde lord Tansors gezicht en hij beduidde me in een stoel te gaan zitten die tegenover zijn bureau stond.

'Ik luister, mijnheer Glapthorn,' zei hij, achteroverleunend en met een vorsende blik. 'Maar houd het kort.'

Ik vulde mijn longen met lucht en begon mijn verhaal: hoe ik had ontdekt dat lady Tansor de geboorte van zijn zoon voor hem geheim had gehouden en dat de jongen door een ander was grootgebracht, onkundig van zijn ware identiteit. Ik zweeg even.

Enkele seconden zei hij niets. En toen, onmiskenbaar dreigend: 'Ik hoop voor u dat u bewijzen hebt voor wat u beweert, mijnheer Glapthorn. Anders zal het u duur te staan komen.'

'Ik zal het dadelijk over de bewijzen hebben, my lord. Mag ik verdergaan?' Hij knikte. 'Zoals ik zei, groeide de jongen op zonder te weten dat hij een Duport was – dat hij uw erfgenaam was. Pas na de dood van de vrouw die hem opvoedde, de beste vriendin van uw overleden vrouw, ontdekte hij de waarheid. De jongen was toen een man, en die man leeft.'

Lord Tansor was nu bleek geworden en ik zag dat hij, onder zijn ijzeren zelfbeheersing, in de greep was van toenemende emotie.

'Leeft?'

'Ja, my lord.'

'En waar is hij nu?'

'Hij zit hier voor u, my lord. *Ik* ben uw zoon. *Ik* ben uw wettig geboren erfgenaam.'

Zijn schok bij het horen van mijn woorden was nu voelbaar, maar hij zei niets. Toen kwam hij langzaam overeind van zijn stoel en wendde zich naar het raam achter zich. Hij stond daar, de handen stijf op zijn rug, onbuigzaam, zwijgend, uitkijkend over het met grind bedekte voorplein. Zonder zich naar me om te draaien, sprak hij een enkel woord: 'Bewijs!'

Mijn mond was droog; mijn hele lichaam beefde. Want ik had natuurlijk geen bewijs. Het bewijsmateriaal – onomstotelijk, onaanvechtbaar – dat ik hem slechts een week tevoren had kunnen voorleggen, was me afgenomen en was nu reddeloos verloren. Alles wat ik had waren indirecte, onbewezen verklaringen. Ik zag mijn toekomst aan een uiterst dun draadje hangen.

'Bewijs!' blafte hij, zich nu naar mij wendend. 'U beweerde dat u bewijs had. Toon het me onmiddellijk!'

'My lord...' ik aarzelde, noodlottig, hij zag dadelijk dat ik me ongemakkelijk voelde.

'Welnu?'

'Brieven,' antwoordde ik, 'in het handschrift van lady Tansor, en een ondertekende attestatie, naar behoren opgesteld en beëdigd, die mijn ware afstamming bevestigt. Deze documenten staafden de dagelijkse aantekeningen over de gebeurtenissen die mijn pleegmoeder in haar dagboeken heeft nagelaten.'

'En u hebt deze dingen bij u?' vroeg hij, hoewel hij kon zien dat ik met lege handen was binnengekomen, zonder enigerlei zak of tas. Ik had geen andere keus dan met mijn bekentenis te komen.

'Ze zijn weg, my lord.'

'Weg? Hebt u ze verloren?'

'Nee, my lord. Ze zijn gestolen. Van mij en van de heer Carteret.'

Zijn gezicht werd door boosheid overtogen. Zijn mond verstrakte.

'Wat heeft Carteret hier in godsnaam mee te maken?'

Tevergeefs trachtte ik uiteen te zetten hoe zijn secretaris was gestuit op de cruciale brieven die verborgen waren in het schrijfkistje dat aan mejuffrouw Eames was nagelaten, en hoe ze hem waren ontnomen toen hij werd aangevallen. Maar terwijl ik nog sprak, wist ik al dat hij niet zou geloven wat ik hem wilde vertellen.

'En wie beschuldigt u ervan deze documenten gestolen te hebben, van u en van Carteret?' De vraag hing een kort ogenblik in de lucht terwijl hij me aankeek, dreigend afwachtend.

'Ik beschuldig de heer Phoebus Daunt.'

Er gingen seconden voorbij. Een, twee, drie... Seconden? Nee, een marteling die een mensenleven duurde. Buiten maakte het schemerlicht van de late middag plaats voor de opdringende duisternis. De wereld leek oneindig traag te draaien terwijl ik wachtte op lord Tansors antwoord op mijn bewering. Bij zijn eerstkomende woorden, wist ik, zou alles gewonnen zijn, of verloren. Toen sprak hij.

'U durft wel, mijnheer, met uw godgeklaagde leugens. Dat moet ik u nageven. U bent op geld uit, neem ik aan, en denkt dat met dit sterke verhaal van u te bereiken.'

'Nee, my lord!' Ik sprong op van mijn stoel en we stonden tegenover elkaar, oog in oog, met het bureau tussen ons in, maar zo had ik het me niet voorgesteld. Hij zag geen blijken van bloedverwantschap; hij voelde geen rukje aan die gouden draad die ouder en kind over tijd en ruimte heen onlosmakelijk verbindt. Hij herkende me niet als zijn zoon.

'Ik zal u zeggen wat ik denk, mijnheer Glapthorn,' zei hij, en hij trok zijn schouders achteruit. 'Ik denk dat u een schurk bent. Een ordinaire schurk. En een schurk zonder betrekking, want u kunt erop rekenen met onmiddellijke ingang ontslagen te worden bij Tredgolds. Ik zal uw superieur nog vanavond schrijven. En verder zal ik u aanklagen, mijnheer. Wat vindt u daarvan? En ik weet nog niet helemaal zeker of ik u niet met een rijzweep mijn huis uit zal laten slaan vanwege uw godvergeten onbeschaamdheid. U beschuldigt de heer Daunt! Bent u krankzinnig? Een man van algemeen erkende verdienste, die alom gerespecteerd wordt! En u maakt hem uit voor dief en moordenaar? U zult boeten voor deze laster, zwaar boeten. We zullen u uw laatste penny ontnemen. En de kleren die u aanhebt. U zult de dag berouwen waarop u probeerde mij op te lichten!'

Hij draaide zich om en trok woedend aan het schelkoord dat vlak achter zijn bureau hing.

Ik deed nog één poging, al wist ik dat het te laat was.

'My lord, u moet me geloven. Ik ben werkelijk uw zoon. Ik ben de wettige erfgenaam waarnaar u verlangde.'

'U? Mijn zoon! Kijk eens hoe u eruitziet. U bent mijn zoon niet, mijnheer. U bent nauwelijks een heer, te oordelen naar de staat van uw kleding. Mijn enige zoon is overleden toen hij zeven jaar oud was. Maar ik heb goddank een erfgenaam, die op en top een heer is, en al is hij niet mijn vlees en bloed, hij is alles wat ik me van een zoon zou kunnen wensen, en in alle opzichten geschikt om de oude naam aan te nemen die ik de eer heb te dragen.'

Op dat moment werd er op de deur geklopt en verscheen Hooper.

'Hooper, laat deze – heer – uit. Hij mag onder geen enkele voorwaarde ooit weer tot dit huis worden toegelaten.'

Kijk naar me! Kijk naar me! schreeuwde ik inwendig. *Ziet u haar niet in mij? Kunt u uzelf niet zien? Kan niets in deze gelaatstrekken u overtuigen dat het uw eigen zoon is die voor u staat, en geen ordinaire gelukzoeker?*

Ik probeerde zijn blik vast te houden, hem door mijn wil de waarheid te laten zien. Maar zijn ogen waren uitdrukkingsloos en koud. Ik pakte mijn hoed en wendde me van hem af. Toen ik bij de deur was, keek ik nog even half achterom. Hij zat weer aan zijn bureau en had zijn pen opgenomen.

45

Vindex*

Voor het laatst verliet ik Evenwood; ik liep door de motregen en de duisternis en pas toen ik bij het hek aan de westkant was gekomen bleef ik staan om achterom te kijken naar het paleis met de vele torens dat in mijn dromen ooit van mij was geweest.

De lampen op het terras bij de Bibliotheek waren ontstoken – lord Tansor had de vaste gewoonte om daar iedere avond, weer of geen weer, met zijn hond te wandelen. Boven, in de oude vertrekken van mijn moeder, zag ik het zachte schijnsel van een lamp. Zij was er – mijn liefste lief was er! En toen voelde ik zo een gewicht van droefenis op mijn geest neerdalen, dat ieder sprankje hoop in me doofde. Ik keek nog één laatste keer naar de plaats die me in een zo diepe wanhoop had gedompeld en wendde me er toen voorgoed vanaf. Ik was beroofd van alles wat me door mijn geboorterecht toekwam. Slechts één ding was nog geheel in mijn bezit: de wil om Phoebus Daunt ter verantwoording te roepen. Aan dit nieuwe doel zou ik me nu wijden, tot mijn laatste restje kracht.

Ik begon de volgende dag.

Mijn eerste taak was zijn gangen na te gaan. Daarvoor kleedde ik me in een manchester broek, een vettige zwarte jas, een grof hemd zonder knopen en een pet en vuile das, dit alles aangeschaft in een uitdragerij in Holywell-street, en ik bracht dagelijks verscheidene onaangename

* 'Een wreker of bestraffer'. JJA

uren door met rondhangen in de omgeving van Mecklenburgh-square, om mijn vijand te volgen wanneer hij naar buiten kwam. Zijn dagelijkse gewoonten vertoonden weinig variatie. Meestal verliet hij het huis rond één uur en liep hij, als het weer het toeliet, naar de Athenaeum Club op Pall Mall; om drie uur stipt nam hij een huurkoetsje terug naar Mecklenburgh-square, waarna hij tussen vijf en zes weer naar buiten kwam om lopend of weer met een koetsje ergens te gaan te dineren – soms in de Divan Tavern op The Strand, of ook wel bij Verrey's of Jacquet's.* Hij dineerde gewoonlijk alleen en keerde nooit later dan tien uur terug naar huis. In een van de kamers boven brandde dan enige uren een lamp – een nieuw langdradig epos, vermoedde ik, zou de wereld geschonken worden. Ik heb nooit bezoekers naar het huis zien komen en tot mijn onbeschrijflijke opluchting was mejuffrouw Carteret er nooit te bekennen.

Ik trotseerde koude en honger – en de vernedering dat ik deel leek uit te maken van die Londense zwerversklasse die leefde en stierf in de straten van de metropool – totdat ik op de vijfde dag, tegen zessen, toen ik het net op wilde geven en teruggaan naar Temple-street, mijn prooi zijn huis uit zag komen en in westelijke richting lopen, naar Gower-street. Ik trok mijn pet omlaag en volgde hem.

Ik was dichtbij – ik kon zijn zwarte baard en de glans van zijn hoge zijden zien toen hij onder een lantaarn door liep. Hij liep met een air van zelfverzekerdheid, zwaaiend met zijn stok, en zijn lange jas wapperde achter hem aan als de sleep van een koning. Het was nu meer dan vier jaar geleden dat ik hem op Evenwood croquet had zien spelen met een lange, donkerharige dame. Grote God! Ik bleef plotseling staan, terwijl het voor het eerst tot me doordrong dat het zich op die warme junimiddag in 1850 allemaal vlak voor mijn ogen had afgespeeld, en ik had het niet gezien. Phoebus Daunt en zijn knappe partner bij het croquet – mijn vijand en mijn liefste lief. Inwendig kokend, mijn blik gericht op zijn verdwijnende gestalte, bleef ik hem schaduwen.

Hij sloeg af naar het zuiden, naar Bedford-square, en vandaar door St Martin's-lane totdat hij ten slotte bij Bertolini's in St Martin's-street,

* Respectievelijk in Regent Street (op de hoek van Hanover Street) en Clare Court, Drury Lane. JJA

dicht bij Leicester-square, naar binnen ging. Ik posteerde me aan de overkant van de straat. De twee zakpistolen die voor me gemaakt zijn door M. Honoré uit Luik en die ik bij me heb op al mijn middernachtelijke omzwervingen door de stad, zijn schietklaar. Er was die nacht geen maan, en genoeg mist om zeker te kunnen ontsnappen.

Twee uur later stapte hij weer naar buiten, met een andere man. Ze gaven elkaar een hand en de ander ging ervandoor in de richting van Pall Mall, terwijl Daunt noordwaarts liep. In Broad-street sloeg hij een smal steegje in, verlicht door een enkele gaslantaarn aan het andere uiteinde.

Ik was niet meer dan een meter of twee achter hem, maar hij had geen idee van mijn aanwezigheid – in mijn jaren als persoonlijk assistent van Tredgold had ik geleerd om iemand te achtervolgen zonder opgemerkt te worden, en ik vertrouwde erop dat ik nog steeds onzichtbaar voor hem was. De steeg was verlaten. Ik haalde een van de pistolen uit mijn zak. Nog een paar stappen. Mijn schoenen waren omwikkeld met lappen zodat mijn voetstappen geen geluid maakten. Hij bleef precies onder de lantaarn staan om een sigaar op te steken – een volmaakt verlicht doelwit. Ik verschool me in een deuropening, hief het pistool en mikte op zijn achterhoofd, net boven de kraag van zijn jas.

Maar er gebeurde niets. Mijn hand beefde. Waarom kon ik de trekker niet overhalen? Ik richtte nog eens, maar nu was hij uit de gele lichtkring gestapt en in een ommezien was hij in de duisternis verdwenen.

Ik bleef in de deuropening staan, met het wapen in mijn hand en nog steeds trillend, wel een paar minuten.

God weet dat ik in mijn leven veel dingen had gedaan waar ik me voor schaamde, maar ik had nog nooit een mens gedood. Toch had ik me, dom genoeg, voorgesteld dat het gemakkelijk voor me zou zijn, omdat ik in de loop van mijn werk zoveel gewelddadigheid had gezien, om gewoonweg mijn pistool te heffen en hem een kogel door het hoofd te schieten, erop vertrouwend dat mijn haat en woede me er wel doorheen zouden helpen. Was ik dan zo'n slappeling? Was mijn wil dan gezwicht voor mijn geweten? Ik had hem waar ik hem hebben wilde, mijn gehate vijand; en iets had me tegengehouden, hoewel mijn wraakzucht nog even sterk was als altijd. Toen bedacht ik dat de meeste dingen op de wereld met aandacht en vlijt geleerd kunnen worden; en moord is misschien niet zo'n grote uitdaging, wanneer de krenking maar groot genoeg en de wil voldoende is. Als het geweten mijn hand had tegengehouden, dan moest dat onderdrukt worden.

Ik stopte het pistool weer in mijn zak en begon terug te lopen naar Temple-street. Ik was erg uit mijn doen. Ik vroeg me nog eens af of ik werkelijk tot zo'n daad in staat was. Zou mijn moed me niet, net als zojuist gebeurd was, in de schoenen kunnen zinken als het ogenblik voor de dodelijke slag daar was? Het feit op zich dat ik me dat afvroeg, leidde weer tot een terugkeer van de twijfel. Ik zou toch zeker geen tweede keer terugschrikken? Daar was het weer – die vluchtige steek van angst.

Tot in mijn ziel geschokt door mijn onvermogen om te doen wat ik bovenal wilde doen, wankelde ik weg, en kwam ten slotte aan de deur van de opiummeester in Bluegate-fields.

O God, wat een dromen had ik die nacht – dromen zo verschrikkelijk dat ik het niet op kan brengen ze neer te schrijven! Ten slotte was ik minstens een uur aan het ijlen, zodat er een dokter moest komen om een sterk slaapmiddel voor te schrijven. Toen ik wakker werd, leek het alsof ik op een zacht bed was gelegd. Er stroomde een koud, zilt briesje over mijn gezicht, en ik hoorde het krijsen van zeevogels en het geluid van klotsend water. Waar was ik? Ik moest toch wel in mijn oude bed in Sandchurch zijn, met het ronde raampje open om de ochtendlucht van het Kanaal binnen te laten? Langzaam deed ik mijn ogen open.

Het was geen bed. Ik lag in de natte, kleverige modder, nog steeds in mijn arbeiderskleren, dicht bij de rand van de rivier, maar hoe ik daar gekomen was weet ik nog steeds niet. Geleidelijk aan kwam mijn bewustzijn terug en daarmee een stem die tegen me fluisterde, zachtjes maar duidelijk. Ik draaide me langzaam om op mijn zompige matras, om te kijken wie er bij me was. Maar er was niemand. Ik was helemaal alleen op een troosteloos stukje oever onder een rij hoog oprijzende donkere gebouwen. Maar toen kwam de stem weer, nadrukkelijker deze keer, en zei me wat ik moest doen.

Ik schrijf dit nu op in een tijd van kalme bespiegeling; maar toen was ik gek, gek gemaakt door verraad, wanhoop en woede en door de pijp met dromen van de opiummeester. Ik lag, in mijn verloedering, tussen de wereld van de mensen en die van de monsters, en boven me was een vreemde, stopverfkleurige hemel, gestreept en gevlekt met helrood;

onder me donker slijk met kiezelstenen; en in mijn oren het gefluister, als het geluid van stromend water.

'Ik hoor je wel,' hoorde ik mezelf zeggen. 'Ik zal gehoorzamen!'

Toen sprong ik op, schreeuwde onsamenhangende woorden en begon in het rond te rennen in de modder, als een krankzinnige ingewijde van Bacchus.* Maar het kwam niet door wijn dat ik dit deed. Het was de gezegende opium, die een groot, zwart hek opende, waarachter een andere, verschrikkelijker god stond.

Enige tijd later – of het minuten of uren waren, weet ik niet – was ik weer in de wereld van de mensen, hoewel niet onder de mensen. Door Dorset-street** liep ik, bedekt met modder en met een blik in mijn ogen waarvoor zelfs de inwoners van deze helse streken opzij gingen wanneer ik dichterbij kwam. En nog steeds fluisterde de stem in mijn oor terwijl ik naar het westen liep.

Ten slotte ging ik de trap op naar mijn kamers, terneergeslagen en verkleumd tot op het bot door mijn verblijf op de oever. Nadat ik mijn natte, smerige lorren had uitgetrokken, waste ik me en trok schone kleren aan. Toen ging ik op mijn bed liggen, moeizaam ademend en door het daklicht omhoogkijkend naar een enkele twinkelende ster die, als de broze hoop, in de bleke onmetelijkheid van de ochtend hing.

Mijn volgende poging om Phoebus Daunt te doden zou niet falen. De stem had me gezegd wat ik moest doen om mijn besluit een moordenaar te worden te beproeven. Er moest een andere man sterven voordat ik weer tegenover mijn vijand zou staan; dan pas zou ik zeker weten dat mijn wil werkelijk opgewassen was tegen de taak. *Oefening baart kunst*, fluisterde ik bij mezelf, steeds weer. De god van het noodzakelijke geweld eist twee offers, zodat de geringere daad het slagen van de voornaamste waarborgt.

* d.w.z. een dronken volgeling van de god van de wijn, Bacchus. JJA

** In Spitalfields, bekend als een van de straten in Londen waar geweld en armoede het ergst waren. JJA

*Maandag, 23 oktober 1854**
Ik werd bevend wakker. Een uurlang lag ik naar de wind te luisteren en droomde dat ik weer in mijn bed in Sandchurch lag. Er zijn schaduwen op de muur die ik niet kan verklaren. Een vrouw met [slagtanden?]. Een koning met een geweldig kromzwaard. Een verschrikkelijke, klauwachtige hand die over de beddensprei kruipt.

Ik grijp naar mijn fles Dalby's. Dat is de derde keer vannacht.

***

Om tien uur klopte vrouw Grainger op de deur. Ik stuurde haar weg en zei dat ik onwel was.

Ik ga vandaag niet naar buiten.

Dinsdag, 24 oktober 1854
Mijn fles Dalby's is leeg. Ik moest huilen toen ik probeerde de laatste druppels in mijn wijnglas te schudden.

Vannacht zal het gebeuren.

Ik liep naar de Theems en vervolgens over Southwark Bridge om in The Borough de lunch te gebruiken. In de Catherine Wheel Inn was het donker en vol, en niemand lette op me. Ik bestelde twee plakken [rosbief?] van de schaal, en keek toe hoe de kelner zijn werk deed. Het mes dat hij gebruikte zat vol putjes en vlekken, maar het gleed gemakkelijk door het rode vlees. Het zou heel goed kunnen dienen. Veel beter dan een pistool.

En daarna naar de firma [Corbyn**] op High Holborn. 'Een aanhoudende hoofdpijn, mijnheer? Zeer onaangenaam. Wij adviseren [Godfrey's] Cordial. U prefereert Dalby's? Natuurlijk, mijnheer.'

* De volgende gedeelten van het manuscript bestaan uit ingeplakte repen ongelinieerd papier. Het handschrift op deze repen is soms bijna onleesbaar. Waarschijnlijke interpretaties staan tussen vierkante haken. JJA

** Corbyn, Beaumont, Stacy & Messer, een bekende apotheek en drogisterij, op High Holborn 300. JJA

***

Vijf uur volgens de Temple Church. Mijn overjas aan. Het mes veilig weggestopt. Mijn handschoenen aan, een nieuw paar, dat ik vooral niet moet bederven.

Ik ging naar buiten. Een koude nacht, en het mistte.

De St Paul's torende monsterachtig het donker in. De [lantaarn] op de koepel was onzichtbaar, evenals de Golden Gallery, waar ik met mijn lieveling had gestaan, een mensenleven geleden.

Oostwaarts over Cheapside en Cornhill in, terwijl de kerken van de City zes uur luidden. Ik liep al een uur rond. Hij? Of hij? De vent die bij St Mary-le-Bow rondhing? De oude heer die uit Ned's chop-house in Finch-lane kwam? Ik wist het niet. Zoveel zwarte jassen, zoveel zwarte hoeden. Zo veel levens. Hoe zou ik kunnen kiezen?

Na een tijd kwam ik in Threadneedle-street terecht en keek vanaf de overkant naar de ingang van de Bank of England.

Toen zag ik hem en mijn hart begon te bonzen. Hij was net zo [gekleed] als alle anderen, maar het leek alsof er iets bijzonders aan hem was. Hij stond daar om zich heen te kijken. Zou hij de straat oversteken? Misschien was hij van plan de omnibus te nemen die er nu aan kwam. Maar toen trok hij zijn handschoenen aan en liep kordaat in de richting van Poultry.

Ik hield hem in het oog terwijl we naar het westen liepen over Cheapside, weer langs St Paul's en over Ludgate-hill naar Fleet-street en Temple Bar. Vandaar ging hij een eindje noordwaarts, door Wych-street naar Maiden-lane, waar hij in een koffiehuis iets gebruikte en een half uur de courant zat te lezen. Een paar minuten over zeven ging hij daar weg, bleef even op het trottoir staan in de [kolkende] mist om zijn bouffante te schikken en vervolgde toen zijn weg.

We liepen een stukje verder en toen sloeg hij een smal slop in dat ik nog nooit had opgemerkt. Ik stond bij de ingang te kijken naar de hoge blinde muren en diepe schaduwen, en naar de eenzame gestalte van mijn slachtoffer die op weg was naar een trapje dat uitkwam op The Strand. Boven aan het trapje stond een sissende gaslantaarn die een zwakke vuilgele lichtplek vormde in het mistige duister. Waar was dit? Ik keek omhoog.

Cain-court, W.

Hij naderde het trapje aan de andere kant van het slop, maar ik haalde hem snel en geluidloos in.

Mijn hand omsloot het heft van het mes.

En zo komt mijn bekentenis uiteindelijk terug op het punt waarop ze begon: de moord op Lucas Trendle, de roodharige onbekende, op 24 oktober 1854. Hij stierf die nacht opdat Phoebus Daunt ook zou sterven, zoals de gerechtigheid vereiste; want zonder de dood van de schuldeloze Lucas Trendle zou ik in die belangrijker opzet misschien gefaald hebben. Maar door zijn droeve dood, die snel en zonder gewetensangst werd voltrokken, wist ik nu buiten alle twijfel dat ik in staat was tot deze verschrikkelijke, uiterste daad. De logica was die van het gekkenhuis, maar zo zag ik het toen niet. Integendeel, ik vond het heel vanzelfsprekend, in mijn grote verwarring, om een onschuldig man te doden teneinde de dood van een schuldige mogelijk te maken. Nu ik die daad voor de tweede keer beken, word ik gemarteld door wroeging om wat ik de arme Lucas Trendle aandeed; maar ik kan, en zal, nooit spijt hebben van de daad waartoe het me de moed gaf.

De gebeurtenissen die volgden op die gedenkwaardige nacht zijn hierboven al beschreven: mijn ontzetting toen ik de naam van mijn slachtoffer hoorde, de poging om Bella te chanteren en daarna de uitnodiging voor de begrafenis van Lucas Trendle in Stoke Newington die onder mijn deur door geschoven was, mijn afscheid van Bella na onze nacht in het Clarendon Hotel, toen ze me er terecht van verdacht dat ik de waarheid over mijzelf voor haar verborgen hield, mijn confrontatie met Fordyce Jukes, die ik ervan verdacht de afperser te zijn, en ten slotte de geheimzinnige tikjes op mijn schouder, bij het Diorama en in Stoke Newington, en de dreigende figuur die Le Grice en mij gevolgd was toen we naar de Hungerford Bridge roeiden.

Het is nu 13 november 1854. De plaats: het appartement van Le Grice in Albany. De tijd: een uur na zonsopgang.

Le Grice stond op en trok de gordijnen open, waardoor een zwak, parelgrijs licht de benauwde kamer binnenkwam. De nacht nadat we bij

Mivart's hadden gegeten, was met praten voorbijgegaan en toen de nieuwe dag aanbrak, had ik mijn goede, oude vriend de ware geschiedenis van Edward Glyver uit de doeken gedaan; het enige wat ik hem onthouden had, was de moord op Lucas Trendle en mijn voornemen met Phoebus Daunt hetzelfde te doen. Mijn taak was nu de identiteit van de afperser te weten te komen en dan, na met hem te hebben afgerekend, mijn volledige aandacht op Phoebus Rainsford Daunt te richten.

Mijn oude vriend keek me met zo'n dodelijke ernst aan dat ik er spijt van begon te krijgen dat ik zo mijn hart bij hem had uitgestort.

'Tja,' zei hij ten slotte. 'Ik dacht al dat je in de nesten zat, en ik had het bij het rechte eind. Maar god mag weten, G, waarom je dat allemaal voor je gehouden hebt. Ik bedoel, ouwe jongen, je hebt me niet eens de kans gegeven om je te helpen. Maar dat is nu allemaal verleden tijd.' Hij schudde zijn hoofd, alsof er over een belangrijk idee moest worden nagedacht. 'Dat met de ouwe lord T, hè. Dat viel niet mee, G. Dat viel om de dooie dood niet mee. Ik weet niet wat ík gedaan zou hebben. Je eigen vader.' Weer schudde hij zijn hoofd, en wat opgewekter en beslister zei hij: 'Maar Daunt – dat is een heel ander geval. Daar valt nog wel wat aan te doen.'

Hij zweeg weer, dacht kennelijk na over een nieuwe mogelijkheid.

'Wat ik niet begrijp is waarom Daunt dat boek voor jou aan mij stuurde. Zou juffrouw Carteret hem niet verteld hebben waar hij jou kon vinden?'

'Het kan niet anders of hij speelt een soort spelletje met me,' antwoordde ik. 'Als waarschuwing misschien, dat ik niet moet proberen het hem betaald te zetten – om me duidelijk te maken dat hij me weet te vinden.'

Le Grice keek bedenkelijk. En toen draaide hij zich plotseling om en zijn ogen fonkelden van opwinding: 'Een idee! De afschriften! Je hebt de afschriften nog, van de Depositie en zo, die je naar Tredgold hebt gestuurd!'

'Weg,' zei ik.

'Weg?'

'Toen ik terugkwam van Evenwood, nadat ik juffrouw Carteret had gesproken, lag er een brief van Tredgold. Er was ingebroken – zijn broer en zuster waren met hem de kathedraal gaan bekijken en er was niemand thuis. Het zal Pluckrose wel geweest zijn. Er was niets van waarde meegenomen, alleen maar papieren en documenten. Maar ze waren toch nutteloos. Alles in mijn eigen handschrift, snap je. Ik heb nog een afschrift gemaakt van Carterets Depositie, maar daar heb ik ook niets aan. Ik heb niets.'

Teleurgesteld plofte Le Grice weer in zijn stoel. Maar na een korte stilte, gaf hij een klap op de armleuning.

'Ontbijt, lijkt me. Dat hebben we nodig.'

Dus gingen we naar de London Tavern, om ons tegoed te doen aan eieren, spek en harde beschuit, aangevuld met een flinke hoeveelheid koffie.

'Het heeft geen zin eromheen te draaien, beste kerel,' zei Le Grice toen we daarna weer buiten kwamen. 'Je bent verslagen. Veel meer valt er niet te zeggen.'

'Daar ziet het wel naar uit,' beaamde ik somber.

'En dan hebben we nog onze vriend op de Theems. Die gezellige roeier. Ik denk dat hij weleens een kennis van Daunt kon zijn, die je in de gaten houdt. Maar wat moeten we met hem?'

Het is vreemd hoe één of enkele woorden uit de mond van een ander een waarheid aan het licht kunnen brengen die we vruchteloos hebben geprobeerd te ontdekken. Was mijn stommiteit onbegrensd? Een kennis van Daunt? Ik wist maar van één man die je zo zou kunnen noemen en dat was Josiah Pluckrose. De redenering die op deze gedachte volgde was snel en naar mijn gevoel overtuigend. Als Pluckrose de man in het bootje was, dan was Pluckrose misschien ook de man die me op de schouder had getikt toen ik na de begrafenis van Lucas Trendle de Abney-begraafplaats verliet, en bij het Diorama na mijn wandeling met Bella in Regent's Park. Juffrouw Carteret had zich tenslotte laten ontvallen dat Pluckrose me naar Stamford was gevolgd. Hoe lang was ik bespied? En toen de sprong. '*Een einde is er gekomen, dat einde is gekomen, het is opgewaakt tegen u; ziet, het kwaad is gekomen.*' In gedachten hoorde ik weer het vermanende vers uit Ezechiël, waarop ik was gewezen door een reeks gaatjes van speldenprikken in de eerste chantagebrief. Chantage? Nee; een waarschuwing, *van mijn vijand.* Jukes, besefte ik nu, had er niets mee te maken. *De briefjes waren het werk van Daunt.*

'Wat scheelt u, dappere ridder?' hoorde ik Le Grice zeggen terwijl hij me een vriendschappelijke klap op de rug gaf. 'Je ziet er wat pips uit, maar dat verbaast me niets. De grote onbekende! Maar maak je geen zorgen. De trots van het geslacht Le Grice staat achter je, wat er ook gebeurt. Je hoeft niet meer alleen stand te houden. Ik heb nog wat tijd voordat ik me bij mijn regiment moet melden, en die is tot je beschikking, beste kerel, geheel tot je beschikking. En daarna zou je misschien op reis kunnen gaan totdat ik terugkom. Wat vind je ervan?'

Ik nam zijn hand en bedankte hem, uit het diepst van mijn hart, al waren mijn gedachten al ver weg, bezig met de consequenties van mijn late inzicht.

'Wat nu?' vroeg hij, met zijn sigaar tussen zijn tanden geklemd.

'Ik ga naar bed,' zei ik.

'Ik loop met je mee.'

Ik had mijn afperser ontmaskerd, al had mijn vijand geen chantage in de zin; dat stond voor mij vast. Ik had niets meer om hem te geven, en als hij wilde, kon hij elk moment naar de autoriteiten stappen om me aan te geven voor de moord op Lucas Trendle. Was hij er alleen op uit om te laten zien dat hij mij in zijn macht had? Over deze vraag dacht ik enige tijd na en mijn conclusie was dat zoiets wel in de aard lag van die rancuneuze treiteraar, maar ik besefte ook dat achter die streek die hij me geleverd had, een ander, duisterder gevaar dreigde, een gevaar dat Tredgold had opgemerkt, maar dat ik altijd had weggewuifd. Daunt had mij door Pluckrose laten bespioneren, en nu wist hij van Lucas Trendle. Het briefje aan Bella en de invitatie om de begrafenis van mijn slachtoffer bij te wonen, waren slechts afleidingsmanoeuvres geweest. Maar afleiding waarvan?

Toen werd alles duidelijk. Hij had me alles afgenomen, maar tevreden was hij nog niet. Zolang ik leefde, vormde ik natuurlijk een constante bedreiging voor hem, want hij kon er nooit zeker van zijn dat er niet nog een bewijs boven water zou komen dat onomstotelijk aantoonde dat ik de wettige erfgenaam van lord Tansor was, en daarmee zijn vooruitzichten zou fnuiken. Als ik me in zijn situatie verplaatste, wist ik dat hem maar één weg openstond. Wilde hij de absolute zege, dan moest hij mij het leven benemen.

Ik had de zaken te lang op hun beloop gelaten. Nu was actie geboden, resoluut en afdoend. Het was tijd om, ten langen leste, mijn vijand de eerste – en beslissende – slag toe te brengen.

De volgende middag werd er een brief van Tredgold bezorgd, waarin hij me dringend verzocht zo spoedig mogelijk naar Canterbury te komen. Maar wat kon Tredgold voor me doen? Zonder de bewijzen die me waren afgenomen, kon ik op geen enkele manier aantonen dat ik lord Tansors zoon was. 'Jouw voortdurend zwijgen baart me ernstige zorgen,' schreef hij.

> Ik weet niet goed waarmee ik je kan helpen, als jij me in het ongewisse laat over je huidige omstandigheden. Je zult toch wel begrijpen dat ik de kwestie niet persoonlijk met lord Tansor kan bespreken. Als mijn betrokkenheid bij het complot van de eerste lady Tansor aan het licht zou komen, zijn de gevolgen niet te overzien. Om mijzelf of mijn reputatie ben ik niet meer beducht; maar de naam van de firma, tja, dat is iets geheel anders. Nog belangrijker is echter de plechtige gelofte die ik in de Temple Church heb afgelegd: dat ik jouw moeder nimmer zal verraden. Deze belofte zal ik dan ook nooit vrijwillig verbreken. Wanneer de waarheid bekend is, zoals wellicht spoedig het geval zal zijn, zal ik natuurlijk alle gevolgen aanvaarden, omwille van jou. Maar het is mij niet mogelijk uit eigen vrije wil de waarheid aan lord Tansor te onthullen. Die verantwoordelijkheid, beste Edward, moet jij alleen dragen. Maar ik wil je wel heel dringend spreken over deze zaken, en vernemen wanneer en hoe je een en ander aan de baron wilt meedelen, en hoe ik je mogelijkerwijze nog kan bijstaan, voor zover dat in mijn vermogen ligt. Kom spoedig, lieve jongen.

Achterop stond nog een postscriptum:

Mijn innige dank alsnog – want ik ga ervan uit dat het van jou afkomstig was – voor het exemplaar van het 'K– van V–'* dat gisteren per post arriveerde. In het begeleidende briefje van de boekhandelaar stond vermeld dat het in opdracht van een gewaardeerde klant, die anoniem wilde blijven, na lang zoeken voor mij was verworven. Ik hoef je niet te vertellen hoe blij ik ben dat mijn boekenkast nu zo'n fraai exemplaar van dit bijzonder interessante werk rijk is, en hoezeer ik onze regelmatige bibliografische gesprekken mis. Ik heb niemand anders met wie ik mijn kleine liefhebberijen kan delen; niemand om me samen mee te verheugen op het genoegen dat ze zeker zullen verschaffen. Maar ach, dat zijn zaken die tot een voorbije, gelukkiger tijd behoren.

Met een zucht legde ik de brief op mijn werktafel. Ik had hem niets terug te schrijven, en de brief bleef dan ook onbeantwoord liggen. Ook als ik nog wel in het bezit was geweest van het bewijs van mijn ware afkomst, dat mij door de valsheid van juffrouw Carteret was ontnomen, was ik er toch voor teruggeschrokken om Tredgold te vragen voor mij te bemiddelen bij lord Tansor. Ik begreep maar al te goed dat de mogelijk rampzalige gevolgen voor het kantoor, en de schande die hem in zijn beroep zowel als persoonlijk zou worden aangedaan, te aanzienlijk zouden zijn; en ik had hem voor geen goud willen vragen, zelfs niet om alles wat ik had verloren terug te krijgen, om de vrouw van wie hij hield te verraden. Nu was het te laat. Het bewijs was vernietigd en er was geen enkele hulp meer. Overmand door somberheid begaf ik me te ruste.

Even voor middernacht schrok ik wakker. De afgelopen twee nachten was ik bezocht door die ene huiveringwekkende droom van me, waarin ik me alleen in het midden van een onmetelijk grote zuilenzaal bevind in het diepst der aarde, en bij het licht van mijn flakkerende kaars zie dat ik aan alle kanten door een oneindige Stygische duisternis word omringd. Tot ik, net als de vorige keren, met wurgende paniek besef dat ik niet alleen ben, zoals ik aanvankelijk dacht. Krankzinnig van angst

* *Het Kabinet van Venus*, zie p. 221. JJA

wacht ik iedere keer weer op het verwachte lichte tikje op mijn schouder, en de warme adem die langs mijn wang strijkt en tegelijkertijd de kaarsvlam uitdooft.

Een derde keer kon ik dit niet aan, en daarom stond ik op en probeerde in mijn zitkamer een vuur aan te maken, maar het wilde niet trekken en al spoedig ging het uit. Met een deken om me heen tegen de kou ging ik voor de akelig donkere haard zitten met het derde deel van de *Bibliotheca Duportiana*.

Ik was gevorderd tot de letter 'N': Nabbes' *Microcosmus: A morall maske* (1637); de werken van Thomas Nashe; Pynsons *Natura Brevium* uit 1494; Fridericus Nausea's *Of all Blasing Starres in Generall*, de Engelse uitgave van Woodcocke uit 1577; Netters *Sacramentalia* (Parijs, François Regnault, 1523). Op Daunts beschrijving van dit zeldzame werk over leerstellige theologie bleef mijn blik even rusten – een hoogst zeldzaam werk, en het leek vrijwel onmogelijk dat een eenvoudige kantoorklerk, met een jaarsalaris van tachtig pond, het in zijn bezit zou hebben.

De volgende ochtend stond ik al om acht uur boven aan de trap te luisteren. Eindelijk hoorde ik Fordyce Jukes de deur achter zich dichttrekken. Beneden gekomen bleef ik nog enkele ogenblikken wachten en ik rook de koude vochtige lucht van de straat. De deur was op slot, zoals ik had verwacht, maar daarop was ik voorbereid: tijdens mijn werk voor Tredgold had ik een grote verzameling lopers aangelegd, en weldra had ik mij toegang verschaft.

De woning zag er nog precies zo uit als ik me van mijn vorige ongenode bezoek herinnerde: keurig op orde, gepoetst en geveegd, en met die buitensporige hoeveelheid prachtige kostbaarheden. Maar ik was op dat moment slechts in één ervan geïnteresseerd.

Het slot van de boekenkast bood geen problemen. Ik haalde eruit wat ik zocht: Thomas Netter, *Sacramentalia* – folio, Parijs, Regnault, 1523, met hetzelfde ex libris erin als in de eerste editie van Fellthams *Resolves*, die juffrouw Eames in de grafkamer van lady Tansor had verborgen. In de kast stond nog een tiental andere zeldzame boeken. Allemaal met hetzelfde ex libris. De boeken, de schilderijen en prenten aan de muren, de kunstschatten in de kasten, alles van uitzonderlijke kwaliteit, alles draagbaar, en alles zonder twijfel gestolen van Evenwood.

Zorgvuldig zette ik het boek terug op zijn plaats, sloot de boekenkast af en vervolgens de toegangsdeur tot de woning.

Dit was dus Daunts 'nieuwe koers', waarover Pettingale me had verteld. De ondankbare hond had deze unieke, uiterst kostbare voorwerpen uit het huis van zijn beschermheer meegenomen en ze hier, in de kamers van zijn stroman, Fordyce Jukes, opgeslagen totdat hij ze nodig zou hebben. Hoe hij Jukes hierbij had betrokken interesseerde me niet, maar het was me nu duidelijk hoe mijn vijand op de hoogte was gehouden van al mijn gangen. Er zou geen spoor terug leiden naar Daunt, dat was zeker. Maar voor Jukes – die ongetwijfeld ook opdracht had mij te bespioneren – lag dat anders.

Terug op mijn kamer stelde ik een briefje op, in hoofdletters en met mijn linkerhand geschreven.

GEACHTE LORD TANSOR,

BIJ DEZEN WIL IK GAARNE EEN ZEER ERNSTIGE KWESTIE ONDER UW AANDACHT BRENGEN INZAKE EEN AANTAL KOSTBAARHEDEN DIE, NAAR IK MEEN, ONRECHTMATIG UIT UW LANDHUIS ZIJN VERWIJDERD. DE BETREFFENDE VOORWERPEN, WAARONDER ENKELE ZEER ZELDZAME BOEKEN, BEVINDEN ZICH, OPENLIJK IN HET ZICHT, IN DE KAMERS VAN F. JUKES, KANTOORBEDIENDE OP EEN ADVOCATENKANTOOR, TEMPLE-STREET 1, WHITEFRIARS, BEGANE GROND.

U KUNT EROP VERTROUWEN, MY LORD, DAT DEZE INFORMATIE VOLKOMEN JUIST IS, EN DAT IK GEEN ANDERE REDEN HEB OM U DIT TE BERICHTEN DAN OPRECHT RESPECT VOOR UW POSITIE ALS DE HUIDIGE VERTEGENWOORDIGER VAN EEN OUD, VOORAANSTAAND ADELLIJK GESLACHT, EN EEN DIEPGEVOELDE WENS OM HET RECHT ZIJN LOOP TE LATEN HEBBEN.

INMIDDELS VERBLIJF IK MET DE MEESTE HOOGACHTING,

UW BEREIDWILLIGE DIENAAR, CHRYSAOR*

Exit Fordyce Jukes.

* Het zwaard der gerechtigheid dat Sir Artegal in Spensers *Faerie Queene* hanteert. JJA

Windmill-street, in de schemering.

De meisjes van plezier, met rouge op de wangen om klanten te trekken, kwamen uit de omliggende sloppen en trokken de straat op. Ik zat eerst een poosje in Ramsden's koffiehuis en kuierde vervolgens naar The Three Spies* Een smerig straatschoffie probeerde mijn beurs te stelen toen ik even stilstond om een sigaar op te steken, maar ik draaide me net op tijd om en sloeg hem tegen de grond, tot grote hilariteit van alle omstanders.

Een paar mokkeltjes lonkten naar me, maar ik vond er niets van mijn gading bij. Net toen ik wilde opstappen, kwam er een meisje met een paraplui onder haar arm uit The Three Spies. Ze keek omhoog naar de lucht en was al bijna langs me gelopen toen ik haar tegenhield.

'Neem me niet kwalijk. Ach, natuurlijk! Mabel, nietwaar?'

Ze nam me van top tot teen op.

'Met wie heb ik het genoegen?'

En toen glimlachte ze omdat ze me herkende.

'Mijnheer Glapthorn, is het niet? Hoe maakt u het?' Ze gaf me een allercharmantst kusje op mijn wang. Ze geurde naar zeep en eau de cologne.

Ik antwoordde dat het op slag goed met me ging nu ik haar zag, en vroeg hoe haar werkgeefster, de ondernemende Madame Mathilde, en haar zuster, Cissie, het maakten, want ik gevoelde plotseling een grote behoefte om mijn kennismaking met deze twee bijzonder bereidwillige *soeurs de joie* te hernieuwen.

Cissie was in Gerrard-street, werd me meegedeeld, en zo kwam het dat we daar, na een verversing bij de Opera Tavern, door de regen naartoe liepen. We gingen de trap op en daar troffen we Cissie aan die bij het vuur haar mooie teentjes zat te warmen.

'Zo, dames,' zei ik vrolijk terwijl ik me van mijn hoed en handschoenen ontdeed, 'daar zijn we dan weer.'

* Een kroeg op Windmill Street 11, Haymarket. JJA

Na afloop liep ik naar Leicester-square. Omdat ik zin had om iets te eten, begaf ik me naar Castle-street en ging Rouget's binnen, nadat ik onderweg nog een blik door de winkelruit van Quaritch* had geworpen. Ik installeerde me aan een tafeltje bij het raam en bestelde een lichte maaltijd: juliennesoep, wat *paté d'Italie*, brood en een fles rode wijn. Minstens een uur lang zat ik neerslachtig mijn uitzichtloze situatie te overpeinzen; toen bestelde ik nog een fles.

Om halftwaalf hield de kelner de toegangsdeur voor me open en stak zijn hand uit om me de drempel over te helpen, maar ik duwde hem met een vloek opzij. Een paar tellen lang wist ik niet meer waar ik was. Een horde boefjes kwam door de straat op me af rennen en nam me keurend op, in de veronderstelling dat ik rijp was om geplukt te worden. Maar gelukkig kon ik ze nog recht aankijken en ik spuwde uitdagend mijn sigarenpeuk voor hun voeten. Ze gingen er vandoor.

'Zin in een verzetje, mijnheer?'

Waarom ook niet. Ik had niets beters te doen en de dames Mabel en Cissie waren nu al vage herinneringen. Ze was jong, niet te groezelig, en had een lieve lach.

'Altijd in voor een verzetje, schat.'

Wat was dat? Vliegensvlug draaide ik me om, maar in mijn licht benevelde toestand verloor ik mijn evenwicht en viel tegen het meisje aan. Ze probeerde me tegen te houden, maar ik was te zwaar en ten slotte kwamen we allebei op het modderige plaveisel terecht.

'Hei, wat mot dat nou?' riep ze verontwaardigd.

Maar ik had geen belangstelling meer voor dit ordinaire mokkeltje. Het tikje op mijn schouder had me weer bij zinnen gebracht.

Ik zag hem naar zijn binnenzak grijpen en het volgende ogenblik had hij de knuppel in zijn hand. Het meisje krabbelde vloekend en scheldend overeind en begon hem te schoppen. Hij duwde haar uit de weg maar ik had intussen mijn pistool getrokken en richtte dat pal op de lelijke tronie van Josiah Pluckrose.

Zo stonden we oog in oog, totdat hij me een vuil lachje toewierp, kalmpjes de knuppel wegstopte en fluitend wegwandelde.

* De boekverkoper Bernard Quaritch, Castle Street 16, Leicester Square. JJA

De confrontatie met Pluckrose zette me aan tot actie en spoedig had ik een plannetje uitgebroed waarmee ik hoopte Daunt van zijn afschrikwekkende beschermer te beroven.

Een man als Pluckrose, redeneerde ik, had ongetwijfeld vele vijanden. En terwijl ik voortborduurde op deze gedachte herinnerde ik me een terloopse opmerking van Pettingale tijdens ons gesprek in Gray's-Inn: Isaac Gabb, het jongste lid van de Newmarket-bende, zou door Pluckrose, destijds bekend onder de naam Verdant, uit de weg zijn geruimd.

Volgens Pettingale dreef de broer van Gabb de Jongere een dranklokaal in Rotherhithe; toen ik terug was in Temple-street raadpleegde ik de adressengids en had al snel de naam en het adres van de kroeg gevonden. Uit eigen ervaring wist ik door wat voor slag mensen Rotherhithe werd bevolkt, en bovendien wist ik van Pettingale dat de oudste Gabb duidelijk de wens te kennen had gegeven de moordenaar van zijn broer met gelijke munt te betalen, als hij hem maar kon vinden, zodat het me alleszins waarschijnlijk leek dat dit heerschap zeer in zijn nopjes zou zijn met informatie over de werkelijke naam en de huidige verblijfplaats van de heer Verdant.

Tot zo ver geen vuiltje aan de lucht. Maar waar zou Pluckrose zijn gaan wonen? Hij was vast en zeker vertrokken uit het huis in Weymouth-street, waar hij ten tijde van zijn huwelijk met de onfortuinlijke Agnes Baker had gewoond. Ik raadpleegde de recentste uitgave van de adressengids en tot mijn stomme verbazing stond hij daarin vermeld. Dat de heer J. Pluckrose inderdaad de hoofdbewoner van Weymouth-street nummer 42 was, werd alras bevestigd door de keukenmeid van nummer 40. Het bleek dat Pluckrose na de dood van zijn vrouw niet was verhuisd, maar gewoon in het huis was blijven wonen en maling had aan de afkeuring van zijn buren.

Gewapend met dit saillante weetje ging ik op weg naar Rotherhithe.

De heer Abraham Gabb was klein en smal in de heupen, en had een priemende blik en het ongure voorkomen van een terriër die voortdurend op zoek is naar iets waar hij zijn tanden in kan zetten, dat hij dan heen en weer schudt tot de ruggengraat ervan gebroken is. Het dranklokaal in Rotherhithe waar hij de scepter zwaaide, was net als hijzelf klein en groezelig en in het bezit van een ongure reputatie. De waard bekeek me wantrouwig toen ik naar de toog liep, maar ik was gewend aan zulke kroegen en aan kerels als Gabb, en ik hoefde niets anders te doen dan hem recht in de ogen kijken, wat kleingeld op de toog smijten en een paar welgekozen woorden zeggen om zijn onverdeelde aandacht te krijgen.

Terwijl hij de informatie die ik hem gaf tot zich liet doordringen, begonnen zijn terriëroogjes te glimmen – ongetwijfeld omdat hij brandde van verlangen de kennismaking te hernieuwen met het heerschap dat het leven van zijn broer voortijdig had beëindigd. Mijn plannetje verliep soepeler dan ik had durven hopen. Aangezien Gabb Pluckrose alleen maar onder zijn schuilnaam 'mijnheer Verdant' kende, had hij de moordenaar van zijn broer onmogelijk op het spoor kunnen komen. Nu hij eenmaal wist waar hij woonde en onder welke naam, was de kroegbaas eindelijk in staat om kwaad met kwaad te vergelden. In één teug sloeg ik mijn brandewijn achterover en zei dat het me deugd deed dat ik hem deze geringe dienst had kunnen bewijzen.

Maar Gabb bleef op zijn hoede en reageerde niet op mijn opmerking; toen riep hij iets naar twee vervaarlijk uitziende, potige dommekrachten die aan de andere kant van de toog dicht bij elkaar in een druk gesprek verwikkeld waren, en liet mij alleen. De drie mannen staken de koppen bij elkaar. Na veel 'tsss' en 'nou, nou' kwam de kroegbaas, met een veelbetekenend knikje naar zijn twee kompanen, bij mij terug.

'Weet u zeker dat Verdant daar woont?' De nog altijd achterdochtige Gabb keek me strak aan en streek over zijn vuile kin alsof die hem inzicht kon bieden.

'Zo zeker als ik hier voor u sta.'

'En wat hebbu d'r voor belang bij?' gromde hij wantrouwend.

'Reinheid!' riep ik uit. 'Dat is mijn obsessie. Vuil – materieel zowel als moreel – boezemt mij afkeer in. Ik ben een groot voorstander van schoon water, schone gedachten en het netjes wegwerken van afval. De straten liggen vol vuil. Ik wil alleen maar dat u en uw makkers aan mijn kruistocht meedoen en het lijkt me een goed begin als u zodra het u schikt het vuil op Weymouth-street nummer 42 definitief zou verwijderen.'

'U bent gek,' zei de heer Abraham Gabb, 'Stapelgek.'

Donderdag, 30 november 1854

Koud, laaghangende mist. Door mijn raam was niets te zien dan de vage donkere vormen van natte daken en rokende schoorstenen, en niets te horen dan het gedempte geluid van mensen en rijtuigen die zich onzichtbaar door de straat bewogen, het gerochel van de eigenaar van de juridische boekhandel die de verdieping onder mij bewoonde, en het naargeestige klokgelui in de verte dat het verstrijken van de eindeloze uren aangaf. Ondanks mijn eerdere besluit om Daunt aan te vallen voordat hij mij kon aanvallen, was ik toch weer weggezonken in lethargie. De weken gingen voorbij en nog steeds had ik niets gedaan. Hieronder volgt de reden.

Op 24 november had er in *The Times* een bericht gestaan waarin de verloving werd aangekondigd van de grote dichter, de heer Phoebus Rainsford Daunt, met mejuffrouw Emily Carteret, dochter van wijlen de heer Paul Carteret. En sindsdien zat ik elke dag urenlang naar die gedrukte regels te staren, en vooral naar het slot van het bericht: '*Het huwelijk zal voltrokken worden in de St Michael and All Angels, te Evenwood, op de eerste januari van het volgende jaar. Mejuffrouw Carteret zal ten huwelijk worden gegeven door haar hoogedele verwant, baron Tansor.*' Ik was zelfs aan tafel in slaap gevallen en wakker geworden met mijn wang tegen de zwarte letters gedrukt.

Maar vandaag was het anders. Het bericht uit *The Times* was, tegelijk met mijn besluiteloosheid, aan de vlammen prijsgegeven. Om één uur ging ik de deur uit om een aantal zaken af te handelen, en ik eindigde mijn tocht met een vroege avondmaaltijd in de Wellington,* waar men mij niet kende.

'Mag ik u wat rosbief serveren, mijnheer?' vroeg de kelner.

'Heel graag,' antwoordde ik.

Hij pakte een zwaar vleesmes met een ivoren heft, dat hij eerst scherp wette aan een aanzetstaal, waarna hij er uiterst behendig plakken van het gebraad mee afsneed. Het was een heerlijk gezicht om die sappige plakken vlees op de schaal te zien vallen. Toen hij zijn mes had neergelegd en het dampende bord op mijn tafeltje zette, vroeg ik of hij zo goed wilde zijn om me een brandewijn met water te brengen. Tegen de tijd dat hij terug was, was ik gevlogen, met medeneming van zijn mes.

Ik keerde huiswaarts via Weymouth-street, waar ik tot mijn grote vreugde de buurt in rep en roer aantrof. Voor nummer 42 had zich een menigte verzameld en voor de deur stond een gesloten politiekoets.

'Wat is er aan de hand?' vroeg ik aan een postbode met een tas om zijn schouder, die zachtjes in zichzelf neuriënd het tafereel stond te bekijken.

'Moord,' zei hij zakelijk. 'Bewoner doodgeslagen en uit een raam op de eerste verdieping gegooid.' Waarop hij doorging met zijn eentonig geneurie.

Stilzwijgend prees ik Abraham Gabb en zijn kornuiten om hun bewonderenswaardige snelheid en doeltreffendheid, en ik vervolgde mijn weg, opgetogen dat de gruwelijke gewelddaden van Josiah Pluckrose tegen de arme Agnes Baker en Paul Carteret, die dit lot niet hadden verdiend, eindelijk vergolden waren. Dankzij mij was hij aan de strop ontkomen, maar uiteindelijk had ik toch de rekening met hem vereffend.

Exit Josiah Pluckrose. En nu – eindelijk – zijn meester.

* Op Piccadilly 160. JJA

46

Consummatum est*

Maandag 11 december 1854
Ik schrok even na zessen wakker in mijn stoel, waar ik ongeveer een uur daarvoor in slaap was gesukkeld. Eindelijk was hij gekomen. De dag des oordeels.

Ik had licht geslapen, want ik had maar een klein teugje Dalby's genomen alvorens vroeg naar bed te gaan. Vandaag moest ik scherp zijn.

Buiten op straat was het wonderlijk stil en het ochtendlicht leek onnatuurlijk fel voor de tijd van het jaar. Toen hoorde ik het geluid van een schep die over de straatstenen schraapte. Ik sprong op en haastte me naar het raam, waar ik het gewone uitzicht op de beroete daken wonderbaarlijk getransformeerd aantrof door een dikke laag sneeuw, waarvan de zuiverheid, die zelfs onder de dichtbewolkte leigrijze hemel nog verblindend was, merkwaardig in tegenspraak leek met het vuil en de slechtheid die onder dat donzige omhulsel lag.

Mijn hoofd was helder, de dag was eindelijk gekomen, en ik voelde een scheut van gretige opwinding bij het vooruitzicht van de langverwachte wraak op mijn vijand. Het verlies van Pluckrose moest hem wel van zijn stuk hebben gebracht, te meer doordat het snel werd gevolgd door de arrestatie van Fordyce Jukes, zoals Tredgold me liet weten in de brief die ik de vorige dag had ontvangen. Ik had hem niet van het verraad verteld, en evenmin dat alles waarvoor ik zo lang had gewerkt voorgoed verloren was. In een paar korte briefjes naar Canterbury had ik hem verzekerd dat alles heel goed ging en dat juffrouw Carteret en ik onze plannen maakten. In zijn antwoord op de laatste van die in haast

* 'Het is volbracht'. JJA

geschreven berichtjes las ik een gespannen ongeduld, en dat deed me verdriet, maar ik was vastbesloten mijn werkgever tegen elke prijs onwetend te laten van de ware toedracht, en van hetgeen ik nu ging doen.

In de brief stond echter het welkome nieuws over Jukes.

Misschien weet je dat volgens een anonieme bron bij Jukes een groot aantal zeer kostbare voorwerpen is aangetroffen die allemaal in de loop der jaren uit Evenwood gestolen blijken te zijn. Hij beweert dat hij deze voorwerpen alleen in bewaring had voor degene die ze gestolen had. En wie noemde hij? Niemand minder dan de heer Phoebus Daunt. Uiteraard gelooft niemand hem. Het is té belachelijk, een laaghartige poging de reputatie van een groot letterkundige (zo wordt hij althans algemeen beschouwd) te bezwadderen. Jukes heeft in ieder geval ruimschoots de gelegenheid gehad de diefstallen te plegen in de tijd dat hij in mijn dienst was, omdat hij mij dikwijls vergezelde bij mijn zakelijke bezoeken aan Evenwood, en er ook vaak alleen heen gezonden werd voor een boodschap. Ik vrees dat zijn protesten hem weinig zullen baten als zijn zaak voorkomt. Niets kan, naar ik vrees, lord Tansors mateloze verering voor Phoebus Daunt aantasten. Jukes is uiteraard ontslagen en wacht nu zijn proces af. Ik huiver bij de gedachte dat ik deze fielt zo lang in dienst heb gehad en vertrouwd, en ik ben de anonieme bron, wie dat ook moge zijn, hoogst erkentelijk dat hij hem heeft ontmaskerd. Bij het politieonderzoek is ook aan het licht gekomen dat Jukes wellicht de hand heeft gehad in het bezwendelen van zijn voormalige werkgevers, Pentecost & Vizard, in het jaar 1841. Men beweert dat hij een inbraak heeft helpen voorbereiden waarbij een aantal blanco cheques van de firma is gestolen, en als dat waar is, rijzen de haren me te berge bij de gedachte dat ik hem zo lang heb vertrouwd.

Een andere kwestie: wat je zeer zeker niet weet, is dat ik in overleg met mijn broer en mijn zuster heb besloten mij de eenendertigste dezes uit de firma terug te trekken. De heer Donald Orr zal tot oudste vennoot worden benoemd (het oordeel van mijn zuster over deze promotie is uitermate streng), en ik ben voornemens ergens buiten een huisje in te richten, aldaar op mijn violoncel te spelen en mijn verzamelingen te beheren, ofschoon ik moet toegeven dat die laatste mijn aandacht niet meer zo weten te boeien als weleer. Rebecca zal mijn huishouding bestieren – Harrigan heeft haar verlaten, en ze blijken nooit gehuwd te zijn geweest. Deze regeling convenieert beide partijen zeer wel. Ik doe er goed aan Londen de rug toe te keren, denk ik. De wereld is wel zeer veranderd, en ik wil er zo weinig mogelijk meer mee te maken hebben.

Goede, beste Tredgold! Ik had niets liever gewild dan omkeren en van mijn voornemens afzien. Maar het was te laat. Het verleden was afgesloten; de toekomst was duister. De minuten volgden elkaar op, de sneeuw begon te vallen en ik bezat alleen mijn onwrikbare vastbaradenheid.

Mijn eerste taak was het afscheren van mijn snor. Toen de operatie achter de rug was, bleef ik een ogenblik in de gebarsten spiegel boven mijn wastafel kijken. Ik was verbluft. Wie was dat? De jongen die ervan droomde weg te varen naar het Land van de Houyhnhnms? Of de jongeman die een groot geleerde wilde worden? Nee, ik zag duidelijk wie ik was, en wie ik was geworden. Ik zag ook dat ik de kracht niet had, en ook nooit zou bezitten, om van mijn vergelding op mijn vijand af te zien en mijn voormalige onschuldige zelf te hervinden. Ik was verdoemd, en ik besefte het.

De gedachte aan degene die ik ooit was, voordat ik de waarheid omtrent mezelf ontdekte, riep plotseling een duidelijke herinnering op aan een gebeurtenis die ik bijna was vergeten, totdat een wonderlijk, onbewust mechanisme die op deze dag der wrake weer tot leven wekte.

Toen ik acht jaar was en in het tweede jaar van het schooltje van Tom Grexby zat, werd ons groepje, dat inmiddels drie leerlingen telde, versterkt door het zoontje van een graanfactor uit Wareham, dat Rowland Beesley heette en tijdelijk in Sandchurch bij zijn tante in de kost was. Beesley stelde Toms geduld van meet af aan zwaar op de proef en het duurde niet lang of hij haalde het in zijn hoofd mij de voet dwars te zetten – hetgeen zelfs op die leeftijd al bijzonder onverstandig was.

Na enkele kleine schermutselingen, waarbij we gevoeglijk mogen zeggen dat ik doorslaggevend van hem won, werd het ernst toen ik mijn grote trots mee naar school nam om aan Tom te laten zien – het eerste deel van de vertaling van Gallands *Les mille et une nuits*, waaruit ik mijn moeder altijd voorlas.* Ik was die ochtend aan de late kant en rende zo hard ik kon de heuvel af naar het huisje van Tom, met mijn schat – gewikkeld in een oude lap donkergroen pluche die ik uit Beth' naaimandje had geleend – onder mijn arm geklemd. Ik kwam tien minuten te laat hijgend binnen en legde het boek, nog steeds in de lap, haastig op een tafeltje bij de voordeur.

Aan het eind van de ochtend vroeg Beesley of hij even naar achteren mocht. Een paar minuten later kwam hij terug, ging weer zitten, en de les ging verder. Toen Tom ten slotte zei dat we weg mochten, wachtte ik tot de anderen vertrokken waren, sprong toen op, vol ongeduld om hem mijn schat te laten zien, en rende naar de zitkamer.

De groen pluchen lap lag op de grond. Van het boek geen spoor.

Ik stootte een gebrul van woede uit, rende naar de deur en vloog de straat op. Ik wist zeker dat Beesley het had weggenomen, en ik rende door het dorp en schreeuwde: 'Scheherazade! Scheherazade!' alsof ik gek geworden was, overal zoekend waar hij mijn dierbaarste bezit kon hebben verstopt, maar het boek of de dief was nergens te bekennen. Toen keek ik toevallig in de oude stenen waterbak die voor de King's Head stond. Daar, in het donkergroene water, dreef mijn boek, de bladzijden doorweekt en gescheurd, de rug helemaal losgerukt, onherstelbaar vernield.

Er was geen twijfel mogelijk wie er voor deze schanddaad verantwoordelijk was, dus de volgende zondag, toen Beesley en zijn tante naar de kerk waren, zoals ik had voorzien, sloop ik de achtertuin van juffrouw Henniker in. Het was een gure, natte novembermorgen en door een raam zag ik het haardvuur vrolijk branden. Op de vloer lag speelgoed verspreid, waaronder een blikken doos waarvan ik wist dat de dierbare soldaatjes van mijn vijand erin zaten. Die doos had hij op zijn eerste schooldag meegenomen, en hij had de inhoud trots op Toms salontafel uitgestald: een heel kampement van beschilderd houtsnijwerk: twee, drie dozijn soldaatjes, te paard en te voet, met tenten, marketentsters, kanonnen en kanonskogels.

* Zie voetnoot op blz. 24. JJA

Kort nadat juffrouw Henniker en haar neefje naar de kerk waren vertrokken, zag ik dat de meid de terrasdeuren opendeed om een plumeau uit te schudden. Toen ze daarmee klaar was, sloop ik naar het terras, en al spoedig was ik binnen.

Het brandde goed, dat houten legertje. Ik bleef even naar de brand staan kijken, warmde me aan de vlammen die sputterend in de haard dansten en zei bij mezelf het rijmpje op dat mijn pleegmoeder altijd voor me zong, waarin werd gedreigd dat Bonaparte zou komen als ik niet braaf ging slapen. Ik glimlachte bij mezelf toen de woorden me na al die barre jaren weer in gedachten kwamen:

Van je roes, roes, roes,
En dan slaat hij je tot moes,
Van je hop, hop, hop,
En daarna eet hij je op.

En nu moest, net als Rowland Beesley indertijd, weer een vijand boeten omdat hij me had ontnomen wat mij toebehoorde.

Ik heb een gunst gevraagd, en nu houdt iemand dag en nacht het huis aan Mecklenburgh-square in de gaten. Daunt is er nog. Er was niemand op bezoek geweest. Donderdag ging hij naar een diner in de London Tavern* met een aantal schrijvers. Gisteravond bleef hij de hele avond thuis. Maar ik weet waar hij vanavond heen zal gaan.

Vorige week dinsdag hoorde ik van mijn spion – een zekere William Blunt, uit Crucifix-lane in de Borough – dat lord Tansor een diner zou geven in Park-lane. Dat is vanavond. De minister-president** is ook

* In Bishopsgate Street. JJA

** De graaf van Aberdeen (George Hamilton Gordon, 1784-1860). Hij werd minister-president na het aftreden van de graaf van Derby in 1852. Hij werd algemeen aangewezen als de hoofdschuldige van wanbeleid inzake de Krimoorlog en trad in februari 1855 af. Hij zou het diner alleen bijwonen: zijn tweede vrouw was in 1833 overleden. JJA uitgenodigd. De baron heeft zo veel te vieren! Hij heeft een nieuwe erfgenaam – het is nu officieel, wettig bekrachtigd, vastgelegd in het onlangs ondertekende codicil bij het testament. Dat op zich zou al reden genoeg zijn om het gemeste kalf te slachten, maar om de feestvreugde te verhogen treedt de erfgenaam ook nog in het huwelijk met mejuffrouw Emily Carteret, de achternicht van de baron, die na de tragische dood van haar vader uiteindelijk zelf recht zou hebben op de titel en de baronie. Welk een uitstekende partij! En alsof dat allemaal nog niet genoeg was, is zojuist het nieuwste werk van de erfgenaam verschenen – het dertiende waarop hij zijn dankbare publiek vergast – en lord Tansor is benoemd tot Harer Majesteits buitengewoon gezant en gevolmachtigde aan het hof van de Keizers van Brazilië en Haïti en de Republieken Nieuw Granada en Venezuela. Tijdens het verblijf van de baron in de Cariben zal het jonge paar zijn intrek nemen op Evenwood, en lord Tansor is voornemens het beheer van zijn bezittingen en zijn vele zakelijke belangen in de bekwame handen van zijn erfgenaam, de heer Phoebus Daunt, te leggen.

De huishouding van de baron in Londen was betrekkelijk bescheiden, dus om een soepel verloop van het grootse banket te waarborgen, moesten er extra bedienden worden aangenomen. Er werden annonces geplaatst, en juffrouw Horatia Venables, eigenaresse van het Bureau voor Huisbedienden in Great Coram-street, was door de agent van de baron, kapitein Tallis, aangezocht om een aantal goede bedienden voor deze avond te werven. Onder degenen die hun opwachting maakten in Great Coram-street was een zekere Ernest Geddingham – een naam die ik van tijd tot tijd voor mijn werk had aangenomen.

'Ik zie dat je als huisknecht onder een butler van lord Wilmersham hebt gediend,' zei juffrouw Venables terwijl ze Geddington over haar bril heen aankeek.

'Die eer had ik, ja,' antwoordde Geddington.

'En daarvoor was je huisknecht bij de hertog van Devonshire, in Chatsworth?'

'Inderdaad.'

'Heb je een getuigschrift van de hertog?'

'Daar kan ik gemakkelijk voor zorgen als dat nodig is.'

'Dat hoeft niet,' antwoordde juffrouw Venables uit de hoogte. 'De aanbeveling van lord Wilmersham is voldoende, al moet ik bekennen dat ik nog niet eerder het genoegen heb gehad de baron bij zijn keuze in bedienden te adviseren, maar dit is maar voor één avond, dus we kunnen de gebruikelijke formaliteiten wel overslaan. De eisen zijn tegenwoordig wel ontstellend laag. Je zorgt dat je je maandagmorgen op slag van tienen in het huis van lord Tansor in Park-lane laat aandienen bij de butler, de heer James Cranshaw.' Ze gaf me een vel papier waarop ze verklaarde dat ik geschikt was voor de betrekking. 'Voor je livrei wordt gezorgd. Binnen wachten tot je de maat kan worden genomen.'

Ik gehoorzaamde. Voordat ik de burelen van juffrouw Venables verliet, vernam ik nog dat mijn voornaamste taak zou bestaan uit het in- en uitgeleide doen van de gasten bij hun aankomst en vertrek per rijtuig, het openhouden van deuren en het verrichten van eventuele andere voorkomende werkzaamheden.

Nu was de grote dag daar; het was halfacht. Ik zette water op voor thee, sneed een boterham en zette me aan mijn schrijftafel voor het ontbijt. Overal lagen papieren: 'Aantekening over Dr. A. Daunt, feb. 1849' – 'Beschrijving van Millhead, uit F. Walker, *A Journey Through Lancashire*, 1833' – 'Memorandum: Inlichtingen verkregen van J. Hooper en anderen, juni 1850' – 'Evenwood: Architecturale en Historische Aantekeningen, sept. 1851' – 'De baronie van Tansor: Genealogische Aantekeningen, maart 1852' – 'Aantekeningen over gesprek met W. Le G inz. King's Coll., juni 1852'. Lijsten, vragen, brieven. Mijn leven, en het zijne. Hier, uitgespreid op mijn schrijftafel. Waarheid en leugens.

Le Grice is vorige week naar het front vertrokken, gelukkig te laat om deel te nemen aan de bloedige slag bij Inkerman,* al komen er nu verslagen binnen over de verschrikkelijke ontberingen die onze troepen moeten lijden, zodat ik zijn vooruitzichten voor de nabije toekomst somber inzie. De avond voor zijn vertrek gebruikten we een afscheidsdiner in The Ship and Turtle, waarbij hij er opnieuw op aandrong dat ik het land uit ging totdat hij terug was.

'Dat is heus beter, kerel,' zei hij.

Net als ik was hij tot de conclusie gekomen dat onze vriend op de ri-

* De slag vond plaats op 5 november 1854 – de dag dat Florence Nightingale in het hospitaal van Scutari aankwam. JJA

vier Pluckrose geweest moest zijn. Hoewel ik hem in vertrouwen had genomen over de strafexpeditie van Abraham Gabb en Co. was Le Grice tot dezelfde conclusie gekomen als ik: zelfs zonder Pluckrose' hulp vormde Daunt nog steeds een bedreiging voor mijn veiligheid. Maar dat wilde ik gezien het ophanden zijnde vertrek van Le Grice naar het oosten niet toegeven, dus had ik hem er maar van verzekerd dat hij zich daar geen zorgen over hoefde te maken.

'Ik weet zeker dat Daunt me niets zal doen. Waarom zou hij? Hij gaat binnenkort trouwen en hij heeft niet de minste last meer van me. Ik zal hem natuurlijk nooit kunnen vergeven, maar ik ben wel van plan hem te vergeten.'

'En juffrouw Carteret?'

'Je bedoelt natuurlijk de toekomstige mevrouw Daunt. Die ben ik ook vergeten.'

Het gezicht van Le Grice betrok.

'Daunt vergeten? Juffrouw Carteret vergeten? Dan kun je net zo goed beweren dat je je eigen naam wilt vergeten.'

'Maar ik bén mijn naam ook vergeten,' antwoordde ik. 'Ik heb geen idee meer wie ik ben.'

'Vervloekt, G,' gromde hij, 'zo kan ik niet met je praten. Je weet net zo goed als ik dat Daunt een gevaar is, Pluckrose of geen Pluckrose. Als onze vriendschap je iets waard is, ga dan op reis, ik smeek het je. Laat alles rusten. Ga weg – hoe langer hoe beter. Als ik Daunt was, zou ik je dood willen hebben nu je zo veel van me weet. Ook al kun je niets bewijzen, je kunt het hem toch nog vervloekt lastig maken als je zou willen.'

'Maar dat wil ik niet,' zei ik zacht. 'Werkelijk niet. Er valt niets te vrezen, dus laten we drinken op de volgende keer dat we samen aan de gebraden hoenders met gin-punch zitten.' Natuurlijk doorzag hij mijn slechte toneelspel. Maar had hij ook gezien wat er in mijn ogen brandde, wat door niets te verhelen of te blussen viel?

Op straat namen we afscheid. Een handdruk, een kort 'Goede nacht' en hij was weg.

Nu, op de ochtend van 11 december, bleef ik nog een poosje aan mijn tafel zitten en vroeg ik me af waar Le Grice nu was en wat hij deed. 'Mogen de goden je behoeden, ouwe zot,' fluisterde ik voor me uit. Toen trok ik mijn overjas aan, sloeg een bouffante om en ging naar buiten, de sneeuw in – als een kleine jongen, licht en vrolijk als een kind – om de grote Leviathan in winterkleed te zien.

Londen ging zijn gewone gang, ondanks het schitterende ongemak van het weer. De ijskarren reden rond, beladen met glinsterende bevroren stukken vijver of beek in plaats van groenten en fruit van de markt, en de omnibussen werden door extra paarden door de karrensporen in de vuile sneeuw getrokken. De mensen liepen met gebogen hoofd door de bijtende koude, met hun bouffante – voor zover ze die bezaten – op mondhoogte om hun hoofd gewikkeld. Hoeden, jassen en mantels waren wit bespikkeld, en bij alle pubs hingen borden waarop warm kruidenbier en andere verwarmende dranken werden aangeboden. Het was geen dag om zonder jas of schoenen buiten te zijn, al waren er velen – honderden, duizenden – die daartoe veroordeeld waren, en de ellende die in de metropool altijd aanwezig is, werd nog schrijnender door de snijdende kou. Toch raakte ik uitgelaten door de prachtige aanblik van daken, torens, spitsen en monumenten, straten en pleinen, wit geschilderd door de sneeuw die de bittere oostenwind tot grillige vormen deed opstuiven; ik liep langs Long Acre met de geur van gepofte appels en kastanjes in mijn neus.

Ik had nog honger na mijn sobere ontbijt, en de lokkende aanblik van een koffiehuis verleidde me tot een tweede maal. Na afloop slenterde ik over de straten en pleinen, waar nu een dik pak sneeuw lag, naar de Strand. Al snel bemerkte ik dat ik gevolgd werd.

In Maiden-lane stond ik bij de artiesteningang van het Adelphi Theatre stil om een sigaar op te steken. Uit mijn ooghoek zag ik mijn schaduw een paar passen achter me stilstaan en snel in de etalage van een slagerij kijken. Ik gooide de sigaar op de grond en liep kalm op de gedaante met de kap af.

'Goedemorgen, Mademoiselle Buisson.'

'*Mon Dieu*, welk een toeval!' riep ze uit. 'U hier te ontmoeten! Ongelooflijk!'

Ik glimlachte en bood haar mijn arm. 'U lijkt al een hele tijd in de sneeuw te lopen,' zei ik met een blik op de doorweekte zoom van haar rok.

'Wie weet,' zei ze met een glimlach. 'Ik zoek iemand.'

'En hebt u hem gevonden?'

'Welzeker, mijnheer – Glapthorn, ik geloof van wel.'

In hotel Norfolk Strand bestelden we koffie, en zij sloeg de kap van haar mantel terug en zette haar besneeuwde hoed af.

'We hoeven er niet langer omheen te draaien,' zei ik. 'Uw vriendin zal u wel omtrent de laatste gebeurtenissen hebben ingelicht.'

'Zij is geen vriendin meer,' antwoordde ze, en ze schudde haar blonde krullen uit. 'Ik beschouw haar thans als – ach, laat ik dat maar niet zeggen. Eens hadden we een hechte band, dat weet u, maar ik vind het verschrikkelijk wat ze u heeft aangedaan.'

Ze keek me stil doch welsprekend aan.

'Aanvankelijk was het een vermakelijk spelletje en ik speelde het graag met haar mee, hoewel ze me veel verzweeg. Maar toen ik begreep hoe het met u gesteld was, dat u haar werkelijk liefhad, heb ik haar gezegd ermee op te houden, en dat wilde ze niet. Toen mijnheer Daunt zich in Parijs bij ons voegde...'

'In Parijs?'

'Ja. Het spijt me.'

'Het hindert niet. Ga door.'

'Toen mijnheer Daunt daar bij ons kwam, brak mijn hart; ik wist dat u voortdurend aan haar dacht en geloofde dat zij ook aan u dacht. Toen ze me dat wrede briefje liet schrijven, werd het me te veel. Ik heb nog geprobeerd u te waarschuwen, nietwaar? Maar u was toen al niet meer te waarschuwen.'

'Ik ben u dankbaar voor uw vriendelijkheid, Mademoiselle. Maar ik geloof dat juffrouw Carteret het niet kon helpen. Ik verdedig haar niet – niet in het minst – dat kan ik niet, en ik kan haar haar bedrog niet vergeven, maar ik begrijp wel waarom zij mij zo heeft behandeld.'

'Werkelijk?'

'Jazeker. Zij had het krachtigste en meest bedrieglijk overtuigende motief van alle: liefde. O, ja, ik begrijp haar heel goed.'

'Dan vind ik u buitengewoon genereus. Wilt u haar niet straffen?'

'In het geheel niet. Hoe kan ik haar kwalijk nemen dat ze de slavin van haar liefde werd? De liefde maakt van ieder mens een slaaf.'

'U neemt dus niemand kwalijk wat u is aangedaan, mijnheer Glapthorn?'

'Misschien moet u me maar bij de naam noemen die ik bij mijn geboorte heb gekregen.' Ze knikte even, ten teken dat ze het begreep.

'Goed, mijnheer Glyver. Is er dan niemand schuldig aan het verlies van datgene wat u rechtens toebehoorde?'

'O jawel,' antwoordde ik. 'Er is zeker een schuldige. Maar dat is zij niet.'

'U hebt haar nog steeds lief,' zei ze met een zucht. 'Ik had gehoopt...'

'Gehoopt?'

'Het doet er niet toe. Wat kan het er voor u toe doen wat ik hoopte? *Eh bien*, dit wilde ik u zeggen, mijnheer de Ondoorgrondelijke. U denkt wellicht dat het nu voorbij is, dat uw tegenstander tevreden is nu hij uw leven van u heeft gestolen. Maar hij is niet tevreden. Mij is iets ter ore gekomen wat mij ernstig zorgen baart, wat u ook zou moeten verontrusten. Hij is zeer verbolgen – werkelijk zeer verbolgen – over hetgeen zijn trawanten is overkomen, en dat rekent hij u aan. Ik weet natuurlijk niet of hij gelijk heeft; voor mij is het genoeg dat ik weet dat het zo is, en ik smeek u – als vriendin – goed op te letten. Hij is geen man van loze dreigementen, dat weet u wel. Kortom, hij gelooft dat u een gevaar voor hem bent, en daar zal hij het niet bij laten.'

'Hebt u hem dan dreigementen horen uitspreken?'

'Ik heb genoeg gehoord om een uur door de sneeuw te lopen teneinde u aan te spreken. En nu heb ik mijn plicht gedaan, mijnheer Edward Glyver, die vroeger mijn lieve mijnheer Glapthorn was, en ik moet gaan.'

Ze maakte aanstalten om te vertrekken, maar ik hief mijn hand. 'Spreekt zij ooit over mij?' vroeg ik. 'Met u?'

'Wij zijn niet langer zo vertrouwd met elkaar als vroeger,' antwoordde ze, en ik zag en hoorde hoezeer haar dit speet. 'Maar u hebt uw stempel op haar hart gedrukt, ook al wil zij dat graag ontkennen. Ik hoop dat dat u een troost is. En nu vaarwel, mijnheer Edward Glyver. U mag mijn hand kussen, indien u dat wilt.'

'Het zal me een eer zijn, Mademoiselle.'

Om halfnegen was ik weer in Temple-street om mijn laatste voorbereidingen te treffen, blij met de bevestiging dat mijn vijand mij inderdaad dood wenste. Dat zou mijn volgende stappen zo veel gemakkelijker maken.

Ik zette mijn pruik op – met dank aan de firma Careless & Sons, toneelkostumiers, Finch-lane, Cornhill – en een bril met stalen montuur. Een net doch schamel pak met een ruime binnenzak voltooide het ensemble. In de zak stak ik het mes, gewikkeld in een doek, dat ik bij Wellington had ontvreemd. Ik was gereed.

Ik ging eerst naar het Adelphi Theatre, waar ik een kaartje voor de voorstelling van die avond kocht; dit gaf ik aan mijn spion, William Blunt, die op mijn plaats in de zaal zou gaan zitten om me een alibi te verschaffen. Bij Stanhope Gate in Hyde-park, tegenover het huis van lord Tansor in Park-lane, vond ik de plek die ik enkele dagen geleden geschikt had bevonden om een tas met mijn beste kleren te verbergen. Ten slotte maakte ik, zoals juffrouw Venables me had opgedragen, op slag van tienen mijn opwachting bij de heer Cranshaw met mijn aanbeveling van die dame.

Ik werd naar een klein, kaal vertrekje verwezen waar ik mijn livrei moest aantrekken en mijn haar poederen, of liever gezegd mijn pruik. 'Poeder,' galmde de heer Cranshaw uit de hoogte, 'daar staat de baron op.' Nadat ik de pruik met water had bevochtigd, wreef ik er zeep in en kamde de natte massa alvorens het poeder er met de mij aangereikte dons over te verstuiven. Toen trok ik de livrei aan: een wit gesteven hemd, witte kousen en lage schoenen met zilveren gespen, een blauw fluwelen kniebroek, een bordeauxrode pandjesjas met zilveren knopen en een bijpassend vest. Aldus gepoederd en in livrei gestoken ging ik naar het bediendenverblijf om met de andere tijdelijke lakeien de instructies van de heer Cranshaw in ontvangst te nemen. Daarna liep ik rustig rond alsof ik een opdracht uitvoerde en nam de ligging van de gangen en vertrekken van de benedenverdieping in me op. De verdere dag ging heen met diverse vervelende karweitjes – stoelen en bloemstukken naar de eetzaal brengen, de volgorde van de gerechten in ons hoofd prenten voor het geval wij moesten helpen deze naar binnen te brengen, zilver polijsten,* de gastenlijst en de tafelschikking doornemen (er zouden ongeveer veertig gasten aanzitten) enzovoort, totdat de avond begon te vallen, de gordijnen werden gesloten en de kaarsen en lampen ontstoken.

Lord Tansor verscheen om zes uur om zich ervan te vergewissen dat alles in orde was. Het legertje voetvolk stelde zich in de vestibule op en boog toen hij langsliep. Natuurlijk sloeg hij geen acht op mij. Ik was slechts een livreiknecht.

Om zeven uur meldde ik me voor de rijtuigploeg en nam samen met twee andere lakeien mijn plaats bij de voordeur in.

Tot dusver ging alles naar wens. Ik had gedaan wat de heer Cranshaw me had opgedragen, en nergens argwaan gewekt. Maar nu moest ik de dingen afwachten die komen zouden, want ik had geen ander plan dan me in te dringen en te zorgen dat ik zo dicht mogelijk bij Daunt in de buurt kwam. Verder had ik nog niets voorzien. Als in deze laatste akte van ons leven in mijn voordeel werd beslist, dan was ik tevreden. Zo niet – het zij zo. Dan had ik er niets bij verloren – want ik bezat niets.

Ik wachtte dus, stond zwijgend bij de voordeur en vroeg me af wanneer hij zou komen – en wanneer *zij* zou komen.

De eerste rijtuigen kwamen aan. Eerst hielp ik de vermaarde Madame Taglioni** uit haar rijtuig (voor wie, hoewel zij allerminst meer in haar eerste jeugd was, lord Tansor een merkwaardige sentimentele affectie koesterde), en toen de dikke dochter van lord Cotterstock (een gierige oude roué met een gezicht als een verweerd rotsblok, al halfdood door een ziekte die ik hier niet nader zal noemen), gevolgd door haar niet minder varkensachtige mama en broer. De rijtuigen reden af en aan door de sneeuw en hielden stil onder de lantaarn van de porte-cochère. Ambassadeurs, parlementsleden, bankiers, generaals, hertogen en graven en hunne dames: ik opende de portieren en hielp hen uit hun rijtuig zonder dat iemand me zelfs maar een blik schonk. Ten slot-

* Hiervoor werd polijstrood of dodekop gebruikt, een middel gemaakt van roest, om zilver te reinigen. JJA

** Marie Taglioni (1801-1884), de vermaarde Zweeds-Italiaanse danseres voor wie haar vader, Filippo Taglioni, het ballet *La Sylphide* (1832) had gecreëerd, het eerste ballet waarin de ballerina het hele stuk lang op spitzen danst. JJA

te arriveerde de minister-president, bijna op hetzelfde ogenblik gevolgd door een rank rijtuig met het wapen van Duport op het portier.

Terwijl ik het portier opende, rook ik het allereerst haar parfum, en toen ik bukte om het trapje uit te klappen, zag ik haar voeten in sierlijke grijs suède schoentjes met gitten kraaltjes. Ze reikte me haar gehandschoende hand, maar zij zag me niet. Toen ze uitstapte, maakte haar warme adem nevelwolkjes in de lucht, en heel even, toen haar hand in de mijne rustte, was ze weer helemaal van mij. De gedachte deed me mijn rol vergeten en ik sloot mijn vingers zacht om de hare. Ze wierp me een boze, beledigde blik toe, trok haar hand abrupt terug en beklom het bordes. Daar stond ze even stil en keek achterom.

'Jij daar! Het portier!'

Ik gehoorzaamde en hij stapte uit het rijtuig – onberispelijk gekleed, onvergelijkelijk smaakvol en fraai. Ik boog toen hij voorbijging en terwijl ik het rijtuig achter hem sloot, keek ik even op om te zien hoe hij juffrouw Carteret op het bordes zijn arm bood en haar naar binnen leidde.

Toen de laatste gasten waren gearriveerd, werd ik naar de eetzaal gestuurd om mijn plaats in te nemen bij de openslaande deuren naar de vestibule. Daar bleef ik staan, nog steeds onopgemerkt door allen die naar binnen gingen, zelfs door de andere bedienden. Ik stond roerloos, maar gaf mijn ogen goed de kost, loerend op mijn kans.

Mijn trouweloze meisje zat aan het hoofd van de tafel, een etherisch figuurtje in lichtblauwe zijde met een *barège* overkleed, geborduurd met gouden en zilveren sterren, en haar zwarte haar kwam schitterend uit onder het tule met kanten kapje met de bleekroze satijnen strik. Links van haar zat een dorre jongeman die op de gastenlijst vermeld stond als de Honourable John Tanker, parlementslid, aan haar rechterzijde, zat Phoebus Daunt in al zijn stralende fierheid.

Nadat alle gasten aan de schitterend gedekte, in het weerkaatsende kaarslicht met een weelde aan goud, zilver en kristal fonkelende tafel hadden plaatsgenomen, werd de soep opgediend. Lord Tansor was een vurig adept van de *service à la française* geworden, ongetwijfeld na de introductie daarvan bij de meerderjarigheid van zijn protégé, dus de soep werd gevolgd door vis, die op zijn beurt werd opgevolgd door een twaalftal entrées, daarna het vlees, enzovoort, tot het dessert toe. Tot mijn opluchting werd mij niet gevraagd me bij de andere lakeien te voegen, die aan tafel bedienden, want als ze zich over de gasten bogen, moesten ze de naam van het geboden gerecht hardop uitspreken. Ik keek gefascineerd toe hoe een van hen zijn lippen naar het oor van juffrouw Carteret bracht om te vragen of zij *Boeuf à la flamande** wenste. Ze antwoordde met een sierlijk bevestigend knikje en hief haar hand om te voorkomen dat hij haar te veel opschepte. Naast haar liet Daunt zich een veel grotere portie opdienen, en toen de lakei op het punt stond naar de volgende gast te gaan, riep hij hem terug omdat hij nog wat wilde.

Op de andere ereplaats voerden de minister-president en lord Tansor op gedempte toon een vertrouwelijk zakelijk gesprek. Lord Aberdeen zag er moe en afgetrokken uit, ongetwijfeld door de toenemende druk van de campagne in de Krim, en ik zag dat lord Tansor meer dan eens geruststellend een hand op zijn arm legde. Om hen heen klonk gepraat en gelach tegen het contrapunt van tinkelende glazen en het zachte gekletter van het fraaiste gouden bestek op het Sèvresporselein.

Nu waren de soep en de vis geweest, net als de entrées en het vlees. De desserts en het ijs waren afgeruimd om plaats te maken voor zes enorme *epergnes*** met zijschaaltjes, beladen met gedroogde vruchten, noten, petits fours en zoete koekjes. Lord Tansor stond op met zijn glas in de hand, en de gasten vielen een voor een stil.

'Dames en heren,' begon hij, en zijn diepe bariton dwong onmiddellijk stilte af. 'Ik stel een heildronk voor. Op Phoebus Daunt, die ik met trots mijn zoon en erfgenaam noem, en zijn aanstaande echtgenote, mejuffrouw Emily Carteret.'

Glazen werden gevuld en geheven, het gelukkige paar werd toegedronken, er werd geapplaudisseerd en gejuicht. In de galerij aan het eind van de zaal hief een klein militair orkest 'See, the Conquering Hero Comes'*** aan. Toen de laatste tonen waren verklonken, dankte

* Een machtig, kostbaar gerecht van gelardeerd gebraden runderribstuk met verse gefarceerde champignons, truffels, gehaktballetjes en Madeira. JJA

** Grote bewerkte étagères met lekkernijen. JJA

*** Uit Händels oratorium *Judas Maccabeus*, met een libretto van Thomas Morell. Gecomponeerd ter ere van de Engelse overwinning op de Young Pretender bij Culloden en de terugkeer in Londen van de zegevierende hertog van Cumberland. Voor het eerst uitgevoerd in 1747. JJA

de erfgenaam zelf met overdreven breedsprakigheid de baron voor zijn goedgunstigheid en gulhartigheid, om vervolgens – ja, werkelijk – zonder een spoor van schaamte langdurig uit een van zijn eigen lofgedichten op de groten der aarde te gaan citeren. Hij werd gevolgd door lord Cotterstock, die zich met moeite overeind hees, geholpen door zijn zoon, om lord Tansor mede namens de andere gasten te bedanken voor zijn overweldigende gastvrijheid, en om de baron geluk te wensen met zijn benoeming tot gevolmachtigde, 'een positie,' zo voegde hij er met een strenge blik op zijn gehoor aan toe, alsof hij iedereen wilde tarten dit tegen te spreken, 'die nog niet dikwijls door een zo buitengewoon waardig man is bekleed.'

Bij dit alles zat juffrouw Carteret stil en met een klein lachje op haar gezicht beurtelings naar haar haar adellijke achterneef en naar haar geliefde te kijken; het was geen triomfantelijk lachje van overwinning op het lot, maar eerder een van weemoedige tevredenheid, alsof ze uit grote moeilijkheden nu in veilige haven was geraakt. Ik lette de hele avond op haar en dronk ieder gebaar, iedere beweging in, vergaapte me aan haar vrolijkheid, haar zelfverzekerdheid en haar hartverscheurende schoonheid. Nooit was ze zo mooi geweest als vanavond! Ik ging zo in haar op dat ik even niet opmerkte dat Daunt was opgestaan om iets tegen lord Tansor te zeggen. Toen liep hij weg, knikte een aantal gasten toe, gaf hier en daar in het voorbijgaan iemand een hand en stond af en toe stil om een felicitatie in ontvangst te nemen. Hij liep naar de deur waar ik stond en ik boog plichtsgetrouw toen hij me voorbij liep.

'Voelt u zich wel goed, mijnheer? '' hoorde ik Cranshaw vragen. 'U ziet wat bleek.'

'Ik heb weer een hoofdpijnaanval, vrees ik. Ik ga even de frisse lucht in, voordat de dames weggaan.'

'Uitstekend, mijnheer.'

Met bonkend hart greep ik mijn kans. Zodra Cranshaw de eetzaal weer binnenging, glipte ik weg, net op tijd om Daunt door een deur aan de achterkant van de vestibule te zien verdwijnen. Ik voelde mijn hart in mijn keel kloppen toen ik de trap af liep en me zo snel mogelijk naar de kamer begaf waar mijn pak hing. Bedienden liepen af en aan en overal klonk gepraat en geroezemoes. Niemand lette op mij. Bliksemsnel pakte ik het mes en liep naar een glazen deur aan het eind van de gang, waar ik een trap zag die naar een verlichte serre leidde. Voorzichtig duwde ik de deur open en stapte de koude avond in. Zou hij naar buiten komen? Was dit het moment?

Het sneeuwde niet meer, al dwarrelde er nog wel een enkel donzig vlokje uit de ondoordringbaar zwarte lucht. Boven me hoorde ik een deur opengaan, en ik bespeurde een zweem sigarenrook in de lucht. Hij was er. *Mijn vijand was er.*

Een donkere gedaante kwam de serretrap af. Onderaan stond hij stil, keek omhoog en liep toen langzaam door de baan licht van de lampen boven aan de trap alvorens in het besneeuwde duister te verdwijnen. Ik wachtte totdat hij twee meter van de trap was en stapte toen uit de donkere nis van waaruit ik hem in de gaten hield.

Tot mijn verwondering was ik nog steeds volmaakt kalm, alsof ik een tafereel van een zo weergaloze schoonheid aanschouwde dat het de ziel tot rust bracht. Alle angst voor gevaar of voor ontdekking, alle verwarring en twijfel waren weggevallen. Ik zag alleen nog deze ene gedaante van vlees en bloed. De wereld was plotseling stil, alsof zelfs de Grote Leviathan zijn adem inhield.

Daunts voetafdrukken stonden in de maagdelijke sneeuw. Een-twee-drie-vier-vijf-zes... Ik telde ze terwijl ik mijn eigen voeten met zorg in zijn afdrukken plaatste. Toen riep ik hem.

'Mijnheer! Mijnheer Daunt!'

Hij draaide zich om.

'Wat wil je?'

'Een boodschap van lord Tansor, mijnheer.'

Hij kwam naar me toe – tien passen.

'Wel?'

We stonden oog in oog – en nog herkende hij me niet! Ik zag niet het geringste teken van herkenning in zijn blik. Wacht nog even, beste Phoebus. Dadelijk zul je me kennen.

Mijn rechterhand gleed in mijn jasje en vond het benen heft van het pasgeslepen mes dat voor het laatst in het Wellington was gebruikt om rundvlees te snijden. De rook van zijn sigaar krulde omhoog in de koude lucht en het puntje gloeide op toen hij een trekje nam.

'Sta daar niet zo, stommeling. De boodschap.'

'Mijn boodschap? Alstublieft.'

Het was in een oogwenk gebeurd. Het lange, puntige mes drong gemakkelijk door zijn avondkleding, maar ik was er niet zeker van dat de wond dodelijk was. Ik trok dan ook onmiddellijk het bebloede lemmet terug, en terwijl hij even naar voren wankelde, haalde ik uit om nogmaals toe te stoten, dit keer in zijn blote hals. Hij keek naar me op en knipperde snel met zijn ogen. De sigaar viel uit zijn mond en bleef smeulend op de grond liggen.

Nog steeds rechtop, maar licht heen en weer zwaaiend, keek hij weer naar me, ongelovig nu, en deed zijn mond open alsof hij iets wilde zeggen, maar er kwam geen geluid. Ik deed nog een stap naar hem toe en zijn mond ging weer open. Ditmaal slaagde hij erin om, met een ademloos gerochel, drie woorden uit te brengen:

'*Wie ben jij?*'

'Ernest Geddington, livreiknecht, om u te dienen, mijnheer.'

Zacht hoestend liet hij zijn hoofd tegen mijn schouder zinken. Ik vond het wel een roerend gebaar. Zo bleven we even staan, als twee geliefden in een omhelzing. Voor het eerst viel me op dat zijn dikke zwarte haar over een klein kaal plekje op zijn kruin was geborsteld.

Met een arm om mijn vijand heen geslagen hief ik het mes voor de genadestoot.

'*De wraak heeft een goed geheugen,*' fluisterde ik terwijl hij langzaam in de sneeuw gleed.

Daar lag hij, op een kussen van wijnrood bloed, zijn gezicht even wit als de lijkwade van koude sneeuw waarin zijn lichaam was gevallen. Mijn adem vermengde zich met de bittere lucht en vormde kleine wegschietende wolkjes, maar mijn vijand ademde niet meer. Ik knielde neer en keek naar zijn gezicht.

Zijn baard was met sneeuw bespikkeld. Een klein straaltje bloed liep uit zijn mond en bevlekte zijn schitterend gewassen en opgemaakte hemd. Zijn open ogen staarden leeg naar het hemelgewelf.

Onze grote reis was ten einde. Maar hoe? In een zege of in een nederlaag? En voor wie? Wij beiden, Edward Glyver en Phoebus Daunt, ooit vrienden, waren naar dit ogenblik toe geleid door een macht die wij geen van beiden konden beheersen of begrijpen. Hij zou nooit meer genieten van al datgene wat mij rechtens toekwam, maar ook mij was dat alles voorgoed ontnomen. Ik had wraak genomen en hij had de prijs betaald die ik had vastgesteld voor het vele onrecht dat hij me had aangedaan, maar het schonk me weinig voldoening en geen spoor van opgetogenheid, alleen het doffe gevoel dat ik mijn plicht had gedaan.

Ik tastte in mijn zak en haalde een velletje papier te voorschijn waarop ik enkele regels had overgeschreven van een gedicht uit de bundel die Daunt aan Le Grice ten geschenke had gegeven.

De nacht is over mij gevallen.
Nimmer meer de aanbrekende dag,
Nimmer meer de felle middagzon,
Nimmer meer de avondschemer
Zacht als een liefdeszucht.

Want de Dood is de zin van het duister:
De eeuwige schaduw
Waarin al wat leeft moet verzinken,
Alle hoop moet vervliegen.*

Ze hadden me bij eerste lezing getroffen omdat ze – wat bij deze auteur zeldzaam was – enige kwaliteit bezaten, en ik had ze sindsdien altijd bij me gedragen, als een soort talisman. Maar nu had ik ze niet meer nodig. Ik drukte het gekreukte papier in zijn verstijvende handen, raapte het mes op en liet hem alleen in de eeuwigheid achter.

In een grote aardewerken kom bij de keuken lagen tientallen vuile messen en vorken in heet water te weken. In het voorbijgaan liet ik het vleesmes en mijn met bloed doordrenkte handschoenen in de kom vallen en liep weer naar boven, naar de vestibule.

* Deze regels zijn afkomstig uit het gedicht *'Uit Perzië'* uit Daunts bundel *Rosa Mundi en andere gedichten* (1854). JJA

'Geddington?'

Dat was Cranshaw, die me zeer misprijzend aankeek.

'Waar zijn je handschoenen, man?'

'Het spijt me, mijnheer Cranshaw,' antwoordde ik. 'Die zijn vuil geworden.'

'Ga dan beneden nieuwe halen. Meteen.'

Hij draaide zich om, maar toen kwam er plotseling haastig een krijtwitte bediende uit de serre. Hij wenkte Cranshaw, die naar hem toe ging. Hij zei iets tegen hem, waarop er een geschokte uitdrukking op het gezicht van de butler verscheen. Hij zei iets terug en spoedde zich toen naar de eetzaal.

Kort daarop hoorde ik plotseling geschraap van stoelpoten over de vloer, gevolgd door een gespannen stilte, en daarna klonk er een gil en geroep. Lord Tansor liep snel en met nietsziende ogen naar de deuropening, geflankeerd door Cranshaw en gevolgd door drie, vier heren, onder wie de zoon van lord Cotterstock, die zich uit de groep losmaakte en naar me toe kwam.

'Hela, jij daar,' zei hij lijzig, 'ga snel een agent halen. Vlug wat. Er is een moord gepleegd. Mijnheer Daunt is dood.'

'Ja, mijnheer.'

De jongeman waggelde naar het achterhuis, ongetwijfeld in de veronderstelling dat ik gehoorzaam was weggesneld. Maar hij vergiste zich.

De hal stond nu vol met ontdane gasten die allemaal door elkaar heen praatten, de vrouwen in tranen, de mannen in groepjes luid discussiërend over deze onverwachte wending; in de verwarring en de drukte maakte ik me langzaam los uit de menigte en schoof in de richting van de trap met de bedoeling via een zijingang te verdwijnen. Op dat moment, toen ik even achterom keek om me ervan te overtuigen dat niemand op me lette, zag ik haar.

Ze stond helemaal alleen in de deuropening van de eetzaal, zo bleek als albast, met haar vingertoppen tegen haar lippen gedrukt in een meelijwekkend gebaar van geschokte verbijstering. Ach, mijn liefste meisje! Om jou ben ik de Dood geworden! Er lag een oceaan van lawaai en tumult tussen ons in, maar wij waren twee tegenover elkaar gelegen eilandjes van radeloze kalmte.

Ik stond aan de grond genageld, al wist ik dat iedere seconde dat ik talmde de ontdekking dichterbij bracht. Toen, als de maan die van achter een wolk te voorschijn komt, wendde ze haar gezicht naar mij toe, en onze blikken kruisten elkaar.

Ik was ervan overtuigd dat ze me eerst niet zag; toen leek haar blik zich te vernauwen en zich te concentreren. Maar het drong slechts langzaam tot haar door: ze aarzelde, en in dat korte ogenblik tussen twijfel en zekerheid draaide ik me om en baande me door de menigte een weg naar de voordeur, in de verwachting dat mijn naam ieder moment luidop kon worden geroepen, dat er alarm zou worden geslagen. Ik bereikte de deur, maar niemand hield me tegen. Toen ik het bordes af liep, keek ik onwillekeurig even om of er niemand achter me aan kwam. Weer ontmoetten onze ogen elkaar, terwijl om ons heen de mensen door elkaar renden. Ik zag dat ze begreep wat ik had gedaan, en toch deed ze niets. Toen verzamelde zich een groepje mensen om haar heen, en ze werd voorgoed aan mijn blik onttrokken.

Ik was op de onderste trede toen ik haar stem hoorde.

'Houd hem!'

Ik had gevreesd dat ik al snel zou worden ingehaald, gehinderd als ik werd door de lage gespschoenen, maar toen ik aan de andere kant van Park-lane even omkeek, zag ik tot mijn opluchting dat ik mijn achtervolgers had afgeschud. Rillend van zenuwen en kou rende ik als een bezetene over het besneeuwde gras naar de plek waar ik mijn tas had verstopt: daar, onder de koude hemel, waaronder nu mijn vijand eindelijk dood terneerlag, trok ik snel mijn livrei uit en mijn pak en jas aan. In de verte hoorde ik geroep en het snerpen van een politiefluit.

Ik liep het Park uit en was weldra in Piccadilly, waar ik een rijtuigje aanhield.

'Temple-street, Whitefriars,' riep ik tegen de koetsier.

'Komt in orde, mijnheer!'

Ik had me erop voorbereid te worden ontdekt. Mijn reistas was al gepakt en mijn papieren waren in orde. Haastig verzamelde ik nog wat bezittingen: mijn versleten bundel met preken van Donne, mijn dagboek en mijn stenografische samenvattingen van diverse documenten, de aquarel van het huis van mijn moeder, de zoekgeraakte fotografie van Evenwood, gemaakt op die warme junimiddag in 1850, en ten slotte het rozenhouten kistje waarin mijn redding zo lange tijd had gelegen zonder dat ik het wist, en Fellthams *Resolves*, het boek dat ik uit de graftombe van lady Tansor had weggenomen. Daarna veegde ik alle resterende papieren op mijn schrijftafel bijeen, ook de geïndexeerde aantekeningen die ik in de loop der jaren had gemaakt, stapelde ze op in de haard en gooide er een brandend zwavelstokje op. Vanuit de deuropening keek ik hoe het papier vlam vatte, een knetterende vuurzuil die al mijn hoop en geluk verteerde.

Met mijn bouffante voor mijn gezicht liep ik hotel Morley op Charingcross in en riep om een grog en een kamer met een haardvuur.

Die nacht begon het weer te sneeuwen en de stad werd in stilte gehuld. Ik droomde dat ik op het klif in Sandchurch stond. Daar staat ons witte huisje, en daar de kastanjeboom bij het hek. Er is geen school vandaag, dus ik ren uitgelaten naar de halve cirkels van witgeschilderde stenen langs de smalle bloembedden aan weerskanten van het hek. Billick heeft de touwladder nog niet gerepareerd, maar hij is nog wel bruikbaar, dus ik klim omhoog, naar mijn kraaiennest tussen de takken. Ik heb mijn kijker bij me, ga liggen en tuur de glanzende horizon af. Mijn fantasie transformeert alle zeilen in iets anders: in het oosten zie ik een voorhoede van triremen, door Caesar zelf gezonden; in het westen, diep in het water liggend, een Spaans galjoen, zwaar beladen met West-Indisch goud, en vanuit het zuiden, langzaam en dreigend, een horde Barbarijse piraten die onze kalme Dorsetse kust komen plunderen en brandschatten. Door het raam van de salon zie ik mama, die aan haar tafel zit te schrijven. Ze kijkt op en glimlacht als ik naar haar wuif.

Toen werd ik wakker en begon te schreien: niet om alles wat ik had verloren of om de tijd die nooit meer terugkomt, zelfs niet om mijn arme gebroken hart en al helemaal niet om de dood van mijn vijand, maar om Lucas Trendle, de onschuldige roodharige onbekende, die nu nooit meer bijbels en laarzen naar de Afrikanen zal sturen.

Door mij, Edward Charles Glyver, geschreven – MDCCCLV

Finis

POSTSCRIPTUM*

* Onderstaande stukken zijn hier in het manuscript gebonden. JJA

MARDEN HOUSE
WESTGATE, CANTERBURY
KENT

10 december 1854

MIJN WAARDE EDWARD, –

Een kort briefje om je te bedanken voor het jouwe van de negende. Mijn broer komt vanmorgen naar de stad, en hij heeft toegezegd Birtles te vragen je dit te bezorgen.

Aangezien je, ongetwijfeld om goede redenen, ongenegen lijkt hierheen te komen, zal ik niet aandringen.

Ik moet je evenwel mededelen dat Donald Orr me – ietwat onbeheerst – geschreven heeft over wat hij je 'ernstige en langdurige plichtsverzaking' noemt. Hij laat me weten dat hij op staande voet je dienstbetrekking bij Tredgold wenst te beëindigen. Ik heb hem in mijn antwoord verzocht dat je je kamers in Temple-street moet kunnen behouden zo lang je die nodig hebt.

Indien dat evenwel niet met je wensen overeenkomt, is er ook een huisje vlak bij mijn nieuwe woonstede alhier, dat mij zeer geschikt voor je lijkt, zo lang je het nodig zou hebben. Ik laat het dus aan jou me te berichten wat je wilt.

Je hebt niet gereageerd op mijn aanbod strikt vertrouwelijk en theoretisch met sir Ephraim te spreken over de mogelijkheid de bewijzen waarover je thans beschikt aan lord T voor te leggen. Ik doe je het aanbod derhalve nogmaals. Mocht je er gebruik van willen maken, dan denk ik dat we er zeker van kunnen zijn dat de voorspraak van sir Ephraim bij de baron veel gewicht in de schaal zal leggen.

En nu, in afwachting van je nadere berichten, wens ik je vaarwel, mijn beste jongen, nu het seizoen van de geboorte des Heren weer nadert, en ik hoop dat alles zal gaan zoals je wenst, en verzeker je dat ik te allen tijde bereid ben je raad te geven en je alle rechtskundige hulp te bieden die ik kan. Ik bid dat je onderneming snel tot een gunstige uitkomst moge leiden, ongeacht de gevolgen voor mijzelf; ik had gaarne dat je daar niet aan dacht. Doe wat gedaan moet worden en herstel het onrecht dat je omwille van de zielenrust van je lieve moeder hebt moeten lijden. Moge God je je arbeid eindelijk lonen. Schrijf wanneer je kunt.

Je zeer toegenegen

C. TREDGOLD

DE PASTORIE
EVENWOOD
NORTHAMPTONSHIRE

23 december 1854

WAARDE HEER TREDGOLD,

Hierbij wil ik u mede namens mijn echtgenote zeer hartelijk danken voor het door u betuigde medeleven. Natuurlijk herinner ik mij onze ontmoeting, met de heer Paul Carteret, bij de door u genoemde gelegenheid.

Dit alles is voor ons beiden verschrikkelijk, en het wordt nog verergerd door de gewelddadige wijze waarop mijn zoon om het leven is gekomen. Aanvankelijk werd ons verteld dat een livreiknecht, een zekere Geddington, die alleen voor die avond in dienst was genomen, van de moord werd verdacht, hoewel hij geen motief had voor een dergelijke daad, maar toen ontvingen we het ongelooflijke bericht dat de ware schuldige de heer Glapthorn was, die ik nu Glyver moet noemen. Ik begrijp dat Ued. niet minder geschokt zult zijn geweest dan wij, dat een zo getalenteerd, opmerkelijk man als de heer Glyver een dergelijke daad kan hebben begaan. Zijn motieven zijn een raadsel, hoewel mij thans iets te binnen schiet wat mij tot nu toe geheel ontschoten was: hij was een klasgenoot van mijn zoon. Ik weet niet of die band uit het verre verleden iets met zijn handelwijze te maken heeft. De politie deelde mij mede dat men gelooft dat er een connectie bestaat met de recente moord op de heer Lucas Trendle, in leven werkzaam bij de Bank of England, die blijkbaar veel overeenkomsten vertoonde met die op mijn zoon. Men veronderstelt dat de heer Glyver lijdende is aan een geestelijke stoornis – dat hij wellicht zelfs krankzinnig is. Ongetwijfeld weet ge dat zijn huidige verblijfplaats onbekend is. Waarschijnlijk heeft hij inmiddels het land verlaten.

Evenwood is in rep en roer, zoals ge u kunt voorstellen. Mijn echtgenote, voor wie Phoebus alles was, ofschoon zij slechts door ons huwelijk zijn moeder was en niet door banden des bloeds met hem was verbonden, is ontroostbaar, en ook lord Tansor is diep terneergeslagen. Wij hebben een zoon verloren, hij zijn erfgenaam. En dan de arme juffrouw Carteret. Het verdriet dat die jonge vrouw te dragen krijgt is onvoorstelbaar. Eerst is haar vader op brute wijze om het leven gebracht en nu haar aanstaande echtgenoot. Ze biedt een meelijwekkende aanblik. Ik herkende haar nauwelijks toen ik haar onlangs zag.

Ikzelf heb de troost van mijn geloof, en de zekerheid dat de God van Abraham, Izaak en Jacob thans Phoebus bij zich genomen heeft. Mijn zoon genoot zoveel achting bij allen die hem kenden en bij de vele lezers van zijn werk die hemzelf niet kenden, dat wij overweldigd zijn door de vele vriendelijke blijken van medeleven. Ook daaruit putten wij veel troost.

Zoals zo dikwijls in tijden van beproeving wend ik mij tot sir Thomas Browne. Bij het openslaan van de *Religio Medici*, kort nadat ik het bericht van de dood van mijn zoon vernam, viel mijn oog op deze woorden:

‘Wat gemaakt is voor onsterfelijkheid, kan noch de natuur – noch de stem van God – vernietigen.’

Dat is mijn geloof. Dat is mijn hoop.

Ik verblijf, waarde heer, uw dw.

A.B. DAUNT

MARDEN HOUSE
WESTGATE, CANTERBURY
KENT

9 januari 1855

WAARDE KAPITEIN LE GRICE, –

Heden ontving ik uw verzoek om inlichtingen omtrent Edward Glyver.

Uit uw brief maak ik op dat Edward u bepaalde zaken omtrent zijn voorgeschiedenis heeft toevertrouwd. Dat heeft me enigszins verrast, als ik zo vrij mag zijn; ik meende de enige te zijn die hij in vertrouwen nam. Doch het schijnt dat niemand naar waarheid kan beweren Edward Glyver te kennen, en om dat te illustreren: ik onderhoud thans een briefwisseling met mejuffrouw Isabella Gallini, met wie Edward, naar ik begrijp, reeds geruime tijd een intieme verhouding had, doch over wie hij met mij nimmer gesproken heeft.

En nu is het zo ver gekomen. Ik kan niet beweren dat ik dit niet had gevreesd, dit of een andere uitkomst die wellicht nog meer te betreuren zou zijn geweest. Wij zullen hem nimmer meer zien – daarvan ben ik overtuigd. Van u vernam ik dat u erop had aangedrongen dat hij naar het buitenland zou gaan en de hele kwestie waarvan wij weten, uit zijn hoofd te zetten. Had hij uw raad maar opgevolgd! Maar hij was toen reeds niet meer te redden – u moet, net als ik, de starre, geobsedeerde blik in zijn ogen hebben gezien.

Mejuffrouw Carteret lijdt zeer, naar ik heb vernomen; maar deze hele kwestie heeft lord Tansor tenminste genezen van zijn irrationele aversie tegen de vrouwelijke lijn, dus zij heeft nu de troost dat zij mettertijd de titel en alle daarbij behorende bezittingen zal erven. Naar de gevoelens van Edward als hij dit verneemt, kan ik slechts gissen.

Wat de overledene betreft, doen wij er beter het zwijgen toe. U zult hebben begrepen dat ik de hoge dunk die de wereld van hem had, niet deel – al wil ik niet beweren dat hij de dood had verdiend. Hij heeft veel kwaad gedaan – niet alleen tegenover Edward; er zijn ook andere zaken omtrent Phoebus Daunt die nu waarschijnlijk niet meer aan het licht zullen komen, althans de eerstkomende tijd niet, en er kan geen leed meer uit voortkomen. Er is al genoeg dood, verderf en bedrog geweest, en waartoe?

Ik hoop dat dit schrijven u in veiligheid en gezondheid mag bereiken, en ik bid dat God u en al onze dappere soldaten moge beschermen. De berichten van de heer Russell* hebben ons allen zeer geschokt.

Met de meeste hoogachting,
Ued. dw.

C. TREDGOLD

Blythe Lodge
St John's Wood, Londen

18 januari 1855

WAARDE HEER TREDGOLD,

Uw schrijven is hedenmorgen aangekomen, doch ik haast me u te antwoorden.

Sinds die avond in december, toen het sneeuwde, heb ik hem niet meer gezien. Wij hadden helaas een woordenwisseling gehad, hetgeen ik diep betreurde. Hij stond op de stoep en wilde niet binnenkomen, alleen mededelen dat hij het land voor een tijd ging verlaten, en mij vergiffenis vragen omdat hij mij niet had kunnen liefhebben zoals ik naar zijn zeggen verdiende. Toen vertelde hij me zijn ware naam en de waarheid omtrent zijn geboorte – waarmee hij de halve waarheden (om niet te zeggen leugens) ontzenuwde die hij me eerder had ver-

* William Howard Russell (1820-1907), correspondent voor *The Times* op de Krim. Zijn verslagen over de omstandigheden waaronder het Britse leger moest leven, vooral de gewonden in het ziekenhuis in Scutari in de winter van 1854-1855, brachten een groot schandaal teweeg.

teld. Ik heb begrepen dat u al heel lang wist wie hij werkelijk is – hij sprak altijd met veel genegenheid en dankbaarheid over u en zei dat u hem zeer veel hebt geholpen. Het is een ongelooflijk verhaal, en ik moet bekennen dat ik aanvankelijk geneigd was te denken dat het allemaal fantasie was, zo niet erger, maar ik zag al snel aan zijn ogen dat hij eindelijk de waarheid vertelde. Ik weet ook van mejuffrouw C en hoe zij hem heeft bedrogen om hem de bewijzen afhandig te maken die hem alles hadden kunnen bezorgen waarvan hij droomde. Hij zei dat hij van haar hield en nog steeds van haar houdt. Daarom kan hij mij nooit liefhebben.

We namen afscheid en ik vroeg of hij na zijn terugkeer weer eens hier zou komen – als vriend. Maar hij schudde alleen het hoofd.

'Je hebt nu je koninkrijk,' was het enige dat hij zei, 'en ik heb het mijne.' Toen draaide hij zich om en liep weg. Ik bleef staan kijken terwijl hij het pad af liep en in de avond verdween. Hij keek niet om.

Toen mijn werkgeefster, mevrouw Daley, me het verslag in *The Times* liet zien waarin Edward wordt genoemd als verdachte van de moord op de heer Daunt, dacht ik dat mijn hart zou breken. Wat een last moet hij met zich mee hebben gedragen! Dat hij zoiets onvoorstelbaar verschrikkelijks heeft gedaan – al was hem ook groot onrecht aangedaan. Ik begreep toen hoe weinig ik hem kende, laat staan begreep. Het mag verkeerd zijn, maar ik zal altijd met genegenheid aan hem denken, al kan ik hem natuurlijk niet meer hoogachten zoals vroeger. Ik had hem waarlijk lief – toen; maar hij is wreed tegen me geweest, al geloof ik niet dat dat opzet was. Hij heeft me bedrogen, en dat had ik hem kunnen vergeven. Maar hij heeft me niet liefgehad zoals ik verdiende, en dat kan ik niet vergeven.

Uw dw.

ISABELLA GALLINI

Postscriptum

Calle Espiritu Santo*

25 november 1855

MIJN WAARDE HEER TREDGOLD,

Ik kan me uw gevoelens voorstellen als u dit schrijven opent. Verbazing en schrik zullen ongetwijfeld om de voorrang strijden, maar ook, hopelijk, een zekere mate van schuldbewust genoegen dat u weer – hoewel voor de laatste maal – iets verneemt van iemand die meer hoogachting voor u koestert dan voor wie ook, en voor wie u in alles, behalve in naam, een vader bent geweest.

Ik ben hierheen gekomen, waar niemand me ooit zal vinden, onder een naam die niemand kent, om mijn dagen te slijten in zelfverkozen eenzaamheid – in een zwartgeblakerd, verwoest en onvoorstelbaar vervreemdend landschap, uitgehouwen door een woedende god en gegeseld door de hete Afrikaanse wind. Ik verdien geen medelijden, nu ik dit heb gedaan, maar u, mijn waarde mijnheer, hebt er recht op te weten hoe ik hier terecht ben gekomen, en waarom.

Toen ik uit Engeland vertrok, op 11 december vorig jaar, ben ik eerst naar Kopenhagen gegaan en daarna naar Fåborg, op het eiland Funen, waar ik bijna een maand ben gebleven. Van daar reisde ik naar Duitsland om enkele van mijn dierbaarste plekjes in en rond Heidelberg te bezoeken alvorens eerst naar St Bertrand de Comminges in de Pyreneeën te gaan, waar een kathedraal is die ik al lang eens had willen zien, en toen naar het eiland Mallorca, mijn laatste reisbestemming voordat ik hierheen voer.

Op de reden van mijn ballingschap zal ik niet ingaan – ik wil u niet nog meer pijn doen dan ik reeds heb gedaan. Ik ben niet gevlucht om mijn straf te ontlopen, zoals sommigen zullen menen: ieder uur dat ik leef, word ik gestraft voor de dwaasheid van mijn bestaan en de daad waartoe die mij heeft gedreven. Mijn vijand en ik waren uit dezelfde ertsader afkomstig, wij zijn in dezelfde oven gestaald, onze beeldenaars stonden op de keerzijden van dezelfde munt, gescheiden, maar

* Uit de weinige aanwijzingen in deze brief lijkt men te kunnen opmaken dat de verteller deze brief op het vulkaaneiland Lanzarote heeft geschreven. JJA

niet verschillend, door de alchemie van het noodlot bijeengebracht. Ik heb hem gedood, maar daarmee heb ik ook het beste in mijzelf gedood.

Ik denk veel aan *haar* – ik bedoel mijn moeder – hoezeer wij op elkaar leken, en hoe wij beiden te gronde werden gericht door ons geloof dat het aan ons was degene te straffen die ons onrecht had aangedaan. Ikzelf leefde in de meedogenloze, misleide overtuiging dat ik werd voortgedreven door het noodlot, hetgeen ik uitlegde als rechtvaardiging voor mijn daden. Mijn ballingschap heeft me tot betere inzichten gebracht. Ik was het slachtoffer van mijn vroegere geloof in een allesomvattend Lot dat me voortjoeg, steeds maar voort, maar nu heb ik soelaas en troost gevonden in de hernieuwde aanvaarding van het strengere geloof dat wij allen zondaars zijn en eens geoordeeld zullen worden. En ook dat wij ons niet mogen verzetten tegen datgene waarop wij geen invloed hebben.

Vanzelfsprekend denk ik ook aan mijn liefste meisje, dat ik altijd zal liefhebben, zoals u mijn moeder liefhad. Wreed, wreed! Mij zo te verraden, in de wetenschap dat ik haar boven alles liefhad, alleen om haarzelf. Toch, al heeft ze me onverdraaglijk gekweld, kan ik haar mijn vergiffenis niet onthouden. Naar ik heb vernomen zal zij erven wat mij rechtens toekwam, maar ze heeft meer verloren dan ze ooit zal winnen, en net als ik zal zij eens verantwoording voor haar daden moeten afleggen.

Ik leef hier onder niet zeer gerieflijke omstandigheden, maar voor mijn eenvoudige behoeften is het genoeg. Mijn enige gezelschap is een eenogige, ongelooflijk lelijke kat, die op de eerste ochtend van mijn verblijf alhier zijn opwachting maakte en sindsdien niet meer van mijn zijde is geweken. Ik heb nog genoeg van mijn oude gevoel voor humor behouden om hem Jukes te noemen.

En nu, mijn dierbare Oudste Vennoot, kom ik aan datgene wat mij bezighoudt, en waarvoor ik u om een gunst wil vragen – als ik nog zoveel misbruik van uw goedheid mag maken. Sinds mijn aankomst hier, nu een halfjaar geleden, heb ik alles opgeschreven wat er is gebeurd, en zo heb ik een flink aantal kwartovellen gevuld, die ik met dat doel had gekocht voordat ik van Mallorca vertrok. Gisteravond laat heb ik eindelijk de pen neergelegd en alle vellen in een afsluitbaar houten kistje opgeborgen. Ik zal dadelijk een Engelse heer ontmoeten, een zekere John Lazarus, scheepsagent, gevestigd in Billiter-street in de City, die zo vriendelijk is geweest zich bereid te verklaren u dit kistje te Canterbury te doen toekomen. Hij kent mij onder een andere naam, en ik kan er natuurlijk op rekenen dat u hem niet uit de droom zult helpen. De sleutel zend ik u separaat.

Als u daartoe bereid bent – en dat hoop ik – zou ik u willen vragen de bladzijden te laten inbinden (ik kan u Riviere in Great Queen-street aanbevelen), en de band dan, indien dat mogelijk is, heimelijk in de Bibliotheek van Evenwood te laten plaatsen, waar hij later al dan niet zal worden gevonden. Ik weet dat ik veel van u vraag, maar u bent de enige aan wie ik dit kan vragen.

Er is veel dat ik nog zou willen weten – over mensen die ik heb gekend, en hoe alles gaat in de wereld die ik heb achtergelaten, en bovenal over u, hoe u het maakt, of uw verzameling floreert en of u weer geheel hersteld bent. Ik leef nu in afzondering en kan nooit meer het leven leiden dat ik vroeger heb gekend. Maar ik bid – ja, werkelijk – om uw welzijn en geluk, en een lang leven, en ik smeek u mij te vergeven wat ik heb gedaan.

Dit, dan, is wat ik heb geleerd sinds ik aan deze kust mijn biecht heb opgeschreven:

Gun niet de boosheid uwer vijanden de eer te zeggen: door hen komt al mijn leed:
Misgun niet de tijd waarin ge leeft zijn eer door te zeggen: door hem komt al mijn leed;
*Gun de Godin der Fortuin geen erkenning door te zeggen: door haar komt al mijn leed; Zorg dat God behagen in u vindt, en ge hebt een haak in de neusgaten van iedere Leviathan.'**

Ik verlang naar de slaap, en naar zachte Engelse regen. Maar zij komen niet.

E.G.

* Een passage uit preek XX van Donne, over psalm 38:3, in *Fifty Sermons* (1649). JJA

APPENDIX

P. Rainsford Daunt (1819-1854)
Bibliografie

In volgorde van verschijnen. Plaats van uitgave is in alle gevallen Londen.

Ithaca: Een lyrisch Drama (Edward Moxon, 1841)
De Maagd van Minsk: Een gedicht in twee-en-twintig Canto's (Edward Moxon, 1842)
De Tatarenkoning: Een vertelling in XII Canto's (Edward Moxon, 1843)
Agrippa en andere gedichten (David Bogue, 1845)
De Grot van Merlijn: Een gedicht (Edward Moxon, 1846)
Het Kind van de Pharao: Een romance van het Oude Egypte (Edward Moxon, 1848)
'Herinneringen aan Eton', *Saturday Review* (10 oktober 1848)
Montezuma: Een drama (Edward Moxon, 1849)
De Verovering van Peru: Een dramatische romance (Edward Moxon, 1850)
Jeugdtaferelen (Chapman & Hall, 1852)
Penelope: Een tragedie in Verzen (Bell & Daldy, 1853)
Amerikaanse Sonnetten (Longman, Brown, Green & Longman, 1853)
Rosa Mundi en andere gedichten (Edward Moxon, 1854)
De Erfgenaam: Een Moderne romance (Edward Moxon, 1854)
Epimetheus en andere postume gedichten (2 delen, Edward Moxon, 1854/1855)
De Epische Dichtkunst (John Murray, 1856)

DANKWOORD

De literaire en feitelijke bronnen waaruit ik heb geput zijn te talrijk en te zeer over de jaren verspreid, en in veel gevallen ook te bekend, om ze hier allemaal te noemen. Er bestaat vooral een overweldigende hoeveelheid teksten over het Londense leven in de Victoriaanse tijd, en die heb ik geplunderd. Toen ik dertig jaar geleden aan deze roman begon, konden die werken alleen nog maar in een grote bibliotheek en onder auteursrecht worden geraadpleegd. Tegenwoordig zijn er een heleboel op internet beschikbaar – geïnteresseerde lezers kan ik bijvoorbeeld de uitstekende site Victorian Dictionary van Lee Jackson aanraden (www.victorianlondon.org). Van de onmisbare bronnen voor achtergronddetails en sfeer moet ik natuurlijk Henry Mayhew noemen, om wiens London Labour and the London Poor men niet heen kan als men over die periode wil schrijven, alsook de minder bekende fictie van George Augustus Sala.

Drie werkelijk bestaande kastelen die model hebben gestaan voor Evenwood, Glyvers obsessie, zijn: Drayton House, het woonhuis van de familie Stopford-Sackville, Deene Park, het vroegere woonhuis van James Thomas Brudenell, de zevende Earl of Cardigan (bekend van Balaclava) – allebei in het graafschap waar ik zelf vandaan kom, Northamptonshire – en Burghley House, Stamford. De Bibliotheek – daarmee bedoel ik de boeken die de grootvader van lord Tansor had verzameld – heb ik onbeschaamd gebaseerd op die van de tweede Earl Spencer (1758-1834) in Althorp, ook een van de grote kastelen van Northamptonshire. Inwoners van oost-Northamptonshire zullen ook de namen van verschillende plaatsjes herkennen in de namen van mijn personages, waaronder Tansor (een mooi dorpje in de buurt van

Oundle) en Glapthorn (idem), het meest gebruikte pseudoniem van Glyver. De topografie van Evenwood en omgeving is uiteraard geheel verzonnen, al moet men zich voorstellen dat het stamslot van lord Tansor in de noordoostelijke hoek van Northamptonshire ligt, in de streek die bekendstaat als Rockingham Forest.

En nu de belangrijkste bronnen van advies, steun en inspiratie: mensen.

Bij A.P. Watt: Natasha Fairweather, die alles was en is wat een agent moet zijn; Derek Johns; Linda Shoughnessy; Teresa Nicolls; Madeleine Buston; Philippa Donovan en Rob Kratt.

Bij John Murray: Anya Serota, die zich net zo intens in Glyvers wereld heeft ingeleefd als ikzelf, en het boek op volmaakt professionele wijze tot de publicatie heeft begeleid; Roland Philipps, James Spackman, Nikki Barrow, Sara Marafini, Caro Westmore, Ed Faulkner, Maisie Sather en alle andere mensen van John Murray en de bredere Hachette-groep in het Verenigd Koninkrijk en daarbuiten die zoveel hebben betekend.

Van mijn beide Amerikaanse redacteuren – Jill Bialosky van W.W. Norton in New York en Ellen Seligman van McClelland & Stuart in Toronto – heb ik veel waardering, aanmoediging en steun gekregen tijdens de laatste fase van het schrijven en de publicatie. Ook Louise Brockett, Bill Rusin, Erin Sinesky en Evan Carver van Norton, Doug Pepper en Ruta Liormonas van McClelland & Stewart en iedereen bij beide bedrijven – eveneens te talrijk om allemaal op te noemen – die heeft bijgedragen aan de uitgave van De zin van het duister, ben ik bijzonder dankbaar. Ook wil ik mijn buitenlandse uitgevers bedanken voor het enthousiasme en de betrokkenheid waarmee ze het verhaal van Glyver toegankelijk maken voor lezers in Europa, Japan en Zuid-Amerika, en uiteraard ook de vertalers, voor hun bepaald niet onaanzienlijke arbeid.

Onder degenen die met grote generositeit reageerden op mijn verzoeken om informatie, moet ik eerst en vooral Clive Cheesman, Rouge Dragon Poursuivant van het College of Arms noemen, die me terzijde heeft gestaan bij verschillende kwesties inzake de (fictieve) baronie van Tansor en de juridische details van de Barony of Writ. Ik kan hem niet genoeg bedanken voor de zorgvuldigheid en de hoffelijkheid waarmee hij al mijn vragen heeft behandeld.. Mochten er toch nog juridische of genealogische enormiteiten door de mazen van het net zijn geglipt, dan komen die uiteraard geheel en al voor mijn rekening.

Michael Meredith, de bibliothecaris van Eton College, en Penny Hatfield, de archivaris van Eton, hebben me geholpen met verschillende details van de schooltijd van Glyver en Daunt, vooral het Ralph Roister Doister-incident, al mogen zij natuurlijk niet verantwoordelijk worden gehouden voor het fictieve resultaat.

Gordon Biddle heeft me geholpen vast te stellen hoe Glyver per trein van Stamford via Cambridge naar Londen reisde. Voor zijn advies over de technische aspecten van Glyvers passie voor de fotografie dank ik dr Robin Lenman. Ook Peter Marshall ben ik erkentelijk voor zijn adviezen over de begintijd van de fotografie.

Mijn bijzondere, bewonderende dank gaat uit naar Celia Levett voor haar ongelooflijk nauwgezette bureauredactie, en naar Nick de Somogyi voor zijn niet minder strenge proeflezen. Zij hebben me veel gêne bespaard.

David Young, president-directeur van Hachette Livre USA, ben ik veel verschuldigd vanwege zijn enthousiasme en zijn reactie op een concept van deel I, waarmee hij mijn zelfvertrouwen veel goed heeft gedaan. Ook mijn andere oude, gewaardeerde vriend, Owen Dudley Edwards, die de heldenmoed opbracht de proeven in één weekend door te nemen, ben ik zeer dankbaar.

Verder waardeer ik het bijzonder in (Achilles) James Daunt, de eigenaar van Daunt's Bookshop in Londen, dat hij geen bezwaar heeft gemaakt toen bleek dat ik zonder het te weten zijn naam had gebruikt voor de predikant van Evenwood.

Verder wil ik hier zonder verdere toelichting mijn dankbaarheid, en die van mijn gezin, betuigen aan een groep mensen die – letterlijk – hebben geholpen mij de kans te geven af te maken wat ik al zo lang in gedachten had: professor Christer Lindquist en Beth McLaughlin, en alle andere leden van het Gamma Knife Team van het Cromwell Hospital in Londen, en de heer Christopher Adams, dr Adrian Jones, dr Diana Brown en professor John Wass.

Ten slotte was en ben ik net als alle schrijvers voor dagelijkse steun en begrip afhankelijk van mijn naaste omgeving, mijn familie, aan wie ik alles te danken heb: mijn liefste vrouw Dizzy, zonder wie ik geen reden zou hebben om te schrijven, onze dochter Emily (wier naam, dat moet ik met klem zeggen, haar enige overeenkomst met mijn vrouwelijke hoofdpersoon is); mijn stiefkinderen Miranda en Barnaby; mijn kleinkinderen Eleanor, Harry en Dizzy junior, en mijn schoondochter Becky, mijn schoonmoeder, Joan Crockett, in wier huis ik grote delen van deze roman heb geschreven, en de andere leden van de Crockett-clan in Dorset. Het is voor ons allemaal een groot verdriet dat mijn schoonvader, Gee Crockett, het verschijnen van dit boek niet meer mocht meemaken. En last, but not least mijn fantastische ouders, Gordon en Eileen Cox, die me door dik en dun hebben gesteund – naar hen gaan mijn liefde en dankbaarheid uit.

Michael Cox